U0064860

書·不·盡·言·

張愛玲往來書信集

Volume

2

TO MY BELOVED FRIENDS

Letters of Eileen Chang, Stephen Soong & Mae Fong Soong

1980

|

1995

張愛玲
宋淇
宋鄺文美
著

宋以朗
編

目錄

Chapter

1

1980
|
1989

宋淇，一九八〇年一月二十五日

Eileen：

十二月十八日曾寄上一信，香港的郵局在半怠工狀態中，加上美國郵局的老爺，把港、美之間的通信弄得一團糟。

有兩件事非要告訴你不可。一是今年夏天六月中Madison〔麥迪遜〕的Wisconsin〔威斯康辛〕大學主辦世界性的紅學會議，計大陸有馮其庸、周汝昌（代吳恩裕，吳因病去世，周也半盲半聾）、陳毓羆，還有一位少壯派（名已忘），如那時卞之琳、楊憲益（譯了《紅樓夢》八十回）在美，也會被邀參加。香港是我，台灣是潘重規、高陽（高陽有自卑感，還在猶豫中），日本是伊藤漱平，英國是David Hawkes。其餘全是美國華籍學者，夏志清原想去，但因非本行，改去巴黎的抗戰文學研討會（二者正撞期，我推掉了巴黎那個），余英時決定參加。周策縱和趙岡是主辦人，當然以主人身份出現，此外還有研究小說的劉紹銘、馬幼恒等人，美國學者也不少。他們對你《夢魘》一書推崇備至，早就想請你參加，但知你的脾氣，不敢開口。這次趙岡特地從台灣和大陸路過香港，特來找我商談此事。我說我知道Eileen的脾氣，不願見生人，不願講話，甚至不聽電話，不拆來信。他們說他們打聽得很清楚，完全知道，並且知道我是唯一能進言的人。我對趙岡說私人的交情是一回事，牽涉到公共場所又是另一回事。他說沒有宣傳，也不要你拋頭露面說話和參加討論，願意聽就聽，不願意聽就不必參加，一切就你的方便。我只好答應他把話帶到，如果不來是意料中事。所以請你給我一個答覆。（旅費食宿全都由他們供給。）

《海上花》的英譯有轉機，《譯叢》將出一Middle Brow Fiction〔通俗小說〕專號，由柳存仁做guest editor〔客座編輯〕，一切由我同柳接洽，高克毅現在全力編字典，完全置身世外，那麼你的顧慮就可以打消了。當然《譯叢》是他創辦，但該期與他完全無關，由柳存仁直接寫信給你，豈不是乾脆俐落？希望你考慮一下。因為研究紅學之風大盛，但以考據居多，一共有三本季刊，有人為他們統計過，一年要有三百萬字才供應得了，那真成了「紅潮氾濫」了，想想令人不寒而慄，到時豈止是「夢魘」而已哉？我告訴過你沒有，我將來第一本書叫《紅樓一夢》，第二本書叫《紅樓夢醒》，知道你不會對人說，否則給別人用掉，豈不冤枉？即祝安好。

Stephen 上
一月廿五日

張愛玲致鄺文美、宋淇，一九八〇年二月九日

Mae & Stephen，

收到十二月十六與一月廿五的信，《紅樓夢學刊》《八方》也終於寄到了。大陸研究紅學的風盛，我想也是因為寫作的言路太窄了，有縫子就鑽。「統戰」現在是統一台灣，捧白先勇也甚至於是着眼于白崇禧的舊部，陳若曦則可以說成反文革、反四人幫——她崇拜周恩來，信社會主義——周策縱他們像從前奔走於兩個軍閥之間的師爺。封底那張陶俑的照片特別好。《城裏城外》我想大部份是根據事實，真是《儒林外史》外一章。中共幹部大概是腐化了。我姑姑信上說「你知道近年來我們這裏請客〔幹部〕的風盛。」一次次翻案，總拿下級開刀，太沒安全感，怎麼不追求點起碼的享受？昨天夢見你們倆，熱鬧的長夢——好些天沒做夢了——想必因為惦記着還沒回信。我上一封信是因為《海上花》在《譯叢》上登一部份的事Stephen久已說過，我一直躭擱着，志清一封信，馬上整理出來預備發表了，未免使人寒心。我以為你們誤會了，心裏非常難受，不得不說出以前為什麼仿彿推三阻四的原因。不然這些陳穀子爛芝麻，也不會告訴你們，因為知道跟喬治〔志〕高的交情。而且機關裏互相排擠本來是天經地義，不過他對我稍微有點paranoid〔疑神疑鬼〕。第一次去，有個美國人叫我聽中文話劇錄音帶，高在隔壁竊聽，站在自己書桌前理東西，站了半個多鐘頭，在板壁上截玻璃上露出半身。播音他們就用自己人，想必酬勞論頁數，所以念得奇快，像嘴裏含着個燙洋芋。短波播送，國語不大好的聽眾怎麼聽得懂？問我的意見，我當然說

好，「不過稍微太快了點。」再追問也還是這句話。出來又有高的下屬追上來攀談，防我再到哪去告狀。此後只要知道我在這大樓裏，總派人釘，看得出是假fan〔書迷〕，再不然就是Dept.〔部門裏〕的黑人女書記。使我想起剛從大陸出來的時候再進港大，有個女舍監是中國人，常跟我攀談，我以為是因為年紀相仿。她長得至少比我好，英文當然也說得好。她總是打聽我跟保我出來的老教授的關係，見確實沒來往，才不找我了。我到日本去了一趟又回來了，香港警局調查我，到港大女生宿舍一問，舍監說我有共諜嫌疑。我雖然人緣不好，撞來撞去這些年，倒也沒碰見過一個壞人，——也許因為我的水準低——除了這兩位。Stephen是剛巧接觸到他的優點，又不是「在他簷下過」。Dick McCarthy只知道有一次我搬家，劇本遲了一天交卷，一夜沒睡直到第二天上午才抄完，太累了不想見人，到郵局去寄又還要晚兩天到，只好乘午餐時間沒人的時候自己送去。不料已經交給櫃枱上走了，高又跑出來把我叫回去，要我簽收條領錢。他忘了告訴我根據中文材料編的要少拿$200，見我仿彿不願意，說了聲「Anyway that's it」〔總之就是這樣〕就走開了，丟我一個人在那裏。這job〔工作〕收入雖少，靠它住房子等於免費，我除非不想幹了，總不見得為了二百元跟上司吵。也是因為累積的事故多了，在過度疲倦的時候爆發，等他回來的時候就笑着說：「I signed, but I'm going to lodge a complaint.」〔我簽了，不過我準備投訴。〕他一怔，趕緊去向McCarthy訴說。McCarthy找我去，十分為難的樣子說：「George Kao is very disturbed.」〔喬志高很困擾。〕I made light of it.〔我儘量輕描淡寫。〕他如釋重負。他調走後隔了些時，高大概從《流言》上看到我重視陰曆年——其實也早已不過了——年三十晚上打電話來告訴我歇生意。此後他到處說我，所有我來美後的傳言都是從他那裏來的。朱西甯聽了於梨華的話，我分辯他還不信，去年我寫信去跟他make up〔和好〕，也沒回信。固然是因為他跟胡蘭成的友誼，也是因為對於他我失去了credibility〔聲望〕。高的太太梅卿跟我同學，她有個校花姐姐，也是與Mae的共同點之一。她姐姐李月卿其實並不能算漂亮，是最得人心的一個學生領袖，連我跟她一進一出，只同學兩年，也覺得她人好。梅卿比我低兩級，雖然沒什麼接觸，也覺得她人好，quiet & subdued〔沉靜不張揚〕，也許因為姐姐太出風頭了。長得也像她姐姐，小時候瘦長。在華府打電話來請吃飯，談了半天，聽上去也還是那樣。她跟高大概是外型與內心都是opposites attract〔相反的人彼此吸引〕。他當時老是挑撥離間，告訴我陳若曦等台大的一批青年常到McCarthy家去，表示待他們比對我好。Dick我一直只希望他在最要緊的地方幫我點忙，如去年年底他在聖誕信上介紹一個代理人推銷《海上花》——Rodell早已去世——如果Radcliffe Institute不管出版的事，大概也不用找Indianna U. Press了，我又一塊石頭落地。柳存仁我'65年在Bloomington, Ind.開會碰見他，就坐在我前排，我跟他招呼，他鼻子裏哼了一聲，板着臉正眼都不看我一眼，唯恐我托他找事。當時我信上告訴你們，說也許也是因為從前有一次怠慢了他，讓他在我們家洋台上獨自站了半天。不是我睚眥必報，似乎不犯着去替他捧場，不登也罷。《海上花》只有胡適等幾個人喜歡，與作者同時的更一個都沒有，似不能稱middle-brow。《九尾〇》則是low-brow。從前我可以在大學圖書館查字典，現在不可能去，實在太費事。這次幸虧你們代查了這麼許多。我知道《辭源》貴，而且有的沒有，還要查別的字典，但是有一部總比沒有好，還是請代買《辭源》，大概多少錢，告訴我一聲，好寄支票來。「浦」是否estuary〔河口〕?還有些字，漢英字典上恐怕也不會有：大悲經，金剛。去年七月*Newsweek*醫藥欄上說有個醫生治失眠症，叫每天遲睡三小時，倒跟我實在無辦法中的辦法不謀而合，不過我不止三小時，而是一天半併作一天過。所以有時候黎明即起，有時候半夜起身。睡得糊裏糊塗的聽電話，會得罪人，只好不接聽。九月法院通知我去做陪審員，我寄了*Newsweek*剪報去，說明我有失眠症，倒就此音訊杳然了。不然免役要醫生證書。十二月水晶提早寄賀年片來，附筆說Cyril Birch有意叫我參加一個《紅樓夢》symposium〔研討會〕。水晶主張也邀我去'81錢鍾書再來加大談魯迅的symposium。我以為前者也是在柏克萊，雖然近在咫尺，我去起來也麻煩，而且會影響情緒很久，損失的workdays〔工作日〕不止來回一兩天。但是究竟是個機會，只好又翻翻〈二詳紅樓夢〉，看有什麼可用的材料。除了看出有些漏洞之外，倒發現也許可以拆開「甲戌本的年份」獨立，那就簡短得多，可以譯成英文，在此間投稿。但是答案缺四分之一，就是不行。此後水晶又轉來周策縱托Birch代轉的請柬與附條，我已經回掉了。原來有這麼許多名人出席。Stephen可以遇見Hawkes！我沒有論文可讀，——在夏天以前也絕對不會有——不然可以希望引起一點興趣，投稿容易些，再勉強也只好去了。請回覆趙岡，替我向他多致意。「名字寫在水上」Keats全句更深刻動人，我當時沒能領略，完全忽略了。同是忘了出處，我確實記得是「Brevity is the soul of wit.」如果是Polonius訓子嘮叨了一大篇之後說的，真幽默！我上次替我姑姑打聽K.C.吳，不知道可還在世。我只聽見他太太說過她有心臟病。《紅樓夢醒》的題目太好了。我當然不會告訴人。又快過年了，你們倆都好？

Eileen 二月九日 1980

張愛玲致鄺文美、宋淇，一九八〇年二月二十四日

Mae & Stephen，

上一封信上說喬治〔志〕高在板壁上截的玻璃上「現身」，我想除了為了聽得清楚些，也是警告我說話留神些。同聽錄音帶的美國人背對着他。收到皇冠版稅，又從四千跌回到二千多，又該打氣了，所以寄了這篇散文來，我想還是寄給《聯副》，可以自校，稿費也多點——〈〇〇包括在外〉$50，〈表姨〇〇〇〇〇〉$100，《中國時報》〈羊毛〇〇〇〇〇〉$70。瘂弦屢次來信，又叫他的女助手丘彥明寫信來說與《人間》競爭失敗求救。我附了封信給丘，請一併寄去，可以不用寫covering letter了。我上次提起沒字典可查的幾個名詞，《海上花》上還有一節：一個倌人袁三寶聽見客人錢子剛叫另一客人「亞白哥」，想起京戲《送親演禮》，笑出聲來。「子剛問其緣故，三寶掩口胡盧。那高亞白倒不理會。」——「亞白」蘇白音近「啞吧」，不知道這齣戲裏的pun〔雙關語〕可在這裏？此地今天午夜後有不太輕微的地震，很可怕。這兩天你們倆都好？

Eileen 二月廿四

〈談吃〉有一個魚名（herring. P.17），一個果仁名（peccan.P.18）請代查字典代填。Peccan pie，pie照廣東話譯「批」，台灣有的廣告上作「派」，如改「派」較易懂，請代改。

又及

張愛玲致鄺文美、宋淇，一九八〇年三月十四日

Mae & Stephen，

上次寄了〈談吃〉來之後，遲遲沒寄改稿來，你們也許以為我這次老脾氣沒發。這裏寄了十一頁來，代替原有的P.1,3,4,5,5b,10,13,15,15b,19這十頁。如果晚了一步，已代轉寄了去，這十一頁就請等有便平郵寄還給我——不忙——免得以後出書的時候再抄。匆匆去寄出，希望你們倆都好——在報上看到陳若曦來港時Stephen的照片。上次我說《城裏城外》，雖然知道是指《圍城》，老是想着另一篇寫母女倆，想把女兒從鄉下調上城來做工，給有病的女兒補養的一鍋雞湯的故事，所以文不對題。幹部設法送子女出國留學，我覺得不能算腐化了，因為升學問題的嚴重。

Eileen 三月十四

宋淇，一九八〇年三月十九日

Eileen：

二月廿四日信和〈吃與畫餅充飢〉均收到，我們一向以為你不食人間煙火，想不到寫起吃來竟然如此頭頭是道而且很多都是別人所不注意的，令人看得都津津有味。全文開始較好，有較多張愛玲筆觸，中段以後較弱，結尾雖力自振作，但欲起乏力，我不憚冒昧，大膽改寫，加強結句，現在附上，如你認為是一種improvement〔改善〕，不妨根據你自己的寫法重寫，好在末一頁才佔半頁，重抄寫不費事。這樣似乎可以把文章拉起來一點。

另外還有幾點：（一）肉腸都誤寫為「月易」，已改正。（二）herring字典上作鯡魚，我自己從前譯為「大青魚」，想必有點根據，現仍根據字典，暫時寫上鯡魚。（三）pecan只有一個c，應為pecan，字典上是山核桃。（四）頁19，「迄今也只有喂雞」，根據《辭源》應作餵雞。《辭源》

上說，「喂」：（一）恐也；（二）俗誤為餵養之餵。（五）文章中有禿頭句很多，有時沒有主詞，有時沒有動詞，想來是你近來文章風格的改變。有時實在看不明白，不得不建議改動一、二字，附上第十五頁上的一句，不知你同意否？

你信中說要打氣了，可見你拿這篇文章看得很重。最近《明報月刊》的主編胡菊人脫離《明報》而加入一張新辦的《中報》，副刊編輯莫圓莊也是你的忠實讀者，第一件事就是託我向你拉稿，我說只可一試，但絕無把握，這次這篇稿子來，我落得做個順水人情，告訴她稿子已有，但允承《聯副》在先，不過可以港、台兩地同時發表，以前也在《明報月刊》上做過。好在香港看贈閱《聯副》的人不多，《中報》根本入不了台灣，二者並不衝突。《中報》願出二十元美金一千字，恐怕不在《聯副》之下，一舉兩得，何樂不為？丘彥明曾有電話給我，我告訴她正在為你們《聯副》寫稿，所以你給她的信扣留未發，希望你重新寫過，事先聲明，最後一校時影印一份寄給《中副》，定於×月×日起同時連載（航空寄要十天，至少要給半個月，以備他們留出地盤。）另寄上《中報副刊》一份，看你作參考，兩全頁一定可以擠出地位來登你的作品。中報有限公司的地址是：香港（另附上），最後一校的複印稿子不妨直接寄去，以節省時間。匆匆祝好。

Stephen

80年三月十九日

〔下頁為宋在張原文上所改稿。附文：〕

這一段「中國」「中國人」太多，匆匆寄上？去後，覺得不妥，就修改了一下，仍是不妥。不過拿你的原意發揮得更透徹一點，加重結尾。請重寫

Eileen：

你的四封信和改稿都陸續收到。我們所要等的就是這封信的回信，因為事關一稿兩投，時間如何分配，原則上接受與否（與收入有關，想來不成問題），以及最後一段的重寫都要你決定。昨

天下午收到你八日來信，仍無表示收到這封信，一定是遺失了，故特補印寄。

Stephen
April 15/80

〔以下為3/19影本，末尾文字：〕如不便，仍可由我轉。丘彥明來港逗留曾見一面，已同她談過，原則上並不反對，只要兩個同時發表。《聯合》稿擠，恐怕要多給一點〔時〕間，而《中報》則要多登幾天。

張愛玲致鄺文美、宋淇，一九八〇年三月二十日

Mae & Stephen，

我又要來了！又寄來〈談吃〉的P.1, 1b, 13, 14, 14b這五頁，要麻煩你們抽換原有的P.1, 1b, 13, 14這四頁。如果來不及了，請等幾時有便，與上次寄來的十多頁改稿一併平郵寄還給我。希望你們倆都好——

Eileen 三月廿日

張愛玲致鄺文美、宋淇，一九八〇年四月六日

Mae & Stephen，

三月十九的信與《中報》都收到了，我看這報比台灣的報紙對胃口得多。能同時登載當然最好了。我寫給丘彥明的信沒寫月日，就是因為知道要躭擱很久才寄出。第二次寄來的幾頁改稿想也

收到了。我沒大吃過齋菜，所以以為素雞素鵝等全都差不多一個味道。末頁改寫過，麪筋如果是麪粉製的，不是豆製，請代刪去（l.11）。連同別的改稿共15頁：

P.4, 5, 5b, 6b, 7, 12, 14, 15, 15b, 16, 16b, 17, 19, 19b, 21,

代替原有的這12頁：

P.4, 5, 5b, 7, 12, 14, 15, 15b, 16, 17, 19, 21。

「不像此地的中國餛飩擱味精」這句與「不像他見過世面」結構相同，文法沒有錯。我舉例子的這句不能改為「不像見過世面的他。」禿頭句子是因為更近口語。有兩句太不清楚，已經補加主詞。排印的錯字問題我覺得不光是我的字體問題，也是因為文字不深奧，不使排字與校對者提高警惕，集中注意力，而內容又比較怪，他們不熟悉。所以擔心最後的清樣副本寄給《中報》，恐怕還是要囑托主編一聲，多校幾遍沒用，最好請可靠的人check〔確認〕一下，有沒有錯得講得通的錯字。如果Stephen跟他們通電話時順便提起，我就不另附信了。希望你們倆都好。

Eileen 四月六日

張愛玲致鄺文美、宋淇，一九八〇年四月七日

Mae & Stephen，

今天剛寄出〈談吃〉改稿[1]，又想起來忘了請丘彥明寄校樣來不要掛號，以前仿彿也說過，但是他們大概不會記得。所以又補了張便條來[2]，來得及的話請一併轉去，來不及就算了。

Eileen 四月七日

1. 一九八〇年四月宋淇致丘彥明書，附上張愛玲給丘彥明的兩封信，提及張期間先後寄來改稿六次，「愛玲的認真和精益求精於此可見」。並說「這篇文章很別緻，有不少她獨有的筆觸」。

Mae & Stephen，

今天早上寄出〈談吃〉改稿15頁後，又另信補寄來一張給丘彥明的附條。現在P.16又添了一句，把P.16,16b這兩頁重抄了寄來。Zanzibar如有通行的譯名，請代改。（P.16倒數第三行）如果已經轉去，就讓它去了。煩不勝煩，真不過意。祝你們倆好。

Eileen 四月七日

張愛玲致鄺文美、宋淇，一九八〇年四月九日

Mae & Stephen，

七日連寄了三封信來，第二封給丘彥明的附條本來不預備寫日期，一時忘了，寫了個「四月」，只好連着寫下去。第三封把P.16,16b又添改了寄來。今天又把這兩頁重抄了寄來，P.16稍有增減。如果稿子已經給轉了去，我想請把這兩頁補寄給丘彥明——又要Stephen寫covering letter——好在他們要配合《中報》一齊登，不會馬上發排。這樣囉唆個不完，真有點說不出口。這絕對是最後一次了。希望你們倆最近不太忙。

Eileen 四月九日

宋淇，一九八〇年四月十八日

Eileen：

自接到來稿後，始終拿在手裡不發，一則知道你一定會有改稿，二則知道你應該回我的信。到今天總算接到你四月六日的覆信和15頁改稿，也許這封信過重，要你自己去郵局寄，反而比七

日、九日的遲到。總之，現在港、美之間的郵政服務毫無軌道可言，希望你不要因為我等不及而又寄了副本來，再抄一份寄來，那就慘了。

計前後共收到三、十四，二十，四、六，七，七，九日六封信及附來的改稿[3]。今天下午總算依照它們的先後次序一一抽換，花了我一下午，頭昏腦脹。大體上，除了有一處缺了五行，從原稿中剪出補上，居然連上了。

有一處我忘了同你說，第八頁中，「英國文藝裏」，這名詞不好，一是改為「英國文學作品」，二實在沒有辦法改為「英國文藝作品」，現在擅自作主改為「英國文學作品」，如果你堅持，可以在校對時再改回來。另一處下面一句：「兩瓣麥分夾着流溢的黃油，也使許多文人聯想到女性性器官。」想來必有所本，metaphor（譬喻）很striking（引人注目），但和文章沒有內在的必要關聯，同時在行文上也是多餘的贅筆digression（離題）。我們並不是清淨教徒，可是你這篇文章寫得如此之精雅，忽然插入這樣一句，非但是白璧之玷，而且大有可能給人利用來攻擊你的作品和人。一句無關緊要的句子可以罵得你體無完膚，所以讀了三遍之後，我們堅決主張替你刪去這句，免得你一番心血付諸東流。因為這一句不會使你有所得（gain），而使你大有所失（everything to lose）。

「麵筋」我們問過人，也查了《漢語詞典》是麵粉做的，已經照來信所說，替你刪了。

替你整理完稿子，等於生了一場小病，現在先拿這封信趕出。希望能在週末再有空看一遍，然後寄給丘彥明[4]。即祝　安好。

Stephen

80年四月十八日（星五）晚

2. 一九八〇年四月八日張愛玲致丘彥明信，請他們「寄校樣來請不要掛號」。另一封信則說明托宋淇轉寄〈談吃〉，並說：「我寫得慢，就這麼篇東西也先後寫了兩年。如果在節骨眼上有個錯字，使人不知所云，實在像是兜心一拳。」希望可以讓她自校兩遍，最後的清樣校對經她過後可以直接發排，不再校對。

3. 指〈談吃與畫餅充飢〉的改稿。

4. 丘彥明是《聯副》主編。

張愛玲致鄺文美、宋淇，一九八〇年四月二十二日

Mae & Stephen，

收到四月十五日的信，附有三月十九的信的副本。我八（？）日信上，記得照例一開頭就說收到三月十九的信。不知道我那封可會寄丟了？日期不十分確定，也不大確定是否第四次寄改稿來，只知道那次寄來的是P.4，5，5b，7，12，14，15，15b，17，19，21，共十一頁。末段已經照Stephen說的重寫過，除了少一句「甚至勝過真品」，因為我是個purist〔純粹主義者〕，主張什麼都要有「原味」，代用品能「味似」原味，已經不得了了，勝過原味我覺得不可能。除非靠多擱味精？那又有害，也嫌單調。「不像此地的餛飩擱味精」這句不能改的原因我也解釋過。禿頭句子也改掉了兩句。既然稿子還沒寄出，我就又乘機再改了一頁寄來，（P.3,3b）代替原有的P.3。永遠麻煩個不完，我是真的心疚。希望你們倆這一向都好。

Eileen 四月廿二 1980

《聯副》清樣的副本我自己寄給《中報》也是一樣。上次我提起錯字的事，忘了說：出書照剪報印，也還是錯字特別多，可見不完全是因為我的字體。請Stephen跟《中報》說一聲，關於注意錯得講得通的錯字——我實在不放心。

又及

宋淇，一九八〇年四月二十八日

Eileen：

四月廿一日將〈吃與畫餅充飢〉一稿的影印本和你給丘彥明的信一併寄出，當晚她就有電話來催稿，說《聯副》有意在五月四日闢專欄，慶祝五·四，想用（你）的文章打頭炮，我立刻說文章已寄出，但時間上絕對不許可，因為張愛玲信中說得清清楚楚，文章非自校不可，希望他們另作安排。此信到時，說不定初校稿已到達你處。

我上次給你的信上說由《聯副》最後的校稿可影印一份給《中報副刊》，事後想想很是好笑，因為《聯副》的校稿交給《中報》，仍要由《中報》排過，不能保證一定沒有錯字，豈非多此一舉。所以我今天又將原作的影印本另一份寄給《中報副刊》編（輯）莫圓莊女士，請他們直接付排，將校樣直接寄給你。現在將我給她的信副本附上，好讓你明瞭我同她聯絡經過情形[5]。我已將你的地址寄了給她，由她直接將校樣直接寄給你，以免由我在中間傳遞失誤和躭擱時間。相信她會告訴你她的地址。又兩稿第八頁那一句均已刪去。即祝安好。

Stephen
80年4/23

5. 一九八〇年四月二十六日宋淇致莫圓莊書，附上〈談吃〉的影印副本，說明稿件的校對情形，並且請《中報》直接發排。

張愛玲致鄺文美、宋淇，一九八〇年四月二十八日

Mae & Stephen，

收到四月十八日的信，真內疚到極點。好像你們還不夠忙，家裏的病痛還不夠多。小病的滋味我太熟悉了，往往並不比大病好受。以後我再也不能這樣，無論寫什麼，寫完了至少擱兩個月再說。即使寄出後還是需要修改抽換，不至於像這次這樣太離譜。〈談吃〉引的muffin的比喻是刪掉了好。我那封遲到的信並沒到郵局去寄，只在超級市場磅了一磅，總多貼點郵票，免得退回。收到十五日的信後立即回信，又附了兩頁改稿來，請千萬不用補寄給丘彥明，也不必寄還給我。我以後可以作另用。《中報》地址也不用特為來信告訴我，清樣副本寄給Stephen轉去也是一樣。《聯副》稿擠，想必時間充裕，不爭直接寄《中報》的這點省下的時間。希望至少十八日來信後你們倆都好。

Eileen 四月廿八

張愛玲致鄺文美、宋淇，一九八〇年六月七日

Mae & Stephen，

丘彥明來信講瘂弦要求Stephen寫篇東西關於〈談吃〉，我也覺得不適當。重刊〈五四遺事〉真是個好idea，尤其因為我一直擔心被人收入選集，轉載後比較熟套，即使被選了去，也不像是給人家掐了個鮮頭去。萬一《中報》也要轉載，我寄一份來——我自己的丟了，這是志清複印給我的，已經很模糊，不能再複印了。如果《中報》不大keen〔熱中〕，就不要給他們，也不必寄還給我，我還有兩份，等《聯副》轉載後就又有了。《中報》迄未寄校樣來，本來也就算了，譬如是《中國時報》，也不能自校。但是《聯副》第一次校樣上有兩處漏掉一句，想必是我寄改稿來次數太

多，整理時遺漏了。——代補的兩句漏掉的是刪了的，我自校時也就保留了下來。——此外自校時又改「齇齇」為「窩窩頭」，又有一處加了個「更」字。《聯副》已經兩次寄校樣來，恐怕不會寄第三次了，不然可以複印個副本寄給《中報》。有問題的這四頁上添改的四處都用鉛筆在旁邊劃一行作記號，請轉交《中報》，來不及寄校樣來也就隨它去了。一般譯「阿彌陀佛」的驚嘆詞怎樣譯？還有園藝上「接枝」英文是什麼，一時再也想不起來。賭錢「單打」我只知道antinym〔antonym〕是hedging the bet。曹禺跟李玉茹結婚了，兩位我都見過，所以對他們的故事很感到興趣。你們倆都好？

Eileen 六月七日

張愛玲致鄺文美、宋淇，一九八〇年六月九日

Mae & Stephen，

七日的信剛寄出，幾個鐘頭後就收到《中報》莫圓莊寄來的校樣——也還是掛號，大概忘了——叫我校過後寄給繼任的編輯談錫永。我寄來的四頁改稿用不着了，如果已經轉交《中報》，又白給Stephen添出了麻煩。莫圓莊已經離開《中報》，我看〈五四遺事〉的事不用跟他們提了。匆匆去寄這張便條。Edward Gunn的書*The Unwelcome Muse*送了一本給我，一直白擱在這裏，如果你們沒看過，過天我平郵寄來。當然寄出前會翻看一下。祝

好

Eileen 六月九日

鄺文美，一九八〇年六月十五日

愛玲：

很久以來我一直想好好的寫封信給你，講一下自己長期緘默的原因，可是好幾次拿出紙筆，卻覺得心亂如麻，無從說起，以致一再因循，拖延至今。也只有你這種知心好友，竟然若無其事的照樣一封封信寫給Mae & Stephen，我讀了不免暗自歉疚。

或許你約略知道，我的煩惱主要源自高齡（今年九十八歲）老母的多災多難。最近這四年，她進過七次醫院，每一次都是痛苦而可怕的經驗，弄得別人焦頭爛額，我首當其衝，遭殃自不待言。平時她性情日漸乖張，行徑希奇古怪，總之，越來越難侍候，遂使我們的家蒙上重重陰影……一切你想像得出。你一向認為Stephen和我是天造地設的一對——我們的確情投意合，四十餘年如一日——可是美滿姻緣偏偏會生出這些莫名其妙的枝節，命歟?!?!我常常覺得對他不起，因為老人家每次出事，一定引起連鎖反應，影響到他的健康和心情；同時我自己承受着多方面沉重的壓力，日久漸感不支，變得神經衰弱，每天凌晨三四點鐘就醒了，心驚肉跳，有大禍臨頭的感覺。以前你說我積極樂觀，擅於處理人際關係，現在我脾氣變壞了，再也不是你記憶中那個溫婉柔順的女人，因此我對自己非常失望，非常生氣。一直想瞞住你，不讓實情破壞了你心目中美好的形象，（我珍視你的友情才這樣想，你一定瞭解。）今天實在彆不住，終於告訴了你，心裏立刻一輕鬆。

你不必替我擔憂，這些現象遲早會成為過去。在這暗淡的時期中，我只是環境的犧牲品，very much mixed up〔十分迷惘〕；有一天時移勢轉，一定會忘記一切不幸，找到真正的自我。目前我不必尋求心理分析或精神治療，因為已掌握到自救的良方：煩惱的時候「蒔花為樂」。我家露台上的花木欣欣向榮，茉莉剛剛開過，香氣猶存，曇花又在含苞待放了。再過幾個月（九月底）Stephen就要退休，我們搬回Kadoorie Ave.舊居後，生活方面必須重新適應——那是將來的事，毋需愁得那麼遠。

你問起「接枝」英文怎樣說法，我記得好像是grafting，字典（webster）上這樣說：(1)a shoot or bud of one plant or tree inserted or to be inserted into the stem or trunk of another, where it continues to grow, becoming a permanent part; (2) the act or process of inserting such a bud or shoot;

不知道和你的意思符合嗎？

美

一九八〇年六月十五日

宋淇，一九八〇年六月十五日

Eileen：

六月七日信和附件和六月九日航簡同時抵達。

《聯合報》原本打長途電話來要我寫一篇短文來配合你的〈吃與畫餅充飢〉，我認為不妥，很容易給別人一個「互相標榜」的印象，弄得不好成為反效果。後來想：不大好意思，他們一番好意，我這樣做未免有點像「拒人於千里之外」，所以後來去信建議另外兩個promotional辦法，其一是reprint〈五四遺事〉，瘂弦回信很是感動，並且完全接受。

信中問「阿彌陀佛」的譯法，我查了《紅樓夢》第六回劉老老，第二十五回林黛玉都說過，以下是兩種譯法：

David Hawkes：（1）Bless you，（2）Bless his holy name!

楊憲益夫婦：（1），（2）Buddha be praised!

前者較注重西方讀者的接受習慣，後者較注重原作的「佛」字，抄出來作為參考，由你自己決定好了。

Edward Gunn那本書他已送了我一冊，他是夏志清的得意門生，在港寫論文時上我家來過幾次，問了我不少問題，總算幫了他點忙。現在Cornell任教，在這方面算是權威了，國語說得極流利，外國人中少見。你那本不必寄給我。

David Hawkes用中文寫了一篇〈西人管窺紅樓夢〉，登在北京出版的《紅樓夢學刊》1980（1），外國人能寫如此通順的白話文還是第一次見到。我現在將他簽名送我的tear sheets〔樣張〕和我的論文的抽印本一同寄上，最好看完後能寄還給我。他在附給我的短信中有如下一段：

I had not realized when I wrote the 西人管窺 article, how similar my views are to 張愛玲's. Re-reading parts of the 紅樓夢魘you once sent me, I feel quite dismayed. It might seem to some people that I have simply copied her ideas without acknowledgement. Well, it serves me right for being so lazy.

〔撰〈西人管窺〉一文時，未嘗了悟自己與張愛玲看法何其相近。如今重讀一部分您先前寄來的《紅樓夢魘》，不禁爽然若失。也許會有讀者看了以為我只是從她書中暗暗抄來主意。這般疏懶任性，合該此報。〕

《中報》是新辦的報紙，莫圓莊是副刊編輯，原想辦得有聲有色，可是香港寫副刊的就是這幾個人，又出不起稿費，編不出新花樣，結果做到五月底辭職，由談錫永接手（也是副刊專欄作家，我不認識），〈五四遺事〉不宜於登在香港的副刊上，好在我手中有一份《文學雜誌》，將來影印時可以比你寄來的清楚。等有機會時再說。

紅學研討會，Mae為了她母親走不開，我身體不太好，一個人去沒有人照顧，如果生病得不償失，所以決定放棄。祝好。

Stephen

15/6/80

張愛玲致鄺文美、宋淇，一九八〇年七月十三日

Mae & Stephen，

收到六月十五日的信與兩篇論文。我一直知道Mae 照應Auntie多麼辛苦，你們不說，並不是就是好些了，不過一言難盡，是個痛苦的話題，所以我後來也沒再問起。Ferd從前說他待他父母不大好，不過最後他們倆先後得了半身不遂，他一個人伺候他們倆幾個月——他母親死後父親幾天內也死了，不想活着了——覺得總算對得起他們了。那還只有幾個月。像這樣長年拖下去，怎麼不把人拖得脾氣都變了？病人也性情乖張起來，像小孩一樣想要更多的att'n〔照顧〕。家庭裏的氣氛也可想而知。幸而Mae有蒔花這條逃避的路。接枝當然是grafting。其實在Stephen信尾加這句就行了。寫信要提起心事來，千萬不要再寫了。我的信除了業務方面，不過是把腦子裏長篇大論對你們說的話揀必要的寫一點。從過陰歷〔曆〕年以來，我兩個knuckles〔指關節〕上擦破了點皮，三個月都兩隻手不能下水，不能洗頭洗澡，（人太髒了也不好意思到理髮店去洗）擔心生蝨子，——附近貓狗多，是真有蝨子。手剛好，先一隻手臂肩膀扭了筋，又延遲發作起來，幾個月後才現出大塊烏青，別處任何急促點的動作都震得痛澈心肺。我不相信此地的chiropractors〔脊背按摩師〕，只自己搥打，勤搽witch hazel〔金縷梅酊劑〕，不搽更壞，但也沒好。本來我不是這樣就是那樣，又不是什麼病，不值一提，但是剛巧我姑姑兩次叫人來找我，連日不斷的打電話來，揿鈴，沒見也已經攪得我頭昏腦漲。我姑姑氣得不理我了。我信上要她叫我這表妹——一個教化學（？）的盧教授太太，住在洛杉磯，剛從馬尼拉回來，還要到別處去——寄個電話號碼給我，讓我揀白天清醒的時候打去，她顯然也不願把這話轉去。因為聽見說也許住得離我很近，我查電話簿上所有市區較有可能的姓盧的都打去問，也都不是。我姑姑雖然是氣我在親戚面前掃了她的面子，我想癥結也還在她不相信我這些年無法找事，總是專心寫作不肯找。其實她也不是沒見過我找事落選，不過總以為美國是找事天堂。莊信正把他的事讓了給我之後，隔些時回來一打聽，對我說：「說人人緣不好——」with consternation〔語帶驚駭〕，下句沒說，聽得出口氣是：「沒見過像你這樣的。」我住在洛杉磯

這樣自得其樂，也就是因為不需要應付人。我姑姑的事也只好讓它去。我更覺得我沒錢寄去就不寫信是對的。什麼她都不以為然，雖然隱忍着不置一詞，往往露出諷刺的口吻。再要靠人在中間傳話更糟了。不過我還要寫信去說如有便人帶她的兩件玉器到紐約去賣，寄個電話號碼給我，好讓我交給他，再不然我掛號寄到紐約，托她很信任的一個朋友賣。以前我來信說Mae到紐約去如果經過洛杉磯，在機場打個電話給我，讓我趕去見一面，就是想托Mae帶去賣，賣不掉就拍賣。我想賣不出錢來，不過總應當賣掉。後來再一想，你們會感到頭痛，才打消此意。《紅樓夢魘》替我送了本給Hawkes，我真覺得感謝。他的白話文真看不出是外國人寫的。繡鳳繡鸞與王夫人的大丫頭人數的問題，我想跟他自己說的金釧玉釧的情形一樣：是姊妹倆，妹妹是小丫頭，以後可以遞補為大丫頭。「窗明麝月開宮鏡 室靄檀雲品御香」，我想不是指麝月檀雲二人一個對鏡，一個品香。第廿四回香料有「冰片麝香」，一般認為是兩種，但是可能是一種，「冰片」是麝香in this form（在此狀態）的形容詞，切成大圓片，像月亮，（現在有種樟腦也是半透明的圓環）麝月丫頭因此得名。此處是用像滿月的麝香去比明窗前的明鏡。寫到這裏想起來，賈芸「在香鋪裏買了冰麝，」俞平伯校本注「冰麝」「從脂本、戚本。」「冰片、麝香」簡稱「冰麝」有點奇怪，「冰」作為形容詞比較像。又，兩種名貴的香料不會裝在「一個錦盒」裏，損害了香味。Hawkes送Stephen的這份過天就寄還。〈論怡紅院總一園之首〉對《紅樓夢》的評價舉出最切實的理由——通篇都是詳盡的列舉——跟其他世界名著不是比較文學那麼比，也不是不比，像有些中國本位的學者招罵，真好。蔡義江那本書是重要，占花名的預言這才真相大白了。我托買《辭源》如果還沒買的話，我想不買了，《海上花》就快譯完了，（這一向工作受影響）以後再看情形。已經買了就千萬寄給我，隨時總有需要的。希望你們倆身體都好，九月搬家Mae又忙上加忙了。

Eileen 七月十三 1980

宋淇，一九八〇年八月十日

Eileen：

七月十三日信收到，因為事忙一直沒回。

你姑姑的這種心態絕對可以理解，在大陸關閉了幾十年，對外面的世界絕對不可能瞭解。最近國內算是拉起了一截竹簾，然而裡面的人看得眼花撩亂則有之，對整個西方國家無法達到正確的perspective。像你姑姑這樣年歲，更是有了成見之後，絕不會相信任何與她腦子裡既有的想法不同的說法。不要說美國了，內地人到現在對香港也是一腦子錯誤觀念：遍地黃金，不用做事，26"的電視，最輕便靈巧的tape recorder等等，要是你告訴他們香港找事難，大家都在拚命工作，省吃儉用，接濟家人，他們還以為你在故意說謊。來了之後，勉強能適應的還是有，年青力壯的可以做建築工人，無法接受現實的居多，只好挨苦，想盡方法過日子。老一輩懂英文的，沒有受馬、列薰陶的人，還能對付，索性年青的，沒有學過俄文，重頭學英文倒還是一條路，總有熬出頭的日。最慘的是中年的一代，學的是俄文，現在早已忘了，照年齡算，應該是目前establishment〔編制〕人物，忽然也要出國，於是牢騷滿腹，懷才不遇，鬥人和被人鬥的經驗豐富，真與假不分，那才是真可怕。我們起先以為人性總是好的，現在才正式認識到唯物論的威力：原來人性可以為環境所改造、變壞、左右，什麼decency〔體面〕都沒有了。有一個人出來說，同太太極好，可是兩人相約暗地裡不說話，以免受訊問時兩人受不住壓力而口供不一致，不說話就等於保證夫妻之間不會出互相指控的事——這種想法如非他們親口道出，誰都創造不出來。你姑姑既然如此，你也不必放在心上，平日為人要求別人瞭解已經困難萬分，何況在這是非黑白顛倒的國家內生活了幾十年的人？

〈談吃與畫餅充飢〉已由胡菊人和瘂弦直接洽妥分別在《中報月刊》八月號，《聯合報副刊》七月卅一日，八月一日（兩日分上、下）同時刊出。《中報月刊》編者代加小分段十段數字，大概怕文章太長，很費了一點心思，莫圓莊已辭去副刊編務，而且《中報副刊》如分七到十天連載，讀者一定看得筋疲力盡，胡菊人一向不送作者登出文章的刊物，所以我自己買了一冊用平郵寄上，空郵太貴。《聯副》大概自己會寄上。

Hawkes所說甚是，鸚鵡絕不能算是丫環名，其餘四人也是硬湊成對，並不指四丫環在做什麼事。蔡義江的注竟然把佳人解為襲人，硬和鸚鵡成對偶，真死心眼兒！他們真用功，就是不得其法。

俞平伯標本是根據有正本，「冰片麝香」連下來，人民出版社程高本將「冰片、麝香」點斷，查了一下《辭海》，冰片是龍腦，也是一種香料。有正、脂本均作冰麝，人民的程高本注云原作香麝，今據脂本改冰麝，台灣胡天臘程丙本亦作香麝，汪原放的亞東程乙本卻改為麝香。可見多經一道手續，就走一點樣。冰麝很難解說得通，除非你說是冰片、麝香的縮寫。遇見這種問題我只好學Hawkes的辦法：待考。他是譯成camphor（樟腦）and musk（麝香）的，龍腦當然要比普通的樟腦貴重得多，所以後來他又加Borneo Camphor（婆羅洲樟腦），這是對的。恐怕也只好這樣辦了。可是你的解釋，冰片作形容詞：大圓片（尤其重要的是「有種樟腦是半透明的圓環」），似乎更渾成和把前後串通。最近讀楊慎《詞品》：「私分麝月」云麝月茶名，更把人搞糊塗了。一談《紅樓夢》便沒完。就此打住，祝好。

Stephen

80年八月十日

宋淇，一九八〇年八月二十九日

Eileen：

你的長篇巨著終於在《中報月刊》和《聯副》同時發表了。香港到現在為止，還沒有看到什麼文字的反應，說好很難，說壞他們也有點莫測高深。現附上《中報副刊》一短文[6]，不知算不算是此文的後果之一。台灣方面據丘彥明說，讀者和作家們反應都很良好，都說最平常、最微渺不足道的事物，一到你筆下就可以寫得出神入化，令人歎為觀止。我想這也是實情。

最可氣的就是《聯副》已經拿〈五四遺事〉排好，忽然之間有一個小雜誌拿它先轉載了，他們不得不忍痛將版拆了。經我的建議，他們將你文章的校樣寄了一份給三毛，請她寫一篇文章，三毛說張愛玲是她心目中的神怎麼可以褻瀆呢？無論如何不肯寫。我們都好，忙着在準備搬家。

祝好。

Stephen
8/29/80

宋淇，一九八〇年九月十五日

Eileen：

附上美金支票一紙，計$150，乃港幣$750之折換，為《中報月刊》付給你的稿費。原先《中報副刊》擬連載，稿費可較高，後因莫圓莊辭職，只好交給月刊，就出不起較高的稿費了。好在主力仍在《聯副》，這只不過是額外收入。到現在為止，你這篇文章的反應極好，至少沒有見到「毀」的文章，雖然花了那麼多時間也是值得的[7]。《大公報》現在也在捧你了，他們還把白先勇的一篇短篇也收入台灣作家選集中，在國內發行出版。統戰情殷，於此可見。

Stephen
80、九、一五

6. 斯人，〈研究張愛玲〉，《中報》一九八〇年八月二十六日。
7. 圓圓，〈雜文〉，專欄名「瓦全集」。

張愛玲致鄺文美、宋淇，一九八〇年九月二十九日

Mae & Stephen，

八月十日、廿九、九月十五的信與剪報支票都收到了，已經寄收條去給胡菊人。《聯副》給了US$1000稿費。三毛回掉他們的要求，話說得很技巧。當然我也希望她不寫。丘彥明來信說聽Stephen說我寫了個長篇《小團圓》，他們要，接連來信送書送茶葉，展開攻勢。我預備回信告訴她這小說需要structural changes，幾時能改寫非常渺茫，等於沒有這篇東西，以及如果改寫了，皇冠有優先權的來由。台灣女作家張曉風編了個講父母的散文集，又要編一集講愛情的，要選《流言》裏的短文〈愛〉，我回掉了。又有個李又寧在紐約M.E. Sharpe出版社工作，要編一集*Autobiographical Writings of Modern Chinese Women*，「擬收〈天才夢〉及〈私語〉，」附寄來〈天才夢〉譯稿。我回掉了，他來信答應不用，但是說他們出版社「譯行中文著作，無徵求作者許可之例習。香港、台灣、大陸出版之書刊，向不受國際版權之限制。」美國的出版法會這樣？除非是有些人利用中國人對美國出版界的隔膜？現在不承認台灣，當然又當別論。他是向志清問到我的住址，也未必認識，可能是看了志清的書寫信去問，他提起這書。我姑姑來信說她並沒生氣，是眼睛白內障開刀，視力沒恢復不能寫信，我又有封信一個半月才到。——也許抽查也是為了統戰——我去信更說以後還是儘少寫信的好，我姑姑的兩個玉牌墜子，費了不少事之後我終於寄去托她在紐約的朋友代賣。「冰片麝香」我不過是瞎猜。Hawkes譯「冰片」為Borneo camphor，想必就是我說的半透明的較貴的樟腦，氣味濃烈。麝月想必是茶名。《聯副》緊跟着也開個《紅樓夢》討論會，我先覺得有點東施效顰，等到看記錄，Stephen說的正駁倒了這些不肯放棄後四十回的人，又扼要又痛快。前些時台灣有個民意測驗，對《紅樓夢》印象最深的部份，十項中只有三項是前八十回的，葬花與鳳姐兩段。固然多數是學生之類的意見，也是從中文系教授起，上行下效。七月廿日《中國時報》上的〈紅樓夢識小錄：小腳與大腳〉我只在胡適的牌友唐德剛罵陣的一篇上看到，那天的報大概剛巧丟了。本來從來沒人偷，因為看不懂。那天我買東西回來，看見信箱外有一卷《時報畫

刊》。東西太多，先上樓去再下來倒垃圾再拿，倒已經沒有了。新搬進個東方人，不知道是否中國人。不記得有沒有跟你們說過曹禺編寫《豔陽天》影片時，非常重視李麗華的旗袍料，天天陪她去選購衣料。我想寫他這次來美，使他想起戰後自內地來滬，一次影片公司大請客，氣氛與心境有相同之點——大受歡迎，同時也有點自衛性。當時上海新出了楊絳師陀等劇作家，他的名著都在戰前——《蛻變》是否寫抗戰？戰後上海有沒有演過？《豔陽天》後發表的話劇《正在想》似乎沒上演過。——有些書評家認為他derivative〔缺乏原創性〕，太像O'Neil。在美國，夏志清等或多或少的屬於這一類。不過'48他感到長江後浪推前浪的威脅，而經過中共治下的封筆，浪頭都凍結成了冰河，倒保全了他的盛名。也許題作「謝〔竹〕幕」。'50他像主角在台上忽然病發，幕急下，替他遮蓋了。上海的幾個名坤伶那天宴會都在座，他因為有點迷上了李麗華，沒大注意李玉茹。我一時也不會寫，先跟你們講講，免得又出亂子。當然也不完全是諷刺。寫不出東西是我自己的老毛病，也許還羨慕他們有現成的藉口。《海上花》裏尹癡鴛的名字如果沒有典故，是否因為悼亡，取了這麼個字或號？你們倆都好？

Eileen　九月廿九

張愛玲致鄺文美、宋淇，一九八〇年十月二十九日

Mae & Stephen，

我九月下旬的信想已寄到。又收到我姑姑一封信，顯然我上次的信又三星期還沒到——一直總是六天——接連兩封都拿去檢查。Stephen說美國的郵局老爺，寄國外的還算好，連外埠的都好些，本埠的最壞，有一次我寄到銀行存款，三星期才到。《中報月刊》（這一期也收到了）的$150稿費寄去存款，三星期後我打電話到銀行去問，還沒收到，也還是勸我再等等再說。現在一個多月了，肯定寄丟了，只好請Stephen去跟胡菊人說——實在頭痛——請他們掛失，（是Shanghai

Commercial Bank, drawn from Wells Fargo Bank, n.a., Southern California Headquarters, 770 Wilshire Blvd., Los Angeles 90017 沒有支票號碼。我背書Pay to the order of Crockers National Bank. For deposit in Eileen C. Reyher's acc't only.）〔上海商業銀行，富國商業銀行發出，洛杉磯威爾夏大道770號，北加州總行。沒有支票號碼。由我背書，支付給克羅克國家銀行的匯票，僅能存於張愛玲・賴雅的帳戶。〕再補一張給我。我九月廿四寄出，如果隔時太久，已經被人冒領了去，也只好算了。匆匆寄出這張便條，希望你們倆都好。

Eileen 十月廿九

張愛玲致鄺文美、宋淇，一九八〇年十一月四日

Mae & Stephen，

前兩天剛寄出一張郵簡，請Stephen叫《中報月刊》把支票掛失，另開一張給我，今天就收到銀行通知，那張支票郵寄存款寄到了——一個多月才到！只好馬上趕寫這張便條，再麻煩Stephen告訴他們不必了，除非他們已經收到cancelled check，知道用不着掛失。真抱歉，簡直搗亂！千萬不要再特為來信acknowledge這兩張郵簡，過天再談。

Eileen 十一月四日

宋淇，一九八〇年十二月七日

Eileen：

九月廿九日[8]、十月廿九日和十一月四日信都收到，正碰上我們搬家前後（十月十五日、十六日分兩次搬出），所以老是定不下心來作覆。你的支票根本是我們用港幣向銀行買的，用不着向《中報》去報失，加上我對美國郵局有一種看法，就是丁力（同黃宗江、宗英等一起的演員和導演）說的：「這房間亂糟糟，要什麼東西，不能找，得碰！」所以我暫時hold一下，預備等上十天，如果仍舊沒收到，再去報失也未遲，因為支票是for payee only〔僅供收款人使用〕，遺失了別人拿到也沒有用。果然不出山人所料，七天後來信就收到了！

關於曹禺的事，《蛻變》是寫抗戰時的一個後方醫院，在上海八．一三後卡爾登上演，佐臨導，丹尼演丁醫生，石揮演梁專員，因為正在抗戰，大賣其座。八．一三國軍敗退，日本人要求公共租界禁演，方始停演。戲本身並不好，人物全是stereotype，忠奸分明，好的是演員。《正在想》苦幹劇團在淪陷期內法租界的巴黎大戲院上演過，也由石揮主演，是根據意大利的一個獨幕劇改編的，以天橋為背景，上海人如山東人吃麥冬，一懂也不懂，賣座奇慘！

最近他發表了奉周恩來的諭而寫的《王昭君》，大家在海外照樣說它是「遵命文學」，他請馮亦代寫書評，捧他，馮拒絕，說把王昭君寫成心甘情願去和番，以團結少數民族為主題，實在難以接受。後來吳祖光寫了一篇，題目大概是：〈巧婦無米，如何為炊？〉雖褒實貶。前一、兩個月，國內話劇團來此上演《王昭君》，本來曹禺親自率團前來，後來大概一看風頭不對，臨時打退堂鼓。幸而沒有來，否則真是無面目見江東父老，賣座差尚在其次，本港的觀眾和批評家反應之壞，前所未有。所以你說他保全了盛名，根本不是那麼一回事。這人毫無自知之明，才是真正的悲劇：就像一個運動員，年紀老到力不從心，boxer揮不動拳，長跑選手提不起腿，但還是為了一點剩

8. 張信中缺。

餘價值，拼命在觀眾前出醜！我直覺這篇文章仍可以寫，例如他到美國講學，到後來實在講不出來，只好當場表演坐飛機（紅衛兵的一種刑罰），才令人啼笑皆非。加上記憶壞，耳朵不靈，得罪了不少人，於梨華同他見過面，他卻視而不見，拼命complain。我想國內沒有退休的自由，靜默的自由方是他的致命傷！《謝幕》名極好，乾脆實指也無所謂，當然不能稱呼他為曹禺，就說他在美國表演「坐飛機」下不了台，幕就落了都可以。國內言論相當自由，公開場合隨便批評一些文藝作品，絕無問題。葉劍英的女婿劉詩昆來香港表演鋼琴，《大公報》登了一長篇樂評，大罵他技巧退步，完全機械化，一點沒有自己的感情，照登如儀，劉看到之後大為不滿，可是毫無辦法。香港的水準硬是比國內高，言下之意就是不必隨便派人出來給人笑掉大牙！

《聯合報》是看了我〈私語張愛玲〉文章最後提到〈小團圓〉才有此說，兩家大報副刊搶稿都有點不擇手段。我的紅學小文章不看也罷，沒的看了生氣，唐德剛硬是糾纏不清要同我筆戰。文章中連基本ABC都不懂，說他怎麼不懂版本學，脂甲本是他押送去開會的，而周汝昌說脂甲為各脂本之祖，我就忍不住回他一句，脂甲是十六回殘本，其中沒有提起尤三姐和晴雯；〈紅樓夢識小〉，他不知「識」和「誌」通，紀錄解，不作認識解；到後來，語無倫次，竟然說有正本名金玉緣。沾上了他算我倒霉。當然你是不會對任何人說的。下次不再談這種不愉快的事。

《海上花》裡的尹癡鸞，想來沒有特別出典，普通說鸞鳳和鳴，都是指婚姻生活美滿，鸞鳳分飛則是情人或夫妻分散。奇怪的是鳳指雄鳥，凰才是雌的。《紅樓夢》中說王熙鳳竟然採用男人名。清彈詞小說《鳳雙飛》描寫兩男人的事。鸞和鳳連在一起指男應無問題。又，另有一說，鸞見到同類才肯鳴，故照鏡而交鳴。大概這個意思。

我們的Middle Brow Fiction決定出專號，並出精裝本，現已決定由柳存仁任guest editor，出版日期為1981末或1982初。現在我們的*Renditions*已出了十二期，在國際上已有公認的地位，下一期古典小說專號有David Hawkes的論文，Antony余的西遊記一章等，出版後當寄上一冊。現在各人出書前都搶出要在*Renditions*先登出一部份，以建立地位和取得宣傳之效，前後有錢鍾書《圍城》，白先勇、陳若曦、黃春明、余國藩（Antony）、Gunn譯的楊絳劇本，等不計其數。你不肯登在高編的journal

上，我可以瞭解，可是像詞專號（由我主編及具名寫序）Middle Brow Fiction專號（由柳主編及具名寫序）與他完全無關，就近乎和自己作對了。況且現來稿中有王際真譯的《醒世》，志清論《玉梨魂》，都是第一流的作品，你如果將《海上花》選其中自己滿意的二三章發表，對自己只有好處，沒有壞處。老實說，*Renditions*到了今天，外間來稿極多，絕不需再向外拉稿，這樣做當然陣容可以強一點，同時也為了你好，將來出書可能性大得多。Indiana最近連出幾本書銷路都不十分理想，陳若曦第二本書已給turn down了。至於你說關於柳存仁的事，我覺得一是你可能神經過敏，二是你們（包括蘇青在內）都在上海淪陷時寫文章，柳極怕人提這段往事，而柳的太太對蘇青和你二人認為是才女，恐怕有點妒忌——這當然是猜測之辭，但多少有點根據。總之，柳此人極規矩，有點迂，但百分之百好人，為了這點小事而耿耿於懷，對你自己也不好。如果不是為了pre-exposure對你有好處，我根本不會再提。我更不願利用我們的交情來勸你做你不願做的事，你如果仍然認為沒有興趣，我絕不介意，話說到這裡為止，以後再也不提。

你又好久沒有作品了。《謝幕》如能寫成，再理想也沒有。陳若曦的《牆裡牆外》[9]拿費曉〔孝〕通和錢鍾書都給寫進去了，相當精彩，你看過沒有？即祝安好。

Stephen

80年十二月七日

9. 當是《城裡城外》。

張愛玲致鄺文美、宋淇，一九八〇年十二月十日

Mae & Stephen，

上次《中報》那張支票的事，一場虛驚，又讓Stephen去跟他們說，我一想起來就頭痛。又看到唐德剛給陳之藩的公開信。起先看他第一篇筆戰文字，第一個感想是：當然他沒看見我的〈紅樓夢未完〉。再看下去，有些地方說得不對，但是因為不預備辯駁，就也讓它印象模糊，不求甚解。Stephen那篇〈滿紙荒唐言〉其實也是替我寫了我寫不出的一篇東西，文章裏面也有些地方我看了非常感激。七月廿日《中國時報》剛巧在遺失的一卷內，幾時得便請把那一段〈紅樓識小錄〉印個副本給我。志清來信替劉紹銘編的《現代中國小說選》要張'49的照片——附寄他與卞之琳於梨華（是不是？）的合影給我，我想你們不知道看見過卞之琳這張照片沒有，所以轉寄來，不用還我——信上提起他給蔣曉雲寫的序上評〈傾城之戀〉，「你可喜歡？」我回信講起李又寧要收編〈天才夢〉〈私語〉，猜他並不認識，是看了他的小說史寫信去問我的地址；又提起Vivian Hsu 要編個中國女作家選集，「我回信說我雖然不是新女性主義者，決不會同意編入一本女作家選集，男東女西的分類，也就是所謂sexist。你給蔣曉雲的書寫序提到〈傾城之戀〉《秧歌》，我不免也覺得是女作家就要拿我去比。如果因為中國女性環境上的共同點，事實是環境與時代背景都不同。作品裏有些近似的地方，也許也是因為台灣禁印大部份五四以來的文藝，以致於這些年來有些青年受我寫的東西的影響。連水晶也說是因為『沒有書看嘜！』那次面談時衝口而出。」志清收到照片，回信沒提起這事，勸我見丘彥明。我一收到她說來美觀光要來看我的信，即刻去信擋駕，早已出國。還是瘂弦代拆後寫快信來說已經打電話告訴她不要再來找我。同時她又來信說上次跟志清打電話，說沒見到我，他還叫她「你去敲她的門嘛！」總算現在裝了對講機，無法上樓打門。《海上花》譯完後還在修改。「芙蓉」英文叫什麼？收到《譯叢．詞專號》，從頭至尾翻看，好容易找到個「芙蓉」，（P.178）不料譯作lotus 。我上次信上講的關於曹禺的故事，想寫他在柏克萊遇見一個fan，略有點像李麗華，也有點像李玉茹。午夜深談，她因為他三十年沒能寫東西替他傷心，他慨然說：「只要國

家強，人民生活得好一點，犧牲我這點藝術生命算什麼？」你們搬家了？Mae沒累着？這封信寄到中大翻譯中心，想必也是一樣。希望你們倆這向都好。

Eileen 十二月十日
80年

張愛玲致鄺文美、宋淇，一九八一年一月十日

Mae & Stephen，

收到十二月七日的信與剪報。我寄卞之琳照片來的一封想也收到了。於梨華身段好，面貌比較普通，像她的人太多了，我見過兩面，在這張照片上都不大認識，倒也難怪曹禺不記得她。志清說他「偏心叢甦，」叢甦是肉彈型——李玉茹也是，不過嬌小些——面貌也至少稱得上striking〔有魅力〕，他大概喜歡那一個類型。來美的大陸作家似乎是曹禺最轟動，此間的程度不能跟香港比。我那篇小說還早呢，錢鍾書來了不久陳若曦就寫了《城裏城外》，幾乎像新聞記者一樣快捷，我再也做不到。那次志清信上建議Indiana U Press 出《海上花》，我一看了就不願意，所以Dick McCarthy 一說介紹代理人推銷這譯本，我立刻寫信給志清請他不要跟Ind. U Press方面的人提起這事。在《譯叢》上登一部份，我唯一的顧忌是此間對東方出版的刊物有歧見，不像在此地有些小雜誌上登了也認為是個showcase。我譯這書已經拿過Radcliffe Institute八千元，主權有點不清不楚，怕代理人不受理，McCarthy 說這人很好。現在仔細想了想，從前《秧歌》《赤地之戀》Rodell都只管美加歐洲版權，大概香港沒關係。揀兩回自己得意的，但是都牽連太多，前情摘要太長，只有最後三回一氣貫串，只涉及main plot & sub-plots之一。但是還有些地方沒搞好。只好寄頭兩回來，附加translator's note，解釋刪楔子等事，也還有些地方不妥。如果要重打，請找人打，告訴我打字費多少。《譯叢》我難得看，也看到錯字。最好能讓我自校一篇〔遍〕，來不及也就算了。柳存仁的態度，我當時也就想着是他避諱敵偽時期的熟人。我總儘快的寄來，如果真是趕不及這一期，登在下一期在我

也是一樣，為了自己得益，也不去管它了。喬志高我也回過他兩封信，直接通訊毫不介意。尹癡鴛不是尹癡鸞，想必是我的字不清楚，「鴛」是一對鴛鴦中的雄鳥？「癡心的丈夫」似乎只能是悼亡，否則被人笑話。如果有釵頭鳳的傷心史，用在名字上給朋友叫，也像是批評自己母親。我已經忘了俞平伯罵過賈政，當時看了想必也覺得不公平，現在看了〈賈政假正經？〉這篇才知道是鳳姐以外的一大冤案。有個台灣中央大學學生寄他的論文《紅樓夢解》來，說寶釵掉包是影射雍正奪嫡。我沒看，不知道是不是抄襲《紅樓猜夢》——簡短得多。朱西甯大捧這本新索引，抬出我來作陪襯，說我好處在考據不多。這些人跟研究紅學的仿佛言語不通，兩個世界隔絕，只有Stephen一個人駁他們，是唯一的橋樑，但是像是單行道，這些人仿佛滴水不入。你們搬回〔……〕再寫個給我。不多說了，要趕緊去理出那兩回，再印個副本。——理到後面又發現前面還是有毛病，層出不窮。——你們倆這一向好？

Eileen 一月十日 81

張愛玲致鄺文美、宋淇，一九八一年一月十一日

Mae & Stephen，

昨天寫信來，匆忙中P.1中部「偏見」誤作「岐見」，怕看不懂，又補這張便條來。我姑姑眼睛又開過一次刀，最近到廣州遊歷，探望stepdaughter與女婿，要住三個月，催我去信——我去年九月中旬的信迄未寄到。（！！）

Eileen 一月十一 81

張愛玲致鄺文美、宋淇，一九八一年二月十二日

Mae & Stephen，

前兩天終於寄出《海上花》頭兩回。〈譯者識〉P.2 l.2有個日期是光緒甲午年，18__年，請代填入；P.3 l.10 domineering 請代改overbearing。譯書到底與創作不同，不會再改了。此地外間找人打字，錯字多，有時候整行漏掉。譯稿如果重打，來得及的話也最好讓我自校一遍——雜誌galleys〔校樣〕大概是無法讓我看。陰曆年底高信疆忽然從天而降，三個人來撳鈴，名片上寫着說這次來美是「專程」來看我，送了我一張很壞的改良國畫。我托病未見，也「不能起來」打電話，寫了封懇切的信去，答應不太久就會寄篇短文去。去年下半年的皇冠版稅恢復了以前的二千多美元，上兩次跌到了一千多。只有那次在《聯副》與《人間》上登了兩篇輕鬆的短文，版稅漲到四千。所以還是隔些時就要寫兩篇做廣告。你們前幾年房子想必轉租出去，搬回來可發現有破損？希望還是那麼好。匆匆出去寄這封信。

Eileen 二月十二
81

宋淇，一九八一年二月二十八日

Eileen：

早就想寫信給你，無奈給Milosz的*The Captive Mind*《攻心記》纏上了身。這本書是我二十五年前譯的，譯出來後如石沉大海，沒有人知道，幸而如此，這回他得了諾貝爾獎，這本書得以重見天日。當時譯筆遠不如現在精煉，冗辭洋化語句數不勝數，而且很多名詞還沒有中文的固定登對名稱，只好意譯，拿出去實在見不得人。好在文美心細如髮，前後校閱翻覆多次，方始告一段落。我將它和另一本文集《昨日今日》一併交給「皇冠」，希望可以多一點收入。我原來那家出版社「聯

經」只知出書，不知銷書，去年一年只收了一百餘元港幣，令我啼笑皆非。「皇冠」經我細心研究，比較最企業化，當然有很多人對瓊瑤的一枝獨秀很不服氣，於梨華即以此故極不開心，可是各人頭上一片天，瓊瑤硬是有讀者，至今不衰，捧沒有用，老闆沒有用，主顧不肯掏腰包買，誰都沒有辦法？於聽說現在很後悔，因為每年可收六、七千美金版稅，現在沒了，一出一入，為數可觀。北京替她出了一冊小說，版稅只能拿人民幣，總不見得拿欺詐搶騙得來的外匯給她，所以現在既已上了賊船，只好心中暗暗叫苦。而且國內的作家對於、聶二人無不恨之入骨，稱她們為「餘孽」，因為好不容易，熬了多年，國家放鬆尺寸，引進近代化的事物，偏偏二人唱反調，大罵其美國，怎不令人氣短？志清來信說於同陳若曦鬥，結果陳勝利了。於失掉了Buffalo（紐約州立大學水牛城分校）的差使，語焉不詳，我也懶得再問。你的版稅之所以增加，主要原因是他們出了一種新版本，封面都換過，非常搶眼，大概又有一批新一代的讀者加入。可是你過一陣寫一篇東西做做廣告，令讀者想起還有這麼一個人總是有用的。例如：〈色，戒〉和那篇談吃的長文就非常有用。《謝幕》題目極好，儘管寫好了，不必理會曹後來寫不寫，反正是小說，又不是寫曹的傳記。曹在南開中學時曾反串易卜生的娜拉（與周恩來同），後再在重慶時曾主演焦菊隱改編Bela Balaz的安魂曲（Requiem）中的Mozart，結果大為失敗。我想他心中頗有登台一露色相的urge，所以《謝幕》更為切題，就讓他僵在台上，無法回答一連串問題，表演紅衛兵時的刑罰：「坐飛機」好了，等於電影中結尾時把那一個frame freeze起來一樣。這樣只有好。

來信問芙蓉的英譯，如果是出水芙蓉，則一定為lotus，Turner譯為water lily，似乎牽強；木芙蓉則為hibiscus：「落葉灌木，莖高丈餘，秋冬開花，色淡紅或白。」

寄來的《海上花》譯文兩回收到，後來補寄兩頁亦收到，還沒有機會讀。柳存仁定明日來港小住，我們現在手中的稿越來越多，看上去只好同詞一樣，出double issue了。這樣只有好，因為另出單行本時更像一本精裝本，篇幅和份量都夠。不過出版日期要改為1982，17/18兩期合併，因為16/17是行不通的，要跨過兩年了。柳存仁明日來得成否大成問題，因為Qantas在罷工，可是來港應不會有變化。他對這一行很熟，拉稿也有辦法，這些年來，讀書很用功，做學問也很仔細。

卞之琳來港，同葉維廉說起，是我老朋友，所以來學校演講時，只好同他應酬一番。他是崇明人（上海人認為專出綁匪的地方），國語講得極壞，英文也滿口南音，而且對外界情形隔膜多年，大家對他反應很壞，聽說在美一路都如此。他對夏志清大獻殷勤，因為如志清不幫忙，他未必去得成。〔……〕據我所知，他在五十年代入了黨，文革時一點沒有事，可見頗知自保。

你下一篇文章當然應該給皇冠——你的衣食父母。《聯副》給你的稿費可以說是破紀錄的，也許對你例外而又例外，對我也很客氣，至少比《中國時報》《人間》多二成。有好的和長的文章情願給《聯副》，《中國時報》應酬一篇短文算了，除非事先問清楚稿費（似乎太市儈氣了一點）。

匆匆即祝安好。

Stephen
81年二月廿八日

宋淇，一九八一年三月二十七日

Eileen：

來信和來稿都收到。上次問芙蓉花已告訴你為lotus，有很多人不喜歡，認為在英文中另有聯想，如lotus-eaters，而且是cliché，故意不用，情願用hibiscus，後者是木芙蓉，不生長於水傍，非是。碧桃，根據類書，當是千葉桃之別稱，先抄錄《辭海》「千葉桃」條如下：

桃之一種，一名碧桃，重瓣，不結實。《本草》李時珍曰：「桃品甚多，其花有紅、紫、白、千葉、二色之殊。」《群芳譜》：「千葉桃一名碧桃。」關於千葉桃有無英文名，查不到，僅《林語堂詞典》將「千葉」條譯為of multiple petals。請你看看原作，是不是同「不結實」有隱射的關係？否則只是桃花之一種。

補寄來的改正稿，正文兩頁，序一頁均收到，當全照來示照換。

這次很巧，柳存仁從澳洲去日本，我們便請他留港一月，作文化研究所的訪問研究員，其中一半時間和我們中心商討Middle Brow Fiction專號的編輯方針。我們將手中的稿件整理了一下，一同看了一遍。他反正無事在身，看得非常仔細，結論大家同意內容非常扎實，而且多數稿件會是第一次在西方國家出現，幾位作家和翻譯者都是此道高手，王際真譯《醒世姻緣》，夏志清《論玉梨魂》，你譯《海上花》，全是第一流。柳存仁借此機會又讀了一遍《海上花》，他認為原文第一、二章乍看之下，絲毫看不出精彩的地方，一到了譯文，反而細膩、具體、生動，我也有同感。Steve Cheng一年前寫過一篇講《海上花》的短文章，寫得不太好，我們沒有用，後來他寄到《淡江評論》發表了。這次他同美國一家銀器公司做事，到大陸去談生意，路過香港，帶了一篇較長的論文，是他一九七九年哈佛博士論文中的一章，〈論海上花的敘述方法〉，英文比以前進步，大概有人看過，可是其中譯了幾段，限於年齡和生活經驗，有時無法瞭解原作。前天他特地到學校來拜望我和柳存仁，談了一陣，我請他吃了一頓午飯。他是上海人，外祖母是蘇州人，從小來港，在美國讀大學，理學士，後改行讀文學。英文不錯。又是一位走火入魔的張愛玲迷，幾乎將所有你的作品和別人論你的文都讀遍，說不定選《海上花》為博士論文題目都受你的影響。他那篇文章可用，因為可以輔助你的譯文，而且沒有重複的地方。又，Toronto大學出了一冊《晚清小說論文集》，其中有一篇論《九尾龜》，將《海上花列傳》譯為Lives of Shanghai Singsong Girls，執筆者多數為加拿大學者。和我們的書沒有重複之處。匆匆祝好。

Stephen

81年三月廿七日

張愛玲致宋淇，一九八一年五月二十二日

Stephen，

收到三月廿七的信與Hawkes的詩。怪不得他能譯《紅樓夢》的詩詞，他自己會做，還步韻，真了不起！我又發現《海上花》中人力車不能過陸家石橋到華界（第33回），所以第一回我改寫的一段不能有來自華界的人力車。第33回又有一首詞，我忘了我刪掉了，所以〈譯者序〉關於刪詩一節也需要補充。這兩頁又都重打過。柳存仁想必回澳洲了，稿子如果帶了去，要換兩頁恐怕麻煩，我頭痛到極點，沒辦法，也只好還是趕緊寄了來。Hanan的書*The Chinese Vernacular Story*送了本給我，裏面誌謝的人名內有Stephen Cheng，想必也對他很器重。前一向痖弦又接二連三送整套的書與墨盒（！）給我，我寫信去暗示不歡迎送禮，但是appreciate他們稿費上的特殊待遇，才停止了。希望他沒不高興。碧桃我倒看見過，原來是桃花的一種，並不怎麼像。再也想不到「出水芙蓉」（占花名中的黛玉）就是荷花！「蓴鱸之思」彷彿不是河，是湖中的水產。姚季蓴的名字譯Lake Herb（蓴菜也許不是綠色，不敢譯Greens）是否不對？這向可好？Mae也好？

Eileen 五月廿二

宋淇，一九八一年六月十七日

Eileen：

五月廿二日信收到。柳存仁去了日本，搜集資料，大概七月初再回港，你的稿子他沒有帶去，這次他曾特地重讀了一次《海上花》，對你的譯文佩服得不得了，說原文中的行間之意都譯出來了，Stephen鄭的譯文只是粗達其意而已。好在這專輯要到明秋才出版，所以不急，有的是時間，一點麻煩都沒有。

你問的「蓴鱸之思」那句成語，《辭海》中有一條很長的entry（條目），現抄錄如下：

晉張翰吳人，入洛，齊王冏辟為掾。因見秋風起，乃思吳中菰菜、蓴羹、鱸魚膾。曰：「人生貴得適志，何能羈宦數千里，以要名爵？」遂命駕歸。（見晉書張翰傳）今人謂鄉思曰蓴鱸之思，本此。

由此看來，這可能和蘇州人有關係，作者如用此典故，必有特殊意義。蘇州附近是太湖，蓴菜與鱸魚二者應為湖產，你猜得對。蓴是否青色不敢講（西湖蒓菜就是蓴菜，不是翠綠，）林語堂詞典即說同一植物之異稱，英文名為water mallow。《辭海》云：「浙江蕭山縣湘湖產最多，李時珍云：產生南方湖澤中，惟吳、越人善食之……」。

近有出版商來，談起諾貝爾獎金全集的三包案，結果兩家關閉，一家慘勝，有很多作品其實仍是拿以前譯過的作品翻印了事，其餘也是草草趕譯。海敏威大概仍以湯新楣的《戰地春夢》和你的《老人與海》充數。後者盜印版居然還出中英對照本。據說現在台灣出版界只有三家最硬：（一）皇冠（二）林海音的純文學和（三）沈登恩的遠景（出有黃春明的著作、陳若曦的早期暢銷書、金庸的武俠小說。），他們的書要付現金，不肯寄售，其餘的都維持為難。皇冠每年拍一部瓊瑤的電影，穩賺大錢。據他們估計，平對你不敢有任何花頭，因為視你為招牌，據書店的人說你的書並非暢銷，但常年保持一定數量，極不容易。我想你的政策是對的，這一陣沒有書，過幾個月寫一、兩篇文章，好讓大家還記得你，上次那篇長散文即有效果。目前最吃香的作家是三毛，無論港台都最熱門，邵氏公司要拍她的書為電影就可知了。想不到她以《荷西之死》而成best seller，不得不改林語堂的書名：The Importance of Being Dead以誌其事，毫無譏諷之意。祝好。

Stephen
June 17 1981

張愛玲致鄺文美、宋淇，一九八一年七月四日

Mae & Stephen，

收到六月十七日的信與剪報。《海上花》回目好容易譯完了，寄一份來。我想照中文本那樣，全部回目擱在第一回前面。蓴菜原來就是莼菜！人名決定譯Lake Mallow 。The importance of being dead真是切合荷西之死，林語堂套王爾德書名是*The importance of*什麼？我會不知道。三毛荷西的故事本身很感動人。那姓周（？）的從英國去找她的一篇自述非常有趣。去年沈登恩在新加坡圖書館看見我一篇舊作，影印了寄來，要再寄書來。我回信道謝，賀他成功，請他還是不要寄書。收到《聯副》趙衛民的circular letter〔通函〕，關於出《三十年聯副文藝大系》，要從前的生活照片。我在報上看到討論出《大系》的事，就已經頭痛。怪不得前一向猛送禮。我回信請他們不要收編我的作品，否則我愧對那些徵求我的同意，而被我回絕的anthologists。此後又收到海運寄來的一套書，他們出的《中華歷史圖鑒》與《八大山人畫集》，寫信去謝瘂弦，順便向他解釋，我登在《皇冠》上的小說他們也想編入他們出的小說集，我回掉了，如果《聯副》上登的收入《大系》，對皇冠說不過去；而且我自己想出散文集，等《海上花》譯者序與評注譯成中文，加上原有的，夠出本書了，當然那篇序等等先登在《聯副》上，〔序答應過他們的〕以後如有小說，也照他的建議，看是否能在《聯副》《皇冠》上同時登。〔上次他堅持要跟平鑫濤商量，我因為根本沒有稿子，也沒再提。〕趙衛民收到我的信，又來了封烏烟瘴氣的長信，除了居功訴苦，說他們一批青年擔任編選，但是瘂弦也參與；選稿都已發排，要寄清樣給我。我立即回信說「無法相信《聯合日報》會這樣無視於作者本人的意旨，幸而您說是您『個人認為』這是合理的」；又指出他那份circular的日期是五月十二，六月四日才寄出（有郵戳），想必是為了造成既成事實；「我收到的第二天就回信，選稿已經發排，咎不在我。如果您堅持要用，我只好以後不再為《聯副》寫稿，不然一投稿就喪失版權，至少是出文集的優先權。……」《海上花》評注我想除了引一段原文（對白譯成國語），還片段的敘述情節，這樣篇幅一定夠了。也許還可以出一本國語對白的《海上花》。這都不是目前的

事，也是為了抗拒《聯副》才想起來。此地已經接連兩個熱浪，百度上下，打破幾十年的紀錄。香港也許市區反而比新界涼些，因為更近海？你們倆這向都好？又是夏天了，招待遠客的忙季，希望至少有茉莉或是琳琳瑯瑯在內。

Eileen 七月四日

一九八一年七月四日[10]

Chapter Headings

Chapter 1: Simplicity Chow visited his uncle on Salt Melon Street;
Benevolence Hung made a match at the Hall of Beauties.
〔第一回 趙樸齋鹹瓜街訪舅 洪善卿聚秀堂做媒〕
Chapter 2: The young fellow trying a pipe was only good for a laugh;
The virgin courtesan having a party was quite unscathed by the gibe.
〔第二回 小夥子裝煙空一笑 清倌人喫酒杠相譏〕
Chapter 3: Choosing a professional name linked the girl to the belles of the family;
Observing the seating rules placed "boy" at the head of the table.*
〔第三回 議芳名小妹附招牌 拘俗禮細崽翻首座〕
Chapter 4: Acting as compradore for the sake of friendship ;
Signaling with eyes for a respite to jealousy.
〔第四回 看面情代庖當買辦 丟眼色喫醋是包荒〕
Chapter 5: Fill up the gap and find a new love in a trice ;

Set up a courtesan and keep the old flame in the dark .

〔第五回　墊空當快手結新歡　包住宅調頭瞞舊好〕

Chapter 6: Viewing parenthood foretold the good mother ;

Dominating the madam made a phenomenal courtesan.

〔第六回　養囡魚戲言微善教　管老鴇奇事反常情〕

Chapter 7: One cast a spell while laying a vicious trap ;

Another met her fate while making a brilliant match.

〔第七回　惡圈套罩住迷魂陣　美姻緣填成薄命坑〕

Chapter 8: Retaining the treasure box with dark designs ;

Refusing the carriage ride with ready wit.

〔第八回　蓄深心動留紅線盒　逞利口謝卻七香車〕

Chapter 9: Little Red Sheng felled Faith Chang with her fists ;

Green Phoenix Huang fought Rich Lo with her tongue.

〔第九回　沈小紅拳翻張蕙貞　黃翠鳳舌戰羅子富〕

Chapter 10: The new girl was instructed severely at her toilet ;

The old debt was dismissed lightly by the hanger-on.

〔第十回　理新妝討人嚴訓導　還舊債清客鈍機鋒〕

Chapter 11: Bells clanged at night , giving neighbors a false alarm ;

Courtesy begins at home , getting Brother-in-law a warm welcome.

〔第十一回　亂撞鐘比舍受虛驚　齊舉案聯襟承厚待〕

10. 以下回目可能附於一九八一年七月四日張愛玲致鄺文美、宋淇的信。回目不齊全，恐有遺失。

Chapter 12: Beseeching a peacemaker behind the beloved's back ;

Producing a camouflage for roving feet.

〔第十二回 背冤家拜煩和事老　裝鬼戲催轉踏謠娘〕

*Foreigners call native servants "boy". New friends take precedence over older, closer friends at table while the host's place is at the bottom.

〔*外國人稱本地男僕為「細崽」。主人居末座時，新來的朋友比舊識密友坐更好的位置。〕

Chapter 35: Taken up the oldest profession, as remedy for the poverty-stricken ;

Turned into a wet blanket , from empathy between the illness-prone .

〔第三十五回　落煙花療貧無上策　煞風景善病有同情〕

Chapter 36: Tell of the strange love that fed on fights;

Look to the good doctor to turn the tide.

〔第三十六回　絕世奇情打成嘉耦　回天神力仰仗良醫〕

Chapter 37: The willing girl pupil was rewarded with tortures ;

The rich brothel hand* was blackmailed into a loan.

〔第三十七回　慘受刑高足枉投師　強借債闊毛私狎妓〕

Chapter 38: Fond hopes for wedded bliss at the Shih residence ;

A tasteful party on Lovers' Day in Hill House Park.

〔第三十八回　史公館癡心成好事　山家園雅集慶良辰〕

Chapter 39: A lavish spectacle — a bridge of magpies joined two stars on Seventh Night ;

A trenchant wit — a pun in jest killed two birds with one stone.

〔第三十九回　渡銀河七夕續歡愉　衝繡閣一旦斷情誼〕

Chapter 40: Stacking up pyramid quotes , drinking chips flew at the lodge ;

Envious of underwater couplings , fishing boats fought in the pond.

〔第四十回　造浮屠酒籌飛水閣　羨阪喁漁艇斗湖塘〕

Chapter 41: Trepassing in the boudoir killed old loyalties ;

Reunion in the garden cured one's lovesickness.

〔第四十一回　入其室人亡悲物在　信斯言死別冀生還〕

Chapter 42: Sundering the ties of love Bloom Waterside Li departed this world ;

Sustaining a brother in crisis Cloud T'ao faced the funeral.

〔第四十二回　拆鸞交李漱芳棄世　急鴒難陶雲甫臨喪〕

Chapter 43: To see her stripped room , the past was nevertheless still there ;

To believe those trusting words , the dead'd be back yet alive.

〔第四十三回　入其室人亡悲物在　信斯言死別冀生還〕

Chapter 44: Tricking the powerful , got off for a song;

Punishing the greedy , cut down to a thousand.

〔第四十四回　賺勢豪牢籠歌一曲　征貪黷挾制價千金〕

*Designated here by the single word mao , hairs , short for "lao mao , scooping up hairs ," which was what they called whorehouse menservants in northern China. Probably a reference to pubic hairs and the demeaning chore of throwing out water which prostitutes had washed themselves with after sex.

〔*北方妓院男僕俗稱「撈毛」，想指陰毛，因為妓女接客後洗濯，由男僕出去倒掉腳盆水。〕

Chapter 46: Joining in child's play she acquired new friends ;

Attending to the mourning party he revisited the old house.

〔第四十六回　逐兒嬉乍聯新伴侶　陪公祭重睹舊門庭〕

Chapter 47: Little Cloud Chen had the good fortune of meeting an influential man ;
Snow Blossom Wu had fine auguries of begetting a male child.
〔第四十七回　陳小雲運遇貴人亨　吳雪香祥占男子吉〕

Chapter 48: Piling mistake upon mistake barred the door to the mansion ;
Pulling swindle after swindle typified the ways of the marketplace.
〔第四十八回　誤中誤侯門深似海　欺復欺市道薄於雲〕

Chapter 49: The seeming castoff was reserved for thievery ;
The trusted devotee was marked for blackmail.
〔第四十九回　明棄暗取攘竊蒙贓　外親內疏圖謀挾質〕

Chapter 50: Tender enmeshment along with purposeful faultfinding ;
Rude interruption followed by gratuitous battery.
〔第五十回　　軟廝纏有意捉訛頭　惡打岔無端嘗毒手〕

Chapter 51: A grass widow in Eden, the fugitive courtesan hid from her unwelcome guest ;
A thorn in the flesh , the slave artiste vied with her master's whore.
〔第五十一回　胸中塊穢史寄牢騷　眼下釘小蠻爭寵眷〕

Chapter 52: Youth dreaded empty rooms when one slept alone ;
Hospitality included a shared bed when three was company.
〔第五十二回　小兒女獨宿怯空房　賢主賓長談邀共榻〕

Chapter 53: The grafting forced together different flowers ;
The alarm frightened off mating birds.
〔第五十三回　強扭合連枝姊妹花　乍驚飛比翼雌雄鳥〕

Chapter 54: The maiden's betrayer ambiguously plighted his troth ;
The unfaithful woman deservedly got a beating.

〔第五十四回　負心郎模稜聯眷屬　失足婦鞭箠整綱常〕

Chapter 55: Plagued by doubts at her betrothal feast;

Embarrassing between friends with the same bedfellow.

〔第五十五回　訂婚約即席意彷徨　掩私情同房顏忸怩〕

Chapter 56: The Third P'an, the underground prostitute, plotted a theft;

The Second Yao, the daytime whoremonger, stayed the night.

〔第五十六回　私窩子潘三謀胠篋　破題兒姚二宿勾欄〕

Chapter57: Honeyed words pacified the green-eyed monster;

Persistent questioning unearthed The Scarlet Letter story.

〔第五十七回　甜蜜蜜騙過醋瓶頭　狠巴巴問到沙鍋底〕

Chapter 58: Young Mr. Li threw away an entire inheritance;

Third Sister Chu excelled at preposterous lies.

〔第五十八回　李少爺全傾積世資　諸三姐善撒瞞天謊〕

張愛玲致鄺文美、宋淇，一九八一年七月二十日

Mae & Stephen，

寄《海上花》回目來的信想已收到。第一頁的注，末了又添了半句。第四頁的註刪一字，第五頁有錯字——第54回；第47、53、55回也改了——這三頁重打了寄來，代替原有的三頁。終於收到新封面的《怨女》《紅樓夢魘》，的確漂亮。丘彥明來信說平鑫濤也是《聯副卅年文藝大系》的主要編輯委員，所以我不必擔憂登在《皇冠》上的小說沒讓皇冠編入小說集，而刊在《聯副》上的文字讓《聯副》選編，對皇冠說不過去；而且情形不同，又只選了〈表姨細姨及其他〉〈談吃〉兩

篇，我自己的散文集不會受影響；不選要受批評。我回信講她又生病入院的事，「……又讓你扶病寫信來，非常過意不去。也是我對副刊知道得太少，才給添出這些煩擾，實在歉仄，反正以後總等有我不介意編入報社出的集子的短文再投稿就是了。」雖然這次出《大系》算是卅年一度的盛舉，將來儘可以再巧立名目出文集。我實在不願意被瓜分，還是難得給他們寫篇短文的好。《海上花》第53回有副對子，「贊禮佳兒，茂才高弟。」「茂才」想必有典故？不然為什麼說對得好？又，「華眾會」茶館是否佛經上的名詞？如果不是，「華」似指華人，不是「華麗」。鯉魚英文名也想請代查一下。昨天夢見跟你們倆看電影。這向可都好？

Eileen 七月廿日

鄺文美，一九八一年七月二十四日

愛玲，

大約十天前接閱來信，附着的《海上花》英譯回目非常精采，有些字眼妙不可言，但也有可以商榷的。Stephen不能立即覆信，因為上月間他跌了一大跤——有一夜摸黑爬高調整冷氣機溫度，從椅上摔下——，雖然幸未斷骨，但肩部有一塊小骨移離了少許，而且背部肋骨受震頗烈，痛得相當厲害。他告了三星期病假，試遍中西療法，現在總算痛楚漸減，可以勉強辦公了。不過公事總是煩人的，你想像得出，所以這次由我執筆。

其實我們遷居大半年，早已安頓下來，我一直想寫信給你……只是各種事情接連發生，搬家後似乎每個月都有親友途經香港，需要招待。這些還可以應付，最要命是陰曆年初三夜間我母親又出亂子，這次跌斷左腕。我半夜裏驚醒，跑出房外見她倒在走廊地上，左臂動彈不得，在嚎啕聲中我和Stephen商量後只能再一次致電「九九九」，求警方代召救傷車把老人家送往醫院檢查治療。……時光如流，至今已將近半年，她一直住在醫院裏，腕部的石膏早已拆掉，可是手部機能始終不能恢復，更糟的是六月初下體開始流血，你想，九十九歲生日都過了，還發生這種事，怎不嚇壞人？雖然做了各種tests〔檢查〕，查出沒有癌細胞，而經過輸血、吊鹽水和葡萄糖等後，目前出血現象已控制住了；可是身心各方面都顯然衰退，叫人不由不擔憂。在這情形之下，我趕來趕去探病，路程遠（醫院在跑馬地，因設有年老病專科部，照顧較佳），天氣熱，時常心力交瘁，許多自己想做的事都沒法做，沮喪之情不言可喻。

我們搬回山景大樓後，越來越喜歡這環境，鬧中取靜，對我們再合適也沒有。你以前來過，當略有印象，不過近年來整座大廈裝修翻新（電梯換了新的，lobby〔門廳〕鋪過大理石），猶勝於前。我們那寬敞的朝南露台，讓我這業餘栽花人過足了癮。窗外的樹木長大不少，青蒼一片，美麗如畫。有時我醒得早，獨自對着眼前的景色，會問：「這是真的嗎？」[11]無論如何，大自然是可愛的，所以我還能積極樂觀地活下去。

久不寫信，卻盡說自己的事，不過你一定知道我多麼關懷你，盡在不言中。

美

一九八一年七月廿四日

P.S. 附上照片四張，補充我沒有說完的話。

1a照片，1b這張照片是小外孫智揚（Jonathan）三歲生日那天替我們拍攝的。他生得矮小，所以要我們蹲下身來，以便取景。後來琳琳獨自往東京與丈夫會合，同往北京小游，把孩子留給我們照顧。六月初再來玩幾天才飛返紐約。

2a照片，2b一九八一年暮春（初夏？）合攝於香港，可稱「天倫樂」。

11. 面對美好的事物而心生懷疑，鄺文美與張愛玲在這方面的確很像。她這一問，就令我們想起《小團圓》第五章有這樣一幕：
他吻她，她像蠟燭上的火苗，一陣風吹著往後一飄，倒折過去。但是那熱風也是燭燄，熱烘烘的貼上來。
「是真的嗎？」她說。
「是真的，兩個人都是真的。」

背後那株勒杜鵑（bougainvillea）有時開橙色花，燦如紅霞。

3a照片，3b我在看電視，被琳琳偷拍的。

4a照片，4b一九八一年五月間元琳偕智揚（茉莉未放暑假，不能同來）返港小住，與「外婆」合攝於養和醫院

宋淇，一九八一年八月六日

Eileen：

七月四日和廿日信以及《海上花》回目均已收到。我在六月廿日深夜跌了一跤，幸而後日去照X光，發現骨頭沒有斷、也沒有裂，可是痛徹心肺，因為右旁肋骨受傷，一呼吸就痛。這把老骨頭能保全已是不幸中之大幸，可是坐立不安，睡眠不適，真是活受罪。Mae這一陣由於母親健康惡化，大熱天從醫院和家中來回奔波，腰骨也痛。這才知道老年的滋味。Mae的母親過了九十九歲生日，最近兩月內，忽然衰老退化，前吃後忘記，只認識三個人，一個是Mae，一個是我，大概下意識中，總覺得如果我尚健在，她可以再住在醫院中，一位是醫生；其餘一個也不記得，連家中每天見面服侍她三十年的傭人都不認識了。還有很多細節，我們聽是聽到過的，總沒有本身體驗那麼親切。恨不得你在這裡可以講給你聽，好讓你有一天穿插在你小說裡。

第十六章回目你拿挖花譯成cutout flowers or cutout patterns，我想可能有問題。「挖」有兩義：一是以刀雕刻，一是以手去掘。你根據的是第一義，牌的樣子大概是如此：

（一）〔牌樣〕完全白底

（二）〔牌樣〕有一條花邊的牌

（三）〔牌樣〕有兩張牌的花邊牌（有兩張）

（四）〔牌樣〕有三張牌的花邊牌（只有一張）

這是么六與三四、二五等同稱「七星」，「道數」特高

等到手上有了（三）（四）三張牌全了之後，就可以「敲」出來，等於馬將的「碰」。原則上是拿有花的牌去換無花的牌，論輸贏要看誰的道數最多，和的人可能反而輸錢。所以我認為「挖」應該是第二義，四個人到牌池中去掘有花的牌，照字面是dig the floral-patterned tiles。我家裡祖父、母從前玩過，電影界也有人喜歡，現已成廣陵散，我只不過略知一、二，想來是如此。《林語堂詞典》滑頭得很，僅說：a kind of Majong。我相信第二義比第一義合理，等我幾時找到一位老上海問一下再告訴你。

你信中所說關於《海上花》的話，我不十分清楚。回目譯好了，全文譯完了沒有？是初稿還是定稿？我想英文版可能不太容易找到出版社，因為很少讀者會為了小說而讀它，巴金，錢鍾書的小說的英譯本銷路並不理想，Hawkes的《石頭記》也不如想像那樣好，它們的銷路還是靠大學教授用作參考書或課本，因為有原作可資對照，便於學生學習中文。你信中提及把原作譯成語體文，意見非常好，完全出我意外。事實上，你可以用英語和白話文對照，附有注解，相信皇冠一定會有興趣，因為這是創舉，完全純白話文的單行本反而不如英、國對照本有「噱頭」，我認為你的英譯本告一段落後即可進行，盼你考慮後，直接去信給平鑫濤。可惜他現在全副精神放在拍電影和出best sellers的譯本上，對出正經書的興趣大不如前。這個建議想來他是會接受的。

你所提的問題：（一）鯉魚的英文名字carp；（二）贊禮是官名，漢代開始有，職務是贊相禮儀，大概等於protocol；茂才就是秀才，因避劉秀之諱而改稱，魯迅的短篇小說好像有一個角色，叫茂才公，其人也是秀才，二者都是titled人物，所以說對得好。（三）「華眾」去查過各種詞典，都沒有這一條，我們研究下來，如是茶館，沒有理由用佛教的名詞，上海既有租界，恐怕還是指華人的可能較華麗為大，還是要看上下文。滑頭一點，譯成Cathay Tea Shop，不過可能會同以後的外灘Cathay Hotel和十三層樓混淆不清。你看情形好了。

《聯合報》的三十年大系他們的確看得非常隆重，我想將來不致影響到你的銷路，困難在如何向其他要求者解釋。平鑫濤同《聯副》和《聯合》關係極深，從前曾是《聯副》的主編。他現在

是手執牛耳的出版商，《中國時報》支持的沈登恩的遠景，台灣本地人，很有年青人的衝勁，一度聲勢有威脅皇冠的樣子，最近因諾貝爾獎金三包案慘勝，相當傷元氣。

你下一冊書，事不宜遲，越快越好，打鐵趁熱，同時進行把《海上花》譯成白話文，出版界和整個台灣市場千變萬化，快點趁現在還能出書的時候趕出來，否則局面一變，誰都沒法預料。又，王爾德的戲名叫*The Importance of Being Earnest*〔《不可兒戲》〕，又是人名，又有意義，是我最喜歡的一齣喜劇。我現在正在寫《紅樓夢的病症與醫理》一連串論文，發現寶釵患的是hay fever，「乾草熱」；王熙鳳患的是「子宮cancer」，很是得意。俟整理好了之後，寄給你看。即祝

安好。

Stephen

81. 八月六日

張愛玲致鄺文美、宋淇，一九八一年八月十八日

Mae & Stephen，

Mae的信與Stephen八月六日的信都收到了。戶內遇到意外有時候比車禍還嚴重，真是驚心動魄。Auntie 流血的病也實在嚇人。百年人瑞的代價真不輕。照片上除了壽班〔斑〕還是跟從前一樣。玲玲比小時候更美，孩子想是茉莉的弟弟。Mae髮型改了，半側面非常好，側影一定也好看，正面太severe〔樸素〕了點。坐在地上的一張真好，又像，是the quintessential Mae〔典型的Mae〕。洋台上的花草藤葛疎落有致，有國畫的感覺。加多利道的大樹更高了，我本來就喜歡那條大道上兩排交柯的大樹鬱鬱蒼蒼，仿彿歐洲也只有法國德國有這氣派，美國就沒有。《海上花》以前譯了四十幾回，這次發現許多錯誤脫落的地方，再譯了末廿回，從頭再看一遍又還是需要改。這該是定稿了，還剩六回沒改完。回目有的沒有，有的不對，直到最近才全了，非常高興你們喜歡，挖

曾茉莉與弟弟在香港海洋公園

花一回現在改了，連同四張又再重打過的回目頁一併寄來——第6，18，40，45，46，60，61回都改了一兩個字——一共五頁，P.1，2，4，5，6，上兩次寄來的只留下一張P.3。還有別處不妥，千萬告訴我。Dick McCarthy是在一本天主教出的中國小說書目上看到《海上花》的故事，非常想看，因而代介紹代理人。當然他並不是典型的西方讀者。我也沒指着譯本出書賺錢，倒先要出一筆打字費——我的打字機太小不合格，又始終沒學會換帶子，買了大打字機無法拎到店裏去換帶子，租一隻又太不合算，打得奇慢——更退化了——夜間又不能打，鄰居怕吵，還不知道打到什麼時候才打完。出中文本國語吳語對照，附評註，當然最完整了。不然光換了國語對白，一般讀者看着不過是本舊小說，大都不感興趣。Stephen說譯成語體文，是否指敘事有些文言也譯成白話？我只指吳語。我的中譯〈譯者序〉與評註就不收入散文集了，散文集（想叫《續集》，繼續寫下去的意思，因為好些人以為我擱筆了）就讓它太短點。〈羊毛出在羊身上〉那篇，我想附錄域外人那篇與〈色戒〉全文，不然讀者摸不着頭腦，也免得我老是提心弔膽，怕這篇小說又被盜印編入選集。台灣時局我在斷交前就覺得朝不保暮，現在當然更險了。等《海上花》譯本最後六回改完，先擱下，去整理這兩本書，完了之後再把譯本看一遍再找人打。過天就寫信給平鑫濤。——我覺得平鑫濤大譯bestsellers 這條路是對的。有些比瓊瑤還好點。讀者至少也眼界寬些。——丘彥明來信說她想向瘂弦進言，聯副卅年文藝大系不選我的作品，我已經寫信去謝她。〔……〕她信上說瘂弦又寄了蕭麗紅的《千江有水千江月》給我，想我也許喜歡——非常憎惡——我只謝他又費事，我在報上全都看了，又讚美新近楊絳的《六記》。楊絳的女婿自殺了，我那新姑父的兒子也是文革中自殺。幸而還有個女兒，他夫婦倆都是學音樂的，境況還好。我看過王爾德的*The Importance of Being Earnest*，以為林語堂套這劇名有句雋語？「茂才公」我也記得看到，沒懂。鯉魚是carp! 鯉魚跳龍門，小赫胥黎*After Many a Summer*書中長壽的carp長成龐然大物，弔掛在池中一動也不動。「華眾會」我疑心是佛經裏的，因為另一茶館「花雨樓」來自佛經高僧講道時天雨花的故事。查不到，一定是租界上「華人集會處」了。我本來也譯作Cathay House，但是Cathay不帶「域外華人」含意，還是China House 加註解。明園1930年間改為amusement park，叫Luna Park，不知道以前有沒有這英文名？第43回李漱芳下葬，送殯的在隣近的餐館休息：

玉甫由玻璃窗望到墳頭，咫尺之間，歷歷在目，登科廩主，事事舒齊，再不想到個浣芳圍繞墳傍，又哭又跳，不解其為甚緣故。恰遇桂福來請，雲甫乃與玉甫離了外國酒館，重至墳頭。浣芳一見玉甫，連身撲上，只喊說「……阿姊撥俚哚關仔裏嚮去哉呀！難阿好出來嘎！」……轉身撲到墳上，叉起兩手，將廩的石灰拼命爬開，水作更禁不得。

「廩主」我本來以為「廩」是倉廩，墳上寫明祭品紙錢受領人姓名。但是下文「廩的石灰」，「廩」是同音的借用字，意即粉刷，「廩主」就是粉刷的神主——黃土饅頭上只粉刷一直條，白地黑字，代替墓碑——顯然沒有碑，太排場，也難措辭——「登科」是台階的代名詞，祝子孫考中，步步高升。瞎猜不知道可有點影子？Stephen寫的關於《紅樓夢》上的病症，真巧妙，也真對。《海上花》回目頁單行容易看不清楚有錯字，後年出的《譯叢》這一頁最好讓我自校一遍，不然實在擔心。希望Mae的腰痛好了，Stephen受的傷也好些了。

Eileen 八月十八

宋淇，一九八一年九月三日

Eileen：

八月十八日來信和新的英文回目收到。因為Mae和我前一陣忙於校對我那本《攻心記》的最後一校，後來她又患了感冒，加上人來客往，所以一直沒有寫信回你。我的《攻心記》原來在一九五六年交姚克的出版社，誰知他的太太一共印了幾十本樣本交差，根本沒有發行，市面上出了錢也買不到。想不到作者竟是去年的諾貝爾桂冠詩人Milosz（Mee-wash），這樣一來，這本書就有再版的機會。我們乘機將以前的誤植（這位姚公你是知道的，名士派得嚇死人，連校對的機會都不給我）和可以找到適當的中文名詞，細改一過，幸而得到皇冠的同意，得以重新投胎為「書」。我原先另有一本《昨日今日》，為一本詩文集，已由皇冠出版，我已讓他們寄一冊給你。這本書其實是一本雜拌兒，其中有不少篇是你看到過的。一點也沒有出乎意外，最獲好評的是Mae寫的序，看過的人紛紛打電話來或寫信來勸她多寫。我平時一向說：老婆是自己的好，文章也是自己老婆的好。這句話頗有關羽對曹操說話的口吻：「關某何足道哉？有三弟張翼德，有萬夫莫當之勇！」曹操默默記下，後來長坂坡上大聲一喝，果然嚇得跌下馬來。這次Mae小試身手，果然不凡。我一向認為她能寫，可是她總是不肯，這次逼了她出手，至少可以證明我所言不虛。

瘂弦有信來，經我長信解釋後，已下決心將你的兩篇文章從三十周年集中抽出，延期出版，在所不惜。他說：這書可以不出，張愛玲女士的友情不可不要。他是我所見到的編輯中比較有書卷氣的人。我對他說：愛玲並不是自命清高，一則她欠了皇冠的情，而且最近產量極少，如果再給《聯副》用掉兩篇，則自己的集子要受影響，二則其他選家她都一一婉卻，如果允許了《聯副》，叫她如何應付別人。丘彥明有什麼資格影響瘂弦？我下次可以將瘂弦的信影印給你。她無非想在你面前討好罷了。

《海上花》我還是主張蘇州話和白話對照，原作中的對白和其他詞彙都應該譯成白話文。敘事部份如用文言，則不必譯，凡〔反〕正他的文言，不會看不懂，我最近看到古書的白話譯文，說不出來的不舒服。不用說別的了，連《聊齋》的白話文都無法忍受。我個人的看法還是以蘇白和語體對照為最理想。皇冠方面聽見了，恨不得能立刻出書，而且有意將蘇白和白話各出一種版本，我個人覺得這個辦法有好處，也有壞處，壞處是蘇白本變成了翻印，除非你加註解，那麼這番功夫可不得了，何況現在真正能看，或者想看蘇白本的人究竟有限。對照本的好處是各適其適，願意看蘇白本的人大可不理左手邊的語體文。總之，此事實屬創舉。又，此書我們中大圖書館有一套亞東版，影印起來一點不費事，而且僅合兩分美金一頁，（或兩頁併一張）。如果需要，我可以代辦。下次再談。祝安好。

Stephen
Sept. 3/81

張愛玲致鄺文美、宋淇，一九八一年九月二十九日

Mae & Stephen，

Stephen九月三日的信與《昨日今日》、《大成》雜誌都收到了。《海上花》回目頁又再改了三處，（P.2註三；P.5第46、49回）又把這兩頁重打了寄來。絕對最後一次了。聯副卅年大系的事，我知道瘂弦一定會寫信給Stephen，所以不厭其詳複述往來信件，免得不接頭。一收到丘彥明說要向瘂弦「進言」的信，猜着瘂弦已經答應了不編入大系，「進言」不過是他自己轉圜的話。但是對她只好照謝如儀。瘂弦以前已經怪我小看了他的女助手，特地來信說對她非常倚重——還在我擋駕之前。當然在這些編輯裏是他待我最好。這次幸而Stephen對他說得懇切，希望不太傷感情。《昨日今日》讓Mae寫序是自序的一個variation〔替代方案〕，這idea〔構思〕已經非常好，寫得更好。沒有過去的某人，就沒有現在的某人，這兩句在我腦子裏震盪不已，隔幾天又忽然回來一次，仿彿除了這句話有理之外，還另有一層層意義在迴音中。末了署名林文美，令人失笑，儘管前面說過「只好跟着做林太太」。居然識貨的人這麼多，我想還是因為香港程度較高。我一直想說Mae不寫東西也該譯點好書，Auntie病了當然也不提了。化名寫的東西應當出個《佚名集》，真做個無名氏，不像卜少夫的弟弟。Stephen套「自己的文章，別人的老婆」的雋語也應當設法用在哪裏，不然太可惜了。這本書上倒有三篇替我辯白，也有我沒看見過的，當然驚喜。本來唯恐看到的人還不夠多，出書換了皇冠想必銷路會好。讀到關於統共只有那點plots，想講陳文成案故事性很強，間諜小說上似乎還沒有過，因為台局是從來沒有過的。他回家「過門不入」，是心煩，暫時不想見妻子妻舅，他太太勸過他不要搞這些。袴帶的疑團，是他午夜離開朋友家後不知到哪去喝了酒，喝多了肚子漲，袴帶unbuckled〔沒繫〕也只略鬆一點，索性抽了出來，拿在手裏不便，也怕丟了，所以綁在shirttail〔襯衫下襬〕外面——比腰圍小。此後打電話約了台獨的人在台大見面，被推跌。當然像我是休想寫。〈王熙鳳的不治之症〉，《大成》另找了個名醫來支持文內的diagnosis，但是文內用曹雪芹寫鳳姐病的苦心經營來證明後四十回與作者無關，本來像二加二等於四一樣明確，被陳存仁把120回混作一談，又把讀者攪糊塗了，雖然提了聲後四十回是高鶚寫的，並不排除根據遺稿續書之說。關於書中別的病症的文章希望登在別處。《大成》與平鑫濤兩封信都在我生日那天寄到，同時得到七千多美元（內中兩千多是上半年的版稅）與胡蘭成的死訊，難免覺得是生日禮物。平鑫濤第一封信說聽Stephen說我寫完了吳語與英文的《海上花》，預備譯為白話文，他想二月號起在《皇冠》連載，慶祝廿九周年紀念，先寄一部份稿費來。此後收到我的信，（我信上說「這部舊小說胡適先生等非常重視，可惜因為吳語對白多數人看不懂，被埋沒了」，沒提「韓子雲著」）他的回信也看不出是否還是繼續誤會下去。我再去信說明我不過翻譯，稿費比創作少，等連載後再算也是一樣，先把支票寄還，上半年的版稅請他再開張支票。我想國、吳語對照本可以吳語頁用湖色紙，那就像英漢對照一樣一目了然了。我唯一的顧慮是書已經太長，對照本更加倍，書價太貴會影響銷路，所以也不堅持。——沒對平鑫濤提起這一點——不用英譯本的〈譯者序〉，序內解釋刪節的原因，即使聲明中文本沒刪，還是予人印象混亂。這次欠了瘂弦一個大人情，他曾經堅持可以跟平鑫濤商量，跟皇冠同時登我的小說，《海上花》雖然不是我寫的，不知道是不是應當透個風給他。其實這書中部大段極沉悶，並不適宜連載，更不宜逐日登。文言對白不多，（第31回P.12，l.6，7方蓬壺掉文，改白話恐怕口吻不合）但是有下列這些問題：

第33回P.7聊齋《蓮香》中的女鬼投了胎嫁給她的戀人，所以引「似曾相識燕歸來」句。《里乘閩小紀》不知可有法子查？

第39回P.5倒數第二行：罵尹癡鴛「囚犯碼子」，喜歡「板差頭」，（前已有堂子裏都叫他「囚犯」，因為他尖刻。）pun 在囚犯喜歡誣板差人頭目？但是吳語「板差頭」的「差」音「錯」，「差人」的「差」似音「擦」。

第43回P.3 l.8喪事用「楮錠緗」，「緗」是什麼？

第46回末頁「龍〔涎〕香看燭」，「看燭」是守夜守靈之燭？台灣廟裏擲筊的小磁器叫「看杯」，「看燭」可會也是占卜的？

龍涎香是否就是sandalwood？

第60回P.13，莨叔（是誰？）盡忠而死，血乾了成為碧色；鬥草用謝公鬚（草名？）。「秦無頭可壓，宋有腳能行」的出典？

一笠園的「笠」譯coolie hat不雅。Bamboo hat？因為是竹篾編的。但也有像台灣的葉子編的。

「腰門」是什麼樣的偏門？

附寄來$50支票，請代影印兩份《海上花》，空郵寄給我。Stephen受的傷可好了？Mae也好？千萬等有空再回信。

Eileen 九月廿九

宋淇，一九八一年十月十一日

Eileen：

九月廿九日來信收到。

平鑫濤的信是我寫信給他的，他對你可說無微不至，我的書出版後到現在香港一本也買不到，代理商現在只經管四人的作品：（一）瓊瑤；（二）三毛；（三）張愛玲；（四）高陽，其餘都嫌數目太小，手續麻煩，所以你的書在香港到處可見。我是自己出了書之後才發現的。

你寄來的回目前後一共換了幾次，弄得我有點不放心，現在另印一份寄上，請你對照一下，並告訴我是否正確。又，你關於挖花的note不對，我給你改寫了。英文如有問題我與你的style不同，請你再改。同馬將不一樣，馬樣〔將〕是誰糊，誰贏錢，挖花則糊了的人，未必贏錢，要看誰的道數多。道數有很多因素，看你的牌的花邊多不多，敲出來的多不多，做莊擲的點子是什麼，最後一張牌是什麼，桌方小盅裡的骰子是幾點。所有的牌必須正面和反面加起來是七點才算數，所以〔牌樣〕四六配〔牌樣〕么三；〔牌樣〕人牌配〔牌樣〕長三；〔牌樣〕天牌配〔牌樣〕地牌；七星本身是七點，〔牌樣〕么六配〔牌樣〕六么，即么六，不過倒過來。我看信是講不通的，大概小孩時候，家裡大人不讓你在旁邊站着看。我因為祖父母有時候玩，有權利在旁看，所以在不知不覺就懂了，因為牌本身便是三十二張骨牌。

白話文和吳語對照，文言當然由它去，不必改譯，因為文言不應該有困難，譯成白話一定很可笑。吳語區用湖色紙不可能，你沒有考慮到印刷上的困難。普通總是第二頁吳語，第三頁白話，第四頁吳語，第五頁白話，或你不願意，反其道而行之，請問你第三頁和第四頁怎麼可能都是湖色？另一個辦法是用不同的油墨，雙色套印，吳語用脂評的紅色，如色太鮮，可用赭色，可是印刷時技術上仍有困難，不易克服，因為印刷時十六頁或三十二頁為一單位，然後再剪裁裝訂。唯一辦法是在頁數上想法改，或二者同用一個號碼，則將來變成白話的第一頁面對吳語的第一頁。這樣成本雖增加，還可控制。在平說來，對他是prestige，或可「行一記」。瘂弦處不必通知，將來你可另

As a footnote to you, I recall just at this moment you asked me once in Hong Kong about the exact meaning of the term, hai-shang, which is a part of the title of this novel. Hai-shang could be a shortened form of 'hai chih shang-yang' (海之上洋), included in ①

P.T.O.

Eileen：

九月廿九日來信收到。

平鑫濤的信是我寫信給他的，他對你的近況頗不放心，我的書出版以後，到現在香港一本也買不到，代理商現在只經售四人的作品：(一)瓊瑤；(二)三毛；(三)張愛玲；(四)高陽，其他都嫌銷路太少，手續麻煩，所以你的書在香港到處可見。我是自己出了書之後才發現的。

你寄來的回目前後一共換了幾次，弄得我有點不知所措，現在另印一份寄上，請你對照一下，並告訴我是否正確。又，你關於挖花的note不對，我給改正了。英文如有問題我與你的style不同，請你再改。因馬將不一樣，馬將是誰糊，誰贏錢，挖花則糊了的人，未必贏錢，要看誰的進數多。進數有很多因素，看你的牌的花色多不多，數出來的多少，做花掉的盒子是什麼，最後一張牌是什麼，某方小盒裡的數子是幾點，就有的牌如紅面和多面加起來是七點才算數，所以四六配么二；人牌配長三；天牌配地牌，七星本身因是七點，么六配六么，即么六，六么倒過來。我看

some of the old gazetteers. In the Ming dynasty there were two shores (p'u) among the eighteen shores off Sungkiang, which are known as Shang-hai and Hsia-hai, while Shanghai was also known as Shang-yang. ②

信是讀不通的，大概由於時候，家裡大人不讓你在旁邊站着看。我因為祖父母有時候玩，有的孫在旁看，所以不知不覺就懂了，因為牌本身只是三十二張骨牌。

白話文本身和吳語對照，文言當然由它去，不必改譯，因為文言不應該有困難，譯成白話一定很可笑。吳語宜用淡色紙，你沒有考慮到印刷上的困難。普通總是第二頁吳語，第三頁白話，第四頁吳語，第五頁白話，我們不能反其道而行之，請問你第三頁和第四頁怎麼可以都是淡色？另一個辦法是用不同的油墨，雙色套印，吳語用胭脂的紅色，如色太淡，可用輔色，可是印刷時技術上仍有困難，不易克服，因為印刷時十六頁或三十二頁為一單位，然後再剪裁裝訂。唯一辦法是在頁數上想法子，或二者同用一個頁碼，則將來左手白話的第一頁面對吳語的第一頁。這樣成本雖增加，還可控制。

在本說來，對他是prestige，我可作一記。推說當不必通知，將來你可加言一篇英譯海上花後記，說他已經看出來了。我最近和陸存

仁的仁指爭論文，給中國時報搶了去，他很不開心。你上次如寄來好的

由我寄去，請他先讀只我情就可以了，一如以前。

信中所謂各問題，一時不能之到全部答案，有些還要去查的，

(一)第那四門，「梅羞殺」不是是pun，除非解成者羞人殺目我羞人，如

有則是字形上的pun，而不是聲音上的pun；

(二)緗—是書本用的淺黃色帛布。

(三)龍涎香是抹香鯨腸內的分泌物，色灰褐，為貴重之香料。

英文是ambergris（林語堂）。檀香是sandal wood，沉水香是aloe wood。

(四)香爐—香，依照「辭海」，是盛香之器，如云香管、香斗。

(五)萇弘—「周大夫，名萇弘。周靈王聽讒言，疏萇弘。時思方表

玉人石鏡，白色如雪，鏡有玉人，機戾能自轉動，萇弘言於王曰：

『聖德所昭，亦周人以萇弘媚諂而殺之，流血成石，或言成碧，不

見其屍。』

(六)笠譯bamboo hat，是。其餘查到後再寄給。我們都好。祝

安好。

Stephen

81年十月十一日

寫一篇〈英譯《海上花》譯後記〉，給他已經喜出望外了。我最近和陳存仁的《紅樓夢》論文給《中國時報》搶了去，他很不開心。你只要文章寫好後由我寄去，讓他覺得欠我情就可以了，一如以前。

信中所詢各問題，一時不能立刻全部答覆，有些還要去查詢，

（一）第39回P5，「板差頭」不一定是pun，除非前文有差人頭目或差人，如有則是字形上的pun，而不是聲音上的pun；

（二）緗——是喪事用的淺黃色帛布。

（三）龍涎香是抹香鯨，腸內的分泌物，色灰褐，為貴重之香料。英文是Ambergris（林語堂）。檀香是sandal wood，沉香是gharu wood。

（四）看燭——看，依照《辭海》，是監守之意，如云看管、看守。

（五）萇叔——「周大夫，名萇弘。周靈王聽讒言，疏長（萇）弘。時異方貢玉人石鏡，白色如雪，鏡有玉人機戾能自轉動，萇弘言於王曰：『聖德所昭也。』周人以萇弘媚諂而殺之，流血成石，或言成碧，不見其屍。」

（六）笠譯bamboo hat，是。其餘查到後再告知。我們都好。祝

安好。

Stephen

81年十月十一日

張愛玲致鄺文美、宋淇，一九八一年十月十五日

Mae & Stephen，

我上一封長信上講的事，平鑫濤另開了上半年版稅的支票寄來，建議介紹胡適重新發現《海上花》的經過。我這才想起來，要托Stephen影印兩份《胡適文存》裏關於《海上花》這篇文章，寄一份給平鑫濤，一份給我，好擇要寫一段簡短的介紹。但是胡文恐怕現在的年青人看過的不多，也許值得轉載全文，那最好了。想必可以取得胡太太的同意。我想《皇冠》連載分四期刊完，（平鑫濤本來想一次刊完）情節較有統一性：（一）第一至十六回，趙樸齋陸秀寶從認識到「開寶」；（二）第十七至卅二回，趙淪落了，他妹妹來救他，也墜落了；（三）第卅三至四十八回，李漱芳之死；（四）第四十九至六十四回，main plot & 3 sub-plots （黃翠鳳、周雙玉、李實夫叔侄）結束。這樣，後半部有些沉悶的地方也許也帶得過去了。頭十六回寄去剛趕上年底郵擠，還要來得及讓我自校一遍，要想趕得上二月號登，也許就拿我這裏的《海上花》直接寄去，好在頭十六回沒有文言典故，有問題的全在後半部。不過篇首的介紹要先寄來讓你們幫我看看。你們要是不介意，我想在這裏提一聲，典故註解幸而有你們幫忙，「穢史」就不註了，仿英文書之引一段拉丁文，看不懂也罷。上次開出許多問題的清單，還漏掉這幾項：（一）蓬壺（釣叟）是否酒壺上加蓑衣式套子，防漏水進去，保暖；（二）第四十二回回目「鴿難」出典；（三）第卅三回第四至第五頁：張船山（名字叫——？乾嘉時人？）什麼詩？（四）第六十一回菊花詩「三徑」「北海」出典。我又在看牙齒，這次只偶而隱隱作痛，不確定所以躭誤了！蛀到神經上，比較麻煩。希望你們這裏這兩天平靜下來了。我剛說了千萬等有空再回信，倒又要這樣那樣，真不好意思。趕緊去寄出這封信。

又，平鑫濤信上只說Stephen與我都贊成出白話吳語對照本，要預先刻吳語字模。我抄了些字開了個單子給他——已經都刻好了——別的根本沒提白、吳語對照本的話，等商量過再說。祝

好

Eileen 十月十五

宋淇，一九八一年十月二十六日

Eileen：

十月十一日曾上一信，想已收到。

你前後兩信中還有幾個問題沒有答覆，結果和一位江蘇同事商量，大致已告解決：

（一）「里乘閩小記」是兩本書：（一）《里乘》，（二）《閩小記》；見《筆記小說大觀》；

（二）「腰門」是前堂和後廳中間的一扇門；用來做前半和後半的partition〔隔板〕。

（三）「蓬壺」即蓬萊，為三神山之一，蓬壺釣叟是當時很有名的文人的筆名。

（四）「鴒」典出《詩經》，喻兄弟之誼；鴒難指該回中弟弟有難。

（五）張船山名問陶（1764—1814），乾隆進士，以詩名，風格清新自然，亦善書畫，有《船山詩草》。我讀過他幾首論靈感的詩，的確不錯。這裡似指前引一偶句，並不見工。

（六）「北海」——源出《莊子》——「挾泰山以超北海」，這裡和「東籬」對偶，恐指人。「東籬」指陶淵明：「採菊東籬下」。那麼「北海」指孔融，孔融讓梨是千古美談，他號「北海」，為漢末建安七子之一，曾任北海相，有《孔北海集》。

（七）三徑——典出陶淵明《歸去來辭》：「三徑就荒，松菊猶存」，後人本此，輒以三徑稱隱士所居。如此「三徑」和「東籬」放在一起似乎更自然了。

《海上花》已找到，可是亞東本，至少有五十歲，影印時一不小心很容易將書弄碎裂，現在仍放在影印處，要等他們的工人有功夫，同我慢慢地印才行。你說《胡適文存》中《海上花》考據一文，我家中的那一套四冊《胡適文存》就沒有，會不會是根本沒收進去？我那天看了一下亞東版的《海上花》，胡序很長，如此則反而更有價值，因為看見過的人一定很少，倒變成rare item了。希望胡太太不要奇貨可居，獅子大開口才好。此事由我寫信給平鑫濤好了。

柳存仁處我寄了一份《海上花》回目給他，他佩服得五體投地。可是他指出來一點：Hawkes譯

《石頭記》、余國藩譯《西遊記》回目都用present tense，而你則偏偏用past tense，不知何故？因他有此一問，所以我順便提出。「秦無頭可壓，宋有腳能行」一時還詳不出來，實在傷腦筋，也許過一陣會解決這疑團。祝好。

Stephen
81、10、26

張愛玲致鄺文美、宋淇，一九八一年十月二十六日

Mae & Stephen，

影印的《海上花》回目頁有兩頁是廢棄了的，現在改了全部寄還。第一頁又新改了一個字。挖花註就照Stephen改寫的，我看不出作風不同。「埔」原來是shore。十六鋪我認為是十六埔——因為「鋪子」是北方話——誤譯為sixteen capes。書中兩次說尹癡鴛綽號囚犯，因為他喜歡板差頭——別無有關的上下文——如果不是pun，實在百思不得其解。「湖色紙」是我又犯了說話不清楚的老毛病，是說整頁疊印湖色。背面還是會隱隱透過。改用赭紅色字最好了。但是我仔細想過了，對照本這idea雖然好，還是我原來的想法（白話本）比較穩當。對照本一般讀者會覺得買重了，不上算。很少人有興趣比較兩個本子。平鑫濤說「也許出一個白話本，再出一個吳語本」，也就是Stephen說的「各看各的」，不過不出雙份錢。吳語文藝不像粵語的一貫流行到現在，說吳語的人看慣了白話文，而且近代的上海話受寧波話的影響，「耐」「俚」「俚倈」變成「儂」「伊」「伊拉」，乍看《海上花》還許不大懂。《海上花》兩次絕版，我覺得禁不起risk了。我上次來信又要影印胡適那篇關於《海上花》的論文，寄一份給我，一份給平鑫濤；空郵兩部《海上花》又貴，寄來的$50怕不夠，又補寄一張$50支票來。如果影印的《海上花》還沒寄出，就請只空郵一份，另一份平郵寄給我。志清來信說英譯本也不必讓代理人推銷了，就由哥大出，錢給的比別家多；如果已

經答應了中大印刷所，就由中大哥大合出，他寫序；他正寫了關於《鏡花緣》《玉梨魂》等論文，再寫篇《海上花》序就可以出集子。我想等寄early bird 賀年片，給他寫「聖誕信」再告訴他我根本不知道中大出書。（不知道他是不是聽見《譯叢》登《海上花》，誤以為是中大印刷所。）上次他建議印大印刷所，我也又說過Radcliffe Institute 出過錢，我要先問過她們，不能自作主張。找代理人是總想銷路廣點，不試過也不死心。哥大出版當然是好，但是還不知道什麼時候才能交貨。（他急於寫序出集子，除非登在《譯叢》上？快擠不下了。）我多年沒看牙齒，一查許多地方出了毛病，年內決看不完。慧龍出版公司的唐吉松病逝，楊鴻松接辦，來信說因此《赤地之戀》四版後就擱到現在才寄版稅來。一千多一點美元，是travelers' checks，銀行拒收。（以前一共給了兩千）我要等下次去郵局的時候掛號寄還。上次給平鑫濤寫回信時順便問，不知道是否可以讓陳〔楊〕鴻松開張台幣支票給他，托他代換美金支票。香港書商的批發這樣，真使人氣結。我居然躋身於瓊瑤三毛高陽之間，真「懸」得汗毛凜凜，隨時給刷下來。非常高興你們倆都好，Stephen的傷也好了。

Eileen 十月廿六 1981

張愛玲致鄺文美、宋淇，一九八一年十一月三日

Mae & Stephen，

收到十月廿六日的信。上一封信收到後就把寄來的全部回目頁改正寄還。回目當然是present tense對，幸而被柳存仁提醒，請替我道謝。過天就再改了重打過寄來。胡適關於《海上花》的文章是我纏夾，只記得考據《醒世姻緣》那篇是在《胡適文存》卷四，再也想不起《海上花》這篇是在第幾冊，原來沒收進去。希望胡太太不會以為不收編是自己不滿意，不肯讓轉載。越長越好，真是寶貴。我影印的《海上花》沒印序文，也忘了這篇文章就是序。（！）影印中大的《海上花》不忙。有個大學圖書館（大概是哈佛燕京）有一本石印《閱微草堂筆記》在我手中粉碎，灑了一房

間，猶有餘悸，那是年代更久了，紙都綳脆了。我把《海上花》第一冊的蘇白改掉寄給皇冠之前也要影印兩份，即使糢糊點，至少自己能用，也許排字也能用。這兩天就忙着看牙齒，越看麻煩越多，怪不得一直不疼，神經死了。孔融的官職是「北海相」？草書我不確定是「相」字。你們倆想必都好。

Eileen 十一月三日 1981

又及

必要的話胡適的序可以找人抄下來再影印，讓我出抄寫費。

張愛玲致鄺文美、宋淇，一九八一年十一月八日

Mae & Stephen，

十一月三日的航簡想已收到。我這裏的《海上花》頭十六回前天拿去影印了兩份，很清楚，可以用來排字。中大的一部除了胡適序，不用影印了。《皇冠》連載前面需要有篇介紹，我可以寫兩份，一份有胡適序擇要，一份沒有，萬一胡序不能轉載，就用前者。中大影印處的工人如果一時還不會空下來，就請人抄序文，影印一份給我。Stephen給平鑫濤信上也許可以提起，胡適序很長，如果夠做二月號慶祝皇冠廿九周年的特稿，小說等三月號起刊，那就免得寄稿子去正趕上年底郵擠，再加上我要自校一遍，期限更偪促。一方面我還是儘早寄去，正文部份大概可以先排起來。等以後把英譯本的譯者序投到《聯副》上，當然還是照常寄給Stephen轉去。先寄出這封信，再想起別的什麼再寫了。想必你們倆都好。

Eileen 十一月八日 1981

宋淇，一九八一年十一月十六日

Eileen：

信寄出後不放心，回家後又拿《胡適文存》的目錄看了一遍，果然發現第三集中有《海上花列傳序》一文，所以草了一函寄平鑫濤，現將有關部份的第一頁影印一份寄上。

前詢出典，現有了新發展：

（一）北海一定是孔融，因為查到了原始資料，說他「好客」、「善飲」、「樽中酒不空」。

（二）秦無頭可壓

宋有腳能行

經過再三推敲和討論，認為勉強說得通的辦法是拆字格，將「秦」上下拆開，變成（「秦」字上半）和「禾」兩字，（「秦」字上半）去了下面的「禾」，當然無頭可壓；「宋」字底下是「木」，「禾」字底下也是「木」，「宋」字變成有了腳，就能行路了。起先有人認為「壓」可能是賭鬼將頭當籌碼壓，後來想想太勉強，也找不出根據。「秦」和「宋」都是朝代名，也都是人的姓，所以就對仗起了。此偶句極生硬，不通已極，無怪乎要說她寫得糟了。

《海上花》影印好了兩份，無論如何小心，不出我所料，結果裝訂還是散了。將來只好托圖書館去重新裝訂，自己賠一筆費用。我已寄出（一）胡適序給平鑫濤，（二）空郵首六章給你，（三）海郵全套給你。另外還剩下劉序、汪序、七至六十四回，這一批你有什麼意見，盼告知以便取捨。香港郵費大調整，最貴的是平郵、包裹、和印刷品。航空信原來為二元，現反改為一元三角。全套原擬用航空寄，去郵局一算，竟是天文數字，所以改為平郵，好在如有便船，從香港到美西，有時一個月也到了。另航郵寄上首六章是怕你臨時要用。第二章cheque暫時保留，不去存入戶口，下次再算。

《海上花》英譯本照我看，不必浪費時間去找commercial出版社，美國人心目中的fiction相差十萬八千里。如果志清能替你弄到Columbia出版，照我看是求之不得。錢鍾書的《圍城》，巴金的《寒夜》銷路都極慘，Hawkes的《石頭記》、余國藩的《西遊記》都不行。陳若曦的《尹縣長》是沾了四人幫的光，她的第二本書就沒有人要。洋人看東方小說，大概非洋鬼子寫不可，如Clavell、Elegant、Kingston（湯婷婷？）等，真沒有辦法。志清以為中大要出《海上花》是他誤會，因為《譯叢》要登一章，事實上我們能給的版稅要比哥大少一半，所以我從來沒有向你提過，對職業作家來說，給我們出書是開玩笑。我們身體尚好，就是成天奔波，昏天黑地。

祝好。

Stephen
Nov. 16 1981

張愛玲致鄺文美、宋淇，一九八一年十二月十一日

Mae & Stephen，

十一月十六的信與六回《海上花》都收到了。胡適那篇考證，我苦思在《胡適文存》第幾冊，恍惚是卷三，也不知為什麼沒說，不然Stephen也省點事，不用大找了。拆散了中大圖書館的《海上花》，都是怪我早沒去影印我那部影印本試試。——我上一封信說影印了很清楚，那封信本來已經太晚了，又無緣無故白耽擱了兩天：投入公寓大門內郵筒，兩天後發現在我的信箱裏，以為欠資退還，但是信封上沒有任何郵戳或寫的字句；是那郵差開郵筒時，竟費事檢視這封信，按照寄信人住址投遞。——至少讓我出中大那部《海上花》的裝訂費，附寄了五十元來，如果相差太遠，也還是無論如何要讓我出，千萬告訴我一個數目。那一聯詩的出典，「春字上半部分」 夫是什麼字？為什麼「宋變成有了腳」？是否「宋」字末端形似一隻腳？我手上的皮膚病近來惡化，多年前醫生開的方子失效，看樣子又要兩隻手都不能下水了，年底放假無法找醫生，只好提前去。同

時又看牙齒又看手，忙亂可想而知。好容易昨天寄出八回白話《海上花》——本來預備一次寄十六回，再耽擱下去怕被賀年片堵住了，就這樣也不知道趕得上趕不上《皇冠》二月號登。預備附信給平鑫濤，寫信的時候才想起平鑫濤要我介紹胡適發掘出這部被遺忘的書的經過。那想必在他這篇考證的前三節裏。我手中的影印本缺序，（只有汪原放序的尾聲）無法看是否可以把前三節轉載一部份，或是摘錄一些，寫入譯序。我還是四十多年前看的，內容早忘了，只有個模糊的印象是劉半農先發現這書。如果發掘的過程是劉半農序中較清晰有力，就請Stephen把胡適序與劉半農序都影印了，airmail special delivery寄給我——限時專送也許比較不受郵擠的影響。——當然那是決趕不上二月號了。要二月號登，除非轉載胡適序全文。太長，但是譯序與小說可以下一期起刊。再不然，如果Stephen有工夫代看前三節哪一部份可用，告訴平鑫濤，那最好了。那就不必空郵任何序給我。結果我寄稿子去沒附信，明天還得要補封信去大略解釋一下。再寫聖誕信給志清與Dick McCarthy，回掉代理人，答應問過Radcliffe Institute後就把譯稿給哥大印刷所。當然我知道Stephen沒提中大印刷所是因為他們不出什麼錢——一般學術著作，代印已經算好的了。我一直在back of the mind〔下意識〕想對照本的事，還是深信英漢對照本就靠學生視為讀英文的捷徑。國、吳語對照本是創舉，但是做生意的pioneers往往蝕本，挑跟進的人賺錢。《海上花》這次要是為了外在因素銷路不好——也許還是為了小說本身，也無法斷定（上兩次的失敗不能全怪方言）——那太冤了。希望Stephen下次給平鑫濤寫信的時候簡單點轉告，也許就說我仔細考慮後還是不主張出對照本，認為銷路沒把握。趕緊下去寄信——想必你們倆最近還是一切都好。

Eileen 十二月十一

影印的三篇序（胡、劉、汪）與第七至六十四回請平郵寄給我，現在毫無時間性，不是等着要。

又及

宋淇，一九八一年十二月十四日

Dear Eileen,

In view of the fact that Steve Cheng's article: "Flowers on the Sea and its narrative methods" and Crespigny's translation: "A Flower in a Sinful Sea"(孽海花) follow immediately your translation of "Flowers on the Sea", we shall have three titles containing the words Flower and Sea in a row, which must strike the readers monotonous if not ridiculous. Furthermore, the word "flower" in English does not have similar connotations as the Chinese original, making your present tentative title rather flat and insipid, if I may say so. We have had this in mind for a long time and have searched for a suitable title in vain. Yesterday we came up with a possible alternative: "Belles of Shanghai". Belle, of course, has nothing to do with 野草閑花or 野花, but it means the most attractive females of a period or locality. It brings to mind especially belles of the South, like Scarlett O'Hara of Gone with the Wind, and the prostitutes of 長三堂子 were actually belles of that particular period, like富春樓老六, 花國總統, or even dance hall hostesses, 梁賽珍姐妹of a later age. We all think as a title it sounds much better and invokes the proper associations, making the book much more salable.

〔愛玲：

鄭緒雷的文章〈《海上花》及其敘事手法〉和張磊夫翻譯的《孽海花》緊接在你翻譯的《海上花》後面，想想我們將會有一連三個又是「花」又是「海」的標題，讀者看了即使不覺可笑也一定嫌單調。況且，英文flower並沒有與中文「花」相似的隱含意義，因此恕我直言，你目前暫定的書名顯得相當寡淡無味。我們心中考量已久，思來想去也尋覓不到合適的書名。昨日我們想出一個可備選的標題："Belles of Shanghai"[上海佳人]。Belle當然跟「野草閑花」或「野花」毫不相干，卻是指一時或一地最有魅力的女性。它尤其令人想到belles of the South [南國佳人]，比如《亂世佳人》中的郝思嘉，而長三堂子的妓女其實就是那時期的belles，比如富春樓老六，花國總統，甚至於舞廳的舞女們，年代較晚的梁賽珍姐妹。我們都覺得作為標題，它聽上去好得多並能喚起恰當的聯想，使

書的銷路樂觀得多。〕

We are in favor of the change. If you were agreeable, you have to rephrase your introductory remarks to fit in with the new title. However, if you prefer your own title, you can always retain it when you present it to publishers in book form. I am afraid, however, most of the publishers would prefer the new title to the present one.

〔我們贊成更改。假如你同意，還得調整你前言中的一些講法來配合新標題。但是，如果你偏愛自己的標題，總不妨留待全書完成後呈交出版商時使用。然而我覺得，大多數出版商恐怕會喜歡這個新標題多於現時的標題。〕

I have never written you in English. When I do, I sound too formal and stiff. You know that I always have your interests in heart. The suggestion is not merely an attempt to improve *Renditions* but rather to promote your book. As this deals with an official matter, I have to request your approval formally.

With best personal regards,

Yours sincerely,
Stephen C. Soong
SCS: mc

〔我從來不給你寫英文信。一寫便語氣過於正式又生硬。你明白，我心裏總記掛你的利益。這提議不僅是為了提升《譯叢》品質，更是要宣傳你的書。既然是談公事，我只好正式請求你同意了。

祝

安好

宋淇上〕

宋淇，一九八一年十二月二十五日

Eileen：

十月廿六日信，十一月三日航簡，十一月八日航簡，十二月十一日信和附來的五十元支票均收到。這一陣因為人來客往，免不了送往迎來，總是定不下心來寫信，一直沒有好好作覆。十二月廿一到廿三日開四十年代新文學（華東、華南區）研討會，被迫參加，聽聽大陸來的代表們發言，不由不對他們憐憫，竹幕之下四十年真可以令一個人閉塞和「悖時」。港大兩文學少壯派從比較文學觀點，研究你四篇短篇的主題——「啟悟」——以〈第一爐香〉、〈第二爐香〉、〈傾城〉等為對象。不管如何，總是熟讀你的作品而下了點功夫的。事後討論發言，王辛笛（一位三十、四十年代的詩人）居然說：張愛玲的作品我讀過，叫《傳奇》，極有才華，聽說在美國，在座諸位，有誰認識她，請帶口信給她，我們歡迎她回祖國，看看祖國新面貌云云。他根本不知道你寫過《秧歌》和《赤地之戀》，其「悖」實令人發噱。柯靈，即萬象的編者，報導當時的話劇活動，曾提及你自己改編的〈傾城〉，他那篇報告相當平實，資料豐富，可惜也垂垂老矣。總之，看看他們又是可笑，又是可憐。

在寄《海上花》前六章給你時，我同時將胡適的序寄給平鑫濤，並囑秘書附上致平的信的第一頁印本，她可能忘了或誤置在平郵包中。信中我建議胡適原文太長，約一萬五千餘字，可選登第四節。他大概不是忙電影，就是出國，根本沒有回信，相信會交給執行編輯。現再附上該頁印本，請你立刻follow up。

「差人」在廣東話中指警察，毫無疑義。在蘇州話中，是否通用於公差、官差、警察，並無把握。「板差頭」的「差」讀音不同，似乎牽強，所以我躊躇再三，不敢下斷語。

我的《攻心記》已出版了，仍來不了香港，我去信給平，願意自己出錢給皇冠，同《昨日今日》想運五百至一千本來，他到現在還沒回信。三毛最近新出兩書，可是星、港都有盜印，看上去全是她的世界，高陽也刷下來了。聽說高陽也很不滿意。一個作家出了書，沒法給讀者看，其苦悶可知。下次寫信時，請你提一提我的情況，也好讓他瞭解一下，因為出版社而不發行，是天下怪事。

孔融是北海相。

那一聯詩是拿秦字拆開，上為「秦」字上半，下為「禾」，單獨不能成字，「秦」字上半似乎和春字的上半相同。總之，這是沒有意義的，所以說寫得不好，其實是客氣話，根本不通。「宋」字末與「禾」字末均為「木」字，說不上腳不腳，其實就是有了下肢。無理可喻。

寄來的錢，勉強可應付影印和郵費，$50就夠了，所以第二張$50支票根本沒有去存入戶口，現附上奉回。最近的第三張要等修理、裝釘之後才知，那要很久以後才知，現在不急。

前寄英文信，建議將英譯本的書名改為*Belles of Shanghai*，這是臨時的，經過慎重考慮，大家覺得：The Belles of Old Shanghai來得更渾成，而且點明時代，不致引起誤會，希望你也同樣覺得這是一個改進。

你以前曾經用英文寫過一本以張學良為主角的小說，後來因外國人搞不清中國人的「三字經」，始終找不到出版商，中文版則你因為覺得有礙語，不敢拿出去。目前張已可公開活動，雙方因統戰關係，都在對他表示好感，倒是一個極好的出土機會。台灣方面比較起來對「老先生」最敏感，攻擊蔣經國沒有關係，對老先生如有何不敬則罪莫大焉。我現在正式建議你把《海上花》弄好後，立刻動手把它譯成中文。對老先生有不敬的地方可以沖淡一點，如果再有問題，最多在香港出版，金庸去了北京，訪問鄧小平，事後寫了篇長文，台灣拿他沒辦法，沒有把他的武俠小說禁止發行。陳若曦時常批評台灣當局，也拿她沒辦法。〔……〕

你這本「三字經」小說題材太好了，大時代背景，時代造成的英雄人物，然後有一段始終不渝的愛情故事。你無論如何要把它寫出來，如果夠得上水準，必是傳世之作。〔……〕

志清處我已去信，告訴他你會寫信給他，並勸他寫一篇序，因為他正在編《元雜劇選》，已到最後關頭，也缺一篇序，所以你不必急急將稿趕出，以免他顧失此彼，元劇一書他已躭誤了五年。此外，他還有熊式一《西廂記》序，《隋史遺文》序，《玉梨魂》，《鏡花緣》，還有一兩篇其他論文，實在可以彙集成另一本書。在時代上正好可以配合Classical & Modern Fiction之間，而且都是敘事體的著作，並沒有離開他的本行。他這幾年來很是消沉，是應該出書的時候了。你只要先告訴他願交哥大，請他寫序，譯稿等我消息再寄去。哥大給的royalty比我們多，因為我們的代理商華盛頓大學要分去一半，華大中國學也算有點名，但以prestige而言，究竟比不上哥大。

我們這一陣都好，尤其是我，大為發福，體重增加了近二十磅，大概平時保養得好，到了年齡就胖了起來。公私兩忙，幾乎馬不停蹄。祝

新年快樂。

Stephen

1981年十二月廿五日聖誕

張愛玲致鄺文美、宋淇，一九八一年十二月二十七日

Mae & Stephen，

收到Stephen的英文信，寫了正式的回信[12]。海運的《海上花》也已經收到了一份，西岸是真快得多。上次Stephen信上說還有胡適劉半農汪原放三篇序怎樣處置，我看了以為寄來的《海上花》不包括序在內，所以半個月前又來信要求影印了胡適劉半農的序，空郵限時專送給我。現在有了，可以摘錄一些寫入譯序，胡適序只要轉載第四節就夠了，也不用Stephen再代看。中大圖書館的《海上花》沒別的要影印的了，可以重新裝訂了，裝訂費多少務必要告訴我。《中國時報》因為我這些時沒投稿，已經停止贈閱——以前已經有過一次，不過那是一篇也沒寫過——（畫報與雜誌還在送，想必是他們自己機構內不接頭）不知道Stephen有沒再寫關於《紅樓夢》裏的病症，登在《人間》上。想必你們過年一切都好。

Eileen 十二月廿七 1981

紫檀我譯purple cedar一定不對。第十二回回目「裝鬼戲催轉踏搖娘」，「踏謠娘」註：「唐朝

都中少女出遊，聯臂歌舞，唱『長安女兒踏春陽，何處春陽不斷腸？』稱『踏搖娘』。見《太平廣記》。」全憑記憶，不知對不對？

又及

宋淇，一九八二年一月十四日

Eileen：

英文信和十二月廿七日信都收到。我有信給志清，現將其中有關《海上花》的片段影印附上[13]，盼你看後直接同他連絡，看他信，他先要把《元曲》趕出來，下學年再能全副心神放在新計劃上。他對英文書名Belles稱讚不止，當然他不知道不切題。事實上，我仍然喜歡Belles，因為可以銷書。不得已而求其次，只好用Sing Song了。

關於〈紅樓夢的病症與醫理〉，因為同陳存仁合作，所以在《大成雜誌》上連載，陳存仁忽然對《紅樓夢》發生興趣，大作其文章，結果達到的結論都是人云亦云，而且根據的是程高本，與我用鈔本的寫法大異其趣，一篇文章內既有重複，也有矛盾，很多讀者都看了之後覺得莫名其妙，甚至有人說陳存仁，誰叫你做半個紅學家的？唯一辦法是將來出單行本時，將他那部份撇掉，好在我的文章每篇都能單獨自立。

紫檀——根據《辭海》，檀為「常綠木，產熱帶。木材新者色紅，老者色紫，入水則沉，製器具，甚為貴重。」

12. 張愛玲的英文回信不見於宋家文件檔案，暫缺。
13. 夏志清致宋淇書中說，非常高興得知張愛玲譯完《海上花》，且哥大出版尤為合適。但認為張愛玲應該給《海上花》一本寫自序，自己則寫一篇短forward。信上也稱讚了英文書名裏的belle一詞，指出這是一八九〇年間美國夜生活中的常用語，認為較「Flowers on the Sea」合適。

「踏搖娘」你記錯了。不知那裡看來的。《辭海》和《中文大辭典》均採同一來源，現將後者的解釋影印附上。這裡面有打老婆的故事，非常生動，不知同第十二回內容有關聯否？匆匆即祝
安好。

Stephen
82年一月十四日

〔以下為《中文大辭典》影印件〕

【踏謠娘】唐時散樂名。一作踏搖娘。《教坊記》北齊有人，姓蘇，齁鼻，實不仕而自號為郎中，嗜飲酗酒，每醉輒毆其妻，妻銜悲訴于鄰里，時人弄之，丈夫着婦人衣，徐步入場行歌，每一疊傍人齊聲和之云，踏謠和來，踏謠娘苦和來，以其且步且歌，故謂之踏謠，以其稱冤故言苦，及其至而作毆鬥之狀以為笑樂。

宋淇，一九八二年一月二十八日

比較文學與翻譯中心
主任室

Comparative Literature and Translation Center
Director's Office

Reference:
January 28, 1982
Mrs. Eileen Chang Reyher
〔……〕

Dear Eileen,

Thank you for your letter of December 27, 1981. In respect of your reservations, we have decided to retain your original title in our announcement. It is a temporary and working title which can be replaced after we succeed in finding an attractive one.

〔愛玲：

謝謝你一九八一年十二月廿七的信。我們了解你的疑慮，決定在預告裏留下你原先的標題。它是暫時初定的標題，待我們找到吸引人的標題後再替換不遲。〕

The problem is that 花 of the original Chinese title can include both categories. For example, 交際花 applies to a well-born socialite. 臨老入花叢, 吃花酒 and 野草閑花, on the other hand, bring to mind the "oldest profession". Still the idiomatic phrase: 名花有主, I believe, can be applied to both. As to the other alternatives, "whore" is out the question, so is "harlot." I asked some of the English and American teachers here. They all think that "Singsong" smacks of "pidgin." "Sirens", on the other hand, is further complicated by its association with Greek mythology. In view of the affirmative and enthusiastic response from C.T. Hsia, Liu Ts'un-yan and George Kao, who is very difficult to please, to the suggested title:

"The Belles of Old Shanghai"

I hope you will reconsider it and kick it round for a while. "Belle", in its true sense, refers to lady only, as you have rightly pointed out. But here it is used ironically and euphemistically like "ladies of the evening" or "street angels" just like the rhetorical use of the term "名花". Old Shanghai would not be taken for the period of pre-communist but like old New York evoke the gay nineties, as C. T. Hsia put it. The word has to be inserted, otherwise it may be taken as present day Shanghai. To be objective, I think that it is not a bad title at all, otherwise I would not have met with unanimous approval from the three gentlemen.

〔問題在於中文原名的「花」可以包括兩類。舉個例子，「交際花」指出身高貴的社交名媛。「臨老入花叢」、「吃花酒」、「野草閑花」則令人想到「最古老的職業」。不過，成語「名花有主」我相信是兼指兩類。至於別的選項，whore〔娼婦〕決無可能，harlot〔娼女〕亦一樣。我問過此地一些英美教師，全都認為Singsong散發「洋涇浜」氣味。Sirens〔海妖〕則由於它跟希臘神話的關聯而愈發使人迷惑。對我提議的標題：

"The Belles of Old Shanghai"〔老上海佳人〕

夏志清、柳存仁，乃至要求極高的高克毅，均熱烈贊同，有鑒於此，希望你可以重新考慮，再醞釀一下。Belle的本意你說得對，限於良家女子。但它這裏是反諷和委婉的用法，好比ladies of the evening〔良宵淑女〕或street angels〔馬路天使〕，正如「名花」一語的修辭用法一樣。Old Shanghai不會令讀者以為是寫共產黨之前的年代，而是彷彿「老紐約」，如夏志清所說，喚起十九世紀末的歡愉。這個詞得要添加進去，否則讀者可能以為是現在的上海。客觀地說，我覺得這標題一點也不壞，否則三位先生就不會一致贊成我的提議了。〕

The problem is how to get around to the three lower-class prostitutes in the book. I think you might do a little explanation in your introduction to justify it. I know it is difficult to make you change your mind when you by intuition had reservations about it initially. I hope you understand that I have nothing to do with the book except that I wish the book would be accepted for publication and enjoy, a critical, if not commercial, success. In the last analysis, the publisher will have the final say. You may offer them several alternatives and may argue with all your reservations. Still, it cannot be denied that the title helps to sell the book. The Penguin people are now after David Hawkes to insert "Dream of the Red Chamber" plus something like "otherwise" or "previously known as", because "The Story of the Stone" means nothing to the average reader and just blocks the movement of the book. The PRC edition uses "Red Mansions" and the new French version uses "Red Pavilion". Somehow "chamber" it remains. This is a classical case of the choice of a correct title which happens to be wrong. One of the ironies of publication!

By the way, I remember one of the characters in an American novel I read forty years ago is Belle Watling, who happens to be a "Madame". It is not exactly sacred. Anyway, give it some more thinking.

With best personal regards,

Yours sincerely,
Stephen C. Soong

〔問題在於如何顧全到書中三個較低等的妓女。我想你可以在前言中略作解釋來說明它合理。我知道你憑直覺起先便對它有保留，這樣要你改變主意就難了。希望你明白，此書本來與我沒有牽涉，我只是願見它獲接納出版，即使不能暢銷，也贏得評論的青睞。歸根到底，最後是出版社說了算。你可以給他們好幾個備選的書名，提出你所有的疑慮。不過無可否認，書名對銷路有幫助。企鵝出版社現在極力遊說霍克思綴上「Dream of the Red Chamber」〔紅室夢〕一題[14]，並說明那是「又名」或「前稱」，因為對於「The Story of the Stone」〔石頭記〕一般讀者毫無印象，只會阻礙銷路。大陸譯本用了「Red Mansions」〔紅府〕，法文新譯本用了「Red Pavilion」〔紅亭〕字眼。不管何故「Chamber」仍有影響。正確的書名卻成了錯誤的選擇，這是範例。出版的反諷之一！

順便說說，我記得四十年前讀過一本美國小說，裏面有個角色Belle Watling正是個"Madame"〔妓女婉稱〕。它並不神聖。無論如何，再考慮一下它吧。

祝

安好

宋淇 上〕

14. 「Dream of the Red Chamber」（紅室夢）是《紅樓夢》流傳最久亦最廣的英譯標題，「紅室」當指秦氏臥室，因為全書關鍵的第五回中，寶玉在秦氏臥房裏神遊太虛幻境，回目是「賈寶玉神遊太虛境 警幻仙曲演紅樓夢」。

張愛玲致鄺文美、宋淇，一九八二年二月一日

Mae & Stephen，

收到十二月廿五與一月十四的信。志清初提哥大出《海上花》的時候，就說他寫序，加上原有的《玉梨魂》等文，可以出個集子。我當然說「有你寫序，由哥大出版，當然再好也沒有。」他回我的聖誕信却又叫我自己寫，他另寫個短foreword[15]。Stephen聖誕節那天的信上說寫信去勸他寫序，我有點不懂，是他自動要寫，為什麼要勸他？Stephen又不知道他已經改了口。恐怕又是我上一封信上說得不夠清楚。我從來沒想到英譯《海上花》有希望成為暢銷書。而且即使有出版商願意出版，也可能馬上絕版，我從自己經驗上知道。但是回掉McCarthy還是個painful decision，so to get it over with〔趕緊讓這事過去〕，不願多擱些時多考慮一下。不料信寄出後更難受了。McCarthy回信似乎以為我是等不及，想早點拿到版稅。後來我剛巧看到*Newsweek*上一篇書評，說這本小說集因為是一個大學印刷所出的，書店大都沒有，立刻決定了，再寫了封信給McCarthy與志清，志清的一封另抄了一份附寄了來。信上也都是實話，我是先沒想到請他寫序。希望他不會當是因為he had second thoughts，I also have second thoughts.〔他有多一層考慮，我也有。〕有關中國的書銷路慘，我當然關心的，也還是願意冒個險。以前本來預備刪掉《海上花》裏做詩行令幾回，結果又補譯了，只不提詩詞酒令內容，很不自然。還是刪了再補綴上，所以至早也要秋冬才拿去找人打。代理人推銷又慢，絕對不會在'83那期《譯叢》出版前有消息。《譯叢》上的回目只好仍舊64回。書名我想就叫*The Singsong Girls*。過天改了序，與present tense的回目一併寄來。瘂弦不回我的賀年片，然後來信說依了我抽去《大系》選文，答應他的作品「就請寄來。」一副討債聲口。我回信說英譯《海上花》序還要改動，太遙遙無期，〔想等明年《譯叢》出版〕過些時再寄篇短文去。會托Stephen轉。趕期限的大堆垛的《海上花》只好直接寄給皇冠了。註解寧缺毋錯，不確定的等以後再補加。「秦」「宋」一聯懂了。「踏謠娘」典故用得非常貼切。我還是在小學圖書館看到一本當時書頁已經泛黃了的，用密圈作標點的《舊小說》，收集筆記小說，包括《山海經》，有一則記長安少女出遊，出自《太

平廣記》不知道是否記錯了，但是那兩句歌詞我一直常常想到。稱她們「踏謠娘」是我下意識的附會。「紫檀」看來是red cedar。前幾個月在報上看到瓊瑤在國外，極可能平鑫濤也是。皇冠是劉淑華來信說收到八回《海上花》。我寄還慧龍出版公司一千元travelers' checks後，又石沉大海，過些時再去催問是否可以托平鑫濤代換美金支票。如果肯了，我再寫信去托平鑫濤，順便提起《昨日今日》發行的事，我也着急的原因。《三字經》是Stephen記錯了，現在「三字經」指「丟那媽」等罵人的話，我不會用作題目。這故事雖好，在我不過是找個acceptable framework寫《小團圓》，能用得上的也不多。張作為一個愛國者——我因為傾向「聯合抗日就一定被吃掉」之說，（當時是有許多好人相信中共，所以有一股幾乎不可抗拒的吸力）總覺得他是被利用。當然，也有些英國人知道二次大戰一打，大英帝國就完了；難道因此就不抵抗希特勒？這些有先見之明的人至今受批評。不過太輕視男主角決寫不好。他禁閉的生活我找到些資料，也毫無心得，就有印象也是unflattering（不怎麼好）。當時如果能寫下去，就也不去管台灣了，本來是個英文小說。（……）朱西甯的大女兒寄她的小說集來，自序通篇是悼胡蘭成。這一向忙着看醫生，《皇冠》上的《海上花》譯序來不及寫了，改寫一篇簡短的介紹，也來不及請你們轉寄，直接寄了去，另抄了一份附寄來給你們看，我想大概沒什麼。二月號趕不上，三月起登，前兩天收到四回正文校樣，這篇短序不會讓我自校了。Stephen能引起余光中對我作品的興趣，我當然非常高興。希望你跟Mae過了陰歷〔曆〕年都稍微空閒一點。

Eileen 二月一日

15. 一九八二年一月二十二日張愛玲致夏志清書，除了提及《海上花》譯本的序文問題，也討論了該如夏志清建議，由哥大出版社出版，抑或讓代理人去試試看，認為「只要有極小的一部份人喜歡，能出書，就比大學印刷所的發行較廣。」最後，張愛玲還是希望多費點時間給代理人書稿看看，哥大方面暫緩進行。

宋淇，一九八二年二月二十二日

Eileen：

幾個月來，人一直不舒服，腸胃不好，主要是大便次數頻仍，有時夾有pinkish mucus〔淺粉色黏液〕，看了醫生，說是痔瘡，服了縮靜脈的藥，非但不見好，反而起了副作用。此外，精神一直不振，做事提不起勁來，連信都懶得寫，唯一不得不做的事就是為《大成》每月寫一篇〈紅樓夢的病理〉文章。年前去看學校醫生，順便提起，她問我驗過血和大便沒有，既然沒有，立刻就做，順便探測了一下肛門，她說不像有痔瘡，大概認為我的病或有蹊蹺，便請學校的顧問醫生驗查，他也沒有說什麼，但認為絕非痔瘡，並立刻同我聯絡瑪麗醫院的程醫生，定於年初四入院。不用說，這個年過得滿不是滋味。當然大家都想到那可怕的字眼——癌，但我覺得體重只有增加，沒有減輕，沒有患過任何痛疼，尤其是左腹下部，也沒有貧血；不過知道如果患有其他colon〔結腸〕的病總不是好事。入院後，先做了sigmoidoscopy〔乙狀結腸鏡檢查〕，發現有舊痔瘡疤，不應是病源，隨後就回家休息幾天，二月十六日又入院，十八日做了barium enema〔鋇灌腸〕，結果發現colon中有幾個Diverticuli〔憩室〕，並不嚴重，無法動手術。驗查時的痛苦我還可以忍受，但事前的清洗灌腸第一次共五次，第二次共三次，真瀉得我手足無力，而餓得有苦說不出。文美在兩個醫院之間奔波，其狼狽之狀可以想見。倒是意外的發現我患高血壓，現服降低血壓藥，心臟跳動較速，容易氣促，以後再也不能像以前那樣壓力之下工作。醫生說我以前年青時，心臟肌肉結實，現在老了，衰弱下來，不免有此現象，順便能檢查出這麼嚴重的病，可以說不幸中的大幸，從此以後對做人，工作，寫文章必得更改態度和life style〔生活方式〕以求適應。我根本是四十餘年的老病號，患病是本份，改變生活態度理所當然，只是對家人總有點愧疚，尤其是文美，嫁了個「東亞病夫」，虧她受的。怪不得前一陣有時懶得什麼都不想做，文美時常提醒我要做什麼、覆誰的信，我總懶得理會。

二月一日信，給志清信的手抄本，皇冠的序都收到。志清的序我們中間有了gap，志清替我在編元雜劇選，我勸他早日寫序，然可加上手頭現有的文章可以出一本書——其中包括《海上花》的序。他回信說：他想另外寫一篇文章，不能寫序，否則不成其為書了。你們中間的交涉經過我完全不知。他可能經過考慮，認為如果出書，不能全是序，也不能全是在另處發表過的文章，所以改變初衷。哥大出版社接不接受尚在未定之天，志清可以推薦，但決定權不在他。書歸不歸哥大出版，與他無關，不必掛在心上。大學出版社的書銷路另有對象，絕非大眾路線，巴金的《寒夜》一千本都賣不掉，蕭紅的《呼蘭河畔》（《呼蘭河傳》）倒再版了，將來最多也不過三千本。商業出版社除非出冷門，像陳若曦的《尹縣長》是千不得一，否則一版完後就告壽終正寢。《聯合報副刊》這次拿你的文章抽出來在他們說來犧牲很大，因為已經排好版，臨時抽去，拿別的作品往上推，頁數都要改過。我覺得你着實應該向他們客氣一點。

慧龍公司根本是小公司，自己沒有美金戶口，也沒有資格向國營銀行申請官價外匯，唯一辦法是在公開市場搜購旅行支票，他們不會有辦法的。平絕不肯幫他們忙。你一退可能沒有了下文。我勸你將旅行支票仍舊收下來，然後寄給我，由我託銀行去代收。慧龍如果不理你，乾脆對他們說：沒有履行合同，照出版法大概是五年之內可以由作者收回版權，如果欠版稅，可以控訴，到時平或許肯出頭，替你爭取，因為我想他心中一定存有將你所有作品都由他的出版社獨佔的想法。胡適的序我已於去年十一月寄去，並有信給他指示。他大概同瓊瑤同去了外國，手下都不敢私拆他的信。在我第一次出院時，張柱國打了長途電話來，說你有信來，可是始終沒收到我的序，我立刻通知他去《胡適文存》第三集文章中找第四節，並應該同遠東公司或胡適太太聯繫取得同意。那本小說的「三字經」是你多年前信中提到的中國人的姓名，外國人看不懂，嫌煩，非常cute的pun，大概你忘了。你既然對男主角不同情，而且只有輪廓，不寫也罷。

另外由航空寄上我在《大成》雜誌上寫的〈紅樓夢的醫理與病症〉，一共七期。《中國時報》登了一期後即腰斬，因為讀者紛紛寫信去《中國時報》指責陳存仁無醫藥常識。他不應該發表在西醫範圍內的意見。最要不得的是他借此研究起《紅樓夢》來，焦大口中的爬灰和賈珍與秦可卿的姦情居然認為是大發現。讀者和友人都勸我不要同他合寫以免有傷身份，我是騎虎難下，反正清者自清，濁者自濁，將來另出單行本拿他可採用的意見（也不多）放入注解中去就算了。這幾篇文章大約六萬字，同別的文章放在一起所佔比例太重，出小冊子份量太輕。請你替我想一想。王熙鳳那篇是個發現——李瓶兒也是產後死於「血山崩」，這一段將來可用作附錄。《紅樓二尤》完〔全〕是在湊篇幅。你反正不保存，看完後請寄〔……〕

我手中只存有一套，預備將來作出書時的底本，而且燙了腳，行路不便，不能出去影印，只好麻煩你了。即祝　安好。

Stephen

82年二月廿二日

張愛玲致鄺文美、宋淇，一九八二年三月十日

Mae & Stephen，

收到二月廿二的信〈紅樓夢的醫理與病症〉、第二封英文信與第二份《海上花》全書。Stephen這次的病真嚇死人，幸而是一場虛驚，也已經大吃苦頭。聯帶發現高血壓也還真是運氣。我總覺得Stephen不健康是因為別方面種種天賦太好，記不清楚這句成語了：「予之□者□之翼。」[16]也不一定是造物者的安排，我想也就是道家「忌滿」的原理。對於Mae自然有好有壞，統扯下來也還算是非常好了。對子女更是這樣。我前一向奔走於兩個醫生之間——皮膚科醫生給的藥奇靈，但是說皮膚太薄（我想是太乾）禁不起，不讓搽，複診也還是堅持，只好讓它潛伏在那裏再說了——忙昏了，算錯郵費，自校過的皇冠校樣寄還五天後，欠資退回，補貼郵票另加限時專送，再寄出後竟遺失了。他們等到二月廿五還沒收到，再不印要脫期了，只好印，幸而錯字不多——倒又看出一些自己的錯誤。欠資退還再寄出，此地郵局有時候纏夾，又再退還，因為原有的郵票打過郵戳，失效了。就此寄丟了倒還沒有過。Stephen寄去的胡適序也寄丟了，真有這樣的巧合！我想還是這本書運

氣不好。又正趕上編輯劉淑華「請產假」，替工不行。我這次寄去十六回，先拿去印個副本，被店裏遺失四頁，也是從來沒有過的事。向來總是漏印幾頁，沒有丟失原件的。我代擬的預告皇冠沒用，他們的預告說我「改寫」《海上花》，我看了非常頭痛，趕緊去信，也沒好意思要他們更正，只要刊出時改正；我寫的預告是「白話本《海上花》」，也許他們認為好像說原著是文言，這次我改為「國語對白《海上花》」。他們又自作主張節錄胡適序前兩節，害我白做了大綱寫入譯序，疊床架屋。《譯叢》上的《海上花》就用原譯名也好，我另在序裏加一段，關於上海原名的意義，解釋我這書名是暫名。銷路慘的那些英譯中文書我全都看不進去——許多好書我也都看不進去——而《海上花》我認為有一種基本的universality，所以不免有萬一之想。這樣做也是為了避免痛苦——已經很久很久沒這麼低氣壓過了。好故事難得，不然我也不會輕易放棄「三字經」（？還是不記得這書名），因為無論怎樣偏重私生活，難免涉及大局，而女主角是通過男主角眼中看出來的「王莽謙恭下士時」的中共，即使她有點懷疑也極有限。予人的印象曖昧。我甚至於想通過端納眼中——他離張就宋（美齡），給張的打擊很深。但是端納的工作（似乎大致是PR與寫演說稿）我更不懂了，雖有一本*Donald of China*，很壞，沒什麼用。台大醫科學生來信關於〈紅〇〇的醫理〇〇〇〉我看了大笑。連信都轉寄到康州了。Stephen講黛玉的公平話真是道人所未道，對極了，而且感動人。她「詩人的直覺」與悟性提高了這部書的風格這一點，我覺得正是對捧《金瓶梅》罵《紅樓夢》的人的答覆。那本書我雖然說我大致同意，攻擊《紅樓夢》的地方我也起反感。我想只有我同樣喜歡這兩部書，而又都說不出所以然來。瘂弦回信說不忙，隨便什麼時候譯那篇序都行。〔……〕我是真對《聯副》抱歉，一定要陸續補報。皇冠張柱國來信說慧龍請求他們代換美金給我，他就寄了$1070的支票來。我寫信去謝平鑫濤，順便提起《昨日今日》的事，附寄了個副本來[17]。上次皇冠費了大勁也沒能收回《赤地之戀》出全集，我目前不想為這事再麻煩他了。去年下半年皇冠版稅倒有

16. 原語見《漢書．董仲舒傳》，本作「予之齒者去其角，傅其翼者兩其足」。類似的話，又有「四足者無羽翼，戴角者無上齒」（《大戴禮．易本命篇》）等。

四千多，想必是新封面的功勞。〈紅樓夢的醫理○○○〉這篇非常重要，現在的時局這樣，我贊成出小冊子，附加從前預備拍《紅樓夢》影片時搜集的清初服裝圖畫——明朝的也跟一般插圖上的古裝不同，寶玉的男裝更是滿清的，也許出門戴的紫金冠除外——如果沒有，再找西醫寫點意見，與文內犯重也沒關係，不過是取信於人。中大圖書館的《海上花》裝訂費一有了個數目就請寫個便條來告訴我一聲。希望Stephen這一向沒有不舒服，Mae也輕鬆了些。

Eileen 三月十日

宋淇，一九八二年四月二日

Eileen：

三月十日來信和致平的副本收到。

平現在很少管皇冠的業務，他和瓊瑤正式結了婚，每年出國旅行一次，拍一部根據瓊瑤小說的電影（永遠不會虧本，賺的錢遠超過出版社），所以寫信給他未必有時間看。甚至於常常沒有下文，因為別人不敢拆寫給他的信，而他或許根本看不到。他們目前手下用了一批青年知識份子，把權分交出來，完全企業化。第一，《皇冠》從來沒有脫過期；第二，現在廣告收入仍很可觀，另售價可以維持不漲；基本作家的銷書量極可觀，甚至把一些莫名其妙的作品都帶了起來。我對他們二人表示欽佩異常，He是生意人出身，居然能從low-brow改為middle，有時還容納high brow。上海生意人而企業化——自己有發行網，有大廈，有印刷廠，還diversify到電影，能預見台、港出版界的不景，真不容易。She能夠每年寫1至1又1／2部小說，而越寫越有精神甚至有進步，把愛情故事寫得同中有異，文字也清通，求知慾和專業精神，不在he之下。可以說一對奇人。

這一期《皇冠》早已見到，他們是一出版就寄給我的。張杜國（我的連繫人）曾打電話給我，問起胡適的序，我告訴他早已寄上，他說沒有收到，我告以可以在《胡適文存》中找到，並將致平的信留底影印了寄去。後來又有電話來，我因疾不能接，大概是徵求我的意見，將原擬登第三節改為將全文縮節——我倒覺得這辦法不錯，當時沒有建議是怕胡的家人不肯，同時皇冠也沒有人敢這樣做。現在只有好，反而完整，同你的譯序overlap不算嚴重，因為你序極短。目前的白話文讀起來很自然，蘇白究竟有其限制，雖然差不多完全懂，看上去總有點隔膜。皇冠也很聰敏，借這個機會，拿你抬出來，壓着陣腳，好讓另兩位：瓊瑤和三毛暫息一陣。說不定，經這樣一登，將來單行本會有相當銷路也未可知。你的註解很好，很有用，想不到你對於上海堂子情形如此瞭解，不知是從小聽人說呢還是從書上看來的。

前次你問起：「秦無頭可壓」，「宋有腳能行」兩句，曾加解釋。其中漏了一點，秦字一拆為二：上為「秦」字上半，下為「禾」，而宋字的腳卻是「木」。忘了告訴你古時木與禾通，《廣韻》如此說，《說文》更說得明白：「禾，木也，木旺而生」（《康熙字典》可以查到），所以作者是有根據的。

*Renditions*這一期是預告，所以無所謂，仍用你原稿上的名稱Flowers on the Sea，後來你第二次來信卻加了hyphen，變成Flowers on-the-Sea，不知是你忘了，還是存心要改的。問題是下面一篇講《孽海花》，英文名為A Flower on a Sinful Sea，令人看了有點混亂，如加hyphen似乎可以表示不同。好在專號要明年再出，說不定到那時還想得出別的名字來，先不急。

你那篇小說不寫也罷，給你一說，我才了解到牽涉如此之大。最近台灣《傳記文學》連載長文：西安事變回憶；中共據說也發表了他們手上的資料，拼命在他的身上做統戰文章。更犯不着捲進去，何況看你的口氣，對男主角並不同情，寫出來也不會討好。我起先以為故事有點像〈傾城之戀〉：一件驚天動地的大事成就了一段愛情，但從沒有想到這件大事影響到國運和億萬生靈。我想既然如此，可以告一段落，不必再花時去想了。

17. 一九八二年二月二十八日張愛玲致平鑫濤書，提及感激皇冠幫忙代換版稅為美金，也感謝宋淇《昨日今日》有三篇文字替自己聲辯：「我因為不會辯駁，被誣根本無法自明，所以看到《昨日今日》十分驚喜慶幸。」

我的病幸而發現得早，加以現在的藥物進步，病一對，藥一下，病就可以控制。我現在血壓已恢復正常，每日仍須服藥，但份量在逐漸減輕，將來不可能完全不吃藥，但生活或可逐漸恢復病前的正常生活，但應酬宴會等活動只好取消，好在我一向並不喜歡那一套。

Mae的母親眼看就要到100整壽，我們兩人給她弄得焦頭爛額（尤其是Mae），身體底子實在太健，幾次危機都安然渡過。最令我們擔心的是醫療費用，醫院每過一陣漲一次價，簡直是無底洞。我們供養了她這麼多年，想不到在這時候還要背上這一重擔。其餘子女都在美國，有心者無力，有力者無心，過生日、聖誕寄張支票來。（寫到此處，Mae從醫院打電話來，云母親情形又有變化，要輸血，真矛盾極了，病情重，為她擔心，平靜無事，為錢愁。我的高血壓，一半也從此而來。）我們兩人節衣縮食，Mae連subway〔地下鐵〕都不捨得坐，情願乘巴士和電車，可是省下來的錢完全無濟於事。Mae的牙齒一直捨不得看，最近發炎才去，反而更麻煩。真是進退兩難！別〔沒〕有別人可說，只好同你講，不會傳出去。

〔……〕附上兩段剪報，其一你必已見過。寫的人是莫圓莊，她和胡菊人脫離《明報》加入《中報》，現在又退出《中報》，是本港新聞界的一件大事。即祝　好。

Stephen
2/4/82

張愛玲致鄺文美、宋淇，一九八二年五月一日

Mae & Stephen，

收到四月二日的信與剪報。前些時我說過寫給我姑姑的信躭擱很久才到，顯然是拿去檢查，還寄丟了一封。但是她說那不過是郵政效率差，要我還是寫信去。我也只好寫得更小心點。她寄來一本《文匯月刊》，有篇文章關於我，問我上面說的我的事對不對。那本雜誌如果她不要我寄還，

就轉寄給你們，不然就影印了寄來。怕你們萬一看到這雜誌會費事影印了寄給我，所以先提一聲。本來預備過天再寫信，又有些忘了問的典故。《海上花》第三十三回高亞白照張船山「人盡願為夫子妾，天教多結再生緣」詩意寫詞，tease〔調笑〕尹癡鴛，仿彿尹願投女身嫁他：

先生休矣！諒書生此福幾生修到？磊落鬚眉渾不喜，偏要雙鬟窈窕。撲朔雌雄，驪黃牝牡，交在忘形好。鍾情如是，鴛鴦何苦顛倒？還怕妒煞倉庚，望穿杜宇，燕燕歸來杳。收拾買花珠十斛，博得山妻一笑。杜牧三生，韋皋再世，白髮添多少？迴波一轉，驀驚畫眉人老！

……華鐵眉問道：「『燕燕歸來杳』，可用什麼典故？」亞白一想到：「就用的東坡詩，『公子歸來燕燕忙。』」鐵眉默然。尹癡鴛冷笑道：「你又在騙人了！你是用的蒲松齡『似曾相識燕歸來』一句呀。……」……鐵眉茫然，問癡鴛道：「……『似曾相識燕歸來』，歐陽修晏殊詩詞集中皆有之，與蒲松齡何涉？」癡鴛道：「你要曉得這個典故還要讀兩年書才行哩！」亞白向鐵眉道：「你不要聽他！哪有什麼典故！」癡鴛道：「你說不是典故，『入市人呼好快刀，回也何曾霸產』，用的什麼呀？」鐵眉道：「……你在說什麼，我索性一點都不懂了嘿！」亞白道：「你去拿《聊齋志異》查出《蓮香》一段來看好了。」癡鴛道：「你看完了《聊齋》嘿，再拿《里乘》《閩小紀》（註）來看，那就『快刀』『霸產』包你都懂。」

註：都是筆記，見《筆記小說大觀》。此處尹癡鴛引的兩句詞，上句似指筆記有云菜市口斬犯人，有人頭落地還喊「好快刀」的。下句以孔子弟子顏回被誣事比另一冤案。

註得恐怕不對。又，倉庚是什麼？杜牧「十年一覺揚州夢，」「三生」是怎麼？「韋皋再世」呢？「公子歸來燕燕忙」是指「鶯鶯燕燕」？我急於要問，但是不是急等着回信，六月下旬告訴我就來得及了。如果剛趕着沒工夫去查，就等出單行本再補注。這封短信馬上去寄，別的話過天再談了。希望你們倆都好。

Eileen 五月一日

宋淇，一九八二年五月二十五日

Eileen：

接五月一日來信，問及一段文字中的典故，因為出自《海上花》，讀過的人不多，頗費周章，幸而中心同事幫忙，找了很多資料，大體上算是解決了其中費解的地方。

張船山的兩句詩背後可能有段故事，可是他的集子我們沒有去查，而且可能沒有注解。現在將你的問題分答如下：

（一）高亞白的「燕燕歸來杳」的確用《聊齋．蓮香》中的話語，似乎和蘇東坡的詩無關。現在將《蓮香》有關部份影印寄上，其中（一）十年之後、（二）一角色名燕兒，（三）男主角引用「似曾相識燕歸來」，均和整段詞和文字有關。

（二）鴛鴦是鳥名，但本身分雌雄。倉庚是黃鶯——鳥名，杜宇鳥名，燕燕鳥名，所以燕燕不像會牽涉到鶯鶯，因為典出《聊齋》，非蘇詩，所以我認為不必聯想到鶯、燕上去。最後一句「鶯鶯畫眉人老」，用張敞畫眉典故，但畫眉也是鳥名，作者和高亞白有沒有這種靈機巧思，不敢講。

（三）倉庚即「黃鶯」，見《辭海》，現附上《中國大詞典》（《中文大辭典》）的解釋。杜宇即子規、即杜鵑，泣血而死。我從前以為是cuckoo，但cuckoo性兇殘，近乎鳩鳥，照傳說，倒反而合nightingale，但始終未有鳥類學家出來澄清。

（四）《蓮香》有十年、再世之約；杜牧查遍《杜牧傳》，《杜牧年譜》均無此條，後幸而同事在《樊州〔川〕詩集注》中覓到此條，居然亦有十年之約，也是十四年，所謂「三生」不能以佛教的「前生、今生、來生」解，只能以緣訂三生作為一個籠統的說法。「韋皋再世」不成問題，見《中國大詞典》附條，但所約僅五年。此三條均有同一的theme。（張船山的「為夫子妄，結再生緣」是否另有故事，高亞白在小說中有沒有說過類似的話，不詳。）

（五）《筆記小說大觀》共數十冊，翻到第十五冊才找到《里乘》，《閩小記》當亦在其中。因為實在沒有時間，不能一冊冊、一條條翻查。想來你的猜測是對的，照上下文語氣看，「呼好快刀」條應見《里乘》，「回覇產」條應見《閩小記》。你注中不妨這樣寫，因手中無書，（在美國借不到《筆記小說大觀》並不犯罪，）讀者中如有人知道，請告知，以便在單行本中補入，這樣也可以引起少數考據派文人的興趣。

最近讀你的譯文，對原作的興趣極高，以前讀吳語本，自己的蘇州話，同志清一樣，至少可有95分，因為家中傭人、繼祖母都是蘇州人，從小聽慣彈詞，可是始終因為不是母語，讀起來總有點格格不入。現在完全可以投入，的確是第一流作品。志清來信云讀皇冠的譯文也興趣盎然，並云singsong即先生之音譯，至今始從你注中知道並承認你這方面的學問很深。關於長三和么二我僅知為高等和下級之分，並不知根據，也是從你的注解中才恍然大悟的。不知道你的知識是聽來還是從書本上看來，有沒有這方面的專門書籍？你說singsong是先生的音譯，未知有何根據？singsong此字據牛津大字典云1609年便有，指用monotonous〔單調〕音調念一首ballad，顯然是借用。Concise以及Longman均引申此意。如果有根據，那麼你的英文title可名正言順或順理成章用The Singsong Girls of Shanghai，連old Shanghai 的old也可免去不用，因為singsong girls本身即具有時代意義，無需點明。及至看了語體譯本後，我也同意Belles不合適，配不上書的內容，因為么二究竟不能劃入Belles一類之內。如你同意，盼速來信，以便更改。單行本何時可出？念念。餘事續函再談。

Stephen
82年五月廿五日

張愛玲致鄺文美、宋淇，一九八二年六月七日

Mae & Stephen，

收到五月廿五的信與印刷品，*The Singsong Girls of Shanghai*我覺得像論文或報導的題目，最好還是*The Singsong Girls*；如果要譯原名，就用*The Shanghai Singsong Girls*，as in "the London streetwalkers，" 較近口語。平鑫濤寄了五千元來，說作為預付稿費或版稅都可以，因為不知道字數；沒提別的話。我從前沒聽人講妓院，都是譯這書才陸續猜度的。「先生——singsong」「長三么二」是近兩年才想起來的，毫無根據。這兩天正在寫一篇〈譯後記〉，想早點寫完了多擱些時再改。再等一兩星期再打一份present tense的回目頁寄來，信也過天再寫，先寄這張便條來。中大圖書館的《海上花》裝訂好了沒有？請隨時寫個字條告訴我。你們倆都好？

Eileen 六月七日

張愛玲致鄺文美、宋淇，一九八二年六月二十日

Mae & Stephen，

前幾天匆匆寄了張航簡來。這一向我是真忙昏了，因為實在擔憂《皇冠》連載登到酒令等等，讀者看不下去。本來決定英文本照最初的計劃刪掉四回再補綴起來，中文連載來不及改了，等出單行本再改，但是那當然是太晚了，所以馬上動手刪改。你們代查的典故大都在刪掉的四回，我懊惱萬分，你們還不夠忙的，還要白忙？都怪我早沒想通。此後又要把〈譯後記〉先寫出來再慢慢的改。四月一日好容易最後一次去看牙醫生，久坐麻木，出來過馬路跌了一跤，摔得特別厲害，腳也扭了筋，這就又日夜忙着輪流搽藥。冰箱電話又壞了，換的冰箱有毛病，又不肯再換，添出許多麻煩，收到譯〈金鎖記〉《秧歌》的法國女人的信，也只匆匆一瞥。她說這家出版公司因為要出好

幾本老舍的書，不想再接中國書了，再去試另一家。我還當是她說賣給第二家了；寫積壓已久的信給志清的時候告訴他她譯的巴金的《寒夜》銷了三萬本，快出平裝本了，順便說她譯的〈金鎖記〉也賣掉了。等到寫回信給她才發現錯誤，也沒再寫信給志清更正。巴金大概是因為在法國有名，《寒夜》想必是關於文革的。我那些老古董絕對沒希望。前些時譯者讓一個跟我通過信的台灣女留學生來信說〈金鎖記〉出書太短，出版公司要我寫自傳，我建議等有人也要出《秧歌》，兩篇正好一本。《海上花》的譯名，如果不是西人見到筵前歌唱的妓女稱「先生」，（當然他們決想不到是這兩個字，即使懂一點中文）誤以為是洋涇浜「singsong」，而僅只是西人觀察到中國高級妓女有別於低級，在歌唱侑酒這一點上，所以稱為——也決不是singsong girl，而是singing girl，如dancing girl就有這名詞，統指阿拉伯或印度君主娛客的家妓，有一句常用的話：Bring on the dancing girls.剩下唯一的另一可能，是西人的傭僕緇譯造出來的名詞，他們不知道singsong一字的原義，所以用作洋涇浜名詞，但是pidgin for girl 決不是girl，所以大概不是pidgin-speakers 編造出來的。當然無法證實，要穩當點就還是用tentative title *Flowers on-the-Sea*，譯序內添一兩句解釋。回目頁改了present tense，第10、22、26、30、33、58回又順便改過了。「玉笙女兩世因緣」：韋皋五年之約失約了，玉笙自殺，「五年後韋得一歌姬，像她，中指上有一圈肉如所贈玉環。我想是「十五年」之誤，五年哪來得及長成？借屍還魂也不會有那一圈肉。關於杜牧那段仿彿也脫落一字：「吾十年必為此郡〔守〕。」張船山那兩句詩也可能背後沒有故事，光是寫fans心理。高亞白沒說有關的話。我當然非常高興Stephen看了《皇冠》上的《海上花》覺得這書是好。幾乎無法相信Stephen看蘇州話不全懂。出單行本除了校改，註要換大一號的字，要全部重排。我想早一點寄一份全文給張柱國，不等刊完。心境是真影響健康，就連我這次跌破膝蓋，因為極力不讓自己心焦低氣壓，就比從前沒跌這麼重的時候收口快得多。真是憂能傷人，容易得病，所以Stephen血壓高起來。現在最普遍的使人傾家蕩產的是醫院費用。我在台灣報上看到香港地下鐵的彩色照，也說是好，不過很貴。Mae連它都不坐，牙齒也不check〔檢查〕，（我這次也是為了不check躭擱了，連看幾個月）我不免覺得不平。上一代下一代都是不能省的，只省在中間一代身上，就因為你們in control〔當家〕；太過於了，總該中庸一點。我曉得你們非常難做到，克己慣了。還有，無論照哪國的情理上也該讓別的姊妹們知道這情形。人的良心往往需要prod〔督促〕一下的。丘彥明先是來信說*Modern Chinese Stories & Novellas 1919—49*上我的照片蹲着奇怪，也許是她歇斯迭里。我回信解釋拍這姿勢的原因，說她怎麼會自以為歇斯迭里起來，身體完全好了精神也就好了。〔……〕看來她是給假休養，最近報上又有她的文章，想必好了。我對她止於客氣，不想做她的confidante〔知己〕。那本*Modern Chinese Stories*寄了本給我，擱在信箱外被偷掉，好久沒補寄來，志清買了本平裝本送給我，剛巧跟補寄來的一本同一天到。我想把平裝本寄給你們，趁沒拆開，免得打包。書上替我代瞞了一歲。瓊瑤平鑫濤真是一對奇人，兩人是a whole industry，真可佩服。我覺得瓊瑤的好處在深得上一代的英文暢銷小說的神髓，而合中國國情。我總是一面看一面不由自主自動的譯成英文：「我打賭你……謝上帝！」前兩年還有男子脫帽為禮，氣極了就shake女孩子——紳士唯一可以對女人動武的方式。我倒覺得三毛寫的是她自己的，瓊瑤總像是改編——當然並不是。三毛的中南美遊記〈情人〉篇我覺得好——at that level〔標尺不太高的話〕。近年的暢銷小說（不是「romance」類）有些我看了像從前看電影一樣滿足——從前看的也都是「夢廠」出品，許多名片都沒看。照理欣賞是模仿的第一步，但是毫無心得。我姑姑的兩塊玉牌我托她亡友的小兒子在紐約賣，每隔三個月打個電話去問，請他拿到Parke-Bernet拍賣，他總拖宕着，答應到洛杉磯時打電話給我也不打。他是個executive，東西岸兩頭跑。兩年多後，他去年回上海又見到我姑姑，她來信說她自己跟他說，她不要賣——當然不是要送回上海去。但是仍舊石沉大海，就此吞沒了。我也不再跟我姑姑提起。我知道她情願不要錢，不願考驗她的朋友，已經朋友太少了。我是因為聽她說的他姊妹兄弟中就是他關心老父。他大姐是杜月笙的媳婦。是我太冒失，不去想它了，本來對你們都懶得說，不過又何必一個人都不告訴。莊信正寫了篇長文關於我的作品，寄來叫我批評，我還沒看。想必只能在香港發表。中大圖書館的《海上花》裝訂好了沒有？希望Auntie的百歲生日那天一切愉快，你們倆這一向也都好。

Eileen 六月廿日

張愛玲致鄺文美、宋淇，一九八二年六月二十七日

Mae & Stephen，

前幾天寄來present tense回目頁，第33回「instant」一字請代改「impromptu」。匆匆補張便條來。我信上勸你們的話談何容易，怎麼個中庸法？讓姊妹們知道這情形——其實有什麼不知道的。露骨點的表示也不便有。是真難。我一直多擱點錢在銀行checking acc't裏，預備付《海上花》裝訂費，希望一裝訂好了就寫張字條來告訴我。這兩天你們倆都好？

Eileen 六月廿七

宋淇，一九八二年六月二十八日

Eileen：

六月七日的航簡和六月廿日的長信及附來的新回目均收到。

暫定書名我仍覺得你第二個建議：The Shanghai Sing-song Girls最好，因為看了書之後，中國讀者自然會知道The Sing-song Girls是在上海，或老上海也會知道，可是對一般讀者而言，比較明說好一點。當然不說明也有好處，引起讀者的好奇心，可是上海兩字仍舊有它歷史的aura，並復點明時代。至於Sing-song之為先生，不用你再解釋，我認為殆無可疑，尤其「先生」兩字在滬語或吳語和sing song在聲音上簡直可以合縫到90％，要說它是湊巧，令人難以置信。你對文字的敏感和直覺，舉世少見，所以才會有此發現。我們不必追究西人觀察或傭僕或翻譯造出來的名詞，推想當年中國人和外國人有生意上的應酬，同吃花酒當是等閒事，有這麼一個名詞是早晚的問題，不必再究。

么二之代表下等堂子也極精彩，賭牌九的人最忌就是這張牌，因為配上四隻七點就是「蹩

十」，四隻八點就是一點，非輸不可，兩點的地牌不是斃十，反而是地槓。「長三」這名字也好，長三同梅花（雙五）、板凳（雙二）都是「長牌」，四六同么五、么六都是短牌，同樣點數，長牌就贏了短牌，可見此中頗有學問。（例如長三【六點】配七點為三點，四六配么二亦為三點，前者是長三，後者為短三，前者就贏了後者。）

巴金的事不提也罷，沒的讓人笑話。他第一次去法國，有一批老共產黨員，目前都是學術界的當權派，對他非常熱心，尤其同情他在文革時的遭遇，事先組織好了，大為歡迎。到巴黎時，所有書店的櫥窗都放了他的譯作，並有海報、特別裝飾以示宣傳。其實，他的書才譯了三種：《家》、《寒夜》、《憩園》。《寒夜》是舊作品，以抗戰後方為背景。（有人譯成英文，我們看後覺得男主角動不動就哭，實在慘不忍睹，加以婉卻，後來大學找人加以修潤，交由美國華盛頓大學代理經銷，兩年來還不到一千本，同時書評界惡評如潮。）法國方面還替他約好訪問，種種宣傳，據可靠內幕消息，有人大力運動法蘭西學院出面代他競選諾貝爾文學獎，後台不可謂不硬，聽說他還去了瑞京，為諾獎委員會所接見。諾獎委員現在水準極高，他們曾說過，文學獎有史以來，唯一後悔的是頒給了賽珍珠，此次一看，當然看透，結果1980給了Milosz，巴金還不死心，只願擔認〔任〕全國文藝工作者協會代會長，1981又給了Canetti，這才死了心，真除了會長，因為會長是半官性的職位對他不利。此外，他否認自己曾是無政府主義信徒。後來再去法國，大家問他白樺的事，他說沒有看報，不知道，無可奉告，連從前的老左派朋友都不齒其為人。此人是完蛋了，kaput〔壞掉了〕！所謂銷三萬本，是硬做來的，不足為憑。他在美國地位還不如沈從文。

在香港發表了一連串回憶錄體的雜感，左派書店替他出了單行本，不得內銷。據說他想譯一本赫爾岑的回憶錄，寫自己的回憶錄，並寫中篇小說：〈一對美麗的眼睛〉是講他太太的，且看他支票能不能兌現。我對巴金的〔和〕茅盾最大的反感就是文筆平凡，不耐看，任何人都寫得出來。像你、白先勇、錢鍾書都是stylist，像他們，完全是白開水。還有曹禺，也令人大倒胃口，去了美國，來過香港，丟了大人，只好在台上表演如何在紅衛兵鬥爭下「坐飛機」，本身也是個遵命文學家。我覺得中共沒有產生偉大的小說家或許可說由於沒有傳統，蘇聯是有最偉大的小說傳統的，可是以蘇聯統治之嚴，照樣還出現了不少有骨氣的作家，而我們連這一點都做不到。只能歸之於國運罷。白先勇的《遊園驚夢》短篇小說集英文本已出版，且看反應和銷路如何？他的長篇連載《孽子》，反應不佳，我也懶得看，難道我們中國人真的寫不出長篇來嗎？

你的《海上花》白話文本timing很好，不管如何，總算你又出了一本書，否則又接不上去了。

匆匆祝　好。

Stephen
82年6月28日

宋淇，一九八二年七月七日

Eileen：

六月廿七日航簡收到。

你對The Shanghai Sing Song Girls如果不反對，我們決定就用它做下期預告之用。將來正式發表時，聲明這只不過是working title，好讓你將來有換用其他名稱的餘地。

《海上花》的裝訂很慢，學校書多了，工人只有從前的一個，《海上花》屬文化研究參考圖室，不屬大學圖書館，所以一時且輪不到，而且只不過是簡單的縫上線，或換封面，或在封面上套一層膠，根本不會太貴。你不必老是記掛在心上，更不必特地在銀行checking account多存錢，我可以保證決不會超過上次的$50的數目。除非拿到外面去裝釘，而事實上沒有這必要。通俗小說專號篇幅很厚，將為特大雙期專號，約在明年春出版，另有精裝本。大家對Middle blow Fiction的稱謂都一致讚好。我想在你的譯文底下，加一條編者注：云該書的語體文版已在《皇冠》連載中，即由皇冠出單行本，並云英文譯本亦已完成，好讓學術中人知道，不知道還有什麼可添進去的。

第二十三回衛霞仙對姚奶奶的一段話，見胡適序，柳存仁找到一位英國太太，合作譯成口語；Stephen鄭在他的論文中也譯了這一段，我想出一個噱頭，將你的譯文也列出，各佔半頁，然後將你的語體譯文另排半頁，好讓讀者對照！現在將二人的譯文附上，並希望你能接受這建議，好弄得熱鬧一點。

最近想寫文：〈為襲人平反〉，程高本將前八十回對襲人部份擅改之要點有三：（一）初試雲雨情；（二）寶釵第一次見襲人，問寶兄弟那裡去了，襲人含笑道，改為冷笑道；（三）襲人因寶玉為晴雯事發牢騷，有怪他們之意，們字被刪，成為有疑他之意。後四十回不堪之處，先不談。不知你對前八十回有無其他發現？又，王希廉，名護花主人，你說花是指襲人，可是我遍查不到，手中也沒有王評本，可否告我原文大約何在，何意。

Stephen
July 7/82

The word for "wet blanket" in Han Pang-ch'ing's original writing is shih pu-shan濕布衫, literally wet cotton shirt. The material is normally very thin, but when it is soaked by rain, it sticks to the skin, and hence is difficult to get off. "Wet blanket" might be the nearest in the English language for an equivalent, though it could also mean to quench or discourage enthusiasm in another context (cf. Yang Hsien-yi and Gladys Yang's trans. of A Brief History of Chinese Fiction, P.350). However, the original wet cotton shirt may explain even better the awkward situation, because of the particular thinness of the material involved, which provides a very lively expression, though it may be difficult for translators to render it into good English.

In his preface to the novel, Hu Shih cited especially the words of Wei Hsia-hsien 衛霞仙, the eloquent courtesan, Mrs Yao 姚奶奶, who comes to the brothel to seek her husband, and commented that "her light, sharp and satisfying tones cannot be rendered into any other language without losing their original spirit." (Hu Shih wen-ts'un, Vol. 3, Chüan 6,

PP. 490-1) For the fun of it I have asked my friend, Ms Anne McLaren, of the Australian National University, to help me render that passage into colloquial English, and what we have ended up with reads as follows:

"So you are looking for your lord and master. Why don't you search in your own house? Or did you give him to us to look after? Is that why you've come here? We women of the town have never gone to your home to invite guests – no, it was you who made the first step to come here to get your hubby. How idiotic! Don't you know we're a brothel, here to do business with anyone who comes? What do we care if he is your lord and master? ... Let me tell you a thing or two. When your husband, Second Young Master, is at home he is master of your house, but when he comes here he is our guest. If you were a decent piece of talent you should be able to keep him hooked. How come you lost your grip and let him wander down here to have some fun? Anyway, what if he is here? Are you really going to drag him out? I ask you, has the smart set of Shanghai laid down any point of etiquette in such matters? I'm telling you Second Young Master is not here, but even if he were, don't you dare give him a tongue-lashing or a hiding. We don't give a stuff if you insult your own lord and master, but just watch out if you thrash one of our guests! (Ch. 23)

Cheng 23

Madame Yao roared. "stop pretending to be ignorant! Second Master is my husband. You've bewitched him long enough. You know very well who I am." She glared at Divine Cloud as though about to attack her.

At this, Divine Cloud could not help smiling, but made no reply. Maid Clever was timid, and fearing a further flare-up, went quickly to fetch the tea-service and asked the servant to bring boiling water. "Madame Yao," she urged, "please have some tea." Then she fetched a water pipe. "Madame, would you like to smoke a pipe?" she asked. "I'll fix one up for you." Madam Wei also approached Madame Yao, explaining; "Second Master seldom comes here. It has been a long time since he last came. Only very seldom does he send us invitation tickets and he never holds banquets here. You shouldn't listen to gossip, Madame Yao."

While they were doing their best to appease Madame Yao, Divine Cloud cut in sharply. "Shut up! Don't waste your time on her." Then she turned to Madame Yao, and with a serious expression on her face, launched into an eloquent speech. "You should look for your husband in your own house. Since when did you hand him over to my care, so that you have to come here looking for him? We in the brothel haven't requested the pleasure of his company, but you are here looking for him. How very odd! We've opened a brothel for business, so whoever comes is treated as our guest. No one cares whose husband he is. If you want your husband to stop coming to see me, then let me tell you this. Second Master is your husband only so long as he is in your house. Once he steps in here, he becomes our guest. If you've put a ring through his nose, you should keep him locked up, and not let him fool around in brothels. If you think you can drag him home after he has come here, you'd better check around Shanghai: you'll soon find out what a weird idea that is! Of course Second Master isn't here now, but if he were, would you dare scold or beat him? How you deal with your husband is none of my business, but if you insult our guests, you'd better watch out. Second Master isn't scared of you, so why should we bother with you, no matter whose wife you are?"

This speech left Madame Yao so stunned that she could find no reply. Her face flushed crimson and she was on the verge of tears. Just as she was about to make a rebuttal, Divine Cloud resumed, "Maybe you are tired of being a lady and have come here to join us in a little fun? Unfortunately, no one has come for〔英文到此結束。〕

〔姚奶奶大吼，舉手指定霞仙面上道：「你不要來裝糊塗！二少爺嘿是我丈夫。你拿二少爺來迷得好！你可認得我是什麼人？」說著惡狠狠瞪出眼睛，像要奮身直撲上去。

霞仙見如此情形，倒不禁啞然失笑，尚未回言，阿巧胆小怕事，忙去取茶碗，撮茶葉，喊外埸沖了開水，說：「姚奶奶請用茶。」再拿一隻水煙筒，問：「姚奶奶可用煙？我來裝。」衛姐也按住姚奶奶，分說道：「二少爺此地不大來的呀；這時候好久沒來了。真正難得有回把叫個局，酒也沒喫過。姚奶奶不要去聽別人的話。」

大家七張八嘴勸解之際，被衛霞仙一聲喝住道：「不要作聲！瞎說個些什麼！」於是霞仙正色向姚奶奶朗朗說道：「你的丈夫嘿，應該到你府上去找嘿。你什麼時候交代給我們，這時候到此地來找你丈夫？我們堂子裏倒沒到你府上來請客人，你倒先到我們堂子裏來找你丈夫，可不是笑話！我們開了堂子做生意，走了進來總是客人，可管他是誰的丈夫！你的丈夫嚜，可是不許我們做啊？老實跟你說了罷，二少爺在你府上，那是你丈夫；到了此地來，就是我們的客人了。你有本事，你拿丈夫看牢了，為什麼放他到堂子裏來玩，在此地堂子裏，你再要想拉了去，你去問聲看，上海租界上可有這種規矩？這時候不要說二少爺沒來，就來了，你可敢罵他一聲，打他一下？你欺負你丈夫，不關我們事；要欺負我們的客人，你當心點！二少爺嚜怕你，我們是不認得你這位奶奶嚜！」

一席話說得姚奶奶頓口無言，回答不出，登時漲得徹耳通紅，幾乎迸出急淚來。正待想一句來扳駁，只見霞仙復道：「你是奶奶呀；可是奶奶做得不耐煩了，也到我們此地堂子裏來找找樂子？可惜此刻沒什麼人來打茶圍，倘若有個把客人在這兒，我教客人捉牢了你強姦一場，你回去可有臉？你就告到新衙門，堂子裏姦情事也沒什麼希奇嚜！」」

張愛玲致鄺文美、宋淇，一九八二年八月一日

Mae & Stephen，

我前兩天寄到中大翻譯中心的信想已收到。裏面姚奶奶一段，英文的沒來得及去印個副本，第一頁近中部有這一句：（衛霞仙的第一段話內）

We the singsong house didn't go and invite our guest at your residence, and you'd come to us first to look for your husband, isn't that a joke?

末兩行請代改為：

us first to look for your husband — that's a laugh!

朱西甯的女兒朱天文托她在加州的女友送書給我，要面交，我請她寄來。前兩天收到，六本

內有三本是胡蘭成化名寫的，關於禪、中國小說史、禮樂。隨手一翻，就看見許多引《紅樓夢魇》與我別的書。我馬上扔了，免得看了惹氣。是三三書坊出版，還用較大號的字印。我上次信上提起《文匯》上那篇《金瓶梅》評，忘了記下作者名字與刊物哪一期。下次來信的時候如果雜誌已經收到，請告訴我。《海上花》第53回小贊「一筆靈飛經小楷」。是晉人王羲之寫的《靈飛經》——漢朝道教經典，記西王母神話？都請等有空寫信的時候一併告訴我。我今年疰夏，今年此地熱得晚，熱了以後一直精神不好。希望你們倆都好。

Eileen 八月一日

宋淇，一九八二年八月八日

Eileen：

七月十九日信和附來的中譯、英譯均收到。八月一日航簡亦於昨日收到，當照信中指示改正。三種譯法不同，可以給讀者一點比較的樂趣，而且有原文，本身又短，真妙。現在已得柳存仁、喬志高同意，一致決定採用The Shanghai Sing-song Girls為名，下期預告即改正。關於《靈飛經》我小時臨過一陣，但對我的小楷毫無幫助，我知道決非王羲之所寫，一查《辭海》，果然不是，內文如下：

道藏中之四種之統稱。（以上為summary。）「唐鍾紹京節錄其文，書為靈飛經帖，沉着遒正，傳以滋蕙堂本為最善，今多為習小楷之範本。」（楷書英文大概是regular script。）似與〔乎〕與西王母無關。

又Sing-song應在中間加hyphen，否則變成英文字singsong，另有含義，與先生之音譯有別。說不定將來你正式書名也會採用它。

第五十三回的「外心」不一定指通敵，背叛主人或君上當然可以，《辭海》中有兩條：

（一）禮記注：「外心，用心於外，其德在表也。」

（二）猶異心也。

《三國演義》中說某人（好像是魏延）「腦有反骨」，才是投敵。

《中外文學》好久沒看，設法借來看看他們在說什麼。我想你有一定數目的讀者，每過兩年必有一批aspiring writers出現，非讀你的作品不可，所以可以始終維持一個不多不少的following。

我通知皇冠寄一本《攻心記》給你，最近Susan Sontag〔蘇珊‧桑塔格〕大讚此書，云當時出版後，認為乃是反共八股之流，擱置書架上，最近去了波蘭重讀此書，發覺其語語是真，反而有不足之處，Sontag的公開演講譴責共產主義，曾經轟動一陣，不知你聽到否？

最近沒有什麼新作品，不過拿Dorothy Parker的名句譯成中文，很是得意：

Men seldom make passes　男人很少會追求
At girls who wear glasses.　戴着眼鏡的小妞。

我仍時患氣管炎，Mae的母親越來越萎頓了。祝好。

Stephen
8/8/82

張愛玲致鄺文美、宋淇，一九八二年八月二十一日

Mae & Stephen，

收到八月八日的信。《靈飛經》一節首句剪下寄還，有個草字不認識，如果是「種」字就用不着再來信告訴我了。如果不是，也不忙，這批稿子的限期還早得很，也許要到年底。《攻心記》我看了幾章，不知道怎麼這麼elusive〔難記起〕，不大有印象。過天再試試。我只看到*Newsweek*上講近來對中共的看法改變，也提起Susan Sontag 的轉變，不詳細。二〇、三〇年間的英文書上常見

singsong girl 字樣，照理應作sing-song girl，不過是usage的問題。我可以等英譯本拿去打的時候再斟酌。疰夏已經好了，倒又有點牙疼，這次不敢躭擱，要去看，真頭痛。前兩天寄來唐文標給莊信正的信想已收到。《中外文學》上的書評照比較文學的方法寫，（莊信正的也是）看得人頭昏腦漲，我也沒看。另人寫的一首詩，分行抄《赤地之戀》原文。不值得你們找來看。我是怕你們寄來給我，那麼長，才提起來。Dorothy Parker 那兩句詩就連現在有些眼鏡這麼時髦，也還站得住。譯得也真好。我弟弟看到《文匯》上那篇文章，跟在美國的親友打聽到我的地址，寫了信來。原來他這些年一直在上海附近教英文，因為教英文的人少，要退休了留用一年。我預備隔些時加倍小心回信。希望Stephen的病不太麻煩，好得快點。

Eileen 八月廿一

宋淇，一九八二年八月二十三日

Eileen：

接到八月六日信及附來莊信正收到唐某人的信副本，此人居心不良，實有立即採取行動之必要。想來想去只好委託平鑫濤去代辦，他是你的出版者，保護你亦即保護他自己，好在皇冠是大機構，自然有人為他代辦——當他要在收到你委託信之後。為了時間起見，我已於前日將去信副本寄上[18]，信中並無附言，想你收到後自會明白一切當辦手續。

夏志清贈你中國短篇小說一冊已收到，我已有一冊，放在學校，此冊可放家中。多謝。《文匯》一冊亦收到。你問起的文章是：

夏閎：〈雜談金瓶梅詞話〉

又張葆莘論你一文搜集資料極豐富，除了誤Cambridge為英國劍橋外，其餘都可稱為翔實。他們工作的範圍和統戰的努力實在令人生敬畏之情。他們現在的政策是既往不咎、來者不拒，目前爭取的對象是白先勇（他的短篇小說選集已在廣西出版），張愛玲，夏志清。連我都收到口頭和書面的私人邀請。我以身體健康為理由，不便旅行而這也是實情。白、夏、你，我想都不會去。現在去大陸鍍「紅」已不算時髦，沒有理由守了多少年的寡再去跌入混水。想你一定當作充耳不聞，又，《文匯》是誰寄給你的？想知道。祝好。

悌芬
八二、八月廿三日

張愛玲致鄺文美、宋淇，一九八二年十月二十八日

Mae & Stephen，

唐文標的事，我本來也想着大概還是又得要煩平鑫濤，收到Stephen的信就寫信去。他回信說義不容辭，不過當然還是要先勸唐不要出這本書。要我把稿子全都影印一份去登記。我只拿得出三篇未收入集子的舊稿，內中沈登恩影印新加坡圖書館的一篇，再影印了模糊得無法用來登記，也姑且寄去。幸而新近台灣出版法改了，不一定要登記了。那本《文匯》是我姑姑寄來的。（是第幾期請告訴我）前些時鄭緒雷來信說北京大學中文教授樂黛雲來哈佛作交換學者，他向她介紹我的作品。此後她說中國作家協會邀請我回國訪問。他說可以預先說明不參加任何宣傳活動。她要到加大做我做過的那事，（用中共的人研究中共！！）如果北大肯放她的話。如果來加州再跟我直接談。我回信說我去過的地方太少，有機會旅行的話也想到別處去，請他替我婉辭。前兩天丘彥明又來信說香港《號外》雜誌登了篇我寫的〈上海人〉，朋友告訴她我回上海去了一趟之後寫的。她發現是舊

18. 一九八二年八月二十一日宋淇致平鑫濤信，提及唐文標宣稱獨家發現張愛玲四十年代上海發表之舊作，並宣稱擁有作品版權，即將匯集成書出版。言明實有立即採取行動之必要，希望委託皇冠將張愛玲未出單行本之舊作依法登記。

稿，同時痖弦的朋友又在香港的圖書館內影印了我兩篇舊稿，他們給轉寄了來，要登載。那篇〈多少恨〉雖然壞，我想唐文標手中一定有，早點刊出，釜底抽薪也好。兩篇都附寄了來托Stephen轉寄給她，另寄一份〈華麗緣〉給皇冠劉淑華——Stephen的一份是《聯副》的——（雜誌社剛搬的新址：〔原址翻修〕

台北市敦化南路620號雙星大廈21樓G座），

也許他們願意同時刊載；都附信。另支票$50付郵資，多下留着下次用。散文集叫《續集》（繼續寫下去，因為許多人當我擱筆了），自序要寄來請你們代看一下。有了這篇〈多少恨〉，也勉強夠出個小說集了，也許叫《小集》（短小）。《謝幕》以後寫了可以加在後面。如果等着它出書，越急越是沒有。我總儘可能不給自己加壓力，所以《海上花》回目先也沒提，因為一有了期限，就更譯不出了。莊信正的書評簡直認為〈色戒〉的女主角不可理解。我信上跟他解釋了兩句，小說上就又添寫了一大段。他固然也不是細心的讀者，我也容易犯說話不清楚的老毛病，寫得不夠了點。〈相見歡〉也添了許多。從去年起看了半年的牙齒，新裝的小橋下的一隻牙，幾個月工夫倒已經直蛀到根。又有個大橋年久失修，還有好些處要拆換。換了個醫生，先又還找醫生check過，大概可靠。中共新出的加註《紅樓夢》我不想要，除非有很多關於大字戚本的。上次我說不記得那部《繡像金玉緣》的主要評家的名字，我十二歲到十七歲這幾年內看的《紅樓夢》就只這一部，正是最impressionable age，兩個次要的評家記得這樣清楚，怎麼會不記得主要的一個？可能是因為雙行批註不具名，接下去的回末總批也不具名，再接下去另兩位的總批才標明「護花主人評」等。只有在書名上有「某某人評《紅樓夢》（或《金玉緣》）」，據為己有，後來被書商刪去，所以反而佚名了。這些揣測毫無用處，不過自己納悶。'83年第一期《譯叢》幾時出？我想扣准了時間譯出《海上花》英譯序寄給《聯副》。希望Stephen這向好多了，Mae也好。

Eileen 十月廿八

宋淇，一九八二年十一月五日

Eileen：

最近中心來了一位新同事，John Minford〔閔福德〕，David Hawkes的得意門生，和他共譯《石頭記》；Hawkes認為紅既出自二人手筆，也應由二人譯，自己譯前八十，Minford譯後四十，而且第四卷已出版。他是牛津優良傳統訓練出來的精英份子，非常講究文字——此種人在英美今日已不多見。

他曾在澳洲讀Ph.D.，所以同柳存仁也很熟，今年初來過中大一次，我因Hawkes的關係就同他認識了，不知怎麼一來，因緣巧合，學校居然允許中心請來任visiting fellow。他第一件任務就是閱讀Middle brow各稿，最近已將柳存仁的序讀完，並提出不少寶貴的意見，最可取的是站在西方讀者立場來看，知道他們想知道的是什麼，不像有許多地方我們中國人是take for granted。這樣我們可以放心不少。關於目錄和書名他也提了些意見，他認為The Shanghai Sing-song Girls不好，直言談相，毫無神秘感和吸引力，我就將書名過程講給他聽。過了兩天，他說經過閱讀《皇冠》第一期的胡適序，張序，原文白話文譯文後，詳細考慮後，建議改名為

SEA FLOWERS

他說讀者會覺得intrigued，海裡怎麼會有花？而以花比女人在中、英文裡是共同普遍的。叫起來也響。然後可以加一個小的副標題

SEA FLOWERS: ANNALS of the Shanghai Sing-song Girls

既為《列傳》，則應加Annals，保持中國原作精神和味道。我告訴他，我們對此名也並不十分滿意，只好暫時定下來，而譯者勉強接受為working title，將來出單行本時，一定會另行用更適合的名稱。他既有此建議，我覺得言之有理，故趕緊寫信給你，看看你的反應。

柳存仁的序中有一段講到你的譯文，說如何能傳達原作的韻味，他認為不夠具體。柳序中另一段引楊憲益譯魯迅《中國小說史略》論《海上花》，其中引了一段原文，其中有「濕布衫」一

詞，楊譯為wet blanket，他居然找到魯迅的原文所引的蘇白，並找到了你的譯文。他說這是一個天造地設的機會，凡譯者不論中譯英，或英譯中，都喜歡用一個字眼相近，現成的usage，來翻譯原文——這是一個大忌，因為往往失之毫釐，差以千里。楊譯正是最好的說明，應該大加利用，如此便可符合《譯叢》對翻譯要的宗旨並給予柳序論點有力的證據。柳序引楊譯，我們三人（柳，高，宋）都看了幾遍，認為楊大致沒有問題，完全沒有留意到，忽略過了，幸虧他細心，能注意到這種小地方。因此我對他很有信心。

他對英文很講究，中文說得很好，理解力也非常高，而且是個洵洵君子——這種人大概現代再也不多見了。他對外界投稿看得很仔細，倒不一定是英國人和美國人英文不同的緣故，而是他天生對文字有一種敏感性。關於你的譯文，我同柳存仁都簽有意見，云譯者一向自譯中，英文著作為另一種文字，勝任愉快，請不要擅動，以免同人中少不更事者胡亂用紅筆，他就問我是否要他過目，我說當然可以，但如有意見，不妨出之提意見商討方式，將建議寫於另紙上，這是我們對所尊重的有地位的學者和譯者一向的方式，編者不是直接修潤而是情商，如對方看了之後，經過考慮，仍舊堅持，那我們唯有尊重對方。我相信張女士不會介意。且看他讀下來如何？平鑫濤並沒有回信，不知你有消息沒有？祝好。

Nov. 5/1982 Stephen

宋淇，一九八二年十一月十六日

Eileen：

接到十月廿八日信和附來的影印稿和給丘、劉的信後，先整理了一下[19]。然後將二信去影印留底，本想看一看原影，原影印本模糊，老眼昏花，一時來不及看，就由Mae於十一月九日親去郵局用航空掛號分別寄出。誰知九日下午丘彥明有長途電話來，云接到可靠消息，唐文標的「出土文物」將由沈登恩的遠景出版社出版，並已定於十一月廿八日大登廣告，《聯合報》已將兩篇稿子寄給你，到現在還沒有消息，不知如何是好？打電話給你催又不敢，我立刻打斷她，稿子已寄來我處，並已於當日分寄《聯副》和《皇冠》，並建議她和皇冠聯繫。至於為什麼他們沒收到，那是因為掛了號反而要遲一、兩天。等到他們商量後再通消息，因為皇冠知道這事，丘彥明覺得奇怪，但此事二家站在同一陣線，當然對外要合作。掛下電話之後，我認為此事突然發生意外，恐怕只好從權處理，再也不能依照原來計劃從容校對發排付印。如這些文章在唐書出版後發表，反而顯得我們理虧，迫得應戰。

十二日又接得丘彥明電話，云節外生枝，消息外漏，《中國時報》高信疆聽見此事，已向沈登恩索稿，在此情形之下，《聯副》如不早日刊出，恐不堪設想，問我如何是好。我心中早有主意，云儘管早日發排，張愛玲女士處我自會解釋，因為這並不是你們違反諾言，不尊重她，而是緊急措施。高與瘂弦是死對頭，沈視平為死敵，因為他雄心勃勃，想打倒皇冠取而代之，最近因發行金庸武俠小說的台版而大賺其錢，不可一世。作者擠在兩大敵對集團之間，如不左右逢源，必焦頭爛額。現在只好從權，反正將來出書時再校對、更正好了。

過了半小時後，皇冠張柱國有電話來（平已出國），云與《聯副》聯繫結果，云：（一）古物無法登記，只有你的圖章，而沒有你的文章；（二）與唐文標接洽過，希望把那本書買下來，已有允意，後反悔；（三）認為《聯副》宜先發表，問《聯副》借所有文章去登記，即使不借（我說不會不借），也可以將《聯副》發表後的文章去登記；（四）希望你能再供給他們文章，否則無法登記全部，我建議你寫信給志清，他的學生Edward Gunn在Cornell教書，大概有你舊作影印本不少，現成的，可以向他借去登記。我在此信寄出後，當另函張柱國[20]。其餘你會從近兩日《聯副》上見

19. 一九八二年十月二十八日張愛玲致丘彥明書，提及稍微改寫〈多少恨〉兩處，另加了一段引言說明這一篇的來歷。另說：「〈華麗緣〉的原稿一直在手邊，因為部分用進了《秧歌》，沒發表。」並提到沈登恩在新加坡的圖書館內看到，影印一份寄來。張愛玲準備收進散文集內，出書前刊出。《聯副》可考慮和《皇冠》同時登載。一九八二年十月二十八日張愛玲致劉淑華書，亦提及《皇冠》如有意與《聯副》同時刊載，再請和丘彥明商定日期。

到，不詳說了。祝好。

Stephen
Nov. 16/82

宋淇，一九八二年十一月二十二日

Eileen：

事情緊張到什麼程度於此可見[21]。幸而我答應得快，否則給唐挫了銳氣，太倒霉了。對方大概知道《聯副》手中有稿，所以提前將廣告刊出，商場如戰場。可歎。

Stephen
Nov. 22/82

張愛玲致鄺文美、宋淇，一九八二年十二月四日

Mae & Stephen，

十一月五、十六、二十、二十二日的信都收到了。這小型商戰是真緊張，Stephen給張柱國的信非常有力，厲害極了。我感激而不涕零，反而笑，因為實在欣賞。E.Gunn 的地址我有，所以直接寫信去，免得又要志清百忙中代寫信，他今年放假寫文章更忙。今天剛收到回信，說只有〈華麗緣〉〈多少恨〉兩篇我已有的，但是如果告訴他刊物名字，可以代找。我又說不出。丘彥明又寄來香港影印了來的〈我看蘇青〉等三篇散文，要登。我回信說唐文標那本書已經出版，廣告上有〈我看蘇青〉，其他兩篇一定也有，因為都是原載《天地》；我的棄作大批出現，也是the worst kind of overexposure；被盜印是不得已。我寄還影印本，請她轉交給張柱國去替我登記，連同上次刊出的三篇的影印本。一共六篇，也還只有一半光景。前兩個月報上說不登記也有著作權了，（附剪報）想必還沒實行。（另一張剪報不相干，我看了笑得眼淚出，不知道你們看到沒有。）港大中文系一個助理教授（姓陳？）要把〈封鎖〉收入他編的一個集子，寫信給皇冠，信封上却寫我的名字，他們給轉了來。信上限兩星期內答覆，否則作默許論。故意使人轉信，躭擱時間錯過期限。我寄還給皇冠請他們回信拒絕，說明遲誤的原因。《海上花》譯名*Sea Flowers : Annals of the Shanghai Sing-song Girls*，我覺得sea flowers並不intriguing，一望而知是一種什麼海生物，如sea weeds, sea horses, sea anemones。再看下去，Annals of the Shanghai Sing-song Girls，原來sea flowers另有所指，是一種Oriental conceit〔東方比喻〕，如詩集名*Orchid Boat*（譯者也覺不妥，不過因為合作的美國詩人喜歡這名詞，所以曲從）。要等到看到譯序內的解釋，才知道是海面上浮着的真花，（楔子刪了，根本沒這一幕）與「上海」「海上」的play on words，以及上海其實並不是On-the-Sea而是further up the coast。也只有學者才懂，普通讀者恐怕搞不清楚。我建議《譯叢》上就用*Annals of the Shanghai Sing-song Girls*，原名的忠實的意譯。單行本也許還是叫*The Sing-song Girls*，比較渾成。對這名詞有印象的人也大都知道只有北京上海有，北京的也是上海去的。我上次提起出小說集，現在決定叫《紙短情長》，因為短。〈殷寶灩送花樓會〉實在太壞，不收。是寫傅雷的。他的女朋友當真聽了我的話到內地去，嫁了個空軍，很快就離婚，我聽見了非常懊悔。中大的《海上花》裝訂費務必告訴我，千萬不要少算。我雖然老看牙齒，並沒拮据。在那些大學裏混的時候積了點錢，去年利率高，一年有

20. 一九八二年十一月十八日宋淇致張柱國書，提及希望《聯副》借出影印稿件或在《聯副》發表後持往登記，舊作也已請張愛玲托友人去美國各大學圖書館尋覓資料。另附上一封信建議可向有關機構出示，證明此侵權事件牽涉甚大，將會使張愛玲蒙受名譽、精神、物質上之損失，也有違民主社會公正與平等的基本原則。

21. 一九八二年十一月十六日丘彥明致宋淇書，提及十一月十三日十一點多，依張愛玲修訂後的〈華麗緣〉重新校正，搶時間趕上上機印刷。十一月十四日在《聯合報》第三版出現唐文標編《張愛玲卷》的廣告，雖稿件及時趕上，但沒能搶先他們一步而同時刊出，也是憾事。

五千多利錢。莊信正寄來一本大陸出的《海上花》，有八張原書當時的插圖，非常精確，西人救火員的帽子，美國至今也還是那樣。印得太黯淡，不能再翻印了，我想至少找人臨摹一張做單行本封面。我的書封面都是花，看着像一套，我也贊成，譯書一定也歸入，但是這插圖總想利用。過天寄來給你們看了再說。希望你們倆都好。Mae還不夠忙的，還去跑郵局掛號。

Eileen 十二月四日

張柱國十一月卅日打傳真電報來要我簽字委托登記具結，我忙亂中誤認為廣告（RCA唱機），擱了幾天沒開拆，（！）今天剛給寄去。

五日

張愛玲致鄺文美、宋淇，一九八二年十二月十二日

Mae & Stephen，

前兩天的信寄出後就想起來，下一期的《譯叢》萬一還來得及用《海上花》原書插圖，就提早寄來，希望趕在年底郵擠前一步。白話單行本我想用第19回的吃大菜。中立一女持水烟筒，臨摹者可參看我以前剪寄的水烟筒照片。右側一女似在磨咖啡或胡椒粉。如果封面仍舊用花，（為了成套）也許用作封底。決定省點錢不重排了，註就讓它字太小。附寄來的剪報，我在〈多少恨〉前言裏提到陳燕燕，已經下筆非常小心，猜着馬上會有反響，果然。姚宜瑛寄賀年片來，要出版〈多少恨〉，也說陳燕燕至今還美。張柱國打來的傳真電報上說，已經把《聯副》上登出的三篇排印作出書狀，專為登記用。大概是給Stephen那封信嚇的，真不惜工本。丘彥明又寄來唐文標寫的《張愛玲卷》跋等兩篇來，說他要《聯副》登，痖弦他們都感到困擾，問我的意見；「他寫您是寫得好的。」我回信說：「我在〈多少恨〉前言裏說明過這些棄稿的來由，……所以沒全帶出來，並沒有放棄著作權。唐文標公然據為己有，而且由數一數二的大出版公司出版，給了我很大的震撼，甚至

於懷疑中華民國是個法治國家。他這兩篇文章如在《聯副》刊出，等於給它打戳子，蓋上全國首席報紙的贊許的印章，更加深了我的驚疑震動。……」剛寄出，又收到她的信，說這書出版了，她去買，沈登恩不肯收錢，她說是買給我的，沈就托她帶話，說這書在他那裏壓了兩年沒出，唐說再不出要給別人出了；他對我覺得愧疚，要出一本評論我的文集，內中多篇是這期《現代文學》中寫文章的陳炳良寫的。沈說《張〇〇卷》預約非常好。皇冠如果想買下，恐怕獅子大開口。丘彥明又說書中有與蘇青「對談」，沒有其他的她寄來的影印的散文。我寄賀年片給她跟瘂弦，就附帶說〈中國人的宗教〉如果書中沒有，就請刊載；也提起莊信正評我的一篇長文將載《中國時報》美洲版，台灣讀者看不到。（是《中國時報》向莊信正拉稿，但是這篇給了他們老不登出來，還是志清去說了，才預備登在美洲版上。）不多寫了，要趕緊去寄。Mae好？希望Stephan也好多了。

Eileen 十二月十二

張愛玲致鄺文美、宋淇，一九八三年一月四日

Mae & Stephen，

真想不到Stephen又大病一場，幸而現在有深知病歷的醫生找到病源。病中還要代寫信[22]，還又雪上加霜給惹出這樣糟心的麻煩，真是打哪說起！那封信我暫且留些時，一定不會忘了消毀。Mae顧慮得對。我寄紐約的兩封快信反而比平信慢了兩天。莊信正（青島人）回信說大概暫時不會洩漏出去。我現在又寫信給志清，另抄了一份附寄來[23]。他總以為我要皇冠出書是為了Stephen跟平鑫濤

22. 當時唐文標編《張愛玲卷》，事關侵權，宋淇只好抱病致函皇冠，要求皇冠為張的舊作登記版權。
23. 一九八三年一月四日張愛玲致夏志清書，關於唐文標侵權事件，主要希望不要替他免費宣傳，不願再為此事麻煩宋淇，也請夏志清不要在文章裡提到這件事的相關細節。

的交情，所以我乘此告訴他。小說集自序改寫了，又寄來三份——前兩天剛寄來的三份作廢。《校書圖》的「文學意味」是我說得不清楚，「文學」與下文「文藝」是一物，不是犯重。耿德「華」名字如果是我認錯草字，請代改。他影印了送人不是「傳觀」（pass back & forth），但是也沒有出版的嫌疑，我覺得不必辯白。「多年前」與上句「這些年來」重複，改「早已」。〈色，戒〉等三篇全都是先用英文寫的，但是既未發表，又都大改過，也就不用提了。講起〈上海懶漢〉原名，不過是為了表示本來只是一個人家的故事。丘彥明信上說她聽見說我到大陸去了一趟，回來寫了一篇關於上海，她找來一看，還是《流言》裏的。倒沒有傳說過我的死訊，不便聲明我還在世。而且不管在世與否，根本中國人對版權沒有清楚的概念。連瘂弦都主張登唐文標的《張愛玲卷》序，向丘彥明說：「都是正面的話嘿！」我這自序裏本來說「一篇散文〈華麗緣〉」，當然沒收入小說集，不過因為交代這件事的來由，附帶提起。本來早就在整理散文集，也預備收入〈華麗緣〉。因為有一篇英文的"A Return to the Frontier"（〈重訪邊城〉）問題很多，改起來費事，所以先把小說集整理出來寄了去。不久再寄散文集去，只把自序與〈重訪邊城〉兩篇寄來給你們過目。《海上花》大約五月連載完了出單行本，有篇〈譯後記〉。英譯本序也許收入散文集。大陸新出的《海上花》有當年原版插圖，我想用一幅作封底。上次撕下寄來，萬一寄丟了，要早點托莊信正再買一本。莊信正信上說傳說遠景要關門了，如果同意不出這本書，不知道會不會是因為反正要關門了。我去年下半年的版稅倒也有三千七。好容易找到了個好牙醫生，最近看完了不用去了。寄來$50支票，中大圖書館的《海上花》裝訂費躭擱日久，我想差不多就是了。Stephen可好些了？希望Mae至少沒累病了。

Eileen 一月四日

張愛玲致鄺文美、宋淇，一九八三年一月十三日

Mae & Stephen

《聯副》又陸續寄來四篇從香港圖書館裏影印來的，要登。兩篇是唐文標書中有的，此外一篇關於Fatima的太壞，我只讓他們登一篇〈中國人的宗教〉，也不用自校了，全都寄了回去，那二篇請他們轉交張柱國去登記。——登記笑話百出，我不識草字，《大家》雜誌誤填《大眾》，又另抄補寄去——唐那本書莊信正也托人買了本寄給我，又寫信又打電話來，說志清生氣，主張我告他。我說明托了皇冠交涉，Stephen給皇冠寫了封很厲害的信。莊信正說他從前在柏克萊認識宋楚瑜，想也照這樣寫封信去，不過因為他現在在UN的job，會不理他，想跟志清聯名寫去。我也就讓他去問志清的意見，自己不寫信去了。（志清聖誕信上說〈華麗緣〉是我所有的作品裏最好的，問我這幾篇改了些什麼，我仔細告訴了他。又，他說盧燕要拍《沉香屑第一爐香》影片，自飾盧〔梁〕太太。我請他囑她與Stephen通信，等於是我的代理人，而且也曾經想把這故事搬上銀幕。她也許不過是個藉口，因為屢次要志清介紹見面。萬一真寫信來，就請全權代表我，不要特為寫信問我了。）莊信正說唐的癌症沒好，但是不是terminal。以前莊還替他捐錢，《張愛玲雜碎》賺的錢也治病用光了。我現在先整理完了小說集，寄給張柱國出版。《紙短情長》改名《傳真》，又剛巧收到《聯副》寄來《三十年大系》中有歷年主編的作品的一本，裏面有「傳真文學」這名詞，就又改名《命書》（The Book of Fate）。〈殷寶灩送花樓會〉最惡劣的一點是為了掩蔽，男主角借用聖約翰一個講師的形象，而這人太不堪。我還記得當時也躊躇，但是就找不到另一個人。經考慮後這篇也還是收入小說集，只添寫了個尾聲，請代轉給《聯副》，要讓我自校一遍。他們登序文都是另取個題目，所以我這自序也這樣。你們幫我看看，不妥的地方字數不多就塗改，不要寄還給我了。「反面人物」那兩段使人茫然不知所指，但是緊接着下一篇就是〈色，戒〉，也許有人懂。我寄了三份來，想讓《皇冠》《聯副》同時登，（都要自校）如果他們怕事就不必了，只寄一份沒署名的給張柱國。也許反正應當先寄給張，要等快出書了再發表。都有副本，不用掛號。兩塊玉牌費了無數事

之後終於寄了回來，他自己辦運輸公司，包裝得十分職業化，但是chipped〔磕碰〕多處，也不用賣了，希望Mae這向好，Stephen也好了。

Eileen 一月十三

我姑姑信上提起姑父當了顧問——他是個工程師——最近又「接受了一個任務」。他們年底去廣州探女三個月。

又及

張愛玲致鄺文美、宋淇，一九八三年一月十九日

Mae & Stephen，

前幾天寄稿子來，小說集題名《命書》格調較低。《列女傳》仿佛有人用過，改了《閒書》，聯帶改了序，剛抄完就看到報上說郁達夫有本書叫《閒書》。真巧，上次改了《傳真》也是剛改了序，一抄完就看見《聯副》的《傳真文學》。也還總算運氣。現在暫名《繁弦急管》，自序請不要寄出。上一封信寄出兩個鐘頭後就收到莊信正的信，說志清不主張寫信給宋楚瑜，說不會有效，還是讓皇冠去交涉最好了。本來我在電話上一聽見與志清聯名去信的建議，就擔憂Stephen寫信的事志清知道了就會傳揚出去，但是當時正睡得糊裏糊塗——失眠症有很長的twilight zone〔過渡狀態〕，瞌睡而睡不着，睡不了兩個鐘頭又起來幾個鐘頭，但也不完全清醒，所以不接電話也是避免闖禍，這次是正在等牙醫生處的電話，才接聽的。此後幾天也只在back of the mind感到不安，收到莊信正這封信才着急起來，立刻寫信給志清說我也覺得寫信給宋楚瑜不會有效，「但是那天在電話上忘了跟信正說，宋淇寫那封信給皇冠的原委，不能告訴任何人，不然萬一給皇冠方面知道了，不但不肯出力，而且破壞了人家多年的友誼，我實在太對不起宋淇。現在剛想起來，趕緊補了封信給信正，希望你也沒跟誰提起。」分頭寄快信給他和莊信正，恐怕也是亡羊補牢，心裏非常難過，覺得

糟不可言，整個的唐文標事件相形之下簡直毫不介意。

Eileen 一月十九

宋淇，一九八三年一月二十日

Eileen：

最近兩月來大病一場，幾乎群醫束手，每日咳嗽不停，下午後有熱度，幸而最近查出病源，找回從前的老醫生，情形稍告穩定，當仍不能集中精力做正經事，寫信倒沒有太大問題。你十二月十二日來信，附《聯合報》陳燕燕談話和一月十三日來信及附稿均收到多日，現一併處理。

唐文標的《張愛玲卷》，港已可買到，（是藝文公司港版），事情更複雜，此點我現在才發現，港台不受同一法律管制。麻煩得很。大概沈怕香港，所以將港版讓給藝文，即出《張看》港版之文化·生活出版社。同一老闆，出版社改了名稱。但書並沒有ISBN號碼。Mae去買了一冊，封面就是用你的照片找人來描過的，插圖英文本中文本《秧歌》盜用我《文林》上的圖片，序《私語張愛玲》也盜用我的文章篇名，可謂無恥已極。書中有好幾點把柄可抓，詳另信文。最令我放心的是他書中所登的三篇正文都是你在《聯合報》上先發表的。（因此你那篇〈批命〉可能要重寫，這封信容納不了，下次讓我詳細考慮後再討論。）（除了〈我看蘇青〉。）

看見你信中提到莊信正想寫信給宋楚瑜，他希望夏志清同他聯名合寫。我就開始擬了一封信給志清，寫完後越看越不妥。第一，此事發動由莊信正，我同他互知而不相識，直接去信給志清，有點不妥。其次，我信中有的話是private information，志清為人天真、誠懇、但容易衝動，不分輕重。以前好幾次他都拿我信中的話引在文章裡，似乎對privacy沒有清楚的概念，不夠discreet。Mae看了之後也大不以為然，認為大有可能闖禍。想來想去，還是將這份draft寄給你，由你用discretion決定何者可以告訴他們。同時我也不知道莊信正是什麼地方人，如果是台籍，那豈不是得罪他。因為沈本人也是台籍。此中還有台籍和外省之爭，形勢很微妙。（黃春明也是台籍，為了版稅，照樣吃他，可見還是金錢掛帥。）沈的為人和背景不提也罷，你心中有數就好了。

總之，原則是先不要鬧大，否則聲勢上、道義上、精神上勝利了，對方只要鈔票滾滾落袋，「荒唐」只要多拿版稅（說不定早已利用皇冠的offer從沈登恩那裡先敲了一筆。），暗中反而大笑。以後的follow up由我再寫信給張柱國好了。另寄上《文匯》月刊一文影印本一份（另一整份寄皇冠），好給你留下作ammunition。現在為止，堅不回國的作家恐怕只剩白先勇和你了，終不成他們都想放棄？

Stephen
1/20/83

Draft

茲接愛玲來信，云莊信正兄可能同你聯名寫信給宋楚瑜。最近的發展有下列各點值得注意：

（一）唐的張愛玲卷第一輯三篇都已由《聯副》發表在先，並已由《皇冠》去內政部登記。

（二）唐書跋348頁將張與

梵樂希　Paul Valéry　1871—1945（手稿版權屬誰，最好去圖書館一查。）

狄更斯　Charles Dickens　1812—1870

詹姆斯．喬埃斯　James Joyce　1821—1941　年刊根本是論文集，不牽涉到版權。（作者旁注）

相提並論。狄更斯不去說他，另兩位即使逝世多年，版權還在私人手中。何況三位都已死去多年，而張愛玲仍健在，仍以寫作為生。這怎麼能叫新開始！只好稱之為荒「唐」！

（三）唐的唯一可能強辯，說這是一本選集，只不過未徵求原作者同意而已，但內容和體裁均不是，而封面和書名又完全利用張愛玲的名字來賣錢，故不能成立。

（四）遠景封底上明寫：「遠景為響萬千張迷之企盼，隆重推出張愛玲**未結集**的小說及散文。」這是不打自招。未結集並不表示版權不再歸張所有。

（五）（總之，無論講法律和人間共同承認的情理，唐文標和遠景是站不住腳的。可是我們絕不能魯莽從事。首先必須瞭解沈登恩的遠景，後台是《中國時報》，本身是台灣人，手中拉着一批鄉土派作家為資本，大捧其陳映真。本人年輕而腦筋靈活，可是近乎不擇手段，對作家的版稅據說都不實報實銷，所以黃春明和陳若曦都同他鬧翻。諾貝爾全集三包案，結果是由他慘勝，得不償失。可是金庸的武俠小說台灣版權令他大發其財。沈在台灣出版界雖屬後起之秀，可是目前已是坐二望一的聲勢，頗想打倒平鑫濤的皇冠而代之。皇冠究屬老牌，辦事也很企業化，不易推翻。所以沈想盡方法打擊皇冠，出重資請三毛編一套Agatha Christie偵探小說集，張愛玲卷是第二招，滲透、搖撼皇冠的基本作家。）可不必提〔作者旁注〕

這件事做起來一定要謀定後動，乾淨俐落，快刀斬亂麻，一下解決。否則東告一狀，西寫一篇，只有代遠景和唐做義務宣傳。《張愛玲卷》成了第一暢銷書，即使最後對簿公庭，他們輸了，大不了罰款了事，反而挑他們大賺其錢。

〔作者注：下頁句移此處〕

信可以寫，但不必帶師動眾，只要曉以利害即可。乾脆說明：〔……〕張在美國學術界極受尊重，如將此事公諸於眾，將成為國際出版界大笑柄。相信聖明當局當會採取適當措施，以避免此事之發生，故只有你們兩人寫此信，並未邀請他人聯名參加，因為大家都愛國，深信家醜不可外揚之旨。台灣當局現在很頭痛，《讀者文摘》派人抗議資印事宜，大概沒有得到肯定的保證，立刻回國向Senator Goldwater陳情，後者親寫四封信給行政院、省政府、宋楚瑜和錢復，並云如不採取具體措施，《讀者文摘》將自台全部撤退。所以你們此信正可配合促進當局採取進一步行動。

我想寫了信之後，我們能力所能盡的事已辦到，不必再大興問罪之師。他們不擇手段，你越責罵，他們越不在乎，反而借此機會大事宣傳。餘下的事，應由皇冠負責進行，與當地法律界及其他人仕商量出一個妥當的辦法，務必徹底打擊唐和遠景，否則採取正規法律途徑，控告他們盜印、侵犯版權，大不了罰款了事，反而得不償失。相信皇冠不乏人才，一定會謹慎處理。這是我私人的看法。如果你們有更好的意見，當然是求之不得。

此句可移上

（愛玲生活費用一大半來自稿費和版稅，不像我們另有其他正當收入，對她打擊之大不在話下。我真不信天下竟然有這種文化人。）

該文兩段針指夏志清《現代中國小說史》。

影印一文見上海《文匯》月刊1981十一月號

（五）（移P.2）唐書序、跋都講張愛玲，跋P.347-348云：「當時發掘所得的第一批張氏破爛，例如：〈創世紀〉、〈連環套〉、〈姑姑語錄〉、〈談寫作〉都給收入《張看》一書了。」好像是張偷盜他的作品，事主反而成為盜賊。此條為極有力的證據。

宋淇，一九八三年一月二十三日

〈批命〉一文的意見

（一）「一般也就稱為命運」——可否改成「一般人還是歸之於命運」

（二）「古畫有個北宋《校書圖》」——「北宋有一幅《校書圖》」（理由詳下）

（三）「這張畫沒有什麼特色，而有文學意味」——文學不好，嫌空泛，與下面文藝犯重，可否改為：「這幅畫可能不是第一流的傑作，可是另具趣味，」或類似的說法。

（四）〈色，戒〉——是否要加〈色戒〉初稿，也是用英文寫的（The）?-Spyring（前幾年還看見過初稿，）但如嫌把英文稿改寫太多，佔四分之三，可不提。

（五）「有些自己不滿意的作品就沒帶出來」——「自己不滿意的」千萬不能說，因為唐可以說既然自己不滿意，表示不願發表，他為千萬讀者着想才冒此大不韙。一定要刪去。此句可改為：「有些作品就沒法全部帶出來。」

（六）愛德華．耿有中文名：耿德華——「就在圖書館」前加「多年前」三字，表示未必在唐後。「嗜痂者」後可加：「他們只不過互相傳觀」，表示並沒有據為己有，擅自出書。

（七）「最近唐文標」一句不妥，應重寫，代擬如下：

最近有人（唐之名beneath your contempt〔劣極〕不必替他做廣告）也影印了圖書館裡的舊刊物，稱為「古物出土」，是他的發現；就拿我當北宋時代的人一樣。著作權可以逕自據為己有，擅自出書。口氣中還對我著作中發表了幾篇舊作表示不滿，好像我侵犯了他的權利，身為事主的我反而犯了盜竊罪似的。

（八）最後一句：「不知道是怎麼回事」，——應加：「還以為我在盜印自己的作品。」

（九）結尾要不要加：「我出這本小說集的原因之一就是想告訴讀者：我還健在，還在以寫作為生，而且我正在計劃一冊新的散文集。」（表示you're still alive, writing & kicking。）

（十）〈殷寶灩〉一文《聯副》打聽出唐書中有，曾打長途電話給我，由我從權同意，事後因病沒有告訴你，所以不能這樣寫。

P.S. 我覺得〈華麗緣〉是散文，好像是唯一的例外，破壞整本書的內容，何不抽出，只要在序中很技巧地帶一筆：「雖已發表，但屬散文，暫不收集。」既然志清說得那麼好，何不抽出與近作長文講吃的那一篇成為主力，再加上幾篇可用的舊作，另外可以寫幾篇如〈英譯《海上花》序〉、〈英譯經過〉、〈評《海上花》〉等。你最近這幾年出書太少，連着出兩冊，熱鬧一下，甚至可以把以前的作品都帶起來，多銷幾冊。

尾聲：第一節第二句用「想必」，第二節第二句又用「想必」，嫌近，應改一種說法。

1/23/83

宋淇，一九八三年一月二十四日

Eileen：

前兩信因身體不好，寫寫停停，本來預備明天去寄。想不到今天早上收到你的航簡（一月十九日），來得正是時候。

對志清我一向有點保留，所以先要打底稿，幸而Mae及時給我點醒，現在還是將draft寄上，因為其中有些資料你應該知道，所提出的五點也很中肯。看完毀去即是，以免將來留下禍根。志清居然還能體會到寫給宋沒有用，索性麻煩你請他不必為你寫文章，尤其不可提我（因沈、唐、《中國時報》對我都有仇），因為只有play into their hands（正中他們的計謀）。請不必為這件事難過。

新書的序根本沒有寄出，「尾聲」還得細看一遍，也沒有寄，好在並不太急。關於〈批命〉的意見照舊寄上，因為書名儘管改，內容仍舊可以商酌修改。請依我的建議將序重寫。《繁弦急管》書名不是太好，裡面的作品似乎配不上「急管」，而以好整以暇者居多，不知可不可以縮為「繁弦」兩字，表示variety，中國人何況多說「急管繁弦」，文中稍加解釋即可。即祝

安好。

Stephen
1/24 晚 /83

張愛玲致鄺文美、宋淇，一九八三年一月二十八日

Mae & Stephen，

小說集決定改名《亂世紀》，這裏寄了三份序來，有「自序」字樣的一份給張柱國。今天說是南加州空前大風雨的一天，現在倒雨停了，趕緊乘隙出去寄信。希望你們倆都好，Stephen也好多了。

Eileen 一月廿八

張愛玲致鄺文美、宋淇，一九八三年二月十九日

Mae & Stephen，

上一封信附我給志清的第二封信的副本，想已收到。他回信答應不寫文章關於這事，但是隻字不提我第一封信上請他不要告訴人的話。可能是因為（一）諱言他口沒遮攔，或是（二）已經告訴過人。他的信我影印了一份，把原信寄來，清楚點。順便影印了他寄來的一個中共刊物的目錄，一同寄來，免得你們看見了又要費事寄給我。——《文匯》上那篇的副本收到了，忘了提。——小說集叫《亂世紀》還是不對，那篇自序還是先不要寄出。想了些都不能用：《不堪回首月明中》，雖然是'40'S至'70'S的作品，是關於中國的，很少「故國」之感。《長工集》，因為費時這麼長，但是太沒吸引力。《特寫》——曾經有個著名影劇專欄叫Close-ups & Long Shots，指褒與眨〔貶〕。《淡墨》，因為寫得淡……平鑫濤來信，補寄$3850《海上花》稿費來，以前給過五千。說單行本已經在排印。（我得要趕緊把有些地方移前——例如註——或是添註——找出來寄去）我回信提起大陸出的《海上花》有1890's連載時插圖，想用作封底。如果沒寄丟，就請把第十九回吃大菜那一張寄給張柱國。希望Stephen病情穩定下來之後有進境。Mae想必還是撐持着。我向來見到有才德的女人總拿Mae比一比，沒一個有點及得上她的。是真是沒有。不知怎麼一直沒說[24]。Stephen本來寫給志清的那封信已經消毀了。

Eileen 二月十九

24. 其實一九六七年十一月一日張愛玲致宋淇書中也曾說過相近的話：「我在這裏沒辦法，要常到Institute去陪這些女太太們吃飯，越是跟人接觸，越是想起Mae的好處，實在是中外只有她這一個人，我也一直知道的。」

宋淇，一九八三年二月二十六日

愛玲：

一月廿八日信及附稿均收到。〈殷送花會〉尾聲已寄給瘂弦，昨日見到《聯副》，已刊出預告。《聯副》在台為最大報紙，讀者最多，給的稿費也最多，對你尤其是「特級待遇」。上次你寫信去要求不要轉載那篇長散文，他們已排好版了，只好臨時抽掉，而且還要改其他各篇的頁上的號碼，主要原因是瘂弦是「讀書明理」之人。不像《中國時報》，據說《人間副刊》編輯高信疆已調去美國深造兩年。所以《聯副》要加強均勢。

〈亂世紀二三事〉自序已寄給平鑫濤，因為張柱國處我去過信，始終沒有回信，我想他在這種事上仍非請示平不可，聽說平在台灣，所以我親自寫了一長信給他。問他大約出版日期，並告訴他發展近況。你大概注意到《皇冠》自上月起篇幅增加了一倍，別人不是關門，就是用其他方法來津貼，只有他不退反進，真有魄力。他對你《海上花》很重視，給的稿費也極可觀。想來他大概一定要好好佈置，請教律師，才會採取行動，我也在信中如此說，並不打算催他。事實上，他比你還着急。上一期，提到盜印三毛的書，人贓並獲，二人均判入獄。

《亂世紀》序沒有寄瘂弦，他寫信來要，保證不會搶先登出。我認為問題既然在書名，忽然之間有一靈感，何不用《惘然記》。那時我反對，因為沒有長篇小說味道，現在這一批短篇都寫於四十、五十年代，倒反而很切題，到了八十年代，回頭一看舊作，「此情可待成追憶」之感湧到心頭。我私人覺得妥貼之至。況且這題目原是你自己起的，考慮了很久才割捨的，現在等於「珠還」，豈非美事？

另有一事，想同你商量。你的《海上花》英譯，我同柳存仁看過，都沒有動，柳還很讚賞。後來我病了，無奈只好找以前做過Managing editor的一位女士，將所有稿子過目一下，柳的序當然英文有問題，大改特改不在話下，王際真譯的《醒世姻緣》則是節譯和跳譯，有很多地方不接筍，簽下了很多意見，你的譯文也給改得很厲害，我一看大吃一驚，因為我同柳存仁特別指出，此文越少改動越好，因為我看原稿改不但是文字，而且牽涉到style，似乎超出編輯範圍之外，所以不肯收下，退了回去，結果和她鬧得不歡而散。去年十月中心來了一位新同事，John Minford，他是David Hawkes的門生兼女婿，最近出版了《石頭記》英譯第四冊（Hawkes以為原作者既為兩人，則譯者也應為兩人）。他在天津教了兩年高級翻譯，文字很講究，迥非時下青年英，美學者可比。我在病前就拿Middle Brow Fiction專號全部交付給他。柳序已經由高克毅改過，他又潤飾了一下，王際真補寄了新的summary來，改動不多。我將《海上花》的情形講給他聽，他因新來，沒有任何意見。他看了之後認為譯得頗有味道，但仍有些不合文法和usage，idiom的地方。他不贊成在原稿上改。他預備將改好後的譯文重新打過一遍，然後另外寫點notes，解釋理由何在，俾你可以知道，他不是憑個人的愛好，taste而隨意改動。他的想法是將來你如果將原稿送去任何有名的出版社，他們的編輯一定會作或多或少類似的改動。我因為生病，實在沒有精神將二者對照比較，覺得不妨照他的辦法一試。其中，還有一點，英國人比美國人講究文字，*Economist*遠勝*Time*，無奈銷路和影響遠不能比。Princeton出版了葉維廉的Pound一書，不像有個好的editor，Indiana就沒有。我們的代理Washington U.也沒有。問題是首二章改過之後，以後幾章怎麼辦？他是根據我給他看的你的國語版改的，還借了原版來。又Stephen鄭的論文也照你的譯文統一起來。我想目前只有這個辦法，姑且依他辦法一試，等你看了之後再作反應。等到二者預備好之後，再行寄上。此種還有一點，就是英國人對美國英文看不入眼，我們將《幹校六記》譯為Six Chapters of My Life “Downunder”，他們大不以為然，認為Downunder只有一個解釋：ANZ，別無他解，可是譯者、華大出版社、Burton Watson均無異言，原作者亦不表反對，可見他們成見很深。反正你如認為美國話可以這樣說，不妨堅持，這是你的權利。好在他在準備好之後，一定會給我先過目的。

陳若曦在《聯副》發表了一篇〈突圍〉，影射夏志清，我們看了都大不以為然。後來夏的角色顯得不大重要，文章也叉了開去。最近陳又寫了一篇文章，直陳其事，並云夏志清寫信給她，說她寫他的性格太好了，其實自己夠不上那種人。兩人都該打五十大板。〔……〕又，女主角是不是成家榴？嫁空軍我不知道，只知來港時的丈夫比她年紀大，是昆明的軍統人員，已死去多年，女兒現在從港大畢業，執業律師，有時在傅聰的音樂會上看到她。均再談。

Stephen
Feb. 26/82

鄺文美，一九八三年三月四日

愛玲：

連日忙亂，過得糊裏糊塗，今天大雨，我借故躲在家裏整理雜物，忽在舊紙堆中見到一些剪報——還是去年六月間剪下來預備寄給你的，看了不免心裏一震。自己也不明白：這大半年怎樣溜走了？連一封極想寫的信都沒有寫成?!長期以來，你一直容忍我的疏懶，寄了幾十封信得不到親筆答覆仍不以為忤，照樣繼續和Stephen討論各種問題，寫上我的名字，問起我……這樣的耐性真是天下少有。我非草木，怎會不領情呢？只是我被眼前的事物纏得好慘——僅母親一項已不勝困擾——好像只有半個人活着，提不起勁來寫信。而且說實話，寫信給你就得面對現實，提到那些想都不願想的痛苦經驗，叫我從何說起？結果只能借你自己的話為藉口：「……一年半載不寫信我也不會不放心的」；日子一久，許多小事擱了下來，就覺得根本不值一說了。（也是根據你的話！）

至於為什麼要寄有關淺水灣酒店的剪報給你？當然是為了sentimental reason（情感上的緣故），記得四十多年前我還沒有到過香港，早從〈傾城之戀〉中對這古老旅館有了異常深刻的印象。一九四九年南遷至今將滿三十四年了，始終沒有機會熟悉它，可是彷彿親眼見過「整個的房間像暗黃的畫框，鑲着窗子裏一幅大畫。那澎湃的海濤，直濺到窗簾上，把簾子的邊緣都染藍了」之類的景象。總之，我所知道的淺水灣酒店就是你妙筆所描寫的。因此關於這「最後圓舞曲」的報導，應該寄給你看看，才算有始有終。可惜世間事往往人算不如天算，酒店是如期拆卸夷平了，香港本身卻為一九九七大限的陰影所籠罩，市面不景，前途黯淡，人心惶惶。發展商不敢在此情形下興建計劃中的豪華新廈，破壞之後沒有建設，等於枉作小人，徒然留下一片空地供人憑弔。這是人生的嘲諷。

Stephen病了幾個月，近日漸痊，我也鬆一口氣。這些年來他和病魔搏鬥，可以說身經百戰；我雖未直接參戰，有時難免遭殃，幸而我們都經得起考驗，仍能積極地活下去。你最近來信說到我的才德，使我愕然。這樣沒用的人，還有什麼才德可言？如果我有任何「德」的話，當是信德吧，因為自知若無深厚的信仰，一定早已精神崩潰。現在竟然能夠保持鎮靜，儘管五內如焚，還是分得出事情的輕重緩急，不慌不忙地努力應付——至少不讓別人看出自己多麼憂惶焦慮。這是一般人視作當然的等閒事，我卻認為難得的本領，暗感自豪。你知我最深，不會見笑，才敢告訴你。

我母親的情況則一言難盡，她身心衰退到了十分可怕的程度，瘦得只剩六十幾磅，大小便失禁，血液循環不良，四肢滿佈青紫斑痕，記憶力銳減，除我之外，什麼人都不認識，有時糊塗起來，連我是誰也會忘記，胡言亂語，令人啼笑皆非。她終日懵然罔覺，但知吃喝，偶有病症，如下體流血、發熱或茶飯不思，只要服藥、輸血或吊鹽水和葡萄糖，就化險為夷，安然渡過一次又一次的危機。這幾年來眼看她浮浮沉沉，明知結果是怎麼回事，我心裏又矛盾，又難過，覺得萬分無可奈何。生老病死是人生必經的過程，可是活得這樣拖泥帶水，長命百歲有什麼意思呢？

一念及此，擲筆三歎，寫不下去了。

以上是昨天寫的，今天加幾句，等一會過海時可以順便付郵。

Stephen囑我告訴你：上月間白先勇和盧燕應市政局之邀來香港，白先勇曾來探訪Stephen，談得非常暢快；可是盧燕音訊全無，連電話都沒有通過。大概她找不到肯投資拍片的後台老闆吧？〈第一爐香〉恐怕暫時難以拍成電影。好在你並沒有寄予太大希望，當不致失望。

看電視新聞報導，知道加州暴風雨成災，還有輕微地震，你住的地方不是海濱山區，當然安全，不過雨量太多總會造成生活上種種不便，我們不免掛念。

今天寫了不少，未完的話只能留到下次再談。匆祝

安好。

美

一九八三年三月四日

張愛玲致鄺文美、宋淇，一九八三年三月七日

Mae & Stephen，

收到二月廿六的信。小說集本來想叫《書不盡言》，含蓄的意思，但是沒有《惘然記》有吸引力，真高興Stephen想起來。序重抄過，寄了三份來，一份給平鑫濤——我已經寫了封短信去說Stephen轉寄《亂世紀》自序給他，不知道有沒說明書名還要改，內容也聯帶地要改，所以還不能發排。（他們的頁數連序算在內，所以正文大概也還沒排印。Stephen說過〈五四遺事〉可代影印，我寄去的影印本模糊得簡直不能用，如果方便的話就請影印一份一併寄去。）——一份給皇冠劉淑華，一份給《聯副》，等快出書的時候一起登。平鑫濤從前說過，書中新作應當預先發表。不給皇冠他也許會不高興，但是《聯副》如果以為是獨家刊載，就不用給皇冠了，反正不過是篇短文。我附了封信給丘彥明。另一篇長文〈國語本《海上花》譯後記〉你們幫我看看。三份也是一份寄給平或是張柱國，排在單行本末尾；一份寄給劉淑華，五月左右連載完了登，一份給《聯副》同時登。郵費我下一封信再寄張支票來，這兩天剛巧銀行裏錢不夠。《譯叢》《海上花》的事，只好等看了改文再說了。唐文標的事我一點都不急，不過恐怕比三毛的case麻煩。丘彥明信上說唐還在發掘我的作品，而且只要初版的。（再找出一兩篇，湊上幾篇罵我的文字，又是一本書！）又說他鼻咽癌

復發，沈登恩說他這本書賺的錢都去治病了。莊信正信上也說〈突圍〉是寫志清與丘彥明。志清想必thrilled。米洛茲與興仁嶺的成功真是vindication of Stephen's taste〔證明了Stephen的品味〕。希望這向好些了，Mae也好。趕緊去寄這封信——

Eileen 三月七日

張愛玲致鄺文美、宋淇，一九八三年三月十一日

Mae & Stephen，

收到Mae的信與《海上花》插圖。連載這些時毫無反響，單行本銷路不會好，我也識相點，不要什麼封底了，原書插圖還是放棄不用了。我的這些業務信寫給你們倆，因為Mae是個silent partner〔隱名合夥人〕，並不是耐心等着你們倆都回信。想起Mae的處境總覺得是《曾文正公家書》裏說的：就是個「挺」字（對太平天國作戰）——撐着。看了信也真是震動，人生到頭來這樣——！這還是福壽到頂巔了！淺水灣飯店的下場就很適宜。前兩天寄來一長一短二文，長的一篇有四頁改了寄來三份，代替原有的第19至22頁。附$50支票作郵費。《聯副》登的四篇共給了$2270，不連「尾聲」。成家榴第二次的婚姻成功，還是幸虧到內地去了。〈殷寶灩〉那篇收入小說集，也是因為莊信正說他只喜歡我二十幾歲時的作品，（雖然這篇連他也說不好）認為全都應當保留，不然就全靠唐文標了。我想不止一個人像他這樣想。又，莊信正信上說端木蕻良《續紅樓夢》（代替後四十回）出版了，高信疆要刊載，上司沒通過。高信疆這樣理路不清，是應當出國深造！我本來猜着盧燕要拍〈第一爐香〉是個藉口，所以一點都不失望。希望Stephen好些了。

Eileen 三月十一

張愛玲致鄺文美、宋淇，一九八三年三月十五日

Mae & Stephen，

前兩天剛寄來〈《海上花》譯後記〉的四頁改文，今天收到張柱國一日的信，說小說集出版後請律師指唐文標侵佔〈多少恨〉〈殷○○○○○〉兩篇的版權。唐「又整理出一部《張愛玲資料大全集》」，答應讓皇冠出，他影印二份寄給Stephen與我，想必也附信給Stephen，不然我就把他的信寄了來了。我回信說「《張○○資料大全集》我原則上不同意出版」，此外舊作散文〈華麗緣〉等三篇預備收入散文集《續集》，其餘兩篇保留版權，暫不出版。〈亂世紀二三事〉《皇冠》四月號登；我告訴他書名改了《惘然記》，序也改寫過，四月號來不及換那一篇，只好讓它去，廣告上註一筆「原名《亂世紀》」就是了；也許《聯副》可以用改寫的一篇。小說集已經在「二校中，」顯然字跡模糊的〈五四遺事〉也能排印，可以不用再影印一份寄去了。模糊的《海上花》原版插圖結果也還是寄了去給他看看能不能臨摹——pepper mill等細節完全看不清楚。《世界日報》寄來一張$563支票，也許是登了〈中國人的宗教〉，與《聯副》稿費$575差不多。這封航簡匆匆與回張柱國的信一齊寄出，希望你們這兩天都還好。

Eileen 三月十五

宋淇，一九八三年三月十五日

Eileen：

我還在等你決定書的新名字。

丘彥明寫信來解釋，瘂弦和唐文標認識，唐登門求他發表關於你的文章，瘂弦不好意思說因你之故不登，故意將文章遲遲發給你，明知你一定不同意，所以心甘情願挨你罵。及至你回信來

後，再告訴他原因不便發表，同時唐書已在市面發行，為時太晚，只好作罷。這是一個作編輯的為難之處。同時《中國時報》高信疆下了台，由余紀忠的女兒名義上兼，沈和唐不像從前那樣得其所哉。

我在整理舊文件時，忽然找到你《情場如戰場》的劇本原稿，這是你為電懋寫的第一個劇本，也是最成功的劇本。你的新作既然是nostalgic的，何不將之包括在內，因為我手頭並無劇本，即使能找到或借到也是分了鏡頭的，面目已非。我覺得你實在應該將之包括在內，然後方有點新玩意，否則比唐的張卷只不過更充實一點，讀者總有點似曾相識之感。這樣一來，就完全不同了。請你千萬考慮。我今天下午決定把它尋出來再讀一遍，然後告訴你我的印象。匆匆祝

安好。

Stephen
3/15/83

宋淇，一九八三年三月十六日

Eileen：

電影劇本找出來了，是原稿。你原名為《情戰》（《愛之戰爭》），我改名為《情場如戰場》，徵得你的同意，和公司決策人物一致贊成。付印前岳楓又改回為《情戰》，我看後大發脾氣，印出來仍舊是《情場如戰場》。一口氣看完，拍案叫絕。怪不得因此林黛大紅，到處打破國語黑白片紀錄，當時公司以兩頭牌小生配林黛：張揚和陳原，因此陳從此不甘掛名於張之下，後來跳槽邵氏與有因焉。陳的確是最佳喜劇演員，張則外型好，完全是典型正派人物。現在看上去一點也不dated，當時香港還沒有室內游泳池，借的是淺水灣別墅，只有室外游泳池。現在豪門的別墅反而有了。照我看來，這劇本仍舊可以拍，而且本輕利重。可惜找一個替林黛的人不太容易，她明眸皓

齒、一嗔一喜令人不能自持，年青而豐滿。李司棋很像她，演技較成熟，都是第一流的mimic〔喜劇演員〕，可惜歲數較大，人太瘦，不夠豐裕。我相信平鑫濤和瓊瑤的公司極有可能拍攝。本輕利重，流綫型的喜劇永不會過時，每一個小動作，每一句對白都有效果。這是你的有靈感的作品，可一而不可再。版權原屬電懋，關了門，轉移給國泰，國泰也關了門，而且事過二十五年以上，恐怕無法追究，不過最好還是讓我澄清一下，以免發生糾葛。下面是我的一點意見：

P.22 瀅瀅欲涕——查不到，不敢必，為安全起見，可以不可以改為「泫然欲涕」。

P.26、P.46——餐室，其實是dining room，應為「飯廳」，餐室在香港是restaurant。

P.29 比仿——改譬方。

P.48「到仰光去做什麼？」——「到了那兒再說」——可以改為「到廟裡出家做和尚」，這是現成的。當時可以用「曼谷」，可是「曼谷」現在suggest色情、還有男扮女裝的男妓，仰光還原始一點。好在佛教國家在俗的人隨時可以出家，然後再還俗。這句話一定有效果。不妨加一個鏡頭：男主角剃光頭，可以用頭套，不見得為了這一個鏡頭叫男主角剃光頭。穿淺黃色袈裟，向佛像禮拜，只要一個小的圓圈就行，存在於男的幻想中，必有極佳效果。

P.53 現在汽車的方向盤，往下一按就是喇叭聲。結尾：

「頹然，兩手仍按在車盤上。馬達聲停止。」另外再加「喇叭聲大作。」馬達聲停止，表示逃不掉了。喇叭聲大作表示心情紊亂，不知是禍是福。喇叭聲可以接樂器horn的solo，然後轉為較輕鬆歡愉的音樂，表示happy ending。

這真是一個jewel，希望你整理一下，放在全書最後，可以因此吸引不少讀者。我留了底。希望你花點時間，可能有一筆意外收入和收穫也未可知。至少這是唐書絕不可能有的。否則比唐書略純情張味又有何了不得？

Stephen

3/16/83

附上剪報一小段[25]，可見讀者還是要看張的作品，所以更應該登《情場如戰場》——sock 'em

with Eileen Chang's stuff

宋淇，一九八三年三月二十日

Eileen：

前信寄出後，即收到張柱國來信，云原定將〈亂世紀二三事〉在四月份《皇冠》發表，現只能暫時放下，因接到你快信，要改書名。

〈海上花國語本譯後記〉已看畢，寫得非常之好，是你近來的力作，大概你對此書浸淫數十年，深得其中三昧，別人沒有一個寫得出來，連我看後都為之convinced，對《海上花》估價提高了不少。希望此文可以令讀者或多或少接受這本被遺棄的傑作。所以立刻將三份寄給劉淑華、張柱國和丘彥明。在給劉淑華的信中，我說不一定要等原文刊畢，甚至於和最後一段同登一期也無不可。

我前信曾說，不妨考慮將《情戰》移到散文集中去，現在詳細考慮之後，覺得不好，因為《惘然記》一定要份量重，與《張愛玲卷》完全不同才能給他們一個迎頭痛擊。底下又是《海上花》，已經夠熱鬧的了。散文到時瞧着辦，總有辦法解決。

張信中云希望你儘快合輯出書，以便採取法律行動。否則只好先裝樣本，送去註冊。我以為《情場如戰場》花不了太多時間，不過序裡倒是要加一小段。又我手中完全沒有資料，你查不查得出何年何月所寫，此劇想來亦有所本。下一個劇本是《人財兩得》，也是岳楓導演，李湄、陳厚、丁皓主演，cast不夠強，但成本輕，仍有錢可賺，我知道這是根據一個舞台劇改編的。本來我借寫一段前言，想想不太好，不如由你在序中寫一段，一筆帶過就可以了。

據張云遠景共預付唐文標四千冊的版稅台幣六萬元，約等於美金一千五佰元，這就是沈登恩

25. 剪報剪自一九八三年《明報》鄭愛倫文章，認為唐文標所編的《張愛玲卷》有太多蘇青、胡蘭成的作品，實在大煞風景。

所說預約四千冊的來源。照我看，此書後勁不繼，聽說香港也是如此，很多讀者買了之後覺得貨不對辦，有被欺騙的感覺。此書沒有後勁，不像暢銷書的樣子。

又，我的舊file中找到Dick McCarthy和你二人合寫的*My Hong Kong Wife*，first draft和final draft，我也沒時間看，印象中好像是一齣電影的full-treatment，不知道你還有興趣沒有？可以不可以搶救一下？派派用場。便中請示知。張柱國云在出書前後，希望你和我各寫一文，講講版權問題，以助聲勢和從實說唐的非法。我想你那篇序是第一炮，然後我接着來一篇，再看情形，也許你可以再來一篇。唐生病要醫藥費不成其為excuse，如需要，請大家幫忙，連我都會解囊，雖然我不齒其人。有什麼消息，再寫給你。祝　好。

Stephen
3/20/83

又及：〈譯後記〉第一頁第21行「遊擊隊」，應為「游」擊隊，忘了代改。

張愛玲致鄺文美、宋淇，一九八三年三月二十三日

Mae & Stephen,

收到三月十五的信。我最近的兩封信想也到了。《情場如戰場》要是能收入《惘然記》，再好也沒有。真虧Stephen想到這idea。分了鏡頭如果看着還能用，就請直接寄給張柱國。已經在排印，反正排在最後，作為附錄。自校時也還可以改。我上一封信說〈亂世紀二三事〉要登在四月號《皇冠》上，此後又收到張柱國的信，說來得及抽換改了書名後的序。《聯副》如果同時登，時間也偪促，當然都不用自校了。給丘彥明的信也不用轉去，以後我再寫給她。如已寄去當然也沒關係。我反對出版《張愛玲資料大全集》。皇冠似乎以為他們可能買下了一本暢銷書。張柱國說「有

關文字，評介文字，和插圖、封面等，原議要求以原版形式出版……」他要「您和宋教授大家來努力研究處理此書的辦法。」我因為沒看見內容不便一口回絕，只好說「原則上不同意出版」，其實不是個刪減的問題。原來瘂弦跟唐文標也是朋友。當時因為我力阻《聯副》登唐的序，他給莊信正的一封短信上提起「張姑奶奶大怒罵，可發一噱！」昨天收到莊信正寄來他看過的兩本英文二手書，附一篇剪下的書評。丘彥明說過沈登恩說他要出本書評補報我，大部份是《現代文學》上陳炳良寫的，就是這個。我寄了來，免得你們看見了寄給我，不用還我了。我散文集自序上預備提起唐剽竊《私語張愛玲》題目，忘了Stephen這篇文章收入文集前登在哪裏（《明報月刊》？），需要說一聲。我還以為上一期《皇冠》是特大號，這一期又是！內容也一點都不推板。在紛紛倒閉聲中是真有魄力。看上去《海上花》要年底才登完。等有便的時候請代買一部《歧〔原作「岐」〕路燈》，平郵寄給我。我不忙着看，但是怕會絕版。香港如果沒有，只好托丘彥明買，他們不肯收錢，又不肯寄平郵，有點不好意思。我自己習慣「病去如抽絲」，非常有耐心，但是真希望Stephen好得快點，放心點。Mae這兩天可輕鬆點了？

Eileen 三月廿三

又及

《海上花》連載還有好幾個月，單行本已經在排印，也許〈譯後記〉可以先寄一份給張柱國，自校後或印出後他自會交給劉淑華，不用另寄一份給她了。

張愛玲致鄺文美、宋淇，一九八三年三月二十八日

Mae & Stephen，

收到三月十五、二十的信。我有三封信都還沒到，希望沒寄丟了：一封是改名《惘然記》後的序，一封是〈國語本《海上花》譯後記〉四頁改稿，一封是一篇剪下的書評。《情場如戰場》這名字真好。資料我全憑記憶，連是改編美國還是英國的舞台劇都不十分確定。雖然不是名劇，來自《Best Plays of 1948》之類的選集。現在先把添寫了一段的《惘然記》序末頁寄三份來，劇本整理完了再掛號寄還。也先讓你們看看這一段，不知道可會被唐文標說「天下文章一大抄。」如果真是有礙，也只好不收在這裏，因為正趕在這當口上。萬一這一頁還用原文，第七行開首脫落一個「館」字，請代補上。片子如果重拍，女主角人選是真難。「譬仿」張恨水寫作「比方」，好處在發音正確，「譬」字就怕演員讀作「辟」。我也覺得「比方」不妥，後文才又改「比仿」。車盤喇叭聲等幾點都好極了。散文集序內我不得不再提起盜印，但是實在不會寫這一類的文章，不另寫一篇關於版權了。Stephen能寫一篇當然最好了。*My Hong Kong Wife*我自始至終毫無興趣。關於《張愛玲卷》的那張剪報真使我感澈心脾。我覺得靠我出書是打不倒它的，也說不定讀者倒更想看內幕，儘管買了來看了感到失望。我忙着出書也是因為台灣恐怕來日無多，前兩年Stephen就在說我要出散文集就要趁早。上兩封信有一封我寄了張$50支票作郵雜費，買《岐〔歧〕路燈》如果不夠再寄來。非常高興Stephen喜歡那篇〈海上花譯後記〉。

Eileen 三月廿八

張愛玲致鄺文美、宋淇，一九八三年三月二十九日

Mae & Stephen，

收到三月十五、二十的信。我在《惘然記》序內添寫了一段關於《情場如戰場》，昨天已經寄了來。其餘的三封信希望也都到了，沒寄丟。現在趕緊去郵局寄出這一封，過天再寫信了。匆匆祝

好

Eileen 三月廿九

張愛玲致鄺文美、宋淇，一九八三年三月三十日

Mae & Stephen，

今天打電話去請圖書館員代查舞台劇 *The Tender Trap* 作者名字，倒就查到了。先就沒想起來。《惘然記》序末頁又重新抄了三份寄來。我覺得這樣好些了。電影劇本掛號寄還，張柱國如果要先登在《皇冠》上，似乎應當與《聯副》同時登。這稿子不能影印了，也許等排印出來。丘彥明來信說劉淑華說《海上花》還有半年才登完，所以〈譯後記〉也要半年後刊出，《聯副》倒已經寄了校樣來。（丘彥明又病了，要到關島去休養兩星期。）原來那四頁改稿已經寄到了，放心不少。前些時收到《世界日報》$300左右，前天又收到$113，註明是〈中國人的宗教〉，上次也許是〈多少恨〉——沒說。過天再寫信了，匆匆祝

好

Eileen 三月卅日

宋淇，一九八三年四月五日

Eileen：

收到三月廿三日的信和附來的三頁《惘然記》P.3，差一點拿我攪糊塗了，我拿了《亂世紀二三事》的首兩頁來拼湊，無論如何對不起來，因為稿紙相同，摺法相同，後來一想你平時做事極有條理，然後才發現自己粗心大意，找到了原稿和影印稿，並已影印好一份留底。今天是公眾假期，明日由Mae寄出，航掛兩份給劉淑華。信中所詢三信均收到，〈《海上花》譯後記〉是接到四頁改稿抽換後再寄出的，她們都已收到。丘彥明云劉淑華表示可能要到接近年底再登，這大概和單行本出版日期配合有關。

剪下的書評收到，原作者果然寄了一份來，我照例客氣一番，他總算還不十分離譜。能夠有人寄書評當然是好事，何況他還要出書。最近有一位朋友看了我的《昨日今日》，居然去買了一冊你的短篇小說集來看，可見文章寫出來不是完全不發生作用的。

唐文標說什麼不必理會，此人的credibility等你的《惘然記》出後，大成問題，何況你從不諱言《半生緣》也有所本，只要改編，甚至翻譯得讀者能enjoy，其餘都不成問題。世上只有少數傻瓜如鄭君居然去找了一本Marquand的原作，來和《半生緣》對照來讀，事後發現二者之間竟然沒有什麼相似之處，大為驚訝。附上剪報一紙，《新晚報》是左派報紙，有一天買了一份回來，Mae一看居然有這樣一篇報導，右派報紙對此事一字不提，可見他們統戰工作到家，對張愛玲和台灣等毫不介意。《歧路燈》已去order，錢足夠有餘。即祝好。

Stephen

4/5/83

張愛玲致鄺文美、宋淇，一九八三年四月七日

Mae & Stephen，

前兩天寄來添了《情場如戰場》一段的序。另掛號寄還劇本，隔天又查出原劇作人名字，改了這一頁寄來，想都收到了。我反對皇冠出《張愛玲資料大全集》，也許他們會覺得我像上海人所謂「猛捫」。其實我是這樣想：在美國也是讀者寧願看unauthorized biography，連書評都說：「As an authorized biography, it's not bad.」〔作為授權傳記，這本書寫得不壞。〕（最近*Newsweek*上）唐文標罵我的書出到第三本，本來已經羅掘俱空，是bottom of the barrel〔濫芋充數用到極限了〕。再給剔除一些罵我的文字，剩下的該多無聊乏味。台灣讀者即使不懂authorized, unauthorized〔授權、未授權〕之別，也不要看。銷路壞，更讓唐見笑。如果還沒付錢給他，我主張還是讓他出，內中有盜印我的作品以後再登記了跟他交涉。如果已經付了錢，那怪我事前完全不知道又有這麼本《資料大全》。——讓皇冠買下了又不出版，等於花錢替我止謗，實在說不過去。我想直接寫信去，寫得委婉點就怕說不清楚，還是希望Stephen轉達。英譯《海上花》的改稿還沒收到，我正忙着改寫〈重訪邊城〉這篇長文，也沒工夫翻出英譯《海上花》頭兩章看，只記得有一句「小侄」譯作「your little nephew」，當時就覺得不妥，應改作「your obedient nephew」。趕在郵差來之前去投入樓下信箱，匆匆祝

好

Eileen 四月七日

宋淇，一九八三年四月十六日

Eileen：

接到四月七日航簡，同時收到《皇冠》的四月號，打開來一看，目錄中赫然有你的〈惘然記二三事〉一文，讀後發現原來就是〈亂世紀二三事〉，其中僅把題目和文中的書名改動一下，完全沒有依照我的囑咐。我方寄出一信和《惘然記》給《聯副》瘂弦，這下弄得我很窘。後來再看該期，見到前面有兩頁廣告，宣佈你新小說：《惘然記》即將出版，才悟出其中道理。

張柱國曾於三月十五日有長信來，其中提到以下一點：

《亂世紀》內文部份正在二校，上月底，已先裝樣本送內政部註冊，書名決定，正式出版後，即可委諸律師，以侵犯〈多少恨〉和〈殷寶灩〉二文著作權，依法制止遠景出版社繼續銷售《張愛玲卷》。

可見他們在這方面已有準備，可是沒有書名，動彈不得，後來我回信告訴他張女士已決定書名為《惘然記》，此次不再改了，不過序因改名而要重寫過。他們一定覺得時間越久，遠景《張愛玲卷》賣得越多，所以為了爭取時間就這樣做了。從這一點看來，情有可原，但希望出書時來得及改正。希望你立刻寫信給張柱國通知他這一點，又我將你的目錄影印了一併寄去，他們應知道具體內容。我細看這一期《皇冠》預告，其中內容隻字不提，也沒有說是短篇小說集，以免遠景有所警覺。其實序中提到盜印，無法掩蓋。所以瘂弦面前我只好假裝不知情，等到他來信質問時再說。你上次信上說唐是他的朋友，所以在回信時我也不預備告訴他真相。又，上次《聯副》為了應付遠景而搶先獨家登出〈多少恨〉和〈華麗緣〉，張柱國甚為不滿，劉淑華想來也不開心，但後來皇冠仍用《聯副》報上的作品去內政部登記。總之，台灣一地如果一稿兩投，極難令雙方服貼，往往「順得哥情失嫂意」，常有一方破壞協定等情。（《惘然記》必須包括新序及寄去之第三頁，照你的目錄排，正好八篇，和《情場如戰場》。）

唐的資料當然不出，出了非大出洋相不可，張也寄了一份來，容我得暇，好好想想，再去信。

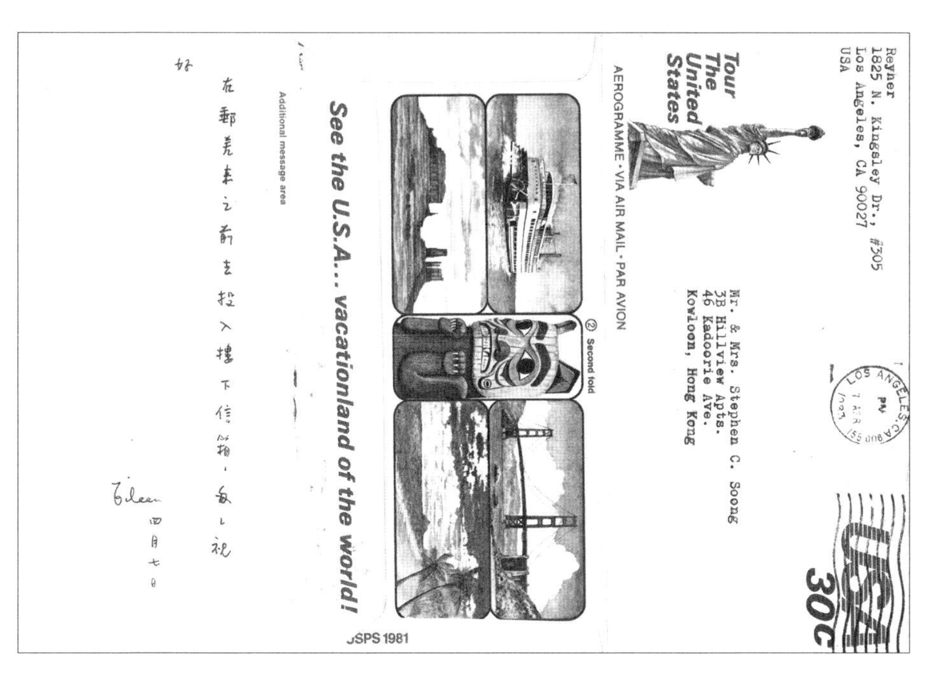
Reyher
1825 N. Kingsley Dr., #305
Los Angeles, CA 90027
USA

Tour
The
United
States

AEROGRAMME • VIA AIR MAIL • PAR AVION

Mr. & Mrs. Stephen C. Soong
3B Hillview Apts.
46 Kadoorie Ave.
Kowloon, Hong Kong

② Second fold

USA 30c

See the U.S.A... vacationland of the world!

Additional message area

在郵差來之前去投入樓下信箱。匆匆祝
好
Eileen
四月七日

USPS 1981

Mae & Stephen,

前兩天寄來添了「惜場如戰場」一般的序，另掛~~收到十月十五的信。我最近的兩封信相~~號寄还劇本，隔天又查出原劇作人名字，改了這一頁寄來，想都收到了。我反对皇冠出「張愛玲資料大全集」，也許他们會覺得我像上海人所謂「猛扪」。其實我是這樣想：在美國也是讀者寧願看 unauthorized biography，連書評都說："As an authorized biography, it's not bad."（最近 Newsweek 上）唐文標寫我的書出到第三本，本来已經羅掘俱空，是 bottom of the barrel。再給剔除一些罵我的文字，剩下的該多無聊乏味。台灣讀者即使不懂 authorized unauthorized 之别，也不要看。銷路坏，更讓唐見笑。如果还沒付錢給他，我主張还是讓他出，內中有盜印我的作品以後再登記了跟他交涉。如果已經付了錢，那怪我事前完全不知道又有這么本「資料大全」。—買下了又不出版，等於讓皇冠花錢替我止謗，實在說不过去。我想直接寫信去，寫得委婉点就怕說不清楚，还是希望 Stephen 轉達。英譯海上花的改稿还沒收到，我正忙着改寫「重訪边城」這篇長文，也沒工夫翻出英譯海上花頭兩章看，只記得有一句「小姪」譯作 "Your little nephew"，當时就覺得不妥，應改作 "Your obedient nephew"。趕

《海上花》英譯已重新打好，並由John Minford準備好reading notes，其中有些極小、不重要的地方不提。他是David Hawkes的得意門生兼快婿，與丈人合譯《石頭記》，他譯後四十回——第四冊已出版，第五冊正在校最後一校，英文極講究，恐怕是牛津傳統的最後一代了。你如果原來的譯文校妥，不要客氣，只要你看過之後，說出你的看法和理由，《譯叢》原則上一向尊重譯者意見的。最近一期《皇冠》似乎有點後勁不繼，倒是《海上花》我仍能欣賞，其餘講靈異之類的文章我不屑一看。即祝好。

Stephen
April 16/83

張愛玲致鄺文美、宋淇，一九八三年四月二十日

Mae & Stephen，

收到四月五日的信。我那篇小說集自序改寫次數之多，連在我也都打破記錄，抄寫到後來簡直頭暈，難怪Stephen拼湊對不起來發急。又還要Mae去寄掛號。《新晚報》那張剪報很有興趣。我上次來信後也就自己明白過來了：皇冠與唐文標當然已經錢貨兩訖，不然怎麼肯交出稿件？現在我寫了封信給張柱國，另抄了一份寄來。Stephen不用跟他替我解釋了。匆匆趕着去寄信，過天再談了。祝

好

Eileen 四月廿日

又，《惘然記》全文已經寄校樣來，自序缺一段，《情場如戰場》缺幾處，我都補上了。

張愛玲致鄺文美、宋淇，一九八三年五月五日

Mae & Stephen，

那兩篇序直忙到前幾天還餘波未了。一度還去打傳真電報，洛杉磯大概還不大有，說是代理處下午二時打烊，趕了去倒又是五點關門，不過只拍普通電報。半天才又出來另一個人，才受理。我上次信上說自校《惘然記》全文，連序（剪開貼上一段），寄還後又收到序的校樣，倒數第二version。我也攪昏了纏夾，結果《情場如戰場》題目下多一段介紹，與序犯重，恐怕來不及刪去。同時劉淑華又提早登《海上花》〈譯後記〉，五月號的校樣四月廿六寄到，當天寄還也來不及了，不懂怎麼回事。寄出後我又想起需要添兩句，姑且也還是分頭寄給《皇冠》《聯副》，請劉淑華來不及就轉交張柱國在單行本上添補。《聯副》的〈譯後記〉校樣早已寄還，但是丘彥明從關島回來又來了封信，顯然還沒收到，希望沒寄丟了。好容易看完了Minford的改稿，他是真有editorial itch，把第二回首頁的一條註任意割裂，一句explanatory clause〔說明〕張冠李戴，使人看了如墮五里霧中。他也沒仔細看，楊家姆書中明言是女傭，會誤認為鴇母。他信上問我的意見，好折衷使它acceptable to us both。既然來不及再通信，當然由他去斟酌了。所以我回信只好加上最後一段，表示不能再改了。不然他手癢，恐怕Stephen跟他說了也沒用。雖然英國編輯較嚴格，Cassell也是老牌出版公司，《北地胭脂》也沒改過一個逗點。Minford批陸秀林容貌衣飾一段：「This paragraph is a tour de force.」不懂是什麼標準。有兩頁updated的他都沒有，似乎是遺失了。他叫把回目改present tense，本來回目頁上已經改了，忘了改頭兩回前面的。不知道回目頁可會也丟了？稿件附信直接寄給他，另寄了個副本來。改稿Stephen如果沒看過，也不用細看了，不過可以用作對照，免得看了信不知所云。上面偶有塗改是我寫的。水烟筒的剪報照片太模糊不能用，如果還在的話，等有便請取回，下次給張柱國寫信的時候轉去，原版插圖上有個水烟筒更不清楚，可作參考。《譯叢》的稿子要趕緊去寄出，信上要想講得婉轉點，更需時日，不能再躭擱了。這封信也要馬上寄來，免得惦記着。匆匆祝

好

Eileen 五月五日

宋淇，一九八三年五月五日

Eileen：

四月廿日信收到，如果皇冠與唐銀貨兩訖，那我更沒有理由沉默，因為張柱國寄了一套給我，花了很多郵費，而且寫一封極誠懇的信徵求我意見的信。如我不回答，似乎置他不理，看他不起，所以百忙中寫了一封信給他[26]，表示我的意見，而且的確是我心裡的話，一則可以reinforce你的立場，二則令他們明白此時即使從經濟的觀點，處理仍欠當。問題是皇冠究竟給了唐多少救命錢。

《皇冠雜誌》明年二月出360號，慶祝三十週年。平鑫濤打長途電話給我要我給他出主意。我建議他出一套別出心裁的叢書，與平日的叢書性質不同。其中之一是瓊瑤的散文，最近增加篇幅，她速寫兩期，出人意外的好，她的小說不希奇，已經出了三十七冊，散文都是創新紀元。其次，是你的《海上花》，你寫小說不希奇，翻譯英美作品不希奇，翻譯本國文字卻也是創新紀元。丘彥明來信云：《皇冠》要到年底左右才登你的〈譯後記〉，那麼索性拖慢到二月一併出書。反正《惘然記》六月應該出書，你作品又如此之少，不宜過近，還是隔開一點日子的好。

此外，我還想請你考慮寫一篇散文，上一次那篇登在《聯副》論小吃的長文實在寫得好。我想你既然將來出散文集，單是這一篇和〈華麗緣〉還是不夠，最好再能添一、兩篇，那就一定可以維持你的聲名於不墜。好在現在離開明年二月還有九個月，總可以寫個篇把出來。何況《海上花》剛出不久，最好再過一陣才出散文集，可以把文學生命拖長一點，說老實話，我自己也已覺得歲月不饒人，有時真有力不從心之苦。望你細加考慮，如同意，盼速告我，以安平君之心。

關於《張愛玲卷》事，皇冠已決定由律師寫信給遠景，制止其發行，如遠景不理，則可能進一步採法律行動。我認為你身為作者，不應緘默，你也應該請皇冠代請律師，致信給唐文標和遠景各一封，理由如下：

（一）皇冠損失較小，你損失較大，而且大得多。

（二）此例不可開，否則作家毫無保障，自己不能對自己的作品作主。

內容大致可提到的有〔下〕列各點：

（一）封面用你相片，書名《張愛玲卷》，有誤導讀者的存心。

（二）引致讀者對你的不信任，買了一本書以為是你的書，結果發現三分之二以上不是的，因此會影響到你過去，現在和將來作品的銷路，讀者對你的信心動搖。

（三）《張卷》P.348拿你和梵樂希（Paul Valéry）（1871—1945）狄更斯（不去說他）和詹姆斯·喬伊斯相提並論，後者是（1882—1941）。他們都是古人，何況梵樂希和喬伊斯二人的版權仍要向二人的繼承人接洽。蕭伯納的《賣花女》（*Pygmalion*）改編成電影，還是要費盡九牛二虎之力向他遺產的保管人取得許可。蕭伯納的年代是（1856—1944〔1950〕），與上二人差不多。你卻仍健在，同時繼續寫作。此種作法非但國內第一次，在全世界也是第一次，用活着作者的名字發表她的作品，無從徵得她的同意，創世界新紀錄。

（四）此事如公諸於世，則中國的出版界、中國的出版法、中國的文壇，將成為全世界的笑柄。本人以國體為重，所以多次拒絕美國華文報紙的訪問要求。這並不表示本人默認。因為本人聽從皇冠出版社的勸告，以大局為重，並依正當手續，向有關當局辦理登記手續。本人自從寫作以來，並無其他筆名。此次各文已登記完畢，依法律而言，唐與遠景公開侵佔本人權益，為不可否認

26. 一九八三年五月五日宋淇致張柱國書，針對《張愛玲資料大全集》表達個人看法。除了認為蒐集的資料一無是處，認為皇冠絕不能出版此書，也認為需要尊重原作者張愛玲的堅決反對意見。如皇冠僅付一部份定金，應當將應該登記的去辦理登記手續，其餘全部退回給唐文標。

之事實。

（五）本人在此期間，不斷接得讀者來信，友好來信，來電話，困擾不堪，影響本人正常寫作生活，使本人忍受精神上莫大之痛苦。相信在中國尚無前例。

（六）根據以上理由，本人現要求：（一）唐與遠景在台灣全國各報及香港三大報登啟事公開向本人表示歉意，承認錯誤，願負擔一切後果：（二）要求唐和遠景（遠景應負港版之責任）賠償本人名譽、精神及經濟上之損失。此種數字在西方常為天文數字，因可能影響到作者之心理及寫作生涯。唐可能宣告破產，但遠景為規模巨大之出版商，應可負擔。具體數字當由本人與律師、醫生、出版社商量後再行決定，不得推諉。

（七）此外可以利用的是《聯合報》，可以讓丘彥明遠洋訪問，發表消息。

遠景主持人是沈登恩，台灣人，他的後台高信疆已下台，連《中國時報》據說都有問題。沈與台灣鄉土派勾結，他的諾貝爾獎全集即由入過獄的陳映真主編。所以他的處境大為不妙。你信中不妨請平鑫濤將你寫給他的信，交給有關機關的負責人一閱，因為事關國體不是開玩笑的事。（濟慈【Keats】死後多年，有人發掘到他的Juvenilia（少作），但這已是一百年後的事了。此段想起來寫，似乎不太relevant。可不必提。）

如皇冠這封律師信肯為你盡力，寫得好的話，贏面已佔一半。前兩天，版權法改罰款為入獄六個月至五年，順便問一聲目前究竟如何？請他們給我一副本，我可以向香港代理交涉。

平鑫濤與瓊瑤已決定停辦電影公司，以後專心辦出版，這對我們是好消息。已經拿想到的都寫了出來，如有何補充，當再寫。祝好。

Stephen
May5/83

宋淇，一九八三年五月六日

Eileen：

關於《海上花》英譯稿事，想你為唐和遠景事所煩擾，沒有心情考慮。現在我們所有稿件都已回籠，單缺你和鄭的一文，因為鄭文的譯法必須追隨你的譯稿。

我並不是說我們的做法一定對，可是大家都知道你的成就和脾氣習慣，一開始就謹慎處理，如果說wear a velvet glove〔外柔內剛〕也不為過。最後潤飾的人是John Minford，他是《石頭記》第四冊的譯者，Hawkes譯前八十回，他譯後四十，我已經核對過四章，找不出一個錯，英文也極具功力，年輕一代中不容易找了。他在詞專號中譯繆鉞論詞一文，極精彩，除了少數典故之外，可以批90分以上。《譯叢》已脫期一年半，我們希望這期可以追上六個月。所以我以公和私的立場請你儘快給我們答覆。以後如你認為有必要，Minford也可以抽出時間來，看其餘各章的文字，免得你另外找人，或為外行人隨便亂改。如非緊急，我也不會寫這一封信。祝

安好。

Stephen
May6/83

宋淇，一九八三年五月十四日

Eileen：

我已有信給平鑫濤，建議為了慶祝《皇冠雜〔誌》》廿五（三十？）周年紀念，出版一套專集，以示有別於一般的皇冠叢書。其中有瓊瑤的散文集（小說不希奇），張愛玲的《海上花》（小說，散文不希奇，翻譯英美小說也不希奇，翻譯蘇白才難得一見），所以建議不宜出

版過早，因為《惘然記》剛出不久，你又不是多產作家，不妨配合《皇冠雜誌》的紀念。希望他能接受。

劉淑華上次有信來，對《聯副》獨家登載各篇，頗不滿意，這事只好怪我，因為《聯副》打聽到唐書出版和刊登廣告日期，預備搶先登出，對你和我們有利。他們打長途電話給我，說這是突發事件，又不敢打電〔話〕給你，怕打擾你，又怕說不清楚，這事我只好擔當下來，負全責。同時我也沒有台灣人打長途電話的習慣，平又不在，所以事後才寫信給你和張柱國解釋，我因為和劉淑華不熟，沒有寫信給她。這次她趕登〈惘然記二三事〉，一則是為了急於出版這本書，二則順便報《聯副》一箭之仇。〈海上花譯後記〉，丘彥明去關島前曾有信來云已將校稿寄你，自關島回來後並沒有同我通過信。我會去信alert她一下。總之，一稿兩投，在兩地尚可，在同一地點必會引起麻煩。吳魯芹的《文人相重》一稿三投：《明報月刊》，《中國時報》，和《傳記文學》，以實力而論，當然《傳記文學》最弱，三方協定，同時刊載。誰知《傳記文學》搶印，先一月出版，一星期後《聯副》連忙跟進，《明月》以為《聯副》違反協定，寫信去質詢，《聯副》說責任應由先破約的《傳記文學》負。《明月》找到了很多圖片配合，只好臨時抽出，大呼不值。我想兩個刊物如在同地，其競爭性必尖銳。好在平現全心全力辦出版，當不會置之不理。《聯副》瘂弦同我有點不愉快，為了友人的事，我仗義執言，加上他們一直嫌我文章太長，學術性太濃，一篇〈曲高和眾〉擱置了一年，結果登出來之後，大獲好評。我寫的文章大都是推理性的，非有背景不可，然後一層層抽絲剝繭寫出來。如果叫我臨老學吹打，寫些輕鬆的小品文，豈不是楚材晉用？好在我總有生病的脫詞，半年不寫稿也無所謂。誤會也只好由他去了，誰管得那麼許多。

接到你五月五日的信和寄回來的致Minford函的影印本和改稿。這次真是委屈你了。我並不是為Minford辯護，他有很多不得已的苦衷，我忽然之間病勢轉劇，編該期的全部責任都落在他手上，我病重時，他根本不敢來問我，只好咬牙接受勉力為之。Flowers Too Feel For Me.是高克毅一時心血來潮的only comment，Charity Alley也是柳存仁的only comment，他不得不接受。我借了一套皇冠的譯文給他，他又去借了蘇白本，結果是一竅不通。叫他短時期內接受此重擔，而且無人可問，也虧他的。你後來的updated pages和回目大概是我的書記沒有給他。他是牛津一等榮譽生，譯《紅樓夢》的後四十回，Hawkes譯前八十回，第四冊已出版，英文在年輕一代中是講究的。他們英國人天生有一種成見，看不起美國人的英文，認為不通。我已經過〔跟〕他說過兩次，*Renditions*銷路在美國，英聯邦加起來不及美國的四分之一，投稿者也大部份是美國人。你說*Time*的英文不好，我承認賣弄俏皮過份，喜歡自己造字，可是銷路超過你們的*The Economist*不知多少倍，雖然我承認後者的英文漂亮、大方得多。他為人倒還謙虛，也很肯合作，希望他慢慢能改掉英國人的成見。

讀了你的回信，我知道你已花盡了你忍耐的極限，最後措詞也情非得已。我知道得很清楚，這次你肯這樣做雖是情非得已，完全看我的面子。我真是說不出的感激：尤其是我知道你對文字特別講究和敏感。我寫英文，可由別人改，因為自知英文不夠扎實，可是我的中文經文美校訂，原則上是不許人碰的。你這封信很得體，也好讓他嘗嘗味道。我所能說的就是：He has does[done] his best. Obviously his best is not enough.〔他已經盡力，而顯然他的能力不足。〕他的中文是和現代美國的年輕學者不相上下，能說、能聽國語，能讀白話文，對中國的古典文學和傳統文化所知有限，遠不如老一輩的漢學家。總之，他已經是目前我們所能找到的最近人選之一了。其餘自鄶以下，更無論矣。

看到《皇冠》五月號351期，P.340上半頁「子富沒法遵命」似乎意思是「子富沒有辦法，只好遵命」，目前的六字很容易滋生誤會，不知我的看法對不對？

先將這封信匆匆寄出。我們之間的友情不必落之於筆，如果這樣做，反而變成下乘了。祝

安好。

Stephen
5/14/83

張愛玲致鄺文美、宋淇，一九八三年五月二十一日

Mae & Stephen，

五月八日十四日的信都收到了。當然我知道張柱國希望Stephen同我跟他合力hammer出一部能出版的《資料大全》，Stephen總不能置之不理，連信都不回。是我沒說清楚，「不用跟他解釋了」，是說有些話還是自己說的好，說了Stephen就可以不提了。現在寫給他的信非常透澈而decisive，希望「其患遂絕。」跟遠景交涉的事，我這就去寫信給平鑫濤，不然律師去信決不會有這樣有力。當然這事整個的欠他們一個大人情。張柱國因為我上次打電報去，建議通電話，我告訴他我怕打長途電話，也是實情。越洋採訪只好免了。丘彥明得寸進尺，更惹不得。《海上花》出版預告已經刊出，似乎預備提早連載完。不如期出書就像是又出了問題。〈譯後記〉《聯副》已經寄了添了兩句的新校樣來，與六月號（我上封信上誤以為是五月號）《皇冠》同時刊出後，一冷下來怕又不生效，於銷路無補。《海上花》一開始連載我就在寫這篇東西，改了無數次，總想它能有點幫助。（還有這是我私底下的話：雖然譯吳語是創舉，一般人只覺得比譯外文省力。事實是光譯對白也就省事些。所以我對敘事的「子富沒法遵命」就疏忽，沒代補充，只好在單行本上改了。）《海上花》到底不是我寫的，不算多產，我想還是聽其自然，不留到明年二月出版。散文集《續集》我正在寫一篇相當長的〈重訪邊城〉，再寫篇談吃，正好二月出版。請Stephen再寫封信告訴平鑫濤。唯一擔心的是〈談吃〉被人編入選集，因為外界只知道唐文標一再擅收我的舊作 & got away with it〔與不受懲罰〕。《惘然記》自序的定稿《聯副》還是要登，來信叫我寫幾個字說明原委。我寫了個簡短的前言直接寄了去，也不自校了，因為想必要趕在出書前刊出。上兩次《聯副》《皇冠》搶登，都理由充足，Stephen解釋了還不諒解，也只好讓他們去。劉淑華脾氣很大——也許與得獎有關——我曾經去信提起過我喜歡《皇冠》一切圖片，除了我的作品的插圖，還有自校後又出來一批新錯字，她兩次都不高興。Stephen的文章固然不大眾化，《聯副》上也常有那真是枯燥的學術性文字，也許是瘂弦為了人情？最近《中國時報》畫報265期上錄影帶欄說英國片*Sunday, Bloody Sunday*劇本景翔譯，名

《惘然記》，載《現代文學》50期。《半生緣》原名《惘然記》，外間有人知道，仿彿是殷允芃說還是《惘然記》好，也許就是訪問時我告訴了她，傳出去的。我在《聯副》上說明小說集改名《惘然記》的事，沒提起這些，免得好像神經質，誰都在偷盜我的東西。丘彥明寄來陳炳良評我的書，提起他在中大教書。原來上次皇冠轉來中大「陳」選編〈封鎖〉的信，限二星期內答覆，逾期作默認論，又故意在信封上與信內寫不同的收信人，讓你們轉來轉去，來不及回信，就是他了。書中除了末尾的書目還有點價值，也不值得轉寄給你們——上次已經寄了一篇來。過天再寄來，不用還我了。英譯《海上花》頭兩回改稿寄還後，隔天又補了封短信給Minford，因為匆忙中漏掉一條：第一回第一頁末尾茶館靠街的座位誤作a seat on the pavement，當作sidewalk cafe。《時代雜誌》的風格美國也有許多人不滿，近年出的Luce傳更大罵，也不算偏激。*The Economist*文字是好，沒有比較，不過與我何干？我這些年來不過改了美國式拼音，centre改center等。港大從前要送我到牛津讀研究生，雖然沒去成，也一直嚮往。不過寫小說又是一回事。語氣影響語意，出入很大。連Hawkes譯《紅樓夢》的對白我都有意見——Stephen較注重書中詩詞——何況他令婿？我姑姑去年到廣州他們女兒家過年，乘飛機來回，儼然幹部。——我說過姑父出任顧問，又「接受了一件任務」。——回滬後姑父腰疼，我姑姑本來腿軟行走不便，兩老買菜成問題。我預備再寄一千五去，上次寄的她買了個電視，平日養老金夠用。我到牙醫生處clean牙齒，又發現蛀牙。好容易找到了個好牙醫生，年紀較大，正怕他退休，倒已經高血壓病倒了，只好看他的助手。希望你們倆都好。

Eileen 五月廿一

宋淇，一九八三年五月二十八日

Eileen：

五月廿一日信收到。今天又接到丘彥明來信，云已同劉淑華聯繫上了，〈海上花譯後記〉決定二刊同時發表。《中國時報》高信疆下了台，《聯副》的壓力減輕不少。聽皇冠說遠景出書太多，周轉不靈，主持人大傷腦筋，《張愛玲卷》變成了小事一件。張柱國回信說絕無意出《資料大全》，但欲將未發表諸篇去登記，但另〔零〕碎登記並不保障別人選登幾篇，所以最好還是將剩稿編成書去登記。他信中說皇冠派董小玲小姐去美，主要目的是訪問你，我已回絕他絕對辦不到。他後來又來長途電話，求我一定轉達他們的要求。長途電話訪問既不可能，在從紐約回程時，路過L.A.時能見到你一面，寫寫見面的經過和環境，已足夠了。我出於無奈，只好轉言。皇冠既然計劃大事慶祝出版二十五〔三十〕年，重要作者一定要有一篇特寫。我想是否可以由她提出書面問題幾條，然後給她一張最近的照片，二十五（三十？）年也不是件容易辦到的事。何況皇冠對你說來，仍是衣食來源之一，此次對唐文標事大概多少貼了點錢，希望你能勉力為之。我想全世界都是如此，在美國，agent還要替你搞P.R.活動呢。無論是與否，為日無多，盼直接去信給張柱國。

陳炳良不是中大的教員，是港大中文系的講師，人還算正派，他的確先有信給我，正值我生病，秘書認為不重要，沒有送來，倒不是存心躭誤時間。書不必寄，他已送了我一冊。我覺得既不好，也不壞。

《海上花》我提出改為二月左右出版，到現在還沒有聽到皇冠的異議。

Mae的母親於五月廿三日夜去世，廿六日舉行安息禮拜，廿九日火葬。二人都忙而倦。匆匆即祝好。

Stephen
5/28 1983

張愛玲致鄺文美、宋淇，一九八三年五月二十九日

Mae & Stephen，

張柱國又來信，末頁附寄了來。Stephen那樣跟他說了，我還以為「其患遂絕。」我的回信內有關部份，與我給平鑫濤的信都抄了個副本寄來。萬一平鑫濤會以為我想敲遠景一筆賠償費，而要皇冠出錢代請律師，我不得不提起有積蓄的話——最近因為預備匯錢給我姑姑，點了一下，有六萬——我向來習慣上不論親疏，總apply the CIA's "need to know" rule. 列舉律師信上應有諸點，略去各方函電的困擾，精神上的痛苦，因為台灣是有一部份輿論（包括戰時後方吃了苦而覺得不公平的軍民）對我不滿，要避免突出自己。張柱國信上提起他們的記者董小玲來美，暗示電話訪問也可以，談《惘然記》出版的事，叫我打電報去。我當天打了去回掉了，說「Undergoing major dental surgeries.」次日夜十時還是有人揿了半天鈴，想必他們沒來得及聯繫。水烟筒照片不用寄給張柱國了，《海上花》原版插圖不預備用作封底了。匆匆祝

好

Eileen 五月廿九

張愛玲致鄺文美、宋淇，一九八三年六月十三日

Mae & Stephen，

上次寫信給平鑫濤，兩天後又補了封短信去，因為想起來舊作登記還沒登全，還有請律師寫的信上第二點應作「讀者買了以為是我的書」，要補上「以為是」三字。收到Stephen五月廿八的信，就又寫信給張柱國，另抄了一份附寄來。這裏老房子蟑螂多，房東派人來噴射，要出清櫥櫃抽屜，實在太費事，很少房客簽名要他來。上次送通知單來，再不讓來要逼遷了。只好把東西全搬出

來攤了一地。通知單上說每月一日要來，剛搬運回去倒又要騰出來，哪有這麼些時間精力？結果兩三個月也沒再來，問管理員也不知道。只好讓它攤着，來了人都無法插足，還禁得起視察？我姑姑要照片，我寄去一張幾年前的，在洛杉磯就拍過這一張，既精神委頓又不大方。好點的照相館都非常遠，我不熟悉，要想先去看看，乘巴士一去就是一天——要照相當然至少坐單程的士——只能揀最出名的，先約定時間，頭一天一定睡不着覺，第二天眼睛流血，整個眼白上糊上一層深紅的血。醫生說不要緊，但是戴着太陽眼鏡都使人駭然注目。上次在香港也發過，不過沒這樣一失眠馬上發。當然我知道外國出書的PR，不過情形不同。丘彥明來信說腹內腫瘤入院開刀，似乎還不確定可會是癌症。我這兩天在譯《海上花》英譯序，很久以前答應過瘂弦，不知道是否應當在下期《譯叢》出版的時候登。最近收到國語本連載校樣，八月刊完，〈譯後記〉想必八九月登，這一篇似乎應當間隔開，來不及就多等些時再登。國語本我想還是連載完了就出的好，冷擱半年，恐怕銷路更壞。如果《海上花》第三次絕版，我希望至少不自咎。Stephen ideas多，還是再替皇冠想個法子慶祝卅周年。瓊克勞馥的養女Christina Crawford寫的*Mommie Dearest*，泰倫鮑華傳（*Tyrone*——小標題不記得了），費文麗傳，*Gable*，*Gable & Lombard*這些書有許多精彩內幕，也許值得譯出連載。這封信要在郵差來之前投入樓下郵筒，不寫了。Auntie去世，真是了了一樁大事，你們一定累極了。

Eileen 六月十三

宋淇，一九八三年六月十六日

Eileen：

五月廿七日來信收到，致張柱國、平鑫濤信抄本、柱國來信末頁一起收到[27]。

看他們的信，我猜皇冠已經和唐文標簽了合同、付了定洋，唐此人極精，所以合同中必有一條時間約束，何年何月之前必要印行出版，所以皇冠云「否則以最壞的打算出版最少數量，拒絕公開發行……」，這與我們原意相違。我預備寫信給平或張，云你信中向我表示，如皇冠真將《資料大全集》印行，即使不公開，也完全心灰心冷，從此不寫文章，都無所謂。反正這話由我說好了。甚至暗示與皇冠關係弄僵都在所不惜。我上次已向張柱國說得清清楚楚，將唐資料中一部份未發表者去登記，然後將原件退回給唐，第一他這次未必找得到出版商，第二，出版了之後，誰花那麼多錢去買幾大厚冊「破爛」。大概那時他們合同已簽，沒有辦法補救了。皇冠和你不訴遠景和唐於法，唐難道敢反過來告皇冠不履行合約？我就不信。

《惘然記》皇冠寄了五冊來。設計封面至少令人看過以後知道這是新書。此次真是運氣好，《情場如戰場》放在裡面增加了份量，足足有三百頁，否則只有216頁，似乎太單薄了一點，而《情場》實在改得好，現在看看還是忍俊不住。等皇冠有了消息再寫。

Stephen
6/16/83

宋淇，一九八三年六月二十日

Eileen：

六月十三日來信收到，信中所說，確是實情，董小玲的訪問作罷好了。我根本沒想到你平時不和人來往，所以不會有親友替你拍便照，自己想想也好笑，心目拿你和我們這種人相比，生活照可以隨便挑兩張出來。

張柱國處我也去信，告訴他如一定要以單行本形式去登記，不妨定名為《斂屣集》，忘了拿

27. 附件為宋淇致張柱國信的部分節錄，提及張愛玲舊作如分單篇登記，不足保障。希望能將張愛玲舊作以單行本形式進行註冊，書名可定為《斂屣集》，並寫信向張愛玲解釋與保證不會出讓給第三者出版。

副本寄給你。我對他們說得很清楚，《張愛玲卷》台、港銷路都只有前勁，首先兩星期還有人買，以後即一落千丈，因為讀者要看的是愛玲，並不是胡蘭成和蘇青。《資料大全》請放心，遠景不會那麼傻，再同他出六大卷沒人要看的書。第一，遠景本身周轉不靈；第二，六卷起碼要八、九百元台幣，誰買得起？儘管同他毀約好了，終不成唐文標敢控告《皇冠》？

Minford到港大去找資料，發現日本去年出版了《海上花》日譯本，真令人慚愧，而且還根據初版影印了不少插圖，相當清晰，俟整理完畢後，當寄你一閱，你的英譯本序快點譯出來，將來由我來coordinate一個campaign，表示此書已受全世界注意。

遠景在外界放出空氣，說手上有《海上花》的原文，擬搶先出版。平聞後，打電話來給我，預備也立刻付印鬥快，好像有點慌張，我對他說對方絕不會排版，一定是翻印，而且根據的是大陸版，對方如真想出，必可搶先，但我不相信會有銷路，此書到港後，我們學校沒有一個去買，因為看不懂蘇白。我說大家好好考慮考慮，再做決定。二則對不起訂戶和作者，所以仍照原定計劃進行。今日我有長信給他，曉以厲害，想來此問題已解決。現將致他的信副本附上[28]，你只當不知道有此事，但我非告訴你不可。

《譯叢》本期出版大概要到八月底、九月初，英譯序給痖弦可也。我屆時會配合另寫一文，鼓吹一下。

最近又細讀〈國語本海上花譯後記〉一過，發現兩處有問題：

P.17第三行「這特出的少女」，平常我們都用「凸出」或「突出」音T'u，蔡思果和我認為current usage應該是「凸」，徐誠斌認為大多人都用「突」，如異軍突起等，約定俗成。但「特」字上海人同音，羅馬拼音為T'ê。除非改為「特別出色」的少女，否則不能通用。請考慮。

P.26結尾的一聯：

張愛玲五詳紅樓夢

中國人三棄海上花

因是事實，但以張愛玲對中國人口氣太大，不像你平日為人為文，而且很容易為別人捉牢

「小辮子」，逃都逃不掉。我覺得有三個辦法：

（一）將「中國人」改掉？改什麼？「小說迷」比較最好。「出版界」、「讀書界」都不妥。

（二）將之改為impersonal

紅樓夢五詳未完

海上花三棄猶存

或

五詳紅樓夢未完

三棄海上花猶存

如改採用（二），則前文也要因此略加改動。這兩處改起來很容易，還來得及。

你給Minford的信始終未收到，不知何故？幸虧你有副本給我。又，他查出的日文譯本是平凡社出版，插圖極清楚，第一、二回共四幅，正好給你用，但很小，他和國內出版的對過了，完全一樣。皇冠的就留下給Stephen Cheng那篇論文用，這樣一來，你的譯文插圖仍有那時的時代感，鄭文以現代人眼光看，不妨帶點現代味道。據他說二十回以後的插圖就不清楚，與前二十回不可同日而語，不知何故。我下一次寫信當影印一份給你。

Stephen

6/20/83

28. 一九八三年六月十九日宋淇致平鑫濤書，提及通電話後，雙方同意不必提前出版《海上花》譯文，認為對將此書看得極重的張愛玲來說，是明智之舉。且《皇冠》連載多期、張愛玲有一篇極精采的譯後記、日譯《海上花》有初版插圖數十幅、英譯首二章刊於《譯叢》「通俗小說特大號」，還有一篇英譯本序，屆時刊出必定聲勢浩大，應可放心。另與平鑫濤討論皇冠叢書的編書事宜，並問及關於控訴唐文標和遠景的事。

宋淇，一九八三年六月二十四日

Eileen：

昨日寄上日譯《海上花》有插圖的首二回四頁，插圖雖縮小，但仍很清晰。詳細資料如下：

太田辰夫（ŌTA TATSUO）譯　平凡社（HEIBONSHA）出版

初版1969（中國古典文學大系之一）

修訂新版1982或1981

二十回以後的插畫沒有原來的清楚。此版是根據當代中國的出版翻譯的，所以有插圖，想必藏在日本某處圖書館中。據說美國Library of Congress有一套初版，其餘各大學則不得而知，不妨一問。

我已有信給平鑫濤，叫他請人在日本購買新版，如可能在舊書店中覓一套初版，比較一下二者的插圖。最後設法trace中國的原始版本在何處。

關於你的資料大全事，我的信一到，立刻就有了反應，保證決無意同出，亦未付唐文標稿費。可是他說《惘然記》出版後曾請律師去信給遠景，對方置之不理。可能對方周轉不靈，有大垮台可能，對這種小事沒有心機理會，可能在法律上有漏洞可鑽，因為據律師說，他可以說這是一本選集，在序中已經說明來源，只不過是轉載，而且並非全書不能算是盜印，大有可能儆誡一番了事：下次不得如此。甚至有可能判為原訴不成立。這是一大漏洞，平說如果將實在情況講給你聽，你一定會很生氣。律師費不成其為問題，萬一呈上去，被法院駁下來，云不能成立，則太丟人了。

我即問他，瓊瑤情形如何，她也一冊短篇小說，別人出一本類似的集子，叫做《瓊瑤卷》，選她二篇小說，再登載些別人訪問她的文章，寫她的文章，捧她的文章，說明轉載。怎麼辦？他說情形不同，因為瓊瑤登記了商標，商標法犯了盜用，罪名大多，可判形〔刑〕六年之多。奇怪，他竟然想不起來，經我一提，立刻為「張愛玲」三字去做「商標登記」，為時一至二月，登記完成後，情勢改觀。唐大概已從遠景處，皇冠想控訴遠景，現在每天去催索回稿子，平說叫張柱國推拖，登記好了再還他，反正設法敷衍他。所以此事已大有轉機，這是最近的情勢。前致平信副本，書記忘了附上，現再附寄。

Stephen
June 24 83

宋淇，一九八三年六月二十七日

Eileen：

《譯叢》已二校完畢，現急需你的Vitae，我想從沒有人正式介〔紹〕過你，希望你自己寫一段，其中應包括：

（一）resident writer（二）U. C. Research Centre（三）《秧歌》英文版（四）《北地胭脂》英文版（五）《金鎖記》英文版（是何書）。中文著作不必多提。順便提一下《海上花》英譯已完成，可能會引起人的注意和興趣。

越快越好，我原想自己寫，恐不能愜你之意，一寫起你和吳興華來，我就會忘記控制自己，一定譽揚過份。

沈登恩的遠景想已垮台，〔……〕恐怕輪不到我們控訴他。

香港女神出版社將你在港最暢〔銷〕的短篇小說集，一分為二：（一）《金鎖記》，加了〈殷寶灩〉和〈華麗緣〉，定價港幣十四元；（二）〈傾城之戀〉，加了〈多少恨〉，定價十六元，這是唐文標的《張愛玲卷》的後遺症。扉頁上居然寫：「版權所有，不准翻印」。我已寄了兩冊給平鑫濤，不知道你要不要？祝　好。

Stephen

宋淇，一九八三年七月一日

6/27/83

Eileen：

最近同皇冠通信，有如下發展：

（一）沈登恩的遠景行將垮台，唐書不了了之，詳致平副本[29]。沈有兩張支票付《聯合》和《中時》的廣告費退票。其餘不計其數。

（二）一勞永逸只好替你登記「商標」，如瓊瑤，但手續極麻煩。

（三）慧龍主持人逝世，《赤地之戀》又變成無主遊魂，除了校樣寄給你之外，趕快去登記，但法律手續也很複雜。

皇冠沒有說，但我覺得你應該考慮去一次，以免將來麻煩。聲明輕車減從，不得向外宣佈，完全是辦法律手續，相信我向皇冠提出，他們一定樂於請你去一次，因為又可多了一冊《赤地之戀》。這也許是The last time you revisit Taiwan，但為了生活和名聲，還是值得的。否則來回寫信，曠日持久，有時會徒勞無功。一方面請他們把應該辦的手續都準備好，只要人一到，當面簽字或者應本人出面就出現一下以便順利和迅速完成全部手續。《赤地》回皇冠，也是好事，全集在台都由一家出版社出了，而且我知平認為《赤地》乃生平恨事。

《譯叢》九月左右初版，英譯序交痖弦獨家發表，我當另寫一短文配合，不知已譯好否？否則要立刻動手了。

Stephen

7/1/83

with copy of letter to 平 6/27

Curriculum Vitae

Eileen Chang, born in Shanghai, China, 1920.
Attended University of Hong Kong, 1939—41.
Wrote stories and essays in Shanghai, 1942—52.
Left for Hong Kong, 1952. Has lived in the U.S. since 1955.
Published 2 novels and a novella in English: *The Rice-sprout Song*, Scribner, also in *Best-in-Books*, Doubleday, 1955; dramatized on Studio One, NBC Television, 1957; *The Rouge of the North*, Cassell, 1967; and the novella *The Golden Cangue* in Twentieth Century Chinese Stories, Columbia Press, 1971, also in *Modern Chinese Short Stories*, Columbia Press, 1981.

Was writer in residence, Miami University, Oxford, Ohio, 1966; a fellow in Radcliffe Institute, Cambridge, Mass., 1967—1969; researcher in Center for Chinese Studies, University of California, Berkeley, 1969—71.

張愛玲致鄺文美、宋淇，一九八三年七月三日

Mae & Stephen，

收到六月十九、廿日的信與日譯《海上花》插圖。《岐〔歧〕路燈》早收到了。這書雖然酸腐，生活細節豐富，可作參考。平鑫濤六月十四的信影印了一份，原件寄了來。原來retroactive〔回溯〕登記不算。當然打官司的話不必提了。北宋《校書圖》是他要用作《惘然記》扉頁，我不贊

29. 一九八三年六月二十日宋淇致平鑫濤書，言遠景的財務狀況左支右絀。在《皇冠叢書》編務方面，則詢問是否可能在叢書中出一本西西的作品，是否可用「林以亮顧問編輯」的名義。

成，而且需要爭取時間。《赤地之戀》校樣已經自校了寄還。回信又切實的解釋我除了牙疾，精神壞，上兩次勉強接受訪問都影響工作情緒很久，並不是不重視皇冠卅周〔年〕，紀念號上能有篇訪問記當然是好，但還是拉上一層紗幕的好。又告訴他有朋友〔莊信正〕來信說〔聽朋友說〕唐文標又要出《張愛玲評論大全集》，想必包括《資料大全》內「第四部份」。莊信正又說唐送他的《張愛玲卷》已經是再版。我想香港一向比台灣有鑒別力，也許台灣銷路沒下降得那麼快。也說不定《資料大全》刪掉些舊雜誌封面目錄，還有人肯出版。（張柱國哪懂Stephen說的「黃皮書」）反正現在Stephen說服了皇冠不出，別的我都不去管它了。《惘然記》也幸虧有《情場如戰場》，像樣得多。我平郵寄了本來，出書前改寫部份都勾了出來。劇本也改得好多了。這裏先寄vitae來，著作部份末一項，劉紹銘編的小說集，我那本送了法國譯者，因為她派了個空中小姐來送禮。書名與年份（'81？）如不對請代改。過天再寄中譯的《海上花》英譯序來。〈國語本譯後記〉中「特出」（remarkable）是常見的名詞，與「凸出」「突出」不同，也不完全是「有特色」。末聯「張愛玲」對「中國人」我本來也躊躇，覺得口氣太托大。也還沒改妥。這就要去整理英譯本了——刪四回，聯帶改回目，與有些太直譯的地方——送去打也要打不少時候，秋冬再不寄給McCarthy不行了，他已經詫異我在幹些什麼，要來看看又不讓來。日譯本附近的大學圖書館如果有，私人也不能借出攝影。日譯中文書，電話上問不清楚，要自己去找。南加州大學比較最近些，八九年前我去過一次，也已經累得筋疲力盡。如果平鑫濤買不到的話，我想就用一張插圖作扉頁，因為雖然有時代韻味，一般讀者也不會欣賞，一張也就夠了。我給Minford的信，隔天又補了封短信。洛杉磯郵局會寄丟，但是如果兩封都沒寄到，那就是翻譯中心的人沒給轉去。短信上說他的改稿第一回第一頁末有一句「took a seat on the pavement,」「on the pavement」應作「near the street,」因為茶館不是像sidewalk cafe。請轉告。〔……〕她聽說我六七月要到台灣去演講一次，不信。莊信正信上說志清回大陸探母妹，八九月回來。你們忙Auntie的後事忙定了，可歇過來了？

Eileen 七月三日

張愛玲致鄺文美、宋淇，一九八三年七月五日

Mae & Stephen，

前天剛寄了vitae來，今天又發現末段

a fellow in Radcliffe Institute

f應當大寫：

a Fellow in Radcliffe Institute

請代改。匆匆祝

好

Eileen 七月五日

張愛玲致鄺文美、宋淇，一九八三年七月六日

Mae & Stephen，

剛寄出五日郵筒，就又收到七月一日的信。我覺得不值得為了《赤地之戀》到台北去一趟。收回如果麻煩困難，平鑫濤對於出不成全集視為恨事，不會不上緊去想辦法。萬一不成，我也寧可冒這險，不願為小失大。我跟讀者大眾與出版界的關係，我認為能有這樣已經算不錯了。唐文標要是再出《資料大全》《評論大全》，也不是靠一兩篇innocuous〔無害〕的訪問記就能「平反」「復員」的。——到了台灣，當然又不是訪問一次的事了。我精神不好，做一點事要歇半天，一累了就出事故，打碎東西，跘跌跤，說錯話。上次信上告訴平鑫濤精神壞，說：「宋淇只知道我各種老毛病加劇，也不知道詳情。」以後皇冠再越洋採訪，沒人接電話，該也不能怪Stephen。前兩年我收到法院作陪審員的通知，寫信去講我的失眠症，附*Newsweek*醫藥欄有關的剪報，倒就此沒再來信，

不然要醫生證書的。這兩天一到了七月，已經是下半年了，就急起來，英譯《海上花》要早點理出來送去打，要寫的兩篇散文也不能趕，要先寫出來擱着，再改。一躭擱就連明年二月也出不成散文集了。我給平鑫濤上封信上請他就把《敝屣集》排印送樣本去登記；他說反正出書可能內容很多變更，就算新散文集的前身也行，所以書名用《敝屣集》還是《續集》隨便他們。七月一日《聯合報》上有「筆名作商標」的新聞。瓊瑤是筆名，「張愛玲」不知道能不能作為商標登記。我上兩封信都忘了說香港新盜印的書不用看了。香港的書市，沈登恩三毛的事都使人震動。《海上花》英譯序已經譯了出來，不能不多擱兩天，不然又要接連來信改。你們倆想必都好。

Eileen 七月六日

又及

「特出」是outstanding或remarkable。「凸出」指描寫的手法。「突出」是搶眼，stand out in a crowd，不一定比別人好；也用作動詞。

張愛玲致鄺文美、宋淇，一九八三年七月十五日

Mae & Stephen，

〈國語本海上花譯後記〉末了一聯改了「在下埋頭五詳《紅樓夢》 看官攤手三棄《海上花》」。《皇冠》也許會與末一期連載同時刊出，那就是八月號，七月一日截稿，已經來不及了，姑且寄去試試，同時寫信給丘彥明。寄出後又覺得欠渾成，也許還有機會在單行本上改。這裏把英譯序譯出趕寄兩份來。如果來不及《皇冠》《聯副》同時登，（還要讓我自校）就只投《聯副》。如果還是太晚了，與八月初的〈國語本海上花譯後記〉犯沖，那就再等等再說。郵費也許不夠了，再寄了五十元來。平鑫濤六月廿九寄商標申請書來讓我簽字，說《資料大全》沒與唐簽約，而且正式通知了他，如交別人出版，必訴之於法。張柱國後又來信，我附寄了來，回信說「平先生六月十四日信上說作品被盜印後追補登記，也還是既往不究。我覺得這一點關係重大，全域改觀，所以回信已經表示放棄了訴訟的準備。寫律師信去，明知不可能再走第二個步驟，他們也儘可以不理會。但是您寄來的給律師的刑事、民事委任狀我也還是簽字寄還，萬一商標能登記，也許用得着刑事上的。」《皇冠》上的「靈異故事」有些有點像人種學上的各地迷信，我也愛看。這一期心岱報道〔導〕的瞎子，所有的主顧一概叫「改運」，分明是騙局。——掛號三天內可能打聽到一些底細。——文內不敢置一詞，明眼人也看得出來。此地這兩天熱浪中，趕在中午前去寄信——祝

好

Eileen 七月十五

張愛玲致鄺文美、宋淇，一九八三年七月二十一日

Mae & Stephen，

匆匆譯出《海上花》英譯序寄了來，又覺得末尾添的一段「譯後記」還是刪了的好。如已代轉寄，就等自校的時候再改了。如果還沒寄出，請代勾掉。給張柱國的信，後來又改寫末句，只說刑事民事委任書還是簽字寄還，萬一用得着。又着實謝了他們給交涉。莊信正寄來《中國時報》上他寫的書評，還沒來得及看。這篇東西他們擱了很久沒登，這時候登倒正好替《惘然記》作廣告。趕緊寄出這便條，過天再寫信了。祝

好

Eileen 七月廿一

忘了刪掉「譯後記」就需要在題目後添一行：

——英譯本序

只好請代填。

又及

宋淇，一九八三年七月二十七日

Eileen：

先收到七月十五日信和〈《海上花》的幾個問題〉兩份，正患重感冒初愈，還沒有仔細再看，又收到七月廿一日航簡。所提兩點正是我預備問你的，關於英譯，一直要到第二頁「海外讀者」才露端倪，然後要到第四頁才知你在譯《海上花》，單看題目和正文，可能以為是一篇論《海上花》的短文，易滋誤會。又，譯後記照理應談一點翻譯上的問題，現在論人物性格似乎與體裁不合，正想建議如要採用，不妨選一個妥當的地方放入文中間，以便外國讀者了解原著的寫法。此點仍可考慮。現在刪去，也是乾淨俐落的辦法。

我之所以沒有寄出去，因為《譯叢》延期出版。關於《海上花》的插圖，我們已經寫信給日譯者是否可以供給我們初版的插圖，可以清楚一點，《皇冠》的插圖，在他們而言，已盡了最大努力，但沒有時代感。我上月就有急函通知他們去買日譯本並設法覓初版本，最近得回信云已託人在日本購買，不日可以買到。我的打算是從《譯叢》身份另寫一短文並將《譯叢》的兩頁英譯影印出來以資配合你的英譯本序，表示並不是空談。甚至在你的國語版出書後也不為遲，因為這本書需要不停的promotion，出版後尤其重要，不能一出了事。此文應該給《皇冠》和《聯副》同時刊載，《明報月刊》一加入，會影響到《皇冠》，所以可不加考慮。

《惘然記》已有書運來出售，到現在為止僅見到一篇短文介紹，將內容、序、扉頁上的話抄了幾段，一句自己的意見也沒有，倒也少見。朋友中見到的還是說好，大概說法總是不外一看就是張愛玲的作品，別人寫不出。有一個人說那篇序不好，大概他不知唐文標這書的事，看不明白其中「皮裡陽秋」的話，那也沒有辦法。

五十元支票收到，本想退回，因為五十元美金可以用不少時候，郵費加上掛號雖貴，但寄台灣比美國還是便宜。請以後千萬不要自動寄來，一直等到我心裡有數，用得差不多了再通知你。

張柱國寫信來云《惘然記》反應甚佳，這次真是陰錯陽差，把《情場如戰場》尋到作為附錄。究竟看過這部片子的人不多，而且都是老一代的人。現在總算有一篇出人意外的「新」東西，否則變成全部炒冷飯，而且頁數正好，定價也可提高。加之，這是你改編得極完整的劇本，無損於全書的價值。這也是唐文標書的後遺症之一。匆匆祝安好。

Stephen
83/7/27

張愛玲致鄺文美、宋淇，一九八三年八月五日

Mae & Stephen，

收到七月廿七的信。皇冠倒已經買到日譯《海上花》寄了來了。看了還有些意外的收穫。有一條註關於平劇《送親演禮》一名《打牙巴骨》，「牙巴骨」與吳語「亞白哥」諧音。我一直不懂這笑話，也沒處去找平劇通。還有「湖房」是立在水中的（on piles），菊花山是擱在假山石上。我本來已經打包預備寄給張柱國，用前二十回插圖。現在等日本給《譯叢》的回音了。過天再寫信去謝平鑫濤。莊信正那篇《桃花扇》上用我從前畫的插圖，似乎來自《資料大全》原稿，莊信正不會有，想必是唐文標供給的。我現在早已不跟莊信正提唐文標的事了，只說「沒精神去講它」。他太太要張照片——並不是沒見過面——新舊不拘。我找的時候找到一張皇冠也許能用的，過天寄來。才歇了不到兩個月，倒又要去看牙醫生了。《惘然記》實質上全虧有《情場如戰場》，但是這劇本

不會有好評，只會一罵二抄。（罵「肉慾至上」，人人全被情慾支配，美國最庸俗淺薄的，等等）張柱國上次信上說申請「張愛玲」作商標要通過北美事務處，因為要證明我的身份證。我回信沒提起，只告訴他申請同意書已經寄了去了。昨天才想起這一點：此間向來不申報中文版稅稿費付所得稅。數目小是沒什麼，近年來我也有點擔憂，雖然無愧於心，因為收入多的幾年付了好些所得稅，也永遠沒有「社會福利金」可拿——付稅的年數不夠；沒固定收入的人的苦處。現在去申請作商標，引起北美事務處的注意，有罰款坐牢的危險。如果因為不住在台灣，或是因為「張愛玲」不是筆名，申請不准，當然沒問題了，否則下一步要寄入藉〔籍〕證書或影本去。也不能說不是公民——上次去台灣是用美國護照。告訴平鑫濤實情固然無妨（雖然已經遲了一步，害他們白費事），張柱國等也預聞，知道的人多了，萬一傳出去，可能有人會敲詐。真是個難題，想請你們儘先替我考慮一下，因為張柱國再來信講商標的事時，不能躭擱太久不回信。熱傷風最難受，Stephen這次又還是重感冒。這兩天希望你們倆都好。

Eileen 八月五日

此地《世界日報》轉載只給幾十元，至多幾篇一共一百多。

又及

張愛玲致鄺文美、宋淇，一九八三年八月七日

Mae & Stephen，

昨天的信剛匆匆寄出，忽然又想起一件事。水晶在《人間》上寫〈流行歌曲滄桑〉，來信提起他們夫婦暑假去台灣，想問Stephen可知道陳蝶衣作歌詞的事，要我介紹。還要我寫東西捧場，我回信告訴他我對這題材一竅不通，也是實話；竟忘了所托介紹給Stephen的事。現在才想起來，趕緊

補這封信來，一面寫信告訴他——大概早已動身了。水晶是我所有認識的最多疑的人，當然以為我是故意等他走後再這樣。本來已經不高興，因為要帶太太來訪，被我攔住了——他那次訪問，我至今還在懊悔，一之為甚，豈可再乎——又在報上說我推說沒看過《肉蒲團》，不給他的論文提供意見。我上次信上向他解釋《肉蒲團》不像坊本《金瓶梅》到處都有，我因為不喜歡《鏡花緣》，聽見是李漁著，就沒去費事找來看。這次的事，他要offended也只好聽其自然。《海上花》英譯序匆忙中至少有一處譯得粗糙，暫不發表最好了，還來得及改。匆匆祝

好

Eileen 八月七日

宋淇，一九八三年八月二十二日

Eileen：

皇冠寄了一套《海上花》日譯本給我，接到你的航簡後沒有提，以為你沒有收到，所以仍然將最後幾頁影印了給你。想不到在初版和亞東本之間會有這麼許多版本。看它的插圖，首二十回較清楚細緻，與後二十一回起者不同，後字跡筆劃不清，而畫亦模糊。細讀譯者後記，原來前二十回是《海上奇書》所刊，為譯者自藏，後即根據刻本。可見這本書雖屢改書名，仍有相當銷路，沒有你所描寫那麼淒慘。從譯後記看起來，亞東版與初版頗有出入，至於注解我沒有留意，日本人能看得懂原作而且居然能譯出來，已經了不得了。日本到底讀書人多，此書1969至今居然銷印了十版，國語版將來如何就很難講了。因為現代青年可能對書中內容所描寫的一竅不通，格格不入。你能發現三條有用的注解也可說是意外的收穫。前二十回為譯者自藏，則後四十四回不會再有，最多能找到另上海奇書的另外十回，所以《譯叢》也不等了。決定用前二回為你的譯文作插圖，以反映時代，而以皇冠的插圖用在Stephen Cheng的論文上。因為他是以現代人的眼光論《海上花》，不必如

此講究，何況後廿一回起插圖都欠清楚，還不如皇冠的合適，所以你不必等我們的消息了。

關於你登記商標事，關鍵不在你去不去北美協會取得證明書，而在你沒有台灣身份證，可能不接受，我已去信解釋理由，向他們解釋，美國貨和美國書都可以登記，為什麼入了美籍的中國人寫的中文書，給中國讀者的，反而不能登記。我也贊成平鑫濤仍舊控告沈登恩，雖然既往不咎，可以免罪，但至少讓社會人仕知道他們幹的是不法的勾當，同時禁止他們不得再添印。（此點極重要。）如果官司不能獲直，我建議你用中文寫一封信給北美委員會的負責人：錢復（已故台大校長錢思亮之子），他腦筋很清楚，你告訴他為了國家的體面暫不願公諸於世，否則中國將成為全世界出版界的笑柄。他一定知道此事的嚴重性，也許會採取適當行動。關於水晶事，下頁答覆，並影印一份轉寄。我不怕煩，不必得罪他。

你八月七日的航簡給誤寄到Manila，上面戳了一個MISSENT TO MANILA，可見美國郵局之糟。水晶的〈流行歌曲滄桑〉我唯讀到一段，讀來頗有趣味，那時我們洋派學生只知Bing Crosby，Dick Powell等，對國語時代曲是不屑一聽的。他想知道關於陳蝶衣的事，此人已垂垂老矣，可能在台灣，他有一度在邵氏我手下編劇，有點交情。他作的詞為典型鴛鴦蝴蝶派詞句，與易文的濫調各有千秋。此中才子是陶秦，他的〈不了情〉，還有多首名曲可稱一絕，另一位是李雋青，他的黃梅調和帶有山歌味道的小曲，真不含糊。我總覺得作詞一定格調要低於詩，而高於一般濫調，可以稱之為threshold〔門檻〕作品。其餘諸人均不入流。Lerner多有才氣，My Fair Lady〔窈窕淑女〕的詞多好！至於作曲以姚敏為首，當時姚莉、潘秀瓊、席靜婷都是姚派紅歌星。王福齡現仍在寫，仍有佳作。李厚襄、綦湘棠（唯一受過科班訓練的國立音專畢業生）從未寫過一首流行的歌。我們還請過日本的元老服部良一來港，大概只有一、二首還有人唱，究竟不合中國人胃口。請你告訴他，即管寫信給我。祝好。

Stephen
8/22/83

張愛玲致鄺文美、宋淇，一九八三年八月二十四日

Mae & Stephen，

收到《皇冠》日譯序，第四節非常珍貴，最好能找人譯成中文，讓我出稿費。我也可以在此地找大學東方語言系的人，不過譯出來是英文。我想寫篇〈論海上花索隱〉，作為出書後的promotion。〈國語本譯後記〉末了一聯改得太匆忙，既然算是《海上花》回目，我不是作者，不能稱「在下」。結果又寫信給劉淑華丘彥明，如果《皇冠》十月號刊出就還來得及改為：

張愛玲五詳紅樓夢
看官們三棄海上花

因為一再麻煩，有點說不過去，另寫了兩段讚美皇冠，作為禮物。志清從大陸回來來信，勸我也去看看上海。我預備還是那句話，也是實話：沒去過的地方太多，能旅行總想到沒去過的地方。水晶要廿四日（今天）才動身去台灣，來信要Stephen的地址，我寄了去，說Stephen前一向病得很嚴重，有沒有痊癒，來信沒提。他又回信說如果不舒服就只好不見了，好在陳蝶衣已經有信給他答應會晤。等他打電話來，請告訴他還沒復原就是了。我上一封信之前的一封，裏面誤譯Social Security為社會福利金。匆匆

祝好

Eileen 八月廿四

宋淇，一九八三年八月三十日

Eileen：

附上書評和廣告[30]。遠景的沈登恩來了香港四天，在《明報》登了三天廣告，據說他已將遠景股份大半出售給一個台灣紗廠的老闆，仍保留總經理的位置。因為此地盛傳遠景倒閉，所以此次來港無非表示絕無此事，並且示一下威。至於明年十周年請遠景作家去台，根本是空頭支票，到時能否兌現天曉得。我所關心的是，他第一天廣告仍登出唐文標《張愛玲卷》，我覺得平鑫濤的想法很對，官司非打不可，結果可能既往不咎，至少可以禁止他們繼續發行和出售，同時也讓社會知道沈、唐幹的是什麼勾當。至於打官司費用，你不必擔心，因為這牽涉到原則問題，皇冠應該出面保護自己的基本作家。我前幾天已將廣告和我的看法告訴平鑫濤。相信他會進行，你可置身事外。

兩篇書評雖短，都是一見到書就寫的，將來在專欄文章中還可以不斷見到提起《惘然記》，陳炳良這本書對你有益而無害，可見你的基本讀者非但沒有減少，而且還能維持原有的數字。這在作家中是極少見的，主要原因是所謂aspiring young writers都以你為範本，連白先勇都自認那時頗受你的影響，所以我想你只要能維持《惘然記》的水準，繼續出《海上花》、散文集，你的書仍可維持一印再印的舊記錄。我寫信給平，報告三毛的書在港情形，他沒有反應，但最近在《皇冠》大做其廣告，可見內情的一斑。祝　安好。

Stephen

8/30/83

張愛玲致鄺文美、宋淇，一九八三年九月十一日

Mae & Stephen，

收到八月廿二與卅日的信與剪報。影印給水晶的一頁轉寄去，要等他們月底回來才看得見了。〈何日君再來〉是誰編的？我只喜歡這一支。我又想起來，好像是到了中華民國才稱華人，以前是「大清國人」（hence "Chink"），所以華眾會不是租界上華人聚會場所，改譯Splendor Club——舞廳Little Club也是公眾場所。遠景的事，我本來也想到雖然作品登記前盜印不究，登記後盜印本不能再版——但是可以說是old stock。不是個simple open-&-shut case〔一目瞭然的狀況〕，就怕會出花頭。我姑姑從前析產敗訴，告訴我在無論什麼情形下都不要打官司。前不久台灣民意測驗，對公教人員的評價是司法最低，似乎也不比從前好多少。這次我本來是看着形勢太一面倒，而《人間》編輯易人，唐文標少了個靠山，似乎應當乘機反擊。但是對法院實在信心不夠。平鑫濤兩封信都說不預備起訴。（附信與我的覆信）他想必知道不起訴就不能禁止遠景再印《張愛玲卷》。在我最要緊是把美國隔離開來，所以也不能寫信給錢復。〔……〕《海上花》連載稿費又找補了四千元，前後共九千。《赤地之戀》這次自校添了一小段，明言書中over-act〔表演過火〕的坤伶是趙燕俠，中共顯要倒正欣賞她這一工。倒又有礙，我請平鑫濤刪去全文。說要寄來的那張照片，因為只此一張，拿去reproduce〔翻拍〕一張，免得去郵局寄掛號信。上次寄給志清印在劉紹銘書中那一張，掛號寄來寄去還是破損了，給裝在太小的信封裏，剪破了才抽得出來。照片夾子不知道為什麼志清沒給轉去，鄭重還給我，還直誇精緻，買櫝還珠使我哭笑不得。你們倆這向都還好？

Eileen 九月十一日

30. 書評為《明報》一九八三年八月二十五日刊登由韋曲所寫的書評〈《惘然記》中的〈惘然記〉〉。廣告則為《明報》一九八三年八月二十七日刊出台灣遠景出版社出版品的兩則廣告，一是陳炳良著述的《張愛玲短篇小說論集》，一是唐文標編《張愛玲卷》。

日譯《海上花》上的插圖放大了，二十回後也修繪得清楚生動，全都能用。他們要用奚淞的作扉頁，我建議第二張，陸秀寶梳妝那張。這書銷路好不了，反正盡到心就是了。有日本那樣就好了！

又及

宋淇，一九八三年九月十八日

Eileen：

十一日來信收到，附來平鑫濤來信和你的覆信都收到。

〔……〕

關於唐文標《張卷》事，我補充一下我的看法。皇冠所請的律師就是三毛的父親，他也代表買沈登恩版權那位商人簽訂合約。據他的透露，他的client不止是工業界的巨頭，而且辦過出版事業，是個內行，所以將來沈登恩大權旁落，已為不可推翻的事實。只要他是正當商人，必不肯做犯法之事，去封律師信警告，可能使這位新東家制止遠景再做違法的行為。其次，張柱國最近信中云，《惘然記》非但反應好，在一個多月內，統計出售了七千餘冊，打破不景氣市場的記錄，可說是難得一見的好現象。因此《張卷》即使重印，讀者不會上當去買，誰會這麼傻，真的原作不買，去買一冊盜印和東拼西湊的書？《張卷》即使賤賣也不會威脅到《惘然記》，因為後者究竟買後只得保存。

水晶來了，從台灣方面取得我家中電話，六日晨來電，說擬和他太太前來拜訪，我老實告訴他既不會廣東話，又是第一次來港，地形不熟悉，不必客氣，不如由我去他旅館一晤，反正離我家很近。及至見面後，誰知他送了我一瓶Brandy，一條555香煙，一捲茶葉，我實在覺得不好意思，就多坐了一會，並請他們去吃了小館子。憑良心說，他對你除了崇拜之外，還非常關切，世界上難得有這樣的人，可能他的好意令受者吃不消，但為了你，我覺得似有敷衍他的需要。他為人很健談，而且對時代曲的研究只到1949為止，而此段時期我所知有限，好在他已於是日約好陳蝶衣，無需我的協助。他為人倒也直爽，口氣中對其他文人都不怎樣恭維，但也沒有發表任何自大狂的言論。我將你航簡的信封和我回信的副本給他一看，表示你已盡了力，但時間上沒有趕上，過不在你，他也說回去後當可見到。總算雙方印象都不壞，盡歡而散。我就怕他又要借此機會寫我順便及你，如果如此，我也沒有辦法。

《海上花》日譯本幸虧買到，令皇冠一看，方知日本方面如此看重《海上花》，所以在基本看法上有點另眼相看的感覺。我沒想到他們會把日文本插圖放大再加描繪，如此解決了一個基本上的問題。奚淞所作雖很別緻，究竟沒有時代感。皇冠現在已出了一套慶祝三十周年的精選叢書，大約有數十種之多，其中準備以《海上花》為主力，這倒是一個好消息，宣傳起來比平日出版加強。這樣看起來，你好久沒有出書，這兩本新書扭轉了寂寞的形式，上海人所說「轉運」不無道理。說不定因為唐文標的《張卷》而因禍得福也未可知。

經過長久商談之後，我終於和平鑫濤取得協議，為他編一套「而立叢書」（取「三十」而立之意），本來他想讓我負責整套紀念叢書，我以規模太大，基本作者又多，而且目標過大，無論如何不肯就。最後提出妥協，另闢蹊徑，編海外作家的作品，少則六冊，多也不會超過十冊。我已同他商妥，你那本散文集歸我的「而立叢書」名下，因為他們既決定以《海上花》為主力，散文集自不免相形失色，而且一人佔兩冊也不太好。他認為這想法極妥。此外還有白先勇的文學論文集，我自己將舊作《論翻譯》收回，重編：刪去短文，另加新作長文，改名為《文學與翻譯》；另外在接洽中尚有余光中、夏志清和香港的黃國彬（詩人兼批評家）和西西（極有希望的女小說家）。你現在如有暇當然先就手頭的事先做，不妨將此事放在心頭。第一先要起個書名。內容倒不必太長太多，只要有個十五、六萬字就夠了，篇幅略少於《張看》也沒有關係。各書封面設計可能另成一系統，以示有別，但當然在皇冠叢書之內。出版日期可以稍遲於三月也沒有關係，因為決定太遲，而且不可能將所有書全部在短短時間內出版。

手上沒有《皇冠》月刊，一時無法計算，連載何時結束？接下去當然登〈國語本海上花譯後記〉，不知有無確定日期。《譯叢》的通俗小說專號一再延期，大概要到十一月下旬方能出版，所以〈英譯本後記〉恐怕最早也要到一月或二月號方能刊出。我預備另寫一文補充，同時也說一下《譯叢》該期特大號的情形，並將你的譯文帶插圖的翻印出來以資證明。不知你的時間表如何？

我又讀了一遍國語本譯後記，覺得有兩小點可提出一商：

（一）P.17第五行：「日本歌舞伎中的青樓（劇中漢字也是青樓）也是如此。」第一個也是在括弧中，但距離太近，不知應否避免？

（二）P.18第十九行：「大概錢不很多，禁不起他花。」禁字是不是有問題？照理應是「經不起」，如果改為正面，絕對是「經得起他花」，不可能是「禁得起他花」。查林語堂和林所根據的《國語辭典》，均沒有這種說法，後者定義中有（一）制止、（二）避免，勉強可解。總之看上去有點面熟陌生，不免疑惑。順便提出。餘再談。祝安好。

Stephen
9/18/83

張愛玲致鄺文美、宋淇，一九八三年十月十日

Mae & Stephen，

收到九月十八的信。平鑫濤是真是看了日譯本對《海上花》刮目相看。那篇〈譯後記〉我又發現一處錯誤，王蓮生的僕人看見他與沈小紅繾綣後無精打彩，是打鬥前，不是打鬥後。竟會忘了查一下。雖然不是太要緊，也影響整篇的可信性。九月號連載完，十月刊出，來不及改，如果單行

本也來不及改，只好等再版了。「禁不起」是因為「弱不禁風」。又如「行此大禮，禁受不起」，不是「經受不起」。「經」「禁」並行，大概「禁」較古，也許是借字音。最近幾天《聯副》上就有兩篇用「經不起」，一篇用「禁不起」。「青樓」句有語病，但是太遲改單行本，張柱國十分頭大，不是明顯的錯誤就隨它去了。三毛父親與遠景新主人的來歷，聽上去有希望。申請人名作商標，要送美國入藉〔籍〕證到北美事務在台協調會，想必會交移民局查證，說明原委，就會引起稅務局注意。水晶寄茶葉來，說預備寫一篇〈訪宋淇兼及張愛玲〉，總算沒見到Mae。當然我知道敷衍他也是為了我。他不久還要再去台灣，要開這次沒開成的「張愛玲座談會」；又說朱西甯最近身價暴跌（不知道與他捧胡蘭成與他自己的女兒是否有關）；遊太魯閣遇見唐文標，告訴他說我對《張卷》事「非常憤怒」，唐氣得立刻「拂袖而去。」我上次去信說「宋淇還沒好，但是來信影印了一頁囑轉交。」所以這次寫信去謝他的茶葉，又解釋是因為Stephen迄未提病情，以為還沒好。上次收到剪報「《惘然記》中的〈惘然記〉」等兩篇，作風看着眼熟，彷彿莫圓莊外還有一位。也許應當送本書。等收到海運的《惘然記》就寄兩本有上下款的來請代轉。瘂弦丘彥明也得送，以前沒送瘂弦是因為不能不也送丘彥明，送了怕她又要來找我。也想送本給王鼎鈞，因為他關於《聯副》從前的小說集《×獅》那篇文章裏講起我。但是這人彷彿在美國，托《聯副》轉去，也說不定他們會叫他來訪問。還是不送了。〈重訪邊城〉很長，倒不是湊字數。也覺得扯得太遠，去掉一部份，但是就淺薄得多，還是要放回去。現在又擱下了。附寄來散文集序的一頁，解釋書名。二月決出不成，歸入《而立叢書》當然最好了，不過四五月也不一定有。〈重訪〉文內提起往事，又有〈卷首玉照及其他〉，（幾篇勉強能用的舊作不收進去白送了盜印者，由別人代出也不成話）所以預備插入幾頁老照片，從四歲起。等全部寄來看了如果格式與《而立叢書》不大調和，那就還是轉給張柱國。也可能根本趕不上作為卅周紀念叢書。我提起過為了殺蟲人來，出清櫥櫃，現在知道半年來一次，但是攤了一地的東西也還沒全擱回去。久不打掃，公寓裏貓狗的fleas（跳蝨？）傳了進來，需要地毯吸塵後全apt.噴毒霧，等於職業殺蟲人的工作，但是街口藥房就買得到，不免要試一下，真是不行再找人來。匆匆祝你們都好。

Eileen 十月十日

《續集》序重抄時還要改。André Maurois疑是André Malraux之誤，但是我當時查了筆記簿，沒錯。前者是biographer & novelist，稍大兩歲，後者只是novelist——是他寫了*Man's Fate*，做過反納粹地下工作者，戴高樂任上的文化部長？我拿Maurois比漢明威，是張冠李戴了。

張愛玲致鄺文美、宋淇，一九八三年十一月五日

Mae & Stephen，

我上次信上說鬧虼蚤，需要吸塵後噴射，不料老房子牆上粉刷的大片剝落，地毯上粒屑揀不完，吸入吸塵器馬達就壞了，不吸塵無法根除。叫了殺蟲人來，只保卅天。我忘了上次有沒說，久住窗簾破成破布條子，不給換我也不介意，跳蝨可馬虎不得。但是實在怕搬家——太浪費時間精力。打電話問市衛生處，預備steam-clean地毯，拿走沙發、床，代以塑膠鋼管椅榻——其實這種最普通的廉價傢俱似已停製，買不到——就怕一旦蔓延到箱子櫥櫃裏，再搬家就太晚了。一間房的小公寓難找，只有附近這一帶有。結果找的這一處太講究了點，有冷氣而沒有傢俱。我喜歡空曠，如果真是買不到一兩件塑膠桌椅榻，再想法子湊付着，不預備花錢佈置。唯一的好處在privacy，另一處只便宜廿五元一月，台灣記者可以「隔窗採訪」。這一個月兩面付房錢，所以大概月半搬家。原來的房東與管理員對轉信這一點特別負責，來不及在郵局報遷移也不會丟。以前提起過要寄一千五給我姑姑，她不肯，一定要問我有沒有固定收入，有沒有養老金。我實在不願意在信上說，但還是說了沒固定收入，也沒養老金，因為過去好些年沒收入或收入太少，付所得稅的年數不夠；赤貧也許可以申請到一百多一月；現在有五萬積蓄（因為不久就要付好幾千打字費）。果然這封信就寄丟了，她收到下一封信才發現。顯然在收集資料好擺佈我，使我非常懊悔。丘彥明寄來《號外》上陳

耀成的文章，想必就是那港大中文系陳教授，也應當送他一本書。《續集》自序把〈談看書〉收入集內，竟會忘了已經收入《張看》，最近無意中才發現。序改寫了還可以用《續集》題目。中譯〈海上花英譯序〉的副本忙亂中找不到了，可能的話請寄一份到新址。Mae與你都好？香港搶購等等希望你們沒太受影響。

Eileen 十一月五日

附《譯叢》收據。

宋淇，一九八三年十一月十七日

Eileen：

收到十一月五日來信，知道你要搬家，雖然你家無長物，總歸麻煩。像我們的家如再搬一次，那就是大災難了。

附上〈《海上花》的幾個問題〉影印副本一份，後根據來信加添副標題和刪掉譯後記。我想《譯叢》已出，不如由我以編輯身份寫一篇〈《海上花》的英譯本〉，和你的同時發表。希望本月底前能寫好，一月份能刊出。這次當然交《皇冠》和《聯副》同時發表，《明報月刊》只好放棄，因為《皇冠》也銷港和東南亞。

此次《譯叢》已出，各方面都不錯，只是不知怎麼一來，疏忽到把柳存仁的guest editor名字漏登，你的譯文在校對時也漏了一行。我知道你是預備把這兩章作為sample送去各出版〔社〕的，現在唯一辦法就是趕印一slip將這兩點指出，放在封面和第一頁中間，至於其餘的小錯，就讓它去了。人少事多，加上我又不能每天返校辦公，這種事層出不窮，令我心灰意懶。

你的收據並沒有簽字和填上日期，大概沒有仔細看，請在Received Payment下簽名，日期下填日期，直接寄回給Bursar's office，最好在上面說明due to change of address。匆匆即祝安好。

Stephen
83、Nov. 17

宋淇，一九八三年十一月二十一日

Eileen：

前信匆匆寄出，有好些事沒提。十月十日的信所說各點沒有答覆。Maurios是個二流作家，小說已沒人提，算是英國通，寫過Disraeli、Byron〔拜倫〕、Shelley〔雪萊〕傳（中文譯名為《愛儷兒》），後來寫Chateaubriand傳，厚厚的一冊，Proust〔普魯斯特〕、Hugo〔雨果〕、George Sand〔喬治・桑〕傳。他說的話也沒有什麼大了不得，既然筆記上是他，想必是他。他從前還說過一句話：Our poets, like yours, die young〔我國詩人，如貴國詩人一般，都年少歸天。〕，指法國浪漫派詩人，我以為很俏皮，誰知一查之下，法國浪漫詩人，遠比Keats、Shelley、Byron命長。Malraux是二十世紀巨人之一，他的力作當然是*The Human Condition*（有人譯為Estate或State）（英譯本也有稱為*Storm Over S'hai*[31]），曾有一陣有人想拍成電影，高唱入雲，結果沒有下文，他的《藝術心理學》是經典之作，其地位遠在Maurios之上。

我個人，說老實話，對《張看續集》用作書名，並不贊成。《續集》總歸給人一個不太好的印象。《張看》之名的確是神來之筆，但是散文集，並不是電影，sequel不一定能吸引人。《張窺》好像是peeping Tom〔偷窺狂〕，《張望》似乎好一點，讀起來有點氣派，可是會不會給人一個「東張西望」，心不在焉的感覺？請你考慮，好在時間尚早，他們反正有好多書要排，而《海上花國語版》又成為重點，不宜隔得太近出書，算是而立叢書最後一冊也沒關係，倒是名字早點定的好。

十一月五日信中的陳耀成並不是港大的陳炳良，不必理會，倒是陳炳良應該送他一冊，他雖是結構主義派，還沒走火入魔，為人也很正派，支持你很力，丘彥明儘管送好了，她暫時不會去美國，《聯合報副刊》目前她是副編輯，底下還添了兩個助理，不必擔心她又來美國找書。

〈《海上花》的英譯本〉一文已開始，又有很多事發生，只好暫停，一月一日不是副刊的好期，不知還停不停刊數天，實在來不及，只好改為二月份。反正稿子在我手中，由我看情形決定日期寄出好了。你要我影印一份，已寄上，如有改動，請速告知，恐怕來不及由你校了。此文也可收在散文集中，〈譯後記〉如何？放在《海上花》書末，還是收入散文集？

另一件極重要的事使我不得不放下一切為你細細打算，謹慎處理，就是昨天我接到一位同事的電話，有人委託他來找我問你願意不願意出讓〈傾城之戀〉的電影版權，什麼價錢？對方顯然摸清了底，知道只有通過我才能接觸到你，而且委託的同事是我極尊重的學者。對方只告訴我委託他的人是女導演許鞍華，最近因導了《投奔怒海》，在港創造了一千多萬的票房記錄而深受人信任和注意，關於她我所知不詳，大概是個知識份子，很投入和認真，資質中上，平實而缺清新之氣。現在淺水灣和半山區已沒有，非重搭不可，顯然是一部大片。我代擬了一封覆信，請你依照你自己的口氣給我一封回信。（附信稿。）

Stephen
Nov. 21/83

××：

（一）來信所提〈傾城之戀〉電影版權事，如果如你所說，有稱職的導演，肯認真拍攝的公司，我當然可以考慮出讓版權。你一定記得我在上海時所有話劇團體搶奪之下，我仍堅持自己改編，自己挑選導演和女主角，我寧願少收入點錢，也不願劇本為他人所歪曲。當然事過境遷，我現在不會再堅持從前的辦法，但你一定會瞭解我對這故事的偏執愛好。（二）我雖然好久沒來過香

31. 即Storm in Shanghai。

港，但從各方面知道香港外景面目全非，連淺水灣酒店都拆掉了，如果不另搭實景，則根本無從拍，如果要忠實於原作，那成本一定很可觀，否則就根本不必談。（三）你信中所提的幾點，恕我不客氣的說，都應用不到我身上。關於名，到了我的年齡，還談什麼名，何況我的《短篇小說集》是我書中最暢銷的一本，平均每年至少一版，〈傾城〉尤其為評者和讀者所談論。至於拍了電影之後，會增加我的書的銷路，可能性也不大，〈傾城〉究竟是短篇小說，雖然篇幅較長，誰還耐煩去買原作來讀和改編的電影比較？你說的長篇武俠小說是另一回事。（四）你信中所說不能以美國的標準來做尺寸，這點我同意，觀眾人數少多了，不成比例，我也不會提一些此間的新分紅分〔方〕式。可是我的劇本費和作品改編費，甚至於稿費，你一定很清楚，你要求我以合理的價錢出讓，我不知道什麼是合理，我一向寫作量少，可是至少這麼多年來維持了我的生活。所謂合理只能合我心目中的理，外面的市價是別人的事，與我無關。這些年來承你協助幫助我解決了不少問題，我從來沒有向你表示感謝，朋友相交，貴在知心。說老實話，〈傾城〉拍不拍電影對我不會有多大不同，如果為了箋箋之數，而隨便出讓版權，相信你也不會敦促我如此辦。（五）既然你信中如此推重導演，相信她一定會以大片的方式處理，那麼至少片名《傾城之戀》就符合這條件。故事雖然牽涉到太平洋戰爭，但並不需要戰爭場面。特點是故事中戰爭與愛情的關係和其他作品不同，也可以說是我作品中唯一可改編成電影的小說，這點我非常清楚。（六）根據以上原則，我委託你為我的全權代表同對方洽商，可是我保留下列兩個條件：

（一）我可以如你來信所說放棄最後同意改編的電影劇本權，我也可以放棄參加選擇主角的意見，因如你所說，我們這方面行情不熟悉，一切可以信得過導演，但原作的時代、地點、人物不能隨意更改，這點相信對方一定同意，否則何必出大價買一個名字，而且一定要在合約上寫得清清楚楚。

（二）我的改編版權費是美金一萬元，這並不是在漫天討價，因為我假定製作成本是25萬至30萬美金，只不過佔1／30，拍到這種規模的片子，就不必計較在這種地方「扣門兒」，省也省不好了。你可以相信我，雖然住在好萊塢多年，可是這絕不是好萊塢價格。

如果對方能提得出更好的理由來說服你和我，那麼我們可再加考慮。否則就不必多麻煩你來回寫信，因為我知道得很清楚，我的小說之中目前唯一可以改編的作品，就是〈傾城〉了，如果連這點起碼的條件都辦不到，我情願擱在那裡，反正已經擱在那裡多年了，對我沒有什麼分別。他們能找到你，可見他們有眼光，別人來找我，我根本不考慮。你如果嫌麻煩，犯不着多花時間討價還價，回掉他們，我絕不介意。

我一開始想討價弍仟伍至三仟美金，一想自己行情不靈，打電話給鍾玲，她說她口述《大輪迴》故事就付她一千二百元美金，而且因為自己丈夫是胡金銓——導演兼老闆。台灣最近爭拍小說改編的電影，黃春明的小說都賣錢而得獎，大陸改編林海音的《城南舊事》，也得獎，酬勞當然是人民幣，拿不到手。香港亦舒的小說起碼二、三萬，林燕妮的小說價錢也極高，她沒問是你那一篇，後來告訴她是〈傾城之戀〉，她就說起碼七、八千美金，這名字就是大片格局。我然後細想了一天，你的作品中的確沒有第二篇可以改編，李翰祥曾考慮過〈金鎖記〉但為邵氏公司否決，〈第一爐香〉很別緻，但太灰色，而且小片格局，年輕人不喜歡。我想片名值四千，讀者人數之多和故事本身應值六千，所以索性開價壹萬，可是信中留下小小餘地，如實在超過預算太多，可以讓步到八千，否則情願不賣。導演第一部戲後台是左岡，票房收入遠超理想，可是政治上有反效果，現在後台老闆是誰，我也懶得去打聽。外面一知道，一張揚，成事不足，敗事有餘。

上面提到的武俠小說，是金庸，他有兩三套武俠因改編電視之故，以後又有不少新讀者。信中不提盜印事，但以我的估計，看過〈傾城之戀〉的人不會少過十萬，聽過名字的人更倍於此數。可是因為導演關係，大概不能在台灣上演，因為你的緣故，可能不許在大陸上演，尤其大陸正在整肅文藝界的精神污染。（此點你不妨在信中提一筆，在那一個地區上演，是出品人的事，與我無關。）

導演既負上了盛名之累，第二部片子非相當成功不可，否則立刻垮下來，電影界是無情的。我打聽到她第二部片已定期開拍，後來要換女主角，而劇本卻是女主角的未婚夫寫的，因此告吹，整個單位沒有事做，急得不得了，〈傾城〉一定在她考慮之列相當久，現在急了，所以最好立刻敲定。昨日又托朋友來問：版權賣掉沒有？如已賣掉則另做打算，同時問你美國的電話號碼。我知道這種衝動脾氣，就告訴朋友，我可以保證到目前為止沒有賣掉，電話號碼沒有，即使有，我打去也不會接。現在八字沒有一撇，不如先拿劇本改編妥當，主角人選定好再說。有了版權也不能拍，拍壞了，大家都不好。可是對方之猴急。

Stephen

宋淇，一九八三年十一月三十日

Eileen：

附上《中國時報》唐文標一文，請不必寄回，我已影印留底。

此人無恥已極，文章沒有一句沒有毛病，應該入文章病院，而絲毫沒有自知之明，還自己覺得為中國文學史創造了奇蹟，真是「天曉得」。文中所舉三位作家，除了黃春明色彩不太明顯外，其餘兩位都是左傾（甚至台獨或共特）鄉土派作家。文中不敢提我的名字，也不敢再指摘你，深知我是不好惹的。大概拿我也歸入書評家一類罷。什麼叫「共德」？「一往一來」？「會對世界了解一個新角度」？「蓋棺論定張愛玲」，就差火燒成灰了。「唐氏透視」？居然拿自己和孔子相比！不要臉！「整體性起來」？仍堅持「他裡面的人物互相串連」，我已經駁過，真正的遺老世界不妨去看看那時代的通俗小說，況每個小說家的人物和世界都是unique的，有那一位批評家用這種方法去研究西洋小說？看了些流行的批評書（不知看完沒有，看懂沒有），搬出來一大堆人名來唬人。令人又氣又好笑，想想你或許沒有見到，不妨放在一邊或者看完扔掉。幸而《惘然記》出版拿張愛玲卷蓋住。聯經書初版大概印2000冊，不多。搬好沒有。

Stephen

Nov. 30/83

張愛玲致鄺文美、宋淇，一九八三年十二月九日

Mae & Stephen，

十一月十八、廿四，十二月一日寄出的四封信都收到了，喬治〔志〕高的信已經給轉了去。我搬家特別小心，總算跳蝨沒帶過來。才清淨了一星期，因為沒冰箱，先是此地經理室的一隻暫租給我，又剛趕上房屋易主，新經理又收回，介紹我在一個小店買了隻舊的。再也沒想到冰箱會有跳蝨——也許因為不夠冷，長年溫熱滴水，燜出一股髒臭的氣味——在店裏沒插上看不出——所以生蟲。結果冰箱不能用，白扔了另買了隻新的，跳蝨已經又蔓延，買了吸塵器吸塵後再放毒氣，也只見效一天。有這樣的事！！聽上去像是神經病，但是唯一的辦法是再搬家。我搬家實在是苦事，二十多隻cartons〔紙箱〕——此間的窮人的行李——捆緊了手都磨破了。必需月底回掉此地的房子，所以這兩天忙着找房子。匆匆寄來這封關於〈傾城之戀〉的信。不認識草字，照抄都難。希望「戔戔之數」沒寫別字。唐文標的文章實在看不進去。散文集名《續集》是套老舍的《趕集》，不是《張看續集》，我信上沒提《張看》。希望你們倆都好。

Eileen 十二月九日

中譯的《海上花》英譯序只好讓它去了，定不下心來改。　又及

張愛玲致宋淇，一九八三年十二月十日

Stephen，

（一）來信所提〈傾城之戀〉電影版權事，如果有優秀的導演，態度認真的公司，我當然可以考慮出讓版權。你一定記得我在上海時話劇團搶奪之下，我仍舊堅持自己改編，自己選擇導演與女主角。我寧願收入少點錢，也不願劇本為他人所歪曲。雖然現在不會再堅持從前的辦法，但是你一定會瞭解我對這故事的執着愛好。（二）我好久沒到香港來，但是也從各方面知道香港現在面目全非，連淺水灣酒店都拆掉了。如果不多搭實景，則根本無從拍。如果要忠實於原著，那成本一定很可觀，否則就根本不必談。（三）你信中所提的幾點，恕我不客氣的說，都應用不到我身上。關於名，到了我的年齡，談什麼名。不過《短篇小說集》是我的書中比較暢銷的一本，平均每年印一版。〈傾城之戀〉尤其為評者與一般報刊所談論。拍成電影能增加書的銷路，可能性不大，而萬一有些讀者看了影片倒胃口，反而會影響銷路。你說的長篇武俠小說是另一回事。（四）你信上所說不能照美國的標準，這點我同意，觀眾人數少多了，不成比例。我也不會提一些此間的新分紅方式。可是我的劇本費和作品改編費，以至於稿費，你一定很清楚。你要求我「以合理的價錢出讓，」我不知道什麼是合理。我一向寫作甚少，可是多年來還能維持了我的生活。所謂合理只能合我心目中的理，與外間的價格無關。這些年來承你協助，幫我解決了不少問題，我從來沒有表示感謝，朋友相交，貴在知心。說老實話，〈傾城之戀〉拍不拍電影對於我沒有多大分別。如果為了戔戔之數，隨便出讓版權，相信你也不會敦促我如此辦。（五）既然你信中這樣推重導演——我也聞名景仰——相信她一定會以大片的方式處理，那麼至少片名《傾城之戀》就符合這條件。故事雖然牽涉到太平洋戰爭，特點在戰爭與愛情的關係，與其他作品不同，也可以說是我所有的作品中唯一可以改編成電影的小說。（六）根據以上原則，我要托你為我的全權代表和對方洽商，可是我保留下列兩個條件：

（一）我可以如你來信所說放棄最後同意改編的電影劇本權，我也可以放棄參加選擇主角的

意見，因如你所說，我們這方面行情不熟悉，一切可以信得過導演。但原著的時代、地點、人物不能隨意更改——這點相信對方一定同意，否則何必出大價買一個名字——而且一定要在合約上寫得清清楚楚。

（二）我的改編版權費是美金一萬元，這並不是漫天討價，不過是製作成本廿五萬至卅萬美金的卅分之一。

前面說過，我唯一適合改編的作品就是這一篇了，如果這點起碼的條件都辦不到，我情願擱在那裏，反正已經擱在那裏多年了。他們能找到你，可見他們有眼光，別人來找我，我根本不考慮。但是我不想麻煩你為這事來回寫信，不希望你多花時間討價還價，如果回掉他們，我絕不介意。

祝

好

愛玲 十二月十日

張愛玲致鄺文美、宋淇，一九八四年一月十三日

Mae & Stephen，

自從收到你們同具名的電報，大喜過望。但是已經開始天天換（汽車）旅館，一路拋棄衣物，就夠忙着添購廉價衣履行李。旅館裏無法拍發電報。因為理行李特別匆忙，郵票也沒有，附近也都沒超級市場（有售郵票機器）。好容易去郵局買了，却又病倒。因為我總是乘無人在戶外閃電脫衣，用報紙連頭髮猛擦，全扔了再往房裏一鑽。當然這次感冒發得特別厲害，好了耳朵幾乎全聾了，一時也無法去配助聽器，十分不便。也還是中午住進去，一到晚上就繞着腳踝營營擾擾，住到第二天就叮人，時而看見一兩隻。看來主要是行李底、鞋底帶過去的。這是搬到Serrano Av. 一

星期後，公寓管理員介紹買的冰箱下層隔離器帶來的一種特別厲害的fleas，忙扔了也已紮根。兩次叫殺蟲人，老遠到獸醫院一兩百元買了十隻flea bombs（殺蚤藥），毫無效力。似是自己帶過新公寓裏——頭髮剪到極短，但是可以覺得裏面有輕微的動作，像風吹。衣袖裏也有。三次搬家，兩頭付房租，只好改住旅館，東西存倉庫。到衛生署費了大事拿到一瓶Kwell殺頭蝨洗髮精，雖與fleas不同，剛用過就往上直撲，要包着頭防reinfect（再度感染）。找醫生不受理，以為疑心病，精神病，再不然打官話要衛生署去查旅館地毯上有沒fleas，打草驚蛇，被旅館公會知道了，我更不能搬來搬去了。如果算了，去租房子住下來，十天內猖獗得時刻需要大量噴射，生活睡眠在毒霧中，實在於健康有害。也真幸而有你們的好消息，有錢供我揮霍。想請Mae替我揀Stephen用得着的東西買a thousand dollars' worth送他。好讓我心裏舒服點。請千萬照辦。剩下的也先不要寄來。我一直擔心無法正式簽合同。Serrano Av. 住址仍舊收信，到一月卅一為止，逾期大概也還能轉到。——至少希望你們好。

Eileen　一月十三

宋淇，一九八四年一月十六日

Eileen：

介紹邵氏公司樂易玲女士前來見你。她為公司業務前來美國，特地將《傾城之戀》版權費全數美金$15,000（定洋$2000，支票自十二月廿八日保留至今，始終未寄出，望退回邵氏公司）和合同一併送上給你，盼早日完成手續。定洋美金$2,000支票仍在我處，因至今始終沒有收到你第二次遷居後的來信和新地址，未敢寄出。

合同我已仔細看過，並提了點意見，希望及時改正，如果你一時定不下心來看，至少同樂女士商量一個暫時的變通辦法，以便她能向公司交代。也許能同她見上一面，也可使她放心回港。盼此信能達到你手上。祝好。

Stephen
Jan. 16/84

張愛玲致鄺文美、宋淇，一九八四年二月三日

Mae & Stephen，

上次在旅館寫的信想已收到。耳聾是因為感冒一星期沒滴酒精，耳蠟堵住了，這兩天好些了。向郵局報遷移，改在總局收信，去起來實在費事。又發現附近郵局也有General Delivery，就又換了這郵局，要躭擱好些時。現在搬到這論星期的地方，主要是招待外國青年觀光客的，旅遊雜誌特別提出來讚好，老是客滿。規定七天換個房間，我預備至少住一個月，搬出後大概短期也還可以代收信。

先沒去找我看過的那皮膚病醫生，因為他是不藥自愈派。昨天終於去了，他還是那一劑萬靈潤膚膏汁，說搽了fleas不叮。但是檢驗時看我瘦得嚇死人，腳又腫得腳踝上擠出雙下巴來，要我去看內科醫生，腳腫也是因為《中國時報》送了一套幾十本精裝本「少年版」中國classics，搬家前一包包丟到垃圾桶裏，累得跌了一跤，又扭傷了上次扭了筋的腳面。一向血脈不流通，再加上天天站着理行李，又奔走買東西補上拋棄的衣物，結果腫得這樣。不訴苦了，電影版權費還是請不要寄來，送Stephen的東西Mae千萬代買。看到香港的新聞總覺得揪心，希望你們沒怎麼受影響。近來你們倆都好？

Eileen 二月三日

前一向我加緊一天一個旅館，或是天天換房間，行李都用酒精擦，不沾地毯，還蓋沒，也毫

無進境。是自己身上帶過去的，顯然皮膚乾燥造成它們喜歡的host。所以索性到這裏，一個房間住七天。寫到這裏已經在叮手指了。

又及

張愛玲致鄺文美、宋淇，一九八四年二月十日

Mae & Stephen，

我前幾天信上說在Howard's Weekly Apts.至少要住一個月，來信請寄到這裏。但是昨天發現丟了存摺、支票簿與從前已經掛失了的一份入藉〔籍〕證。本來我丟三拉四，以為是搬來的時候丟在上一個旅館裏。此地一星期女傭打掃一次。剛打掃過第二天，我起晚了，門鎖着也被女傭打開了，見我睡着，才又關上門，大概先以為我出去了。形跡可疑，此地旅客都是亞洲非洲來的青年，偷他們的護照是一門生意，入藉〔籍〕證更值錢。我最近買的便宜箱子沒有鑰匙，值錢的東西隨身帶着，存摺與支票簿內都只一百元，所以丟在家裏。她顯然意猶未盡，使人毛骨悚然，下星期三住滿兩星期還是搬出去。

如已寄出，我不時會打電話來問櫃檯上有沒有我的信，會代保留，匆匆去寄出這信，趕星期五最後一班郵。祝

好

Eileen 二月十日

宋淇，一九八四年二月十五日

Eileen：

真不知應從何說起。

第一件事，你信中說起你的腳腫，千萬不要輕易視之，不一定會是為了站得太久，（但願如此），可能kidney〔腎臟〕功能不良，可能心臟有問題，都會引致edema〔水腫〕。當然你生過感冒，營養不足，整體健康退化，也極可能。如再繼續有這現象，千萬大意不得。去年初，我因血壓太高，因為kidney有病，後來吃利小便的藥，多月治療，才慢慢正常，千萬大意不得。

上次信寄出後，這部戲的導演許鞍華打電話來，要到家裡來拜望我，說明是我女兒小學時同班好友，自承小輩，我當然答應。原來她的後台老闆是邵氏公司，她自港大取得碩士後去英國從事實際電影工作四年，回港後曾在電視台工作三年，拍過四五套電影，最近一套《投奔怒海》在港大賣其座，受人注意，並參加紐約電影節，英文名Boat People，我對這種黃毛丫頭自是游忍〔刃〕有餘，旁敲側擊，打聽出不少內幕。原來她以前籌備一套電影劇本有問題，因此告吹，而她喜歡〈傾城〉故事，男、女主角也都喜歡，邵氏自從知道我可以作主後，已經誇出海口，云版權不成問題，所以勢成騎虎，非拍不可。邵氏公司我前後做過五年，老闆性格和脾氣我瞭如指掌，現在手下大將是方逸華女士，我在時還沒有入公司，完全聽他〔她〕的主意，是個執行政策的好手。然後又約了導演再談一次，打聽出來淺水灣酒店佈景預備重搭，上海弄堂房子也預備派他們去拍照，然後搭建，大概準備花四百萬，戰爭場面請得英陸軍部顧問一人，當時曾在淺水灣指揮，很有決心想拍一部好片子，同時我也打聽出他們也知道台灣的文藝片再度抬頭，黃春明《看海的日子》很收錢，海外版權也由邵氏公司購下。經過精細盤算之後，我決定不再向你請示，將你的電報另改幾字，打了一份副本，並將來信第二頁和信封帶在身上以作談判之用。

正式談判時，我早胸有成竹，準備好一臉和氣，有什麼要求，總是滿口答應，不過要寫信去問張女士，價錢是她開的，我只是執行，她現在正在搬家，只要你們願意等，沒有關係，張小姐說：這麼多年來也不肯賣，多等幾月無所謂。這下他們吃不消，因為導演，男，女主角的期已度定，如不及時開拍，因而告吹，他們吃不消。所以我乾脆開高到15，有什麼反要求總是滿口說是，可是一隻莎角子也不讓。果然方開口說希望減到10，我說可以，我立刻寫信給張小姐，如你不信，我把信寫好後，請你讀過封好，由你們派人掛號寄去，好不好？表示我盡力而為，邵先生曾經是我boss，豈有不幫忙之理？不過前信我沒有提邵氏公司的後台，當是獨立公司，張小姐很可能一看是香港最大公司，說不定不減反加。因為你一定很熟悉，憑張愛玲《傾城之戀》在台灣一地說不定就收回成本一半以上或全部成本。我現在兩面都是朋友，所以一句話也不說。她又說這篇小說薄薄幾十頁，不如拿整個小說集全部購下，我說如講厚薄則不如買電話簿，至於《短篇小說集》對你們沒有好處，只有壞處，你每篇都拍成電影辦得到嗎？將來影片上演時，不叫《傾城之戀》，叫《短篇小說集》你們願意嗎？你們肯，我就答應。然後我對方說，老實說，這價錢很合理，你們不會吃虧的。說了半小時，她也就答應了下來，大概老闆脾氣一向如此，能便宜就便宜。15要合新台幣600萬，數字不可謂不大，所以我對Mae說運氣來時，推也推不掉。

我問許鞍華怎麼知道我這條路。她說在文藝界和電影界內行們說來，這是common knowledge，但有一詩人專欄作家特別出來，由他設計，請一中大講師，再請中大教授劉殿爵親自對我講，事先也動了不少腦筋。她又說希望能貼補他們一點，香港規矩是佣金為10%，我索性先開口每人送500元，免得變成1500元，邵氏這筆錢是絕對不會出的。現在戲已於正月初八開拍，四個月內完成，男主角周潤發和女主角繆騫人都是紅人。故事、戲名、導演、演員都是一時之選。問題是青年人會不會喜歡？這誰也不敢說。

我已在十二月二十八日收了二千定洋，草約已看過，其中一條包括改編舞台劇權，經我反對，另有幾小點正在修改中。現在我發現最大的問題是邵氏公司的股票上市，一切都得照法律行事，所以合同中要將你名字，美國地址寫出來。後果是香港稅局和美國稅局相通，很多人有green card或在美付，或在港付，或兩邊都付，（美國扣掉香港的16又1／2%），可能引起美國的Internal Revenue追查你的舊賬，金錢事小，煩不勝煩。香港由我出面也不行，因為我非張愛玲，而且香港除付今年外，還要預付明年的。唯一辦法是我寫信給方小姐，請她將你的地址改為台灣皇冠，台灣與美國稅局不通，不合作，否則這麼多年來，你也不能逍遙事外了。我當盡力一試。請你務必快去看醫生，keep我們informed你的行蹤所在。祝好。

Stephen
Feb. 15/84

宋淇，一九八四年二月二十三日

Eileen：

前信寄出後，接到來信，立刻叫Mae去影印一份，寄到General Delivery，以免一時收不到。最近情勢變化發展很多很快。第一，邵氏方面給我的一張支票，2000美金定洋，是你的戶口，我始終沒有寄出，日期是十二月廿八日的。第二，我代你擬了一張電報稿，說你非常難侍候，要求條件很多，現在經我說服，已肯放棄最後同意劇本及男女主角人選權，但不得擅自改動主要情節和人物性格，可以看起來像真一點。現在將底稿附上一份。第三，合同草稿一份，經我細讀之後，其中不合情理之處，逐點駁回[32]。電影公司總是朝南做的，而且請的律師也是外行，所以我回了一信，花了不少心血，措詞很宛轉得體，現在他們已完全同意。昨日通電話云已照改，寄出前會給我看過。第四，他們的合同上寫明收款人姓名，美國地址，我本要求他們不要寫得這麼詳細，可是現在邵氏公司非但是有限公司，而且股票上市，帳目一定要清清楚楚，因為數目很大，如不清楚，政府一定會追查，所以別無變通之法。其次，我還想到香港的稅局Inland Revenue和美國的稅局Internal Revenue

32. 一九八四年一月十四日宋淇致MS Fong書，針對合約提出異議，包括不能更動作品的中文名、主要情節和人物。此外，電影授權和舞台劇授權應該要分開來談等等。

（？）是互通聲氣的，有很多人有美國護照在本港做事，賺的錢分：兩邊都付；只付香港；只付美國，複雜非凡。將來一定會通知美國稅局，那麼正如你所說，追根究底起來，錢的事情還在其次，逃稅犯法，煩不勝煩，沒完沒了，如何吃得消？所以我一直在愁，我不能代你出面，因為我不是張愛玲，其次我付了今年的稅後，還要照今年的稅預付明年的，如明年收入減少，才會退回，前後相差很多，總共也要30％或以上，犯不着。然後去請教朋友，成立一間公司，這筆算是收入，照溢利稅付16％，然後告一段落，可是公司登記，總要有地址，職員，印信紙，麻煩得很，我們也實在沒有時間。想來想去，我終於想出一個辦法，就是將你的地址改為台北皇冠，港台因中英沒有邦交，所以稅局在這方面沒有連繫，香港稅務局不會去追問，收錢的人還是你，地址從美國的L.A.改為台北皇冠，天公地道，皇冠是你的出版人，沒有人會疑心或說話。在我再三交涉之下，邵氏方面終於首肯，昨天答應在合同上更改。這樣可以解決你的心腹之患。

邵氏公司方面有位樂易玲女士，是這部片子的製片人，已定於三月上旬去Hawaii，然後特地趕來L.A.，將合同和錢當面送上。她說現款、支票、旅行支票均有辦法，不過要事先告訴她，可以準備。他們是有限公司，而且為數很大，我就想代收，也未必辦得到，除非你正式請notary public〔公證人〕給我power of attorney〔授權書〕，這也很麻煩。我會事先告知，以便你有所準備。希望你到時身體很好，簽字收錢好了，其餘不必多談。樂很年輕，大概是好人家出身，不會說上海話和國語，人也生得滿清秀，不會同你糾纏不清，萬一有何要求，同她不客氣好了。

我另外附上一信，是要求改合同的，其中最主要的一點就是舞台劇改編權歸你所有。而且信上說明舞台劇不會有好處，只是原則問題。誰知天下竟有這種巧事。二月二十日有位周女士用上海話打電話到學校去找我，約我晚上見面一談，商談改編你的小說為舞台劇，電話中不肯多說，只說她是周信芳（麒麟童）的女兒。見面後暢談三小時，原來他們想上演這部改編的戲已好久，原來導演想找許鞍華，許去拍了《投奔怒海》，現在找到了唐書璇（也是女導演，就是《董夫人》的導演），準備在本港六月份上演，我說一定賠錢，他們說show business就是這麼回事，女主角為汪明荃（天津人？或上海人？能說國語），男主角是鄭少秋，包到舞台十天，每天院租四萬元，即使每場客滿，勉強打出開支，希望寄託在能繼續做下去，然後成績好，再移師台灣，我就告訴他們，張對此劇很protective，當時上海是她自己改編的，目前當然情形不同。他們對倫敦、紐約情形都很熟，說話也很上路，而且也很尊重我，所以就說照英美一般情形是總收入的5%，（第一個十天，以後逐漸增加，如果做到一百天，可以有10%一天，這當然跡近幻想，至少首十天每天五仟，一共五萬港幣是可以保證的，其餘由他們work out 一個scale。最後我告訴他們邵氏方面合同情形，暫時守密，等到改正的合同到手後再宣佈。他們給了我一份劇本，居然改編得還不錯，請你寫一封委託書給我，他們同意你的地址為皇冠。

Feb. 23/84

CABLE FROM EILEEN CHANG　　TIME RECEIVED: DEC. 16 4:20PM

MAILED LETTER FEW DAYS AGO STILL HAVE TO MOVE ANOTHER LETTER MAY BE TOO LATE AGREE WAIVE RIGHTS OF SCRIPT AND CAST APPROVAL INSIST NO DISTORTION OF MAIN PLOT AND CHARACTERS FEEL FIFTEEN GRAND REASONABLE IN VIEW OF RECENT TAIWAN MARKET REVIVAL PLEASE NEGOTIATE ON MY BEHALF REGARDS

EILEEN

Feb. 23/84

〔發自張愛玲的電報　　送達時間：十二月十六 4:20PM

信日前寄出 仍須搬家 再寫信恐遲 同意放棄劇本權並予首肯 強調主情節與人物不可走樣 作品

近年在台復風行故感一萬五美金合理 請代洽 安

愛玲〕

上天保佑，希望你身體安好，這兩筆錢平安落袋，以後你的生活便可以沒有後顧之憂。周口頭上答允我保證十天，每天五仟元分紅，那麼至少有伍萬元港幣，約合六仟餘元美金：$6400，至於能否多做幾天，能否再到台北，暫時不必去想它，當它沒有好了。她們一則對導演不滿，將這idea獻給邵氏，二則眼看邵氏大拍電影，勢聲頗雄壯，借機可以省卻一筆宣傳費。事實上，影片公司和劇團兩不吃虧，都可以互相利用。她們都說你的書也可以多銷幾冊，我說不勞你們費心，張愛玲這本書每年至少一版，看過的人少說也有幾十萬，總不見得為了一篇短篇，去買集子和別的著作。這方們〔面〕他們是說不過我的。

Stephen
Feb. 23/84

宋淇，一九八四年二月二十四日

Eileen：

昨日信寄出後，今日下午又同邵氏的代表談話。

（一）第一，他們將修改後的合同給我看過，計①你的地址從L.A.改為台北皇冠（你是否應該告訴平一聲，禮貌上應如此，至於改編費說邵氏同你雙方協議不透露，總之你很滿意就是，免得多口舌。）。②劇名、人物、故事等均從原合同中刪去，不在更改之列。③改編為舞台劇及出版舞台劇單行本權兩條刪去。④故事大綱可長至一萬字一條亦將一萬字一句刪去。完全依照我信中及後來要求更改地址做到。現在他們怕的是我們不肯收錢。

（二）第二，樂易玲因另一部片到外景地點去，另有使命，現邵氏定派事務經理李潔儀前來，她定於三月七日到三月十三日到L.A.來，並已將電話給我，決定將修改好的合同，全部費用帶上，只要你一簽合同，就全部付清。為了安全起見，她大概帶旅行支票來，可是我已說過最好付cash或私人支票。等我接你來信後，再告訴她。因上次慧龍付你版稅用旅行支票，我記得你存入銀行有困難。李為人很老實，原任公務員，曾在U.S.C.進修，最近四個多月前才入邵氏公司，她是方逸華之妹，所以絕對可靠。（此點請勿提。）

（三）合同完全是legal jargon〔法律術語〕，我已仔細看過，你可不必再花時間去細讀。反正已經交易清楚，左右是這麼一回事。他們已經交我的支票二千元，我會退回給他們，同時另寫一封短介紹信（中文）交李潔儀。希望那時你已有地址，可以讓她自己上門。她大概只會說英文和廣東話，好在曾在U. S. C.三年，應對L.A.相當熟悉。

（四）她附上的電話是邵氏公司自己的產業，招待客人和供自己職員居住，管家婆是日本人，大概叫她Ms. Ruby Tsusui（資蘇衣）好了。李多數會等你電話，如她不在，請你留話通知Ruby好了，在這幾天內，她一定要將此事辦妥。這是她來L.A.的任務之一。

我想暫時拿改編舞台劇的事先不說，否則她們以為我在故意騙她們，天下竟有這等巧事。大概上面有人在照顧你。

Stephen

Feb. 24，1984

宋淇，一九八四年三月六日

Eileen：

二月廿四日曾有一信寄到Main P.O.，始終沒有你的消息，很是惦記。茲介紹邵氏公司事務經理Ms Jenny Li Kit-yee李潔儀前來見你，在上次信中已詳細提過。她這次赴美公幹，任務之一就是將合同（已經由我提過意見，照我的意思修改）送上請你簽名，並將全部版權費用$1.5萬付清（定洋二千元支票一紙由我保留自十二月廿八日起一直到今天，始終無法寄出，故由我退回）給你，付款方式由你指定，她一定設法代你辦到。

她在L.A.一共停留一個星期，自三月七日起到三月十三日離美返港。請你務必和她見上一面，以便了清手續，好讓她有個交代。她居留的地方有電話。

如她本人不在，請留話給housekeeper: Ms Ruby Rureko Tsusui，你稱呼她為Tsusui（資蘇依，上封信作「衣」）即可，然後她一定設法同你聯絡。盼此信能到達你手上，也好叫我們放心。祝安好。

Stephen 上

3/6/84

張愛玲致鄺文美、宋淇，一九八四年三月十九日

Mae & Stephen，

二月廿三、廿四的信都收到了。我昨天拍的電報想也收到。明後天再寫信來。

匆匆祝

好

Eileen 三月十九

平鑫濤的一份不知道是否需要。每樣多備一份，舞台劇方面用。　又及

張愛玲致鄺文美、宋淇，一九八四年三月二十六日

Mae & Stephen，

我開始住旅館後寫信來，想着叫你們看了簡直不知道說什麼好。收到第一封回信，第一句就是不知道說什麼好。Mae忙，不用特為抽出時間來寫信，當然我知道你們都是討論過的。總郵局代轉的兩封信也收到了。郵局信箱不租給住旅館的人，所以只好General Delivery，規定十天去拿一次，往往因事躭擱，或是趕上週末不開門，十幾天才去一次。收到信已經是能見李潔儀的最後一天。我不識草字，（如「邵氏」誤認為「即化」）沒大看懂，留着慢慢的再看，只見附條「Housekeeper某某，contact person李潔儀」，還當是女管家或者能幫我解決跳蚤問題的。限期已到，趕緊當天打電話去。李潔儀不在家，日本女管家聽電話，建議我找一家大殺蟲公司，（我找的都是小的，大的不接一間房apt.的生意）用cyanide〔氰化物〕。（那要整幢房子的人都避出，即使搬出公寓前也辦不到。）鬧了個大笑話，幸而她也許不清楚我是誰。我頭髮自己剪成近男式平頭，只包塊頭巾，假髮拋棄起來太貴；出外也穿毛巾布拖鞋——別的款式全都磨破腳，就連只用一根緞帶綁住大腳趾的，新加坡製的買不到，台灣製的就不能穿——實在見不得人。只好打電報來，又寄來四份power of attorney聲明，希望能由皇冠轉錢來。平鑫濤的一份也許備而不用。每樣兩份，舞台劇版權費也可以用。匆忙中竟忘了再附一份有關舞台劇的委托書。醫生那裏澈查只查出有過一次small heart attack〔微型心肌梗塞〕。（前兩年是有一次心口稍微疼了一兩分鐘）腳腫是因為veins，吃了藥一兩天就消了腫。伸縮太大，腳面腳踝大塊破了皮，久不收口。皮膚科醫生叫搽的潤膚汁倒是辟fleas，不再

飛繞，但是每次搬房間還是帶了過去，而且兩星期後就失效——它們適應了。這醫生雖然無為而治（病），我對他還有點信心，預備這一向看完了牙醫再去找他。去年裝的一排幾隻假牙把一隻牙齒擠到一邊而且退後，露出缺口來，像缺了隻牙。牙醫生說是從來沒有過的怪事。（他設法讓那隻擠歪了的牙自動移挪回來，兩星期已經搬回來到中途了）我忍不住說了聲「我是有時候碰到這些怪事」，當時還沒知道周信芳的女兒同時要改編舞台劇的事。《投奔怒海》我在中外報刊上都看到影評，印象很深。Stephen跟她們談判，針鋒相對，「好看煞人」，我看了只有awed一字能形容。合同上又費了番心血，真不過意。我的住址填皇冠，再好也沒有。〔……〕錢最好能掛號寄到皇冠，由社裏或平鑫濤簽收，再轉寄給我。General Delivery也代收掛號信，留着等我去的時候再簽字。但是那黑人女職員本來說一月期滿後可以無限延展下去，一不高興，又說照規矩不收雜誌，催我另想辦法。我在一家私營的郵遞小店租了個信箱，（不能再稱P. O. Box，算atp.）

《傾城之戀》拍片合同是否應當寄到皇冠？掛號信由店家簽收，匯款有點不放心，可以掛號寄到儲蓄銀行，存到我戶頭裏。（附存款單。多寄了幾張來備用，因為舞台劇）電影版權費由皇冠經手就全數寄給我，我再寄$1000來，留着等隨便什麼時候Mae給Stephen買點用得着的小奢侈品，好讓我心裏舒服點，千萬不要見外。舞台劇的錢就以後再說了。希望這一向你們倆都好。

Eileen 三月廿六

又及

收到你們一大包書，想必是《海上花》，沒拆開來看，拆了無法搬運。今年一月有個包裹寄到Serrano Av.，錯過了，去領取已經退還台灣，大概是皇冠寄來的《海上花》。《聯合報》一直收到，看見刊出《海上花》英譯序。Stephen寫的那篇，我看了倒沒暗叫慚愧，該說的沒說，只對自己說：「幸而在這裏說了。」再看下去也還是這句話，屢次自言自語：「真幸而在這裏說了。」匯錢給銀行。

委托書

茲委托宋淇（STEPHEN C. SOONG）先生全權處理拙作〈傾城之戀〉小說改編舞台劇一切事宜。

原作者：張愛玲

地址：中華民國台灣台北3300

信箱皇冠雜誌社

一九八四年三月二十六日

張愛玲致鄺文美、宋淇，一九八四年四月六日

Mae & Stephen，

電報、notarized文件與附存款單等的信想必陸續都到了。我前幾天又收到頭蝨剪報。寫給平鑫濤的信另抄一份，如下：

鑫濤先生：

我自從去年搬家累倒了，百病俱發，一直在看醫生，連看牙齒都擱下了，最近才又去。為了種種便利改住旅館，此間郵局信箱不租給沒固定住址的人，只好暫由總郵局代收信一月，期滿在個私營郵遞行租了個信箱。沒及時通知皇冠，有個逾期未領取的郵包恐怕是皇冠寄來的《海上花》，使我抱歉到極點。拙作〈傾城之戀〉的電影與舞台劇版權費為了付稅的避風港，想托您轉交給我，合同上我的地址也填台北皇冠雜誌社。詳情見宋淇教授給您的信。老是有這些令人為難的事麻煩您，實在不知道說什麼好。受惠太多就「不言謝」了。如果能應允的話，收到匯款請寄……支票背書

FOR DEPOSIT IN EILEEN C. REYHER' S ACC' T ONLY.

張愛玲 四月六日

此頌

大安

所述近況與告訴《聯合報》丘彥明的相同。給志清信上說的是簡略的實情。匆匆祝

Eileen 四月六日

好

宋淇，一九八四年四月十五日

Eileen：

連接電報、三月十九日的英文授權書、三月廿六日長信和銀行存款單，忙得一直抽不出時間來安定下心來為你寫長信。接電報後即告訴李潔儀此消息，請轉告負責人，後來就始終沒有回音。打電話去也沒有人接聽。我知道她們一定事忙，後來在報上見到一段消息，始恍然大悟，原來他們根據以前淺水灣酒店的lobby、洋台，搭了一堂大佈景，其中道具、另件，都是以賤價向拆掉的酒店買下來的，對外宣傳說是一百多萬，雖然略嫌誇大，至少所費不貸〔貲〕。他們並在啟用那天舉行了一個儀式，請嘉道理爵士去剪綵，他是首任淺水灣酒店的董事長。他們打過電話來請我去參加，你想我如何會去湊這種熱鬧？同時在喉頭有點發癢，就推說感冒不去。一直到前天下午才和李潔儀（負責合同）、樂易玲（負責制片）詳談，大約有了眉目，希望在四月底之前可以結束。現在將重要各點分述如下：

（一）你頭上、身上有flea，Mae同我商量了半天，實在無法宣諸於口，一來沒有你的同意，二來她們聽來未必相信，還以為我們是編出來的。幸虧這次陰錯陽差，你沒有看懂我的信，不明不白就告訴了house keeper。我就乘機圓了一個大謊，我說Eileen接到信時已遲，只好將實情相告，而且這種話不便在旅館中打電話，只好到公共電話亭。她的樣子，固然見不得人，可是大家都是女人，本來無所謂，可是張小姐認為這種flea很厲害，到現在都無法根除，萬一兩人相見之後，不慎將flea傳給李小姐，那她一世對不起李小姐。她們聽了都很感動，尤以李入影界歷史尚淺，立刻說外間人說張愛玲人很怪僻，我看她為人很肯為人着想，我都沒想到，原來她如此周到，下一次去L.A.時，一定拜望她。我想反正你已告訴了house keeper，樂得漂亮大方些，只求她們不要耿耿於懷，因為不遠千里而來，沒有完成使命，心中總不免不開心，就是嘴上不說，連她姐姐也覺臉上無光。她們究竟是主顧，可得罪不起。下次到L.A.時，另尋一套托詞，不見也就無所謂了。

（二）我拿委託書一份、Bank Slip一份、來信中的銀行地址、以及我們兩人居住證的副本交了給她，對她說最好不要影印，不如拍照，因為影印只有黑白二色，不能傳真，然後請交給律師看，重新擬過合同。支票由她們直接掛號寄到L.A.，存入你的戶口。這樣再妥當也沒有。定洋支票二千元在簽合〔同〕時由我退還，總數一萬五千全部存入你戶口。平處不必驚動他，我想這種事，少一個人知道好一點，而且她們也認為Phillip平並不足以證明就是平鑫濤，反而麻煩。她們起先堅持要你的passport或social security no.，我不肯，現在有了我出面簽字，我們住在香港，走不掉的，況且還有你的bank A/C號碼。

（三）此外我還想起了一條萬全之計，香港這一陣人心惶惶，大家都將錢存到外國去。我們預備寄一封信給你，說有一筆錢，存在你處，萬一香港有什麼意外，我們還可以多一個退步，說不定那時要請你每月寄點錢來，以維持生活，現在先托友人設法匯上壹萬五千，說不定以後陸續還會繼續匯來，由你代為保管存息。這是萬一將來稅局找你麻煩時，為你應付稅局之用。我信中說明不便自己購買匯票，請求邵氏公司幫忙，打一支票，因我以前曾在邵氏公司任事六年，同他們有交情。這樣做法就可妥當之至了。這封信一定會在邵氏公司寄出支票前後一同寄上。你不必寫收條，這樣你就不會弄假成真。

（四）改編成舞台劇事，情形複雜，我不能操之過急，因為我剛同邵氏提出舞台劇改編權和電影改編權是兩回事，而立刻由我出面接洽，好像我是存心要她們，而她們根本外行，不知行規。最好的辦法不如說對方派人在ＬＡ歷時兩個月，終於contact到你，然後由你refer給我。我再拿你那封中文委託書給她們看就沒有問題了。上演舞台劇的團體最近演出《潘金蓮》，（這名字就註定不賣座，所請的主角紛紛辭演，後改名《武松戲嫂》）是一個bomb〔票房災難〕。將來談判起來很傷腦筋。犯不着為了箋箋之數而壞名壞譽。因為《傾城之戀》的電影不一定轟動，但至少可保證為一大片，不必貪小利而受牽累。

（五）最近台灣文藝片抬頭，黃春明編之外可能還要導，白先勇參加改編、監製，好像有四個故事要拍成電影，我正在動腦筋噓邵氏續拍〈第一爐香〉，說老實話，也就是他們有財力和辦法拍得成。不過他們很精明，一定要等《傾城》拍完後，認為滿意，然後試演認為反應極好後才會進行，也未可知。我是在下棋，一步一步來。今天寫得夠多了，過一陣再將別的事告訴你。祝安好。

Stephen
4/15/84

來信地址說是P.O. Box，表示尚未找到新家，但今年為Olympic年，房子極難找，到時一定很擠，你考慮沒有？

二月十五日信附《聯副》英譯《海上花》一文影印本退了回來。好像此信另有副本寄上。

宋淇，一九八四年四月二十二日

Eileen：

前信寄出後，還有很多話沒有寫。

（一）邵氏公司方面還沒有消息，因為這樣一來，簽合同的對象是我，而不是你，他們要找人重新擬過，而自己公司的合同一向是用中文簽的，公司中沒有人精通英文。我同她們說一俟合同遷〔簽〕就，請她們直接將全部費用掛號存入你的戶口，她們也同意了，免得多一道手續。收到支票後你再寄還給我那一千元好了。

（二）這部戲邵氏公司的確以大片處理，據我所知，成本約四百五十萬，可能拍下來超出。他們對外宣稱一千萬，淺水灣佈景一百餘萬，他們對外宣稱四百餘萬，害得其他導演都妒忌得不得了。同時他們也告訴我預備將上一段白流蘇在家中受欺侮，錢被騙的戲刪短，因為國語片中屢見不鮮，年青人不喜歡看。可是中間香港白、范二人愛情的戲加強和加長，一則男主角是目前最紅的小生，二則這究竟是一個愛情故事。這一點我並沒有反對。因為前者主要目的在為白流蘇建造一個適當的心理背景，與〈金鎖記〉不同。

（三）舞台劇的負責人有電話來，雙方都不起勁。我認為如果沒保障而被對方利用電影而上演，實在犯不着。我現在暫時以邵氏方面合同未簽妥而加以推託。邵氏預計五月下旬可以拍峻〔竣〕，也許乘暑假上演。舞台劇未必能搶先。反正瞧著辦吧。

（四）不知道你收到《海上花》的單行本沒有？還有發表我們兩人英譯本文章那一期的特大號？會不會是退回去而沒有收到的那一些郵件？《海上花》的單行本香港市面上已經見到了，看上去銷路不會好，因為定價貴，同時一般人還是看不懂。真是無可奈何的事。

（五）邵氏公司似乎對《傾城》已拍成的部份看了很滿意，很有信心的樣子。她們問我張愛玲作品中還有其他作品可改編的沒有？我推薦了〈第一爐香〉，因為人物較多，女主角心理過程曲折，比較有戲劇性，不像《傾城》完全是調情的內心戲。她們都沒看過，我已買了一冊今年三月份

的新版，當即寄去。至少不會有害處。即祝
安好。

Stephen
4/22/84

宋淇，一九八四年五月九日

Eileen：

自上次信寄出後，只於五月一日和邵氏的李潔儀通了一次電話，還是我去電後，她才覆電的。現在是我們着急了，他們反而好整以暇。我好不容易替你編了一個大謊，說你怕頭上的flea會傳給她，才決定不見她的，她信以為真，居然說你很肯為你〔人〕着想。現在她們的戲已拍完，只等補拍幾個空鏡頭，剪接，配對白和音響效果了，而合同始終未簽。我不相信他們會賴，因為他們決定在台灣上演，而且知道台灣的票房一定勝過其他地區，可是電影界的事很難講。為了謹慎起見，你最好準備好一份power of attorney（備而不用）授權給他，好讓他出面申請禁止上映，屆時如果邵氏不履行合約的話。上次你寄給我的一份，照我的看法，沒有用，因為除非你能證明Philip Ping就是平鑫濤，至少在香港是invalid，你授權書上的姓名至少要和他的護照上的姓名完全一樣才有法律上的效力。第一，我們應該將他們的定洋存入你的戶口，你寫信來叫我不必；第二，李潔儀來L.A.時，應將手續辦妥，現在沒有簽，其過不在他們。問題是他們所有的合同都是用中文寫的，這一次是第一次用英文，我的又是外行，所以特別麻煩。我現在別無他法，只好耐心等待，兩方面都使不出力氣，真是有口難言。你住的地方找到了沒有？如果有急事，如何打電報給你？祝　好。

Stephen

張愛玲致鄺文美、宋淇，一九八四年五月二十日

May 9/84

Mae & Stephen，

四月十五、廿二，五月九日的信都收到了。《皇冠》上Stephen與我的兩篇文章副本寄丟了，但是收到《聯合報》上的。我信上也提起過收到Stephen office寄來的一大包書，沒拆開，以便搬運，想必是《海上花》單行本。皇冠寄來的退還了。這兩天正要換旅館，現在比較麻煩了，motels差不多都住遍了。稍微過兩天再寫信，先寄平鑫濤的power of attorney來。

匆匆祝

好

Eileen 五月廿日

張愛玲致鄺文美、宋淇，一九八四年五月二十七日

Mae & Stephen，

給平鑫濤的授權書想已收到。我沒在找房子。前一向潤膚漿見效的時候——房間裏也還是有fleas，不過不再飛繞撞上腳踝，搬走也仍舊帶過去——一高興就去看房子，看定一處，回去一想還是不行，寧可犧牲了$70定洋。醫生給換了一種lotion，說再失效再換回來。差別不大，不大有效，但還是比沒有好。久已沒拋棄衣服了。頭髮搽了他指定的一種hair conditioner，像加上一層coating，也有點用，不過還是常常要用包頭包起來。這些時觀察下來，是鞋襪與腳是主要的carriers（媒介〕，因為接近地毯。雖然每次搬都換新鞋，腳上千創百孔，不是磨破就是碰破，老不收口，裂口不能搽lotion辟fleas。只要帶一兩隻蛋過去，就前功盡棄。只好從治腳着手。唯一的一次有一天半沒fleas，是腳上剛換了一種新藥。雖然剛付了一星期房錢，很想馬上搬走。但是那天剛去看醫生回來，累得沒腦子，也許錯過了機會。「戲班子的事千變萬化」，《傾》舞台劇演不成也是意中事。邵氏拖宕我想也讓它去，反正不急。Stephen代擬的我那封信真精彩到極點。等寄電影版權費來的時候另信防付稅的麻煩，也設想得實在周到。告訴李潔儀我怕身上的fleas過給她，我覺得太sensational〔誇張〕了點。我電話上跟她的女管家說搬家把fleas帶了過去，不敢再租房子，只好住旅館，似乎予人的印象不同些。我寫信給人總極力避免有quotable的話，免得又給寫上一篇。電影界又最是個傳聲筒。當然我知道是叫Stephen難措辭，不過我覺得寧可讓她們不高興我。但是如果說周信芳女兒他們在加州直接contact我，仿彿我見別人而不見李潔儀，好像不大好。我向丘彥明平鑫濤解釋近況的話雖然牽強——想必已經像是行蹤詭秘，所以傳說我遭車禍（丘彥明信上說）——實話也同樣的incredible〔難以置信〕。我那皮膚病醫生就一直不大相信，因為沒有flea-bites。那是因為旅館的fleas來不及長大，不大叮，叮了也一小時就消失了。近來我只有一次看見一隻在桌上滑走，a darting zigzagging motion〔彎彎曲曲地猛衝〕，也無法捉去給他看。此外還有撞死在TV玻璃上的，「血肉模糊」，只看得出沒翅膀，不是果蠅。醫生背後告訴另一醫生我是dry skin erosion〔乾性皮膚侵蝕〕，但是對我說他不是不信，fleas有時候是非常麻煩。《中國時報》唐文標的近作與《聯合報》上《傾》片消息，丘彥明都寄了來。英文合同請找英美人律師鑒定，還有買那本《張愛玲小說集》的錢與打電報等雜費，我附寄$200支票來。電報他們也放在信箱裏，我總是星期三或四去取信，因為順便買點心，星期三上市。——住旅館沒廚房不方便，少數能吃的東西之一。——洛杉磯房子本來俏，奧運期間當然更難找了，有些旅館也要漲價三倍。我在想也許要搬到附近小城鎮去一個月；如果小地方只有一個motel，還要一再換另一小城。等俄國退出的塵埃落定了再去打聽看怎麼樣。我給皇冠信上曾經說等有了固定住址再寄《海上花》給我。大概他們人多，也許有人不接頭，最近寄了四包書來，我頭痛萬分。也都不能拆開，否則無法搬運。去年下半年的版稅沒收到，我先以為是因為我住址不確定，沒敢寄出，前兩天才去信說如果沒寄丟了，請直接寄給銀行存入我戶內。昨天又去信要他們不再寄書來。你們倆這一向都好？

Eileen 五月廿七

最近TV上大登廣告，兩種地毯除fleas劑。我目前用不上，也不會有效。　又及。

宋淇、鄺文美，一九八四年六月十日

June 10,1984

Dear Eileen,

As proposed in our letters previously, we are airmailing a cheque of US$15,000 to your account at American Saving & Loan Association. As you are well aware of, Hong Kong nowadays is no longer a safe haven for people like us. This little sum is our secret nest egg to be looked after by you. We don't want to go through our own bank so as to avoid being known by outside people, but through a business corporation which has many transactions overseas and is use by a friend of ours. We have, of course, diversified the little saving we have already and do not intend to draw the sum from you frequently. In case of emergency, we shall notify you and ask for your help to remit us some small amount as your gesture of friendship to help your old friends of more than thirty years stranded here. We shall devise some code at a later date. A xeroxed copy of the cheque and the deposit form are enclosed for your retention.

1997 is too remote a threat and we are worried about the next few years of stress and storm. With gratitude,

Yours ever,

Stephen & Mae

〔愛玲：

我們依前時來信的提議，航空寄上一張支票，那15,000美金已匯入你開設於美國儲蓄貸款協會的賬戶了。如你深知，今日香港對我們這樣的人已非安居之地。這筆小款是我們秘密託你照管的應急積蓄。我們不想經自己使用的銀行辦理，免讓外人得知，而是經過一家海外交易既多、又是一個朋友使用的商業公司。我們當然已分散自己那一點存款，沒打算從你那邊頻繁支取。遇有不時之需，我們會告知並向你請援，以期匯來小筆款項，念在友情份上，為滯留此間的三十餘年老友紓困。稍後我們要商定一個暗號。隨信附上支票影印本與存款單供留存。

一九九七的威脅尚遠在天邊，我們擔心眼前數年的壓力和風暴。心懷感激。

摯友，

淇、美〕

宋淇，一九八四年六月十日

Eileen：

終於大功告成，原先可以在八日簽字，可是修正後的合同中，經我發現添多了兩個phase〔clause〕，一是有權改編為literary & musical work，我說舞台劇也是literary work，musical則是musical work，現在爭的不是實際利益問題而是原則問題，張小姐如果簽了這樣合同的話，將為同行所不齒；二是有權拍攝sequel，不得另收酬勞，我說這個不通，將來如果票房好，公司一路將《傾城之戀》續集、三集、四集、拍下去，如白流蘇和范柳原婚後生活，作者一無所得，利用的還是作者和原作的名稱，如*God Father*〔《教父》〕，*Jaws*〔《大白鯊》〕都有先例可援；此二條必須取銷。當然這可能性微乎其微，不得不防。對方也同意了。結果於九日中午簽約，Eileen C. Reyher之後有中文地址，即皇冠，簽名者是我和Mae（attorneys for E.C. Reyher）加上我們香港身份證號碼。支票已取到，整數為15,000，我將當時收的定洋2,000支票退回。現在我等他們寄回我的收條，二人的身份證副本和我們的合同，因為其中delete，部份及頁底要拿回去initial，就手續清楚。前後一共搞了半年以上，費盡口舌，彷彿打了一場持久戰。我是步步為營，永遠望最壞裡想，留下退步，總算不辱使命。照我個人了解，這是短篇小說版權的最高價。我現在同他們的製片，導演，業務經理私交極好，我已買了一套《張愛玲短篇小說集》送給他們，請他們看〈第一爐香〉，其中兩人看了非常喜歡，私下說想去說服方逸華，真正的boss，拍攝，頗有可能成功，說時Mae在旁，也認為對方很有誠意。他們也很內行，說〈傾〉的重點在感情和對白，〈香〉的重點在故事和人物性格的變化，女主角有戲可演，而且成本較低，可見他們亦非完全外行。

現在《傾》片已剪接好，只剩配音，預備大事宣傳，決定在七月底或八月中，乘暑假期中，在香港邵氏、嘉禾，雙線上演，大概一年中不過兩、三套如此隆重上演。據說，攝影、美術、極好，淺水灣佈景、戰爭場面也好，男主角風流瀟灑，女主角從美國返港，不太習慣，起先不太漂亮，後來越來越美，尤其在香港。我對香港市場不熟悉，但我覺得國語片中從未有過這類片子，有點nostalgia，就像美國學Valentino的那種《油脂》青年片，觀眾看慣了武俠、警探加滑稽片，可以一新耳目。加上原作、導演、男、女主角、宣傳，至少可得個中上。

台北上演現在正在辦理導演、男、女主角申請加入自由工會手續，勢必轟動。我現在想出了一個噱頭，乘《皇冠》三十周年紀念，請他們出一個limited豪華edition，大約100到200冊，另印一張紙：「皇冠成立三十周年，邵氏公司改編張愛玲女士原作《傾城之戀》全國首映紀念」，買的人先付清書款，把名字、地址留下，然後將該項空白紙航寄給你由你寫上款，並親筆簽名。邵氏公司方面我想只好由你出面照成本買十冊送給導演、男女主角、有關工作人員，當他們自己出錢買，成本不會貴，只不過多一個精裝封面和重新裝釘而已。邵氏明、後天會給我正式回音，然後由我向平鑫濤提出，這次總算沒有麻煩他，總想讓他們互相利用一下，好在他自己電影公司已結束，並沒有conflict of interest。

現在將（一）寄出的15,000支票、銀行deposit form（二）前收定洋2000支票（三）〔……〕

（四）八三年十二月十八日電報和84年二月一日信的一段一併附上。除（三）為原件外，其餘都是Xerox copy。所以在收到15,000之後請你寄一張1,000元的支票給我，抬頭寫Stephen C. Soong好了，我可以給兩位中間人看，然後分給他們兩人。這是電影界的行規，我已經先堵死了他們可能提出的10%要求，好在他們是文化界中人，事先雖然努力一番，以後完全由我一人唱獨腳戲。

我們學校寄給你的書是《譯叢》三冊，精裝本（極漂亮，一冊），不必打開。將來也許可以留為英文版接洽時用。《譯叢》已出了十年，在國際頗具一點薄名，可能對你不無裨益。皇冠寄給你而退回去的書一定是《海上花》和三十周年特大號，其中有你、我二人各一篇（即登《聯副》者），你既然居無定所，省得搬來搬去，叫他們暫時不必寄好了。

沈登恩來港，居然打了電話給我，請我原諒唐文標的書，我對他說同我沒有任何關係，他愛寫什麼就寫什麼，他寫錯了我當然有權指出，我如果錯了，他盡可反駁，我們要向讀者負責。他又說他考慮了很久，才出版，先請教過律師，云：初稿如三十年內不再補登記，即屬公產，所以法律上沒有問題，請轉告張女士。我對他說張女士拿這種事從不放在心上，如果要打官司，她一定打，輸了的話，必然會引起作家的公憤，此條法律勢必要修改，可是在道義上你的出版社和唐文標是輸定了。她不在乎，可是她不會原諒。生cancer的人多得很，不必採用如此手段。我說得很心平氣和，可是不容他有還嘴的餘地。我也不怕得罪他，他的後台《中國時報》高信疆已放逐美國。餘再談。即祝

好。

Stephen

6/10/84

宋淇，一九八四年六月二十二日

Eileen：

最近有兩件事發展，值得向你報告：

（一）《傾城之戀》已剪接完成，導演極賣力，提前完成，成本非但沒有超出，而且還有盈餘，所以公司很為滿意。現在就等配對白和配音了。一說定七月底，如來不及，則八月中在暑假黃金檔期定兩線30幾家聯合上演。邵氏公司預備大肆宣傳，以大片方式處理。同時，導演、男、女主角都已向自由工會登記，爭取暑假期在台灣上演，據說稍有曲折，然邵氏志在必得，大概可以成功。

（二）〈第一爐香〉李潔儀看了覺得很好，但負責人方逸華沒有時間看，所以暫時沒有反應。話劇上演的想法已告吹，對方認為唯有搶在電影上演之前方可略分餘潤，如在電影上映後，則一定慘敗。現在他們正在籌備上演一Musical，上星期約我去談，頗想將〈傾城之戀〉改為musical，我只聽而沒有發表意見。他們正在興頭上，何必先澆冷水。傾故事單純，以抒情和機智的對白為主，忽然開口大唱，可能會令觀眾失聲而笑。其中兩人的微妙感情，「情場如戰場」的鉤心鬥角怎麼可以宣諸於口？好在讓他們先上了第一齣再說。

此外，美新處的譯書部已取消，連總部的檔案亦全部毀去。所有各書的版權均歸譯者所有。我在想也許所有各書之中你對《小鹿》會略有好感。我手中只有一冊天風版的，連今日世界社的都沒有。好像記得台灣坊間有盜印本，甚至有人改用電影名《鹿苑長春》為書名。我想此書你不妨offer給皇冠，也好讓你張愛玲作品集中多一冊，台灣可能今日世界出版社版買不到，但可能有代理商新亞版。

最近，Steve Cheng寄了一張paper來，論《半生緣》與Marquand〔馬昆德〕的*Pulham, Esq.*〔《普漢先生》〕二書的比較，計主要為三點：（一）曼楨被辱後想逃走不成而念及自殺，與你〈私語〉中一段說及你去看母親後為父親所囚困而生病，也幾乎想自殺相比；（二）曼楨與以前愛人重逢和

*Pulham*中Marvin與以前愛人重逢的對比，兩段都說你寫得比Marquand好。（三）曼楨與鴻才婚後，終於死了心，同他分手，與你和胡蘭成的一段情相比。大致說來，文章寫得不錯，沒有目前比較文學博士那一套術語，但他態度極誠懇，自認雖花了不少時間，但為了尊重你起見，不願貿然發表，希望我先看看然後告訴他我的意見。我認為最後一段目前實不宜發表！我說不必寄給張愛玲女士，寄去她也不看。我個人以為目前正在有人如唐文標和遠景出版社和張愛玲為難之際，如將此文發表，《譯叢》現在享有薄名，外界知道的人不少，加少（上）一位堂堂正正的博士這樣一寫，他不利用加以渲染，大寫特寫，才是怪事。何況胡此人最後在台灣弄得名譽掃地，以不提為是。他如果一定要發表，則請將第三段刪去，因為前兩段已有二十頁左右，並且和第三段並無必然的關係。我如果不這樣補上一句，他如果拿到別的刊物去發表，反為不美。相信你不會反對我這樣處理。

前一月遠景發行人沈登恩居然打了個電話給我，為了出版《張愛玲卷》向我並請我向你致歉意。我態度很客氣可是用的字眼極冷峻，他說在出版之前，考慮了很久，並徵求過律師的意見，云出版法中有一條，三十年前的著作如原作者不重新登記即喪失版權，故在法律上站得住。這大概也就是平說沒有把握的原因。我說不必向我說，因與我無關，如唐書中有錯，作為讀者，我有權指出，如我有錯，他也可反駁。張女士面前更不必提，她不會理，也不屑理唐這種人。我想得罪他也無所謂，反正不在乎。祝好。

Stephen
6/22/84

張愛玲致鄺文美、宋淇，一九八四年六月二十六日

Mae & Stephen，

廿五日寄出掛號信想已收到，Stephen十日信上一開頭說影片合同上要有權改編literary & musical works，我一看就頭辣辣的痛起來，趕緊放下，過一會再看。是真讓Stephen煩不勝煩，一次次給頂回去，太費神了。我本來在想着一千五實在太少，所以寄了兩千來，Mae看Stephen有點喜歡什麼東西而又覺得不值得花這錢買的，幾時有便就去買了來，Stephen為這事忙了這些時，至少有個具體的東西擱在那兒，看了不禁一笑——即使是苦笑。皇冠要是出豪華版作宣傳好極了，我送幾本也合適。上次寄來的二百元，律師費用不着就請找人譯《海上花》日譯序第四（？）節索隱。去年下半年的皇冠版稅也收到了，$7800多，跟上半年差不多，大概《海上花》銷路平平（只印了4500本，賣了3590本）。那封給我防稅務的信我珍藏着。沈登恩打電話來，大概是不願得罪Stephen。回他的話真痛快到極點。Mae對鳥的興趣也是從花上自然的發展，花鳥並稱。是我就要用望遠鏡看。Bird-watching〔觀鳥〕簡直是門學問，與養鳥完全兩樣。我這些時fleas不絕如縷，急死人，加上奧運的壓力，就冒了個險租了個apt.，忘了換雙新鞋去看房子，（換了也沒一定，不過chances好點）兩天後搬進去，馬上有低飛的小蟲偶一撞上腳踝的unmistakable感覺，一星期後就叮咬起來。預備下月初遷出，白付一個月房錢，多住更沒希望擺脫了。旅館倒似乎還沒漲價。老舍做文化部處長（？），曹禺沒做官？還有一點與小說無關，我忽然想起「曹禺」加「走之」是「遭遇」，也就是說：「曹禺之」事。如果用這筆名的處女作是《雷雨》，周沖就是自傳性的，當然不是說周家全家都是他家。除非「禺」字另有意義？我只知道曹禺。希望你們倆不舒服都好全了。——Mae說的「顛沛流離」正是我常對自己說的一句話。

Eileen 六月廿六夜

宋淇，一九八四年七月五日

Eileen：

寄來的短簡和支票都於上星期收到，本星期又收到六月廿六日的航簡，現在一併作覆。

你寄來的支票數目不符，多了一千元。我先拿那張一千元的支票給兩位出力的中人照一照，然後再付給他們現款。這種錢是向來不出收條的，除了有付稅的問題之外，還怕別人說話。然後我們將弍仟元那張存入我們的戶口，這一張壹仟元的在信中附上退回。說老實話，這是你作品中唯一可以拍電影的一部，以後可能沒有什麼太大的機會，一生中難得一次，何必如此破費，只要你有那份心意，我們已很滿意了。

邵氏公司方面有電話來，製片部預備為這部戲上映而出一本特刊，希望你能為這本特刊寫一篇文章。我說她根本沒看過這套片子，如何寫法？她們說寫點雜感都可以。我終於答應勉為一試，但不敢保證。目前邵氏公司邵老闆已七十有餘，只有大事還要他決定，製片全權已交給方逸華女士，內定的接班人。這部片是她正式全力支持的作品，希望可以一炮打響，建立邵氏公司的新形象和她自己的地位，所以破天荒出特刊，這是多少年來沒有的事。這幾天有空，我仔細考慮過這問題，一是金庸的武俠小說給ＴＶＢ拍成電視片集，每次必出特刊，他每次必寫一短文，有一次還為某一片集開鏡典禮舞獅而去點睛。金庸地位很高，是《明報》社社長，這樣做也沒有引起人反感。我翻了一下他幾篇文章，都遵守一個原則：絕對不讚美片集或製片機構，只談些武俠小說的問題，或這一本小說的構想或撰寫經過。我因此推想有兩個辦法：（一）寫一篇泛泛的論〈傾城〉的短文，（絕不提邵氏公司電影，）自己喜歡不喜歡，為什麼，動機和經過等等，不必用稿紙，就是寥寥一、二百字，以便製版應付過去。邵氏究竟是米飯來源，犯不着得罪它。（二）你如果認為實在違反你做人寫文的原則，那就委婉的寫封信來，說對此片一無所知，沒有東西可寫，（她們居然可以說將錄影帶託人帶上，我說她住的地方未必有設備可放），或者寫幾個字，簽個名應付一下算了。盼速覆，因為下月就要雙線上演。

《海上花》能銷3590本完全出乎我的意外，如果不賣你的名字，四分之一都賣不掉。因為拍電影的關係，香港已經有了兩種盜印本，將你的短篇小說抽出幾篇來，稱之為《傾城之戀》，電影上演反而挑了他們。你的書根本沒有香港註冊，你又是美國公民，香港版權法不會保護你，我問過律師朋友，他們都說犯不着採取法律行動。《海上花》跋：解說中第四節日本字就是「索隱」，香港日譯人才少，我想由我直接去信給平鑫濤，委託他辦好了，你不必操心。曹禺的禺字，《林語堂字典》中云地區名，別無他意，你的猜測極有可能。給平的信已寫好，還要抄一遍，然後Xerox寄上。

Stephen
7/5/84

鄺文美，一九八四年七月五日

愛玲：

收到了你的信和支票等，真不知怎樣說……但憑着三十年的深厚交誼，相信你一定體會得到我們的心情和謝意。Stephen已經另外寫信講一些公事，我要補充的只是家常絮語而已。

聽說你仍然擺脫不了那些鍥而不捨的fleas，心裏真焦急。租了新地方，還是會跟蹤而至，怎麼辦呢？奧運就在眼前，至少有幾星期的囂擾，遠方的朋友只替你發愁，一點幫不了忙，奈何奈何！

我家露台上的鳥兒，演出了一幕又一幕的小劇：雌鳥戀巢多天後，終於孵出幼雛三隻。接下去親鳥到處覓食餵兒，忙個不了。我見到嗷嗷待哺的小鳥那麼惹人憐愛，更感興趣。可惜等到牠們羽翼豐滿起來就飛走了，從此連大連小都不知所蹤，令我悶悶良久。

真的為了鳥兒而抑鬱不樂？當然只是借題發揮。近日香港陷於風雨飄搖的狀態中，誰不心亂如麻？我們的兒女遠在天涯，音訊稀疏，相聚無期。五月間曾問他們今夏能否返港度假，迄無下文。想來另有計劃吧？似乎答覆一聲都嫌費事。我已經不知多少次勸勉自己，學習做個自主的女子，試了又試，總達不到朗然剔透的地步，不免失望。這些廢話無處申訴，你是明白的，看了付之一笑可也。

日子過得真快，你是一九五四年移居美國的，不是足足三十年嗎？這些歲月怎樣飛走的？想來心驚！

今天精神欠佳，這封沒有內容的信就此草草結束。匆祝

安好。

美

一九八四年七月五日

宋淇，一九八四年七月十日

Eileen：

附上致平鑫濤信的副本[33]，這封信寫了我三天，頗費推敲，因為他們從前同邵氏有過一段過節，很不愉快，我沒有把握一定打動他。站在你的立場，邵氏公司是你的一筆外快，而皇冠則是衣食父母，其中輕重一定要分清楚。所以我信中不提另有副本給你，只當我曾在信中提過這樣一個建議好了。

美國新聞處譯書部已取消，連華盛頓總部的檔案都毀掉了，所以我們以前譯的書的中文版權都由譯者承受。台灣本來有的是盜印本，現在各出版商都在紛紛動腦筋，已經有人寫信給我。但我認為你既是皇冠的基本作家，理應交由皇冠出版，皇冠不要，再給別人，一來你產量不多，作品在數字上越來越落後，添上兩本，好看得多，其次皇冠發行實在好，《海上花》半年中能銷上四千本，真虧他的。你的譯作，即使印行多版，再出皇冠新版，至少能賣個五千本，也不無小補。你的

書中我認為可以考慮的（一）《老人與海》（余光中有《老人與大海》，但無妨），（二）《小鹿》，後在台灣改名為《鹿苑長春》，你可直接去信叫他們在舊書店內搜購「今日世界社」版或授權的「新亞出版社」版，然後拿去用皇冠和你的名字登記。愛默森、華盛頓、歐文暫時免談如何？

祝 好。

Stephen
7/10/84

我手中無書，小鹿一冊還是「天風」版，搬家時都扔掉了。

P.S. 附上《傾》片編劇一長文[34]，着實不錯。

張愛玲致鄺文美、宋淇，一九八四年七月十七日

Mae & Stephen，

收到你們倆七月五日的信。匆匆寄這篇短文來[35]，過天再寫信。本來說給Stephen一千五，是代理人例有的十分之一，其實代理人哪有甚至於還代擬信稿的？而且麻煩層出不窮，有些是我造成的，沒結沒完，實在過意不去，所以寄了兩千來，稍微心裏舒服點，千萬不要再還我一千。當然我知道〈傾城之戀〉是我的作品內唯一適合拍電影的，不會再有第二部跟進。〈第一爐香〉也可惜沒

33. 一九八四年七月九日宋淇致平鑫濤信，因張愛玲〈傾城之戀〉由邵氏公司改編拍成電影，建議可考慮特別出版《張愛玲短篇小說集》精裝豪華版一百冊，每冊均有號碼，以慶祝三十週年紀念，甚至可考慮接受讀者預訂，製成有張愛玲親筆簽名的特殊卡片黏貼於扉頁上。也提及張愛玲今年以來為居住問題所困擾，短期沒有新作，如果趁機宣傳，對皇冠和張愛玲均有好處。編劇文章為蓬草所寫〈《傾城之戀》搬上銀幕〉，刊登於一九八四年六月二十九日《中國時報》《人間》。
34. 蓬草，〈《傾城之戀》搬上銀幕〉，《中國時報》。
35. 張愛玲，〈回顧〈傾城之戀〉〉，收入《惘然記》。

有第二個林黛。但是《傾》片送Stephen這麼少錢，我無論如何覺得不對。今天去開信箱，就在郵局對過，順便去掛號。

祝

好

Eileen 七月十七

又及

處理Stephen Cheng事我完全同意。這人真是creative criticism。

鄺文美，一九八四年七月二十六日

愛玲：

七月十七日的掛號信，附有支票和〈回顧〈傾城之戀〉〉一文，已妥收，謝謝！關於那支票，既然你一片誠意，我們就不再退回，領了你的情，並且深銘於心。文章來得正合時，因為這部煌煌巨製定於本月廿七日舉行慈善首映（收入全部撥捐香港公益金），邵氏方面立刻派人來取去，剛來得及放在紀念特刊中以壯聲勢。他們還送來「名譽金座券」兩張，邀請我們觀賞。看後我們自會把觀感告訴你。今天匆匆塗這幾句，只是讓你放心。還有些話Stephen本想另寫給你，可是這兩天他有點不舒服，十二指腸潰瘍復發，昨天看了醫生，換了一種新的特效藥，效果尚不確知，還是遵醫囑take it easy，以求速癒，因為實不想錯過明晚的盛舉。此祝

身心愉快！

美

一九八四年七月廿六日

P.S. 再過三天就是奧運揭幕之期，不知人潮對你的起居生活影響如何？甚念。

鄺文美，一九八四年八月十四日

愛玲，

收到七月十七日短信（附有〈回憶〔顧〕傾城之戀〉一文）後，再無你的音訊，我們縈念不已。現在奧運已告結束，希望你的起居生活逐漸恢復正常，不久會有消息讓我們放心。上次匆匆致函提到去看《傾》片的慈善首映，其後Stephen身體不適（起先是十二指腸潰瘍，最近添上氣管炎舊疾復發），我心煩意亂，實在沒法把看電影的觀感告訴你。總之，我是相當失望的。Stephen比較內行，印象不那麼簡單，一時說不清，以後再講吧。前幾天我們已把一些報上的影評影印了寄給你看。好在小說和電影是完全不同的兩回事，你不會太放在心上，對嗎？

今天急着寫這封信，主要是為了另一件事。Stephen剛收到Stephen Cheng八月四日的郵柬，知道唐文標又在「攪鬼」（這是粵語詞彙，我一時想不出更合適的說法，就用上了），詳情請閱附着的影本[36]。Stephen十分擔憂，恐怕那兩本盜印的新書會替你帶來許多麻煩。他熱度未退，頭暈腦脹，咳嗽甚劇，根本沒法執筆，囑我先代筆告訴你；養病期間他會考慮有什麼可行的對策，然後寫信同平鑫濤商量。你不妨寫封信給夏志清，讓他知道有這樣的發展（附着影本的extra copy，可轉寄給他看），日後或可由他出面幫忙替你說話。他的脾氣你一定明白：——「易於衝動」，所以最好請他不要隨便公開發表意見，否則引起筆戰來，恐怕弄巧成拙，反為不妙。看上去劉紹銘既已知此事，

36. 一九八四年八月四日鄭緒雷致宋淇書，提到自己在耶魯大學圖書館發現了《十八春》。然而在七月二十八日的《中國時報》上，卻看見唐文標宣布即將出版兩冊張愛玲舊作，一本是論文集，一本便是《十八春》。鄭緒雷擔憂，《十八春》中關於共產主義的敘述或框架可能會為在台灣的張愛玲帶來麻煩。建議採法律途徑阻止《十八春》出版，或搶先於皇冠出版並對小說加以解釋。

大概也會通知夏志清。你去信時，最要緊關照他暫時不要採取任何行動（以免jump the gun〔操之過急〕）。

你以前出版《再生緣》時，不知有沒有告訴過平鑫濤那本書出自《十八春》，在上海連載過？如已說明，即等於備過案。盼覆。

美

一九八四年八月十四日

張愛玲致鄺文美、宋淇，一九八四年八月二十六日

Mae & Stephen，

附有Stephen給平鑫濤關於《傾》片的信與Mae的三封信全都收到了。Stephen十二指腸炎又發，牽起氣管炎，實在使人心焦。唐文標那篇近作丘彥明已經寄來給我，自告奮勇要替我作傳，代為辨正（大概包括水晶的演講）。說她不久又要來美，要來看我，不算訪問，只來拿傳記資料。我預備告訴她我曾經要求朱西甯不要寫我的傳，不能再托別人寫，太hurt人。奧運期間洛杉磯平日夏令遊客都不來了，怕沒旅館住。一片蕭條聲中，只有貴些的motels加價五元，門可羅雀，廉價的則都客滿。期滿前我倒終於擺脫了fleas，差點打電報來報喜。我想是因為我在每天搬房間前繁複的準備中加了穿襪子——濃敷lotion與藥後——扔襪子——行李拎出房後——這一道手續，不然老是搬過去不久，腳踝上就有一小縷蛛絲黏附的感覺，還有一次蛛絲離開了，隨即飛撞上來一下。現在洛杉磯找房子像求職或貸款一樣麻煩，沒credit card又不欠債或購物分期付款，就是no credit。本來我住在這裏毫無目的，氣候好究竟也是一種奢侈，交通要道人來人往也不便（這次就放棄了一處，因為丘彥明窺簾的威脅——底層，Venetian blinds〔百葉窗〕；電動門也很容易等有人進出時跟進）；一直想着應當到極南部較大的城市（如Jackson, Miss.）去看看有沒有一間房的公寓，但是一來因為好

容易找到了好牙醫生，碰上壞的吃大虧；二來我印象中，南部與中西部不及東西岸公正，外來的人如果又不認識人，容易惹麻煩。莊信正本來介紹他的一個朋友，太太可以開車幫我找房子。我這大半年來住遍這一帶，公車路線較熟悉，可以用不着了，結果還是找他作本地的保人，也沒用。本來申請的最貴的一處倒肯了，大概因為太貴了沒人要，又沒冰箱。很講究，但是不但蟑螂多，還有一種更「無所不至」的小爬蟲，我也是住旅館以來才見識到的。臨時另有一處合適的，我僱了汽車趕去看，但是一忙亂就沒腦子，門前對講機上說話不夠清楚，不得其門而入，也沒想到找個公用電話打去問問來頭，錯過了機會。這也是個老毛病加劇。（六月間租的那便宜的公寓倒不費事，管理員就來借錢，也是從來沒有過的事。幸而我本來要搬走。）搬進來連日感冒發燒，好了得要趕緊去買獸醫院的flea bombs——雖然上次無效，畢竟比外面買的有力——先去薰了倉庫裏的東西，趕在月底前搬出來——萬一有fleas，我想是沒有。《張愛玲資料大全》的事，平鑫濤問過律師，不主張打官司。他大概也想着那一部大書拆開來會有人出版，皇冠不出是因為Stephen直告他我會因此離開皇冠。我想再找他商量沒用，他也一定看到唐這篇文章，但是也許還是要寫封信去。志清近年來對我非常失望，上次向莊信正說我應當控告唐，那是說我；他自己向我聲明不跟唐筆戰，而且怪莊信正屢次為這事打電話給他。我本來要寫信告訴他新地址，順便提一聲《十八春》的事，他也決不會有任何行動。我信上還預備講他追悼吳魯彥的文章裏，說不記得是誰打翻了一杯酒，大概不是濟安就是張愛玲，我倒記得是吳，因為當時很感意外，覺得他不是個clumsy or nervous〔笨拙或容易緊張〕的人。我看到《資料大全》內關於《十八春》那篇，就想着需要寫一篇散文說明寫這本書的經過。（出《半生緣》時，我僅有的一本《十八春》拆散了插入添寫的稿紙，寄給平鑫濤作為《半生緣》原稿，言明是改寫1951上海出版的《十八春》。）現在除了寫這篇東西，此外恐怕只好讓它夫了。《傾》片不好（as I expected）會影響平鑫濤代為宣傳的決定，白讓Stephen費力寫了那封信，一看就知道實在真難寫。「借力」這譬喻太好了。當然我知道Mae寄情花鳥都是移情作用，鳥更像玩偶家庭一樣搬演人生。一收到Mae那封信我就想着，我越來越相信寵慣的孩子（如果「經得起慣」的話）長大了有自信心，有個性，會成功。「棒頭上出孝子」，是因為父母乖戾或太疙瘩，兒女活到老也總還是想取悅父母，博得一聲讚美。太體諒的父母就被taken for granted〔視作當然〕——對老巢的安全感太大了。我永遠記得Mae跟琳琳坐在沙發上同看畫報（？）的一個鏡頭，從來沒看見任何兩個女性在一起有那樣姊妹似的婉孌的情調，真姊妹也沒有。奧運前有一次，半條街上有三家旅館，我從一家搬到另一家，taxi不接這樣的短程生意。行李自己拎了去，office又沒人，只好改到第三家。幾大包書分短程一次次來回搬，一包*Renditions*〔《譯叢》〕連同兩包《皇冠》包紮得較漂亮，像禮物的書，就被偷掉。兩邊都是大房子，上下樓再迷路，筋疲力盡，完了出去吃飯，沒看見一個極淺的台階，絆跌了一跤，膝蓋跌破還沒好又摔破，第二天還流血不止，去看醫生，叫吃antibiotic〔抗生素〕藥片，說也許兼治我的vulnerability to fleas〔跳蚤敏感〕。我腦子裏已經在告訴你們因禍得福，結果猛吃了幾星期也無效，除了治腿傷。——最後似乎不像是藥片的delayed action〔滯後作用〕——*Renditions*請等有便再寄一本給我，如果再要我再買。

Eileen 八月廿六

宋淇，一九八四年九月八日

Eileen：

接八月廿六日來信，知你終於擺脫了fleas〔跳蚤〕，前且覓到了新居，非常高興。Mae同我因為好久沒有接到你來信，有點擔心，接信後心情為之一寬。

平鑫濤曾於八月廿八日打長途電話給我，家裡始終沒有人聽電話，其實那天我去了學校，文美有事出去，傭人也出去買菜，早上家中的確沒有人。他還以為我電話號碼改了，打電話去學校給余光中，告以我的電話沒有改，他後來再試，大概仍沒有人聽，以為電話壞了。九月二日我去學校，光中再告訴我，並說平在電話中將此事詳細相告，光中問他那麼此書版稅歸誰，平說當然歸唐，這是他的目的之一，光中認為這是聞所未聞的笑話，如果他說協助研究張愛玲的而出版，版稅仍交原主，那倒拿他沒有辦法，現在這樣做，那根本沒有藉口。他對唐文標的印象極壞，認為他身份可疑，並傳說他要來中大做客座教員，如果將來有什麼事，他覺得你一定會得到其他作家的同情和支持。

結果我於九月三日打電話到皇冠去找平，他有事不在，後來不久他就回電。他說已寄上《張愛玲大全集》「第一卷」給你和我，我說尚未收到，想是掛號之故。他看了書之後大為生氣，曾打電話給余紀忠的女兒抗議，余是他父親的繼承人，掛名為副刊的編輯，代替高信疆，實際上的編務由高的副編輯，她說曾囑咐手下（不知為高的太太，出版社的經理，還是副編輯）出書之前務必要同皇冠聯繫，三次之多，奈手下沒有照辦，確否當然無法證實，但極有可能，因為她留學美國讀新聞，剛出來做事，至少喝過洋墨水，做事比較謹慎。平云其中七篇已向內政部登記版權，書名就是《續集》，不管他們是否登記與否，版權當然歸原作者所有，所以此次情形與上次不同，《張愛玲卷》中的資料，事先沒有登記。他已問過作家協會的法律顧問某律師（電話中聽不清楚，云這次如正式起訴，必可勝訴，不知你意下如何？我就問平，皇冠既代為登記，可否代表張愛玲委託律師起訴，他說此點也已問過律師，皇冠只不過是代辦登記手續，版權所有人仍是張愛玲，所以必須由張本人出信委託律師代為起訴。他並且問起張女士有無可能為此事親自來台一次，我立刻告以絕無可能，因為今年夏天一直找不到妥適的住處，居無定所，而且身體不好，我認為在這種情形之下，還是以不必驚動她為上。我答應平儘快將這情形寫信給你，並讓你寫委託書寄上云云。

接我通電話後兩天即收到皇冠的《資料大全集》，開本很大，很觸目，雖然有383頁，但無須排版，只不過照相影印，居然定價450元，其的在賺版稅無疑。內文第一頁有「第一卷」字樣，顯然會出下去，將來第二、三卷相繼問世，不在話下。現在既然這一卷有七篇侵犯你的版權，應該乘下一部沒出之前，狠狠地告他們一狀，以便一勞永逸，既然平主張採法律途徑，我們是求之不得。時報老闆是余紀忠，是中委，但出版者是「時報文化出版事業有限公司」，總是他的附屬機構，如果成立了，至少可以殺一儆百，令遠景之類的出版商以後不敢再輕舉妄動。這樣攔腰一斬，《十八春》的出版或可避免，善後之計當再同平商量出一個一勞永逸之法。我現在附上一封委託信的草稿，請你斟酌一下並鈔寫一份寄平，以便及時採取行動。同時我還想出一個雙管齊下的辦法，就是你上次寄來的委託書，因為直接由我同Mae在香港辦好，不必驚動平，所以沒有寄去，這次我想再寄去，先由他出面委託律師辦理，然後再等你的親筆委託書並請他將律師的姓名寫信告訴你，以便完成正式手續。祝好。

Stephen
9/8/84

敬啟者：

茲閱到唐文標主編「時報文化出版事業有限公司」出版之《張愛玲資料大全集》，不禁啼笑皆非。查該書第一及第二部份均係本人幼年及青年時之作品。本人匆匆出走時，不便將全部舊作攜出，其中分散發表於各刊物上之作品只可毀去。其後承友人在各圖書館或私人藏書中覓到原作，均蒙影印見贈，本人乃將陸續收到之舊稿或照原來面目或加修潤，並加說明，在單行本上發表。既為本人之舊作，自應由本人隨意處理，俾可向讀者有所交代。不圖有唐文標者，自各圖館影印本人舊作多篇，據為己有，擅自出版《張愛玲卷》，本人以其書中僅刊出舊作三篇，且與本人出版之《惘然記》中兩篇相同，魚目焉能混珠，讀者眼睛雪亮，故暫時未加追究。不圖其變本加厲，最近再出版《張愛玲資料大全集》，且書中第一頁上寫明為「第一卷」，則顯然將來「第二卷」、「第三卷」將隨之而出，勢將影響本人著作生命及以前出版、今後出版作品之前途，迫使本人不得不採取正當途徑以保障本人之名譽及生計。

按依照一般出版界之通行規例，作家之幼年、青年、少年作品之版權當然為其本人所具有。此為天經地義不易之理，舉世皆然。在歐美各國，即使某作家去世，其合法繼承人仍得享受其生前著作版權五十年之久，他人不得擅自據為己有，代為出版，即使為其寫傳記或評傳，如引文，亦須徵得版權所有人之同意。今本人尚健在，且以寫作為生，多年來作品一向在國內發表及出版，今遭此飛來橫禍，是則對本人寫作生命為一嚴重之打擊。本人深體家醜不可外揚之旨，雅不願因此影響國體，如本人逕將此種為人所不齒之海盜行為公諸於世，則將貽笑友邦，成為國際出版界之話柄及談助。

何況《張愛玲資料大全集》第一部份之素描及第二部份之佚文、殘稿部份均係本人親筆所畫及撰寫。其中第二部份內文七篇亦已由本人請皇冠出版社代為登記在案，係本人下一冊著作散文集：《續集》（經已預告）之一部份，其餘部份亦已在整理中，即將出書，顯係侵犯本人版權，且影響該書之出版。為保護一般國內作家之著作權，及本人之私有權益及生計，唯有委託貴律師事務所採取正當途徑控訴唐文標（關博文、孫萬國是否亦一併在內，請代為斟酌並加卓裁）及出版者：「時報文化出版事業有限公司」，要求在法律範圍內處以最高之刑罰。計（一）罰款——賠償本人及皇冠出版社之損失（一部份罰款可捐給作家協會，為該會之法律援助經費）；（二）唐文標公開登報向本人及作家協會道歉並保證以後不得再犯同樣侵犯他人私有權之行為，同時將手中所有之資料全部交出。（三）時報公司部份由皇冠出版社提出具體解決之方案。

希望在控訴對方時，向審訊當局指出此項事件之嚴重性。正值國內遭受外界指摘侵犯外國工商界版權時宜，如有此種事件發生，萬一洩漏於外，其對國家信譽之打擊不言可喻，萬勿以出版界小事一件等閒視之。本人處處以國家尊嚴為重，區區苦衷，亦希貴律師事務所代為表達。其他一切均由皇冠出版社平鑫濤先生代為主張。特此正式以書面委託

×××律師事務所全權代表本人進行上述事宜。此致×××律師事務所

張愛玲敬上

民國××年×月×日

副本致平鑫濤，並請他將律師之姓名火速寄上。

張愛玲致鄺文美、宋淇，一九八四年九月二十四日

Mae & Stephen，

收到九月八日的信。我感冒了一個月剛好，除了預備搬東西出倉庫，什麼事都沒做，寫信也要等些時再寫了。唐文標的書皇冠與丘彥明各寄了一本來。能控訴當然最好了，我很高興平鑫濤打電話來。先寄$500來作preliminaries〔初步〕的用度，平鑫濤不肯說多少錢，請Stephen看有機會就匯去，不夠請告訴我一聲。作品登記費也始終沒付。Stephen剛好點倒又為這事操心，真是——！希望最近你們倆都好。

Eileen 九月廿四

又及

給平鑫濤的信與委託書，給律師的信的副本，隔兩天就寄去。

張愛玲致鄺文美、宋淇，一九八四年十月十三日

Mae & Stephen，

我上次感冒後腿痛，站幾分鐘就疼得受不了。沒傢俱，站在吧枱前抄幾頁致律師書都辦不到。那條腿上這道筋摸上去冰涼，大概還是血脈不流通。勤擦witch hazel一來天，才好了。馬上要在月底前取出倉庫裏東西，搬場公司月底忙，又要早幾天。這封給律師的信寄平鑫濤躭擱太久，也不好意思催他從速寄律師名字給我，只好請他代填，不算副本。他有power of attorney與我的親筆委托書，似應有權代找律師。不然來回寄，至少又要躭擱半個多月。這裏我倉庫的東西一進門，即刻有fleas。本來理行李的時候took special precautions〔特別謹慎〕，箱子裏東西並沒有fleas。就沒想到第三個Apt.只住了兩天，兩天內許多cartons堆在地下，cartons外面很容易給fleas下蛋。當時還沒悟出行李要

架高蓋沒，遠離地毯。趕緊扔cartons與箱子，焚化爐塞不下，丟在街邊又犯法，要拖到半條街外有垃圾袋堆着的地方，手都磨破了。——cartons一打開就無法移挪，拉着繩子原包拖了去就在街邊取回一些mss.〔手稿〕與絕版了的書、《紅樓夢》版本等。本來就應當只保留重要文件。賊去關門，儘快叫了殺蟲人來，（莊信正在此地的朋友林式同做地產生意，又給介紹了一個）我又去買特效flea bombs，都沒用。Apt.簽了一年合同，言明不住滿一年要付全年房租。現在LA好一點的apts都要一年合同。林代問他的地產公司的律師，說「先寫封信給房東，附殺蟲人賬單。搬走了不見得找得到，而且只能追索房子空着時的房租。」預備月底搬，預付下月房錢——本來已經多付了一個月房錢。他們知道我在哪兒存錢，是否應當陸續提出現款來存到別處？搬出去還是住旅館，等沒fleas了再離開LA。過兩天租了信箱再來信告知號碼。祝好——

Eileen 十月十三

張愛玲致鄺文美、宋淇，一九八四年十月二十六日

Mae & Stephen，

前信想已收到。月底搬家，怕有信失落，向郵局報遷移，新址照規矩不能填私營的信箱，所以還是由郵局代收信。

那爿店家的信箱就不租了，免得兩頭跑取信。莊信正的地產商朋友在附近San Fernando Valley蓋low income housing，替我申請一個apt.，一個月後可以住進去。「低收入住屋」房租按收入定價，高低相差很多。像這個月租$380，也跟市價相去不遠，似乎不犯着又擔上個受政府救濟的名。不過是新房子，一切設備跟我現在這apt.差不多。雖然是郊區，大概還可以上城看醫生。而且我不能再在洛杉磯找房子，因為填表必須填以前的住址，此地是溜走的，固然不能填，再以前也都只住了兩個月，誰還肯租給你？顯然又住不長。去南部看看，怕都是些「老大房」，極少一間房獨門獨戶的。

目前我也沒心腸旅行。收到皇冠去年下半年版稅四千——先誤寄了李勇的來——《海上花》《惘然記》都只銷了一千多本。American Savings恐怕要倒，要改存另一家。提現款似乎用不着了。這兩天忙着搬家，匆匆不多寫了，希望Stephen好了，Mae近來也好。

Eileen 十月廿六

宋淇，一九八四年十一月二十五日

Eileen：

現附上《皇冠》寄來新書《續集》目錄一份，底下有——及頁數的想來就是書的內容。（我給加上紅圈。）此外應還有〈自序〉一篇，大約是10頁，算來算去共119頁，和所說200頁仍有距離。今天拿你的舊卷翻騰了半天，查出來港後舊作中沒有發表的尚有下列數篇：

（一）關於《笑聲淚痕》 12/15/76《聯副》

（二）羊毛出在羊身上
關於色戒 11/27/78《中時人間》

（三）代「表」兩段 2/17/79寄給《聯副》「文化廣場」，沒有刊出的報紙，只有底稿

（四）表姨細姨及其他 5/11/79《聯副》

（五）一篇一萬餘二萬字的論吃的散文 應在1981前後的《聯副》，和《中報月刊》或《中報副刊》，始終找不到

（六）海上花》的幾個問題——英譯本序 1/31/84

張愛玲致鄺文美、宋淇，一九八四年十一月二十七日

Mae & Stephen，

我這些時都沒寫信來，想必你們也想着是因為一切淹滯懸宕。不等稍微有個了斷，也實在提不起筆來寫信，而且一天到晚忙得睡眠不足，在公車上都會盹着了。在Vista St. 的時候沒有傢俱，就是個air mattress〔氣墊床〕，坐臥都在地上，地毯是fleas的溫床，一個月住下來，更糟了。fleas已經不知多少代了，適應演變得快，又屢經殺蟲人清剿，變得細小得（加上speed）肉眼看不見——至少在我這近視的人——而專逐體溫。以前那次在旅館感冒病倒一星期，不下地就不大有fleas。這次又再感冒，不能天天搬家，同一房間住到第三天，床上就不能睡，要把椅子拼成床。我一嚇得燒也嚇退了，次日就搬走了。現在每天搬家時用除汗臭的膏錠與美容的黏土（mud pack——mask）代替爛泥塗在身上——最原始的防蟲法——好一點，也還是帶了過去。仍舊一天扔一套衣服鞋襪，換了冬衣是上海人打話「真生活！」成天奔走買東西，好萊塢日落區的旅館住遍了，最近搬到downtown，更不方便。莊信正的朋友蓋的low income housing房子，我以為房東代申請總十拿九穩，但是填表實在難填，結果還是叫我自己填，我跟他商量後勉強填了。等到快月底了打電話去問申請到了沒有，老沒人在家，原來度假去了，要下星期一（下月初）才回來。如果不合格，我預備早點到南部去找房子，免得又趕上年底飛機擠。如果合格，也還是要等沒有fleas才能住進去。本來說十一月起由郵局代收信，要十天後computerized〔進電腦系統〕之後才能取信。到時候去拿，管這部門的黑女人說這只是為過境旅客而設的，我幾個月前剛用過，顯然是濫用，她把信都退回Vista St. 舊址了。當然我不能回去拿，全丟了。趕緊打了個電報給你們，想必已經有信來，白糟塌了時間精神，我真覺得痛心。這是怪我粗心，沒遠道趕去總局問過這女主管，（這部門elusive〔難以捉摸〕得無法打電話去）逕自在分局報遷移。這些時沒你們的消息，不知道可都好？盜印官司打得怎麼樣了，我自己倒像是置身事外，實在荒唐。

Eileen 十一月廿七

宋淇，一九八四年十二月十九日

Eileen：

十一月廿八日信收到，前一陣我患靜脈炎和胃潰瘍，沒有寫信。接電報後，Mae寫了一封長信講給你聽我的近況，一看這信大概又沒有收到。真是陰錯陽差。Mae寫信從來不留底，只好遺失了。

台灣方面大概也因和你失去聯絡，故此寫信去問，也沒有什麼發展，只知皇冠曾有律師信給《中國時報》，云該書有四篇早已由作者本人登記（預定在《續集》發表）顯係侵犯版權，請求制止發行。以後沒有進一步消息。

水晶來了一信我曾影印一份給你，想亦已遺失[37]，現在再影印一份附上。他已在L.A.得到一份教職總算安定下來了，我已回信說你居無定所。你可以不必理會，因我們知你心情身體均無餘力應酬。但至少知道他在L.A.，如有何急事，可找他幫忙，亦未可知。

希望你能早日安頓下來，過了年能轉運。即祝安好。

Stephen
12/19/84

張愛玲致鄺文美、宋淇，一九八五年二月一日

Mae & Stephen，

Mae的信沒寄丟。Stephen的病情看了實在着急。我還是上一封信上所說的情形，上午忙着搬家，下午置東西，晚上回來，雜務做到天亮。接連幾天三小時睡眠，出去就屢次差點闖禍出事。休息一天不搬，就夠補覺了。不是有點事，就不寫信了，無論怎樣惦念。正慶幸你們至少沒白寫

信寄到總郵局，倒又收到Stephen十二月十九的信，真過意不去。Fleas像冤鬼纏身一樣，雖然是飛來橫禍，也由來有自，一直從前就是蚊子只叮我，不大叮別人。在淺水灘我穿着襪子都被sand flies咬得受不了。離開大陸時路過廣州，難得有機會遊夜河，在小船上被蚊子咬得坐不住，走了，同去的人還當我是有皮膚病。那時候還沒有dry skin。前幾年一個醫生說我整個皮膚是eczemaish condition〔濕疹〕。無疑地與fleas鍥而不捨有關。現在這醫生說他只會開兩劑lotions，技止此矣。我只好憑常識試驗辟蚊劑等，也都有點效力。但是拖下去很快又會失效。像醫生的lotions一樣。再要找幾種別的化學品就難了。所以不得不傾全力在這上面，別的事如看牙齒全都儘可能拖宕着。一次夜間因為不想回來得太晚，疾走幾條街，心口又有點疼，想起可能heart attack〔心臟病發〕倒在街上，剛巧幾天後有兩萬多存款到期，換了一家開了個新戶頭，就填你們倆作beneficiaries〔受益人〕，可以幫我料理。〔……〕

應當立遺囑，也許別的acc'ts〔戶頭〕就不必改了。立遺囑需要I.D.，我的入籍證，那次倉庫裏東西帶了fleas回來的時候，扔cartons的panic中丟失了。要再補領——以前已經報失過一次——沒固定住址不大好，目前也沒時間。只先告訴你們一聲。申請低收入住屋不合格，莊信正的朋友還想設法挽回。反正我也還不能租房子。目前也不會到南部去。前幾天收到志清這封信，寄來給你們看。（不用寄還）我當然感激他幫忙，但是實在頭痛。《資料大全》我這裏有兩本，都存在倉庫裏，無法翻箱倒籠找出來。大概只好托皇冠代買一本，刪去蘇青胡蘭成幾篇，自批其餘的，更正中學教師寫的關於考試等。大部份只批寫得壞，另加上一篇講《十八春》的來歷，一直預備寫的。目前是這點事都不能做。能私了最好了，在現在這倉皇的境況中也是實在顧不過來，也不能讓Stephen病中還為這事勞神。我不寫信給柯元馨，她如果來信也很難答覆得當。Stephen千萬不要寫信來，Mae也等稍微空閒點再寫封短信告訴我。不忙，我暫不回志清的信。也是真沒工夫，連這封信都寫了快一

37. 一九八四年十一月三日水晶致宋淇書，詢問張愛玲近況和近址，並說即將轉至L.A.州立大學任教，下學期準備開一門「張愛玲」課。

星期。水晶來信說Stephen不告訴他我的地址，不知怎樣被他得罪了。一貫地多疑，一笑。我在TV〔電視〕上聽到全部*La Traviata*〔《茶花女》歌劇〕，雖然只是輕性古典樂，也想起Mae來。希望Stephen已經好些了。

Eileen 二月一日

宋淇，一九八五年二月九日

Eileen：

接到你二月一日的信，令我們寬心不少。我們已兩個多月沒有你的消息，不勝惦念。雖然這封信並沒有帶來你情形轉好的佳音，至少比沒有消息好得多了。

信中所說非常具體，想來確是實情。我們的印象中，你的皮膚似乎一向對某類外來刺激特別敏感，當然看普通西醫，他們是無能為力的。目前照你的辦法是消極的應付，這樣下去，一定會整個健康有問題，疲於奔命。多吃點維他命、蛋白質之類的營養劑，你當然知道，不必我們代出主意。倒是睡眠不足，可能令你精神無法集中，容易闖禍，令人擔心。我從前患病時從早到晚咳嗽不停，後來想出一個辦法，就是在一陣大咳之後，偷睡、搶睡半小時或一小時以補不足。在這一方面，你最好能看情形隨機應變，在搬家、買東西、做雜務之餘，偷閒打個瞌睡也好。

我的皮膚也很不好，家中幾人，只有我給蚊子一咬，又紅又腫，還要流水，好多天都不退。別人只不過一小點紅。腳又容易碰傷，回家後脫了衣服睡覺，常常會發現，小腿上常有傷痕，有時候還流了血，結了皮，自己都不知道。所以萬一有什麼事，都要拖很久。這次總算能控制住了，現在已漸好轉，俟天氣回暖後，又可以到戶外去活動了。

志清的信我看到了，當然出於一番好意，但其中內情他完全不知，我在下頁詳告，然後由我影印一份給他，免得你來回傳話。信中所說志清的建議，大概這一陣你忙於遷居，幾乎成為「人球」，對皇冠方面和我的信或沒有收到，或即使看到也沒入腦。第一次唐文標盜印時，由遠景出版，我們沒有採取法律途徑，因你的舊作沒有登記，且遠景搖搖欲倒，正在覓其他股東投資。第二次唐文標的《資料大全》，其中五篇你陸續寄去，均已先後登記。此書先由唐offer給皇冠，平鑫濤為買個太平，情願出錢買下來，可是唐在合同中堅持在半年內一定要出版，所以我們決定退還。結果他拿去給《中國時報》，《中國時報》以為有利可圖，就出了，誰知讀者很精明，知道唐文標又在耍花樣，抄〔炒〕冷飯，所以並沒有轟動，銷路既不好，連書評都沒有人寫。結果皇冠由律師去信，給中國時報出版社，指《資料大全》內有五篇為原作者早已登記在案，顯係侵犯版權，違反版權法，並着其立刻停止發行並收回已發行各書，否則將採取進一步行動。《中國時報》是大報，大出版社，不像遠景可以無賴，只好依行規辦理。所以此次他們吃了一記閉棍〔悶棍〕，唐也偷雞不着蝕了把米。以後有沒有下文尚未可知。

志清同你都不清楚來龍去脈，那裡知道《中國時報》和唐並沒有強盜發善心，而是被迫出此下策。無怪平沒有回信，同時平的皇冠蓋了新的大廈，忙於搬家、忙於發動一連串新的活動和計劃，對此事究竟還預備不預備有進一步行動，尚在未定之天。我私人認為在原則上，我們不應採取行動，如果這樣做，等於承認他們是對的。一個作家有權發表自己早期作品，也有權不發表。現在讀者反應既不熱列〔烈〕，何苦自尋煩惱，再自己出版，等於默認唐的功績，他更振振有詞了。《中國時報》既已停銷，再好也沒有，平決〔絕〕對不會同意你的作品，由另一家出版社出版，因為你是皇冠的基本作家，不比我們玩票性質，絕對受保護和另眼相看，更不肯自己打自己。上次《赤地之戀》一時疏忽，由慧龍出版，他至今認為平生一大恨事。最近聽說慧龍負責人去世，他擬將《赤》一書購回，暫時沒有下文，可能由其子接辦。所以站在你的立場，你應保持你作家的尊嚴。後人如果研究你早期的作品，那是他們的事，對唐和盜版者的立場你在《惘然記》序中說得很清楚，應一貫初衷，不必去降低身份遷就這種人。

我的看法是你既然在心目中有幾篇文章預備收入《續集》中，並已登記在案，自應照原來計劃進行，《資料大全》事不妨在《續集》的序中輕描淡寫帶一筆，猶如《惘然記》的序一樣，這才不失你為人的身份和個性。況且你目前居無定所，身體情況都不允許你這樣做。你的基本讀者仍在「皇冠叢書」，只要是皇冠出的張愛玲的作品，讀者認為必是精選之作，不會上當。《惘然記》銷路極好就是這原因，至於《海上花》國語版銷路不理想，還是原作的問題。你和瓊瑤是真正元老作家，於梨華放棄皇冠，到現在心裡很後悔，因為年底一筆為數不小的收入對她不無小補。而且我調查過，皇冠是付版稅最規矩的出版社之一，像我的作品放在皇冠毫不發生作用，因為加入時已太遲，同另外一千本書放在一起，誰會多看你一眼？這封信我會影印這一部份給志清，相信他讀了之後必會明白和同意。

水晶最近有信來，對你沒有見怪之意，不過知道你的情形之後，心中很是掛念。他最近的教席很不錯，得以發揮所長，所以產生了安全感，不像從前那樣喜歡發牢騷。我只對他說你身體不好，當然沒有提實際情況。他今年開了一課「張愛玲作品選讀」，據云學生最喜歡〈傾城之戀〉和〈第一爐香〉，我想外國年輕人的口味應該如此。他所居離你不遠，大概自己開車，如果有急事，不妨打電話給他，備而不用。目前不必理會他，因為他生平最佩服的作家是你，如略假以詞色，又要在報上大寫特寫，上次同他見了一面，到現在還津津樂道，古代皇上賜見都不及這一面的榮寵有加。他本質還不壞，是個熱心人。請你保留他的地址，備而不用可也。

有關我們的事，請閱文美的附函。祝　安好。

Stephen
2/9/58[38]

P.S. 我想問一下中醫，有沒有什麼擦皮膚去 fleas 的藥液。

宋淇，一九八五年二月十五日

Eileen：

前信寄出後，立刻寫了一封信給志清，免得他在中間出主意，他當然一番好意，根本不知此事的來龍去脈，弄得不好，得罪了平鑫濤，引起各方面的誤會，結果都不討好。

為今之計，你目前先得對付燃眉之急。fleas的麻煩大概是在藩滋生殖力強，也可能養成immune〔免疫〕的能力，看上去你只能always on the run〔持續躲避〕，而不能安定下來。我在瞎想，醫生可能不信你，有沒有辦法住幾天醫院，休養生息一下，以便恢復體力和智力？我已經記不清楚了，你的fleas是那裡來的？要去查back file的信，分成唐文標、皇冠的一份，邵氏的一份，私人的一份，一大堆也不知從那裡著手？請便中回信一提。好讓我去請教一下中醫一試。

如果體力許可，你不妨試試在腦子中構想一下，《續集》的內容，薄一點都沒有關係，那些舊作預備收進去的？《惘然記》之後發表過什麼文章？可以放進去的。例如有一篇極長論吃的散文，〈海上花中譯本序〉值得再登，文章寫得好，又再你自己的書宣傳一下，〈《海上花》的英譯〉和我那篇也可以作為附錄。因為你究竟是作家，你對讀者有責任，而且既然已經登記，就應該兌現，免得給人說完全是為了保障版稅，這樣也可以堵上《中國時報》和唐文標的嘴。我說的這一切可能目前無法實行，那也只好走一步看一步了。即祝　安好。

Stephen
2/15/85

copy of letter to 志清 1又1/2 page

38. 當為85。

張愛玲致鄺文美、宋淇，一九八五年三月三日

Mae & Stephen，

收到你們二月九日的信，非常慶幸Stephen好了，而且寫了信給平鑫濤。我本來覺得「資料大全集」由我來出，分明是贊同，不好，臨時寫信改了妥協，當然還是前者對。信寄出後想着書名可以改為《〇〇〇資料大全？》——銷路只有更壞。——我沒忘記作品現在全登了記，但是儘管理都在我這邊，不行動也枉然。事實是全在平鑫濤，我現在連商量都難，快三星期才去取一次信。以前丟失的一批信中，也不知道有沒有平鑫濤的。刪削過的《資料大全》正是他要出的一部書。Cefol此地要醫生開方子才買得到，Mae先不要寄給我，我下次看醫生可以找他開方子。Folic acid〔葉酸〕不是礦物？我吃鐵、肝等上火，維他命A影響胃口，吃不下飯，多吃C更不舒服，心口梗着，有副作用。這一兩年來只勞力，倒強壯了些，失眠症完全沒有了。本來預備隔些時再寫信，又想着應當再講點fleas的事，萬一Stephen能問中醫，可以講得詳細點。醫生說我皮膚eczemaish condition，其實已經是十廿年前了。除了手臂褪皮，也並看不出來。不過手腳一碰就破，久不收口，非常不便，所以看醫生。現在這變小了的fleas叮了只一陣輕微的熱辣辣的痛，像rash似的一大條紅，略有些疱，很快的消失。最近惡化，剃了光頭（我想起台灣的黃蘭）也還是撲向頭頂偏左，頭髮漩渦處，大概那裏體溫高。還是要時刻包着頭，每天消毒。要不停地用火酒擦內衣，用濕紙擦掉flea，否則鑽入體內。有一天累極了，沒執行三小時消毒手續，下午有事出去，好幾個鐘頭不能用火酒擦，就此紮了根。大量用消毒劑，都蠕蠕爬了出來。（也還是半小時後就又re-infested，不過好些，儘管一天消毒兩次）這次收集了些標本，預備送到診所化驗。太小，（比蝨蟲還小，蛋只是一個小黑點）又浸濕模糊，恐怕沒用。以前送去的兩個普通大小的，一個是「一種seed，」（別的房客吃的麵包上的）一個「也許是個flea腿。」電視上說Alaska小蒼蠅鑽入caribou〔馴鹿〕鼻孔內，在mucous membrane〔黏膜〕上下了蛋，caribou不久就infected死去。申請低收入房子，收到正式信，要收入的證件。我回掉了不要了。恐怖故事待續。匆匆祝好。

Eileen 三月三日

張愛玲致鄺文美、宋淇，一九八五年三月十七日

Mae & Stephen，

前幾天剛寄出一信，又收到Stephen的信，就又再補寄這航簡來。這次一個月才去開了一次信箱取信。現在這批fleas來自’83十一月買的舊冰箱底下的insulation〔隔熱板〕中，淺棕色，與上一批Kingsley舊居鄰家貓狗傳入的黑色fleas不同，疑是中南美品種。變小後像細長的枯草屑，在中國只有一種小霉蟲（黑色爬蟲）有這麼小。’84秋搬家放棄第二隻新冰箱前，曾經問過買的那家公司，說冰箱底下有個淺盆，fleas可以進去。早在’83冬我就想住一兩天醫院，徹底消毒。不收。現在要住院，除非醫生介紹，而醫生也疑心是a bee in my bonnet。前兩天我告訴他近來的發展，更像是最典型的sexual fantasy，只有心理醫生才有耐心聽病人這種囈語。送去的標本拿去化驗，看「是否animal tissue」，兩星期後聽回音。Stephen寫信給志清講《資料大全》事，我上一封信上纏夾，當作寫給平鑫濤，是個Freudian slip〔佛洛伊德式錯誤〕，因為下意識以為平鑫濤也許也覺得志清的安排是a way out。匆匆祝好——

Eileen 三月十七 1985

宋淇，一九八五年三月十八日

Eileen：

接三月三日來信後，我們心為之悸。照你信中所描寫實在太可怕了，簡直應屬於believe it or not

欄內可怖的一部份。你已經盡力採取所有可能的措施，仍然無法斷根，總有一天心力俱瘁，支持不了的，真不知如何是好。我信中所說問問中醫，也只不過存着僥倖的心理，或許有什麼偏方之類，但實在沒有把握。現在你皮膚特殊組織，再碰上這種神出鬼沒的fleas，不太相信中醫有何把握，我們至少會盡力打聽和努力試訪醫師。

告訴你一個好消息，我最近去問了一家書店，老闆是幾個大學生，各有專業，然後志同道合，業餘開了家新書店。我詳細問他書的銷路和各作者受歡迎的程度。據他的經驗，每過一陣，必有一本書特別暢銷，但如以平均銷路以張愛玲為最穩定，最可靠，每年必可實銷若干冊，不像別人那樣大起大落，瓊瑤的新作還有人買，可是極少人看了新作之後，再去買她以前的作品，所以幾冊出名的舊作只選了幾種，各置一冊，聊備一格。三毛的潮流已過，最近也沒有新作，跌得很厲害。與兩年前簡直有天淵之別。高陽則因李翰祥到北京去拍了兩套清宮電影，諷刺慈禧即針對江青，用他寫的小說為藍本，因此出了一陣風頭。我想香港如此，台灣亦必如此，最近看到台灣一份統計，云你的《短篇小說集》多年來高踞暢銷書榜上。所以我看你不用愁，至少每年的固定版稅收入，可以保證你最低生活的需求。《悃然記》銷路不錯即其一證，《海上花》的過錯不在你。即使你暫時沒有書要出，這幾年總不致有問題。

我倒是希望你能抽出時間來將《續集》的目錄開列出來，讓皇冠的人代你搜集，因為出一本新書至少又可以讓大家想起你。

《資料大全》事完全由平決定，我們最好不要關問。〔……〕

另附上你弟弟的一封信，到了這年齡，還有這種想法，真有點荒唐！像他這種料，這種條件，怎麼會有人肯嫁給他，還不是看中他的海外關係和他有位名作家的姐姐。上海現在消息很靈通，至少知道海外關係這一方面，而且傳說中必然是你很闊，他們心目中香港遍地黃金，不擇手段一定要設法來港一次，否則死不瞑目。至於美國更在香港之上，簡直無法想像。真的來後當然看得他們目瞪口呆，可是看到香港人的苦幹精神和效率，他們也只有驚服的份。令弟這封信不知怎麼一來轉到《聯合報》的《世界日報》去，再由他們轉寄給我。文美同我認為你可以而且應該看這封信，但閱後絕對不能理他。大陸上最缺乏、最難處理的就是房子問題，你如果沾上了手，後患無窮，以後會想盡各種方法來approach你，甚至中共會利用他來公關、私下向你統戰。我們對這種請求一概置諸不理，不是我們自私心狠，因為這是社會問題，沒有理由讓我們來負責，所以我故意不拿他的地址給你，免得你自顧為〔不〕暇時還要為他操心。

Stephen
3/18/85

宋淇，一九八五年五月十六日

Eileen：

三月十七日信收到後，一直沒回。說來話長，我因為今夏決定完全退休，努力趕編《譯叢》最後一期，除了寫序以外，還得寫一篇論文，我的英文不管用，一向根柢不好，又沒有機會多寫，真是煞費心機，Mae替我修改、潤飾、打字，往往三易其稿。結果是過年以來忙了四個月，總算交了出去。後遺症是Mae生了shingles〔帶狀皰疹〕，我的十二指腸潰瘍舊症復發，完全是工作壓力所致，加上年歲不饒人，到現在才深知這種滋味。

我接到志清來信，口口聲聲說你患的是illusion，要不是我們讀你來信的具體生動描繪，我們也有可能作這種想法。我問過幾位中醫，他們都聞所未聞，而且認為既然連西醫殺蟲的藥物都沒有效力，中藥更無能為力。等我有時間時，再想去問問陳存仁，他比較最資深，見聞較廣，而且同我也認識。Mae說美國Parke-Davis廠有一隻CALADRYL cream，對蟲咬有奇效，給毒蚊叮了之後，一敷就可止癢，不知你試過沒有？第一是否要醫生處方才可以買得到，香港就不需要。第二，你的皮膚敏感，會不會有反應？好在上面說得很清楚，照instruction去做好了。至少發癢時，有暫時治標之用。

可是唯一徹底解決之法是入院消毒。不知送去化驗的標本有消息沒有？我知道你非常reluctant麻煩別人，到實在沒有辦法必須求助於人時，何不考慮水晶？他現在L.A.的小大學有了教職，生活安定，有汽車，將來入院，找醫生等一定可以幫忙。這次來港訪問流行曲界人士，同我談了一下午和晚上，夫婦二人都很正派。他以前總是不得意，有點自卑感，現在文章有人接受，也找到了棲身之地，必會比從前更樂的〔得〕助你。除此之外，你一個人過得一天是一天如何是好？丘彥明接到你信後，知你身體不好，居無定所，打了個長途電話給我，大家都覺得無從着手助你為憾。

有一件事我一直忘了問你，「慧龍」替你出了《赤地之戀》，第一次付你的版稅是旅行支票，還是托平鑫濤代換成正式支票。以後繼續付過你版稅沒有？最近一次是在何時？平有信給我，云慧龍主持人已去世，他想把《赤》一書承購下來，好像是搬去台中，他的兒子續辦，以後就沒有了下文。

我問這問題因為有人最近接觸我，說張艾嘉（與林青霞齊名的台、港雙棲女星）有意把《赤地之戀》編成電視集，自己做監製並飾戈珊一角。昨天下午來我家談了兩小時。張想拍這戲已有一年多，但電視台通不過，現在總算通過了。可是台灣三家電視台（都有官方背景）無論在技術和攝製上，水準遠不如香港，往往到香港來借將，廣告收入亦比不上香港，因此節目因陋就簡，錄映帶也賣不出去。到現在為止，香港只買過兩套，湊空檔。台灣的電影水準已遠比不上香港，電視的水準更低，以致形成了惡性循環。張心目中想拍二十到廿五集，因為知道最大的問題在版權，所以還沒有動手籌備。她在外也聽到很多關於你的事，知道你平日為人一向與眾不同，所以只好求我委為轉達。如果版權費實在出不起，只有放棄之一途。她今年已卅一，星運下沉，所以改行做監製。我對她說張愛玲有她自己的看法，絕不會受外界的影響，我可以寫信去詳細解釋，但這一陣身體不太好，未必會很快答覆，其次，就是有了答覆，也未必能令她能坦然接受。所以千萬不要寄託太大的希望。

照我個人的看法，據說台灣最高的版權費是古龍的武俠小說，好像是《楚留香》，三十萬台幣，合$7,500美金，可能超過廿五集以上。如果你開價一萬美金，合四十萬台幣，等於每集一萬六千台幣，恐怕吃不消，六千美金，合二十四萬，每集一萬，大概可以付得起，因為電視的收入遠不如電影，演員，工作人員的待遇二者有天淵之別。照我看有下列三個可能答覆，任選其一：

（一）開價一萬，預備淨收入八千。所得稅由對方付。中間人的佣金不管，介紹人是我的小輩，他不見得會好意思開口。與上次情形不同。價嫌太高。

（二）開價八千，存心到手一筆錢，預備淨收六千。你身體不好，以後暫時不會寫作，這方面收入不能有何指望。乘現在有人要拍，能收多少就多少。

（三）暫時不開價，設法由平向慧龍收回版權，因為一拍電視，小說銷路會增加不少，沒理由讓慧龍坐享其成。但這樣做的缺點是夜長夢多。望覆。

Stephen
6/16/85

宋淇，一九八五年七月十六日

Eileen：

上信寄出後，至今未收到回信，令我們十分掛念。

現在查出來上次你寄來的航簡，地址寫了#645，我乃照址寄去，可是前兩個月的信封上卻是#648，不知這中間有沒有差錯？根據我們的紀錄，你的轉信地址一向是#645，所以再寄一次一試。前信說一個月才去收一次信，希望這次也是如此。

陳存仁醫生年老，不能再行醫，已有點senile〔老糊塗〕，見人就說希望推薦他為諾貝爾獎金候選人。聽說家人預備送他去美由子女照顧。

唐文標已於上月患癌症逝世，兩報副刊都有追悼他的文章，居然有人稱之謂「儒俠」，主要原因是為了他放棄美教職回國服務。照我個人看，或許他拿不到tenure也未可知。看了各文之後唯有苦笑。

上信所說辦法條件太苛，如照原議提出，經側面打聽，可能負擔不起，如你同意，不妨略為降低到4—6G[39]之間。不知你意下如何？最好能讓我全權決定。祝安好。

Stephen
7/16/85

張愛玲致鄺文美、宋淇，一九八五年七月二十七日

Mae & Stephen，

我市內都住遍了，搬到郊區，買東西路更遠，不但沒時間寫信，連看信的工夫都沒有，好幾封信帶來帶去一直沒看，也是因為看了不免想着回信要對近況有個交代，更增愁煩。Stephen上一封信，收到也只匆匆「瞭」了一下，今天好容易寫信了，也沒拿出來再看一遍。上次送去化驗的標本，驗出來說「No animate matter，」為之氣結。但是我只能相信自己的官能。而且並不是單調重複的sensations〔感受〕，而是層出不窮的新情形，也是我這一兩年來的全部生活。如果全是想像的，那是整個瘋了，不是一種錯綜或是神經質。我對這診所附設的化驗室信心不大，以前那次明明看見面盆邊緣積水中扭動的跳蝨蛇形幼蟲——當時還不知道它們經過這蝌蚪階段——送去驗，說「也許是一隻跳蝨腿。」憑我這一向的運氣，極可能碰上疏忽的malpractice〔誤診〕。那些枯草屑似的棕色細粒，既然不是蟲或是皮膚（dead skin）或排洩物，那只能是擦的紙上的雜質。我當時就疑心，仔細看了，紙張潔白。實在無法說服醫生，現在更沒有絲毫叮咬的疱斑。有一天剛「出浴」，還沒擦乾，肩頭一陣癢，一看，有一抹灰，中間許多小黑點。在潔無纖塵的旅館房間裏——天冷，小旅館暖氣熱水時有時無，無法執行午前三小時的消毒，所以一直住$50一天的中上級旅館——門窗緊

閉，哪來的煤灰？我最近告訴一個醫生，他說那一抹灰應當送去化驗。其實體內擦下的小黑點，上次也已經送去過了。長形稍大的我想是蟲，小圓點是蛋。前兩天有兩隻大一點的淹死在溫熱的牛奶裏，黑白分明，看得清清楚楚，長喙與蜷曲的身體一樣長。我神經緊張太久，一panic，馬上倒掉了牛奶。下一隻保存了下來，但是太小了點，醫生說過太小沒用。我這些時每天用心改進搬房間前的手續，倒居然好多了，幾乎又到了不絕如縷的階段，渴望重演去年八月的擺脫。我甚至於想打電報來請Stephen不用問醫生了，我知道那多麼煩難。但是當然，不斷根就隨時可以又變壞。一旦確定不是身上帶過去的，那就只能是行李上的了。屢次換新行李，最後又存入另一個較近便的倉庫，只留少數東西裝在購物的大紙袋裏，作為「即棄行李」，可以天天換。果然又更好些，fleas差不多絕跡了。但是天一熱，去取出夏衣，就又帶了回來。還是考慮欠週——倉庫小房間的空間再狹小，行李也還是應當架高蓋沒，而且必需全新。我因為架子難買，也許短期不值得買，其實行李輕，任何廉價塑膠椅榻都可以代用。腦子就是轉不過來。也是因為我覺得我人不在那裏，會好得多。（兩個月前住過的旅館房間再住，有fleas，但十分微弱；幾天前住過的雖壞，也還比連住幾天的好些。）不料幾星期內滲透行李袋拉鍊末端的洞眼，附在裝新衣的塑膠袋上帶了回來，一天壞似一天，再也扳不回來。倉庫不敢再去，租賃期滿，托病請管理員把東西全扔了，送了他廿元。我弟弟的信也在內，迄未看過。全神貫注的結果，終於又好些了，身上行李上沒有了，却又轉移陣地到頭髮上，只頭頂偏左那一塊，永遠在最後幾分鐘內鑽進一隻，搬家就又帶了過去。或是下了蛋，數小時後有輕微的騷動，漸漸蹦跳。我學會了自己剃頭也沒用。消毒劑洗頭失效，改用殺lice洗髮精，頭一天消了毒，隔夜又滲透了，不得不改在早上提早，六點鐘直忙到十二點多，一搬定了就出去，遠道進城，再多跑幾個地方，太累了竟把一個月取一次的信全丟在公車站的長椅上，幸而沒有你們的信在內。次日再照這新課程行事，更闖了大禍：這種劇毒的洗髮精要專心不讓它流入眼睛，但是搽上了要等一個鐘頭（方單上說十分鐘——無效），我利用這時間做點別的事，頭一天可以早點

39. G指thousand。

睡。（我說的三小時睡眠已經是分兩截，回來得晚些總要一直忙到天大亮，全靠第二天補覺，不出去。）不料瞌睡麻木，一低頭做事，淋到眼睛裏有一會才覺察。到附近醫院急救，第二天複診，有lesions，叫我到USC醫院診治，五天後又再長出一層眼膜。住在醫院對過的豪華的旅館裏，給病人打折扣，但是不讓搬房間。總算住滿三天搬了一次，又住了三天。Fleas本來差不多沒有了，迅即惡化。但是我經過這番教訓，當然不敢再冒這麼大的險了。去年下半年的皇冠版稅也有六千多，銷路正如Stephen所說的。《赤地之戀》拍片的事就請Stephen看着辦，不用再問我了。也許可以告訴張艾嘉我因為《傾》片不如理想，所以躊躇，躭擱了這麼久沒回音，要向她道歉。Calomel止癢止痛，我天天搬家，fleas來不及長大，不會叮，只偶有一陣極輕微的刺痛，是進侵殖民的警報。Stephen這次發十二指腸炎都是編《譯叢》硬累出來的，編雜誌真是個重負，尤其是自己的brain child〔心血結晶〕。希望已經痊癒，Mae近來也好。我現在存摺上寫你們作beneficiaries的號碼是〔……〕都是短期的，隨時到期改動，可以問他們。夜深了，要趕緊去檢出明天的衣服鞋襪，早點睡。你們看了我這大段的flea saga，實在很難做大綱說個大概，也許可以原諒我這些時音信全無。

Eileen 七月廿七

張愛玲致鄺文美、宋淇，一九八五年八月一日

Mae & Stephen，

我上次講眼膜受傷事的一封長信想已收到。這次隔了一個多月去取信，九月底才收到Stephen七月十六的信，又還隔了幾天才得空拆看。現在先寄一份委托書來。慧龍唐吉松（？）死後由陳（？）某接辦，第一次也是最後一次寄版稅來，由平鑫濤將旅行支票兌現寄了$1000給我。此後沒通訊過。他兒子接辦的事我也不知道。張艾嘉TV事，（我一看見就想到她可以演戈珊）Stephen擬的第三個辦法我也覺得恐怕夜長夢多。第一、二辦法請看情形決定，不用問我。我希望不奢，並

沒倚仗它。Stephen可好全了？Mae的shingles也好了？——去秋信箱不租了兩個月後又再租，648改了645號。

Eileen 八月一日[40]

鄺文美，一九八五年九月二十七日

愛玲：

許久沒有寫信，整個夏天不知怎樣溜走了，想做的事都沒有做成。先是朗朗回家渡假，在闊別十一年後骨肉重逢，說不出是什麼滋味，自有一番激動。他走後又發生了別的事，令我心情久久不能平伏。有時念及你長期為蚤患所苦，十分掛念，很想馳書慰問，可是在自顧不暇的情況下，一天天就那樣過去了。

這次看了水晶那篇文章，Stephen和我都難過到極點，他自知闖了禍，懊喪得無法形容，這兩天寢食不安，瀕臨精神崩潰的邊緣，我一面怨他「聰明一世、糊塗一時」，犯了大錯，一面擔心你不知失望而氣憤到什麼地步。怎對得起你？！這些年來，你一直把我們視為知心好友，就因為我們從未辜負你的信託。如今陰錯陽錯的，無意中弄出了這種事故，真是不幸！我想起來就氣得索索抖。你儘管寫信來責罵他（他自知該罵，甚至該打），但千萬別因此不再理睬我們。你是我倆共同的知己，我們異常珍視這份真摯悠久的友情，這一點你自然明白。Stephen只是凡人，難免有愚昧的時刻，現在我虔誠地代他求情，請你予以曲宥，你不會拒絕吧？

希望這一向你的處境有了好轉。我們等着你的消息。天氣漸涼，盼善自珍攝。

美

一九八五年九月廿七日

40. 據信內容推測可能為十月。

〔以下為宋淇手跡〕

P.S.皇冠陳皪華女士看了水晶文章之後有信來，云曾於九月十五日航空掛號寄上版稅美金五千餘元支票一紙，未知你全收到否？我告以水晶的信已失時效，後來我同你又聯繫上了，地址無誤，支票抬頭是你，非存入你戶口不可，不會有問題，我當去信通知。陳皪華現在是副社長，兼皇冠雜誌、叢書總編輯，平已將業務全部交托給她，盼你收到後即覆收據及謝函。平手下另一位叢書總編輯已離職，由陳一手暫兼。我覆了她一信請她安心，並希望大家以冷靜態度處之。

Stephen　又及

宋淇，一九八五年九月二十八日

Eileen：

我做錯了一件事，出於一時衝動，沒有詳加考慮，所託非人，以致出了亂子。這些都不算，主要是我有負於你多少年來對我們沒有保留的信賴，Mae並沒有事先與聞其事，但她心中的難過不下於我。我現在將事情的來龍去脈從頭說來，其中或許有為自己解說的部份，但並不足以減輕我魯莽草率所引起的後果。

（一）自你三月十七日航簡後，我曾先後寄上兩次長函，沒有接到回信，我想信中提到台灣方面有人想買你的《赤地》電視版權，而且你目前正需要用錢的時候，總應有個答覆，所以心中不免為你的健康擔心，屢次同Mae說起，總是發愁。後來又打聽到陳存仁患了老年病，已去了美國隨兒女居住了，事實上我也始終沒有在他身上寄託任何希望。

（二）在此期間志清曾前後有信來，對你的情況非常關切而又愛莫能助，並說朋友中就近可以幫你的是水晶，並曾在信中向你提議同他聯繫。此前你曾在信中叫他來見我，談談有關他正在研究的題目：流行歌曲。他去年特地從台北來港訪問了三個人，第一個就是我，然後他寫了篇訪問記，並且作了一次公開演講，頗受歡迎。今年初他那本專書出版，今夏又回台灣，舉行了第二次公開演講，並有歌星助陣，很是風光。

（三）我對他的看法是以前一直不得意，有懷才不遇之感，所以時常有牢騷，而且有點自卑感。這幾年來他總算拿到了博士學位，而且覓到了教職，同時寫文章和公開演講也受到歡迎，可以說是揚眉吐氣，以前的不安全感覺理應一掃而空。何況我同他作過一次長談，他既受過博士班訓練，理應對運用資料有所認識。（這是我的單方面的自解之詞，一個人的天性如此，積習難改，對他認識錯誤，完全怪我不識人頭。）

（四）在等了一個月之後，沒有你的消息，遂又將上次的信影印一份於七月十六日短函中附上。同時我寄上一信給水晶，請他就地查詢一下你的情況，我想他一向是你的忠實讀者，訪問過你，又蒙你的介紹才見到我，可以信得過。因為志清信中始終認為你患的是心理病，而且信中無法詳細解釋，我毫不加思索將你三月十五日致我們的私函影印了前一大半給他，以證明你的困擾是有生理上根據的。事先事後我都不以為意，也沒有同Mae商量，就此忽略了私函的private〔私人〕和confidential〔保密〕性質，真是罪莫大焉。如果我用自己的口氣寫個人的看法就好得多，現在真是自己送上門去自取其辱，又如何對得起你？看以上所述的時日，我可以說是那時心中焦急萬分，才會做這種蠢事，多少有點近乎panic〔恐慌〕，以致章法大亂，不像我平時做事的方法。（這又是替自己開脫之辭。）

（五）信去後沒有下文，原來他已離美去台，上台表演去了。我也沒有放在心上。他們回美後才見到我信，隨即於九月十日覆我一信，第一段講起你的情形，最後引你〈天才夢〉中一句話，也是他文中所引的，表示很關切。隨後同我討論我寫的〈薛寶釵和冷香丸〉一文，有很多補充意見，希望能得到我的諒解，將來或想草一文云云。然後又說到最近看到的一部電影（中共的）。最後他說他會寫信給你一試，但認為你畏於見人，未必肯見他，希望你的情況沒有那麼嚴重就好了。接到後我也沒有答覆他。談起《紅樓夢》來無爭辯，每個人儘管可以有他自己的想法。

（六）誰知他在此信同時根據我的信和你給我的信寫了一篇文章：〈張愛玲病了！〉於九月廿一日台北《中國時報．人間副刊》發表。我沒有見到，還是一位朋友見到後，剪給我看的。閱後深以為異，信中隻字不提，既不通知，更不用說徵求我的同意了。如此一來，他根據的是第一手資料，完成了一個scoop〔獨家報導〕！閱後我只有叫聲苦，不知高低之感，我竟然無意中協助他揭露你的私事。此文一出難免影響到我們幾十年建築起來的good will〔友好〕，思之黯然，只怪我一時糊塗，認為他會尊重別人的隱私權。天下竟然有這種事，如他仍在Berkeley〔柏克萊〕，我根本不會如此做，我以為他既在L.A.，有汽車、學校背景，當然在醫生和醫院方面比較有辦法，或許到有需要時能助你一臂之力。誰知道一切都是我的單相思，自己送上門去給人利用，夫復何言?!

（七）禍是闖了。這篇文章發表後一定產生極大的震盪。當然以後我再也不同他來往，他既然如此不尊重別人，我又何苦作賤自己？我所能做的只是暫時默不作聲，免得越描越黑。現在寫這封信向你解釋，即便求不到你的諒解，至少要你知道實情。補救方法，我是想到一些，但非目前你所能做。

（八）看了你七月廿七日長函，為之心驚膽戰，尤其是你倦極入睡，洗髮精流入眼睛，太可怕了。由此看來，你的情況未始不可以控制和減輕，但「長期抗戰」，體力不知能維持否？最好能想法把這vicious circle〔惡性循環〕打破，才能治本清源，恐怕還得借助於醫院的外力。實在想不出面面俱到的方法。心煩意亂，先將此信寄上再說。祝好。

Stephen

9/28/85

宋淇，一九八五年十月二十日

Eileen：

上一次信中忘了提張艾嘉想拍《赤地之戀》的事。第一，港台兩地電視都很小兒科，〔……〕有人說看過〈第一爐香〉拍成電視，故事完全照抄，只是人的姓名給改了。台灣電視拍攝成本比香港低得多，根本出不起價錢，我向內行打聽過，大概最高價錢不過三、四千元美金之間，此其一；電視台方面曾向當局請示，據說有幾段還是不能通過拍攝，這也是當時皇冠印好了不許發行的原因，張艾嘉說大概戈珊那一部份有問題，所以與其被剪，不如乾脆不拍，此其二。那時還沒有收到你的信，其後我正在發愁如何應付，她自動放棄，真是求之不得。她現在正在動〈色，戒〉的腦筋，大概可以出到八千到一萬之間，拍電影，不拍電視。原則上已透露了這價錢，我也告訴別人通知她數字相當接近，俟她下次來港時面商，我會看情形為你做主。

平鑫濤處我已經去了一信請他向慧龍追查，據說負責人不在台北，去了台中，信中口氣也不很起勁。接你信後知你這一陣始終沒有收到過版稅，所以又去了一長信，勸他無論如何設法收回《赤地》一書，如此皇冠真正做到張愛玲全集的出版人。他是個要面子的人，希望能打動他。台灣最近每月有暢銷書榜，你的《張愛玲小說集》居然列名文學類的第19名，可謂歷久不衰。在香港書店看見別的台灣書都打八折，唯有《赤地》打七折以便傾銷，這一折就是你的版稅，看了真令人生氣。將來早晚要同慧龍算帳！又你的東西都扔掉了，和慧龍那張合同還在不在？請你想一想，查一查，以便隨時應用。

我在為《聯合文學》編一期翻譯專號，這本雜誌印刷編排都是國際第一流水準，目前定戶一萬四千，銷路每月超出四萬，打破歷史紀錄，他們請我為他們編一期「翻譯文學」專號，所以常同他們接洽。昨天和丘彥明通電話，她最後提起水晶的文章，說他的態度flippant〔輕率無禮〕，幾乎有幸災樂禍之意，我對她說他的文章已失時效，而且最近還接到你的信。她自動提出說如果你肯，《聯合報》願支助你去台灣住醫院治療，保證不為人所知，一切費用由他們負擔，我們交換了幾句話，答應將這offer轉達給你。《聯合報》每年大賺其錢，老闆王惕吾為人很慷慨（頗有海派大亨作風），曾資助白先勇〈遊園驚夢〉改編舞台劇上演費台幣一百萬（合美金二萬五千元），沒有任何代價；資助三毛和助手一人去中南美洲旅行，因為她懂西班牙文，而三毛是皇冠旗下作家，不規定為《聯合報》寫文，其後大概寫了幾篇遊記報導；他們也曾資助高陽，為他還清債項，並供應他洋房居住，以便安心寫作。這點力量和誠意是有的。至於能否完全保密則要看事先的準備功夫，沒有人敢保險一定做到，但他們能力較皇冠遠勝則是沒有問題的。我仔細替你想過，來香港困難較多，因我和文美歲數已大，和現在的醫生與醫院已脫節，叫應不靈，而且香港私家醫院價格不在美國之下，大家都存撈一筆以便在1997來臨走路之心，實在吃不消。台灣方面醫療水準相當高，榮民醫院完全美式訓練和配備，況且你在美國每日住旅館費用也不少，一旦入了醫院之後，謝絕訪客絕對可以做到，同時醫生在美受訓，對病人的情況一定會保持confidentiality。問題是自L.A.或三藩市直飛一段旅程吃點苦而已。我知道你的為人，不願連累別人，也不願接受無緣無故的恩惠，但這是一個打破惡性循環的良機，長此以往總不是辦法。我將這層意思和我的分析說給你聽，請你考慮一下，如果原則上可以接受，請先告知，然後再討論細節。如不願接受，或有其他困難，也請告知，以便我向他們暫時謝絕。總之，一切以你的意思為依歸，我不過是個傳言人，指出其中可取之處，至於你一方面的困難當然你自己知道得最清楚，毋庸我置喙。希望能收到你的好消息？版稅想已收到。祝

安好。

Stephen

10/20/85

張愛玲致鄺文美、宋淇，一九八五年十月二十九日

Mae & Stephen，

我那份「委託書」想必寄到了。收到你們九月廿七、廿八日的信，也好幾天後才拆看。上次Stephen勸我找水晶幫忙，我就想說「如要廣播，乃可告訴水晶」——以前請他不要寫的，他彆了些時還是寫了出來發表——但是實在沒工夫寫信。這次的事也是怪我太專心「抗fleas」，雖然一直在擔心你們不知我生死存亡會着急，我向來顧不過來的時候就什麼都不管了。我姑姑也因為久沒收到信在着急。莊信正來過幾封信我都沒拆看，大概也是急了，才找志清寫信給Stephen。我從經驗上知道無論遇到什麼不幸，最難受的是怪自己。Stephen千萬不要再難過了，萬一影響健康，又該我悔恨了。那次Stephen病後來信說我差點見不到他了，我習慣地故作輕鬆，說我對生死看得較淡。雖然也是實話，那時候有一天在夕照街頭走着，想到Stephen也說不定此刻已經不在人間了，非常震動悲哀[41]。我說過每逢遇到才德風韻俱全的女人總立刻拿她跟Mae比一比，之後，更感嘆世界上只有一個Mae。其實Stephen也一樣獨一無二，是古今少有的奇才兼完人與多方面的Renaissance man（文藝復興時代的博雅之士）。我想寫篇叫〈不捫虱而談〉，講fleas的事，目前沒工夫也只好先讓它去了。皇冠九月寄來的版稅沒收到，現在寫了信去請他們把支票掛失。掛號信由出租信箱的店代簽收，兩年來一直沒出過亂子，這次不知是怎麼回事。丟失在公車站上的一批信內沒有皇冠的。我以前忘了說前年冬天去醫院找醫生，都說沒有消毒除蝨這件事。所以即使有acceptable specimen化驗證實是flea，醫生大概也不會介紹我住院。趕寄這封信來，匆匆祝好。

Eileen 十月廿九

41. 參考一九六九年六月廿四日張愛玲致鄺文美信。

鄺文美，一九八五年十二月十五日

愛玲：

看了你的信，不禁暗歎：Eileen真是我們的知己！Stephen闖了大禍，你不加責怪，反而替他譬解，譬為Renaissance man……若非肝膽相照，天下那有這樣的朋友？早該覆信，可是不停的有事相擾，旅遊旺季中親友紛紛來港，疲於招待還不算，又遭狗咬（詳見他的信）和跌傷（我不知怎的，上月底滑了一交〔跤〕，跌裂了左手腕骨，幸不太厲害，現在漸漸癒合，不怎麼痛），再加上身邊的人輪流生病，其中有一位我敬愛的中學時代老師，近年關係頗密切，半個月前忽發現患乳癌，她丈夫前年病逝，女兒遠在紐約，需要我幫她辦理諸事（立遺囑，設立信託基金等），弄得我忙碌之餘，心情很亂，總沒法定下心來寫信。想到你獨在異鄉與蟲作戰，我們幫不了忙，只覺得人生充滿了無奈，自己是那麼無用。聖誕就在眼前，滿街是輝煌的燈飾，也提不起興緻〔致〕來欣賞。

希望過一陣情緒好轉，再寫給你。匆此遙祝

健康快樂！

美

一九八五年十二月十五日

宋淇，一九八五年十二月十五日

Eileen：

收到你十月廿九日航簡，知道你能諒解我的「軋扁頭」的苦楚，心中為之一鬆。這一陣我們總是有點小不如意，前一月多，我們出去散步，就在大門口不遠，忽然從橫街衝出兩頭惡犬，追逐一隻小貓，貓倒爬入鐵門欄下，狗卻轉向我撲來。Mae給狗咬過一次，嚇得看都不敢看，我照準狗的來勢，在它半空中時向後倒退，可是大腿下半仍然給它咬破褲子，浮面上有齒痕和輕傷。回家後立刻先消毒擦藥水，然後由Mae去一家家查問。狗主人是上海人，而且還是認識的，連忙拿出證書來證明狗已打過針，後來同醫生通電話後，云既然有傷而且見血，非打防破傷風針不可，勉強挨了一晚，兩人都心情沉重，醫生說還算好，不嚴重，但打針可能有反應，就給我點藥，服後人有點昏昏沉沉。我覺得運氣還算好，如果不往後退，可能給咬在喉部，或者避得不好，跌倒在地，頭破血流，不堪設想。而如果狗沒有打針，還得報案，打瘋狗針，那就慘了。一月後再打第二針，發現傷口下生了一小硬粒，醫生說是血塊凝結在靜脈裡，不要緊，擦了多日藥後，居然化去，真可以說是無妄之災。

我一直忘了告訴你唐文標生了cancer，大概在口腔部份，他是廣東人，香港住過，後去台灣，美國教書拿不到tenure，回台中某大學教數學。他患了cancer後，錢不夠，就拼命動你的腦筋，先出一冊在遠景，每本書要經他蓋章，怕書店吃沒他的版稅，後來病勢愈來愈重，索性在《中國時報》出那冊資料大全。我同平鑫濤研究下來，唯一可以抓得着對方把柄的是其中有三篇已發表或將發表，已經將版權登記在先，那他們就違法了。可是如果真的打官司，也犯不着，他們最多罰款了事，而且可以將該書收回，拆掉那三篇，繼續發行，反而轟動一時，大為暢銷。所以後來以朋友立場告訴他們侵犯版權乃違法，當然有律師信和證據，勸他們自動收回，停止發行，則皇冠可不予追究起訴。他們是大報，犯不着為此小事而壞名壞譽，結果照辦，並通知唐文標。唐不甘心，從台中趕去台北將存書運回台中，據報上說，書太多太重，因為一個人自己搬，不慎受傷，就此傷口流血不停，一病不起，其實cancer那時已到了terminal stage。此情有他的朋友在文章中提起，似乎沒有人對他此舉表示同情，你說是不是極妙的irony?!可惜不能寫小說。

皇冠陳皪華有信來，云查過銀行，版稅支票無人領取，是遺失了，另寄上一張新支票給你，不知收到否？你現在是不是仍是原來銀行的戶口，以後最好寄deposit slip給皇冠，由她直接寄你銀行直接入你戶口，萬無一失。豈不省事？前兩天收到她寄來的你新書的校樣，可是並沒有covering letter來，不知有何指示？一有具體消息，當即辦理。我想你是應該出一本新書了，那怕是舊作出土，也可以帶起其餘作品的銷路來。又，我在雜誌上看到你的短篇小說集多年來一直在暢銷書之列。我想每年總有一批文藝青年會買來看的。此次稿樣沒有目錄，也缺少前十四頁，不像是《續集》，全部是以前上海的舊作。《續集》不知有何打算，念念。

水晶一文餘波蕩漾，香港也有人看到，根據他而寫你，又害得我接到不少電話，只怪自己做事粗心，不識人頭。《聯副》要我寫文講你的事，我沒有理會，一為之甚，豈可再乎？〈不捫虱而談〉題目極精彩，但寫起來極不容易。不過寫出之後可以silence〔消除〕所有的竊竊「私語」。張艾嘉一度有意想拍〈色，戒〉，但一聽開價一萬，就沒有了下文，她自己演不了那主角恐也是原因。「抗fleas」持久戰如何了？祝好。

Stephen
12/15/85

宋淇，一九八五年十二月三十日

Eileen：

接到皇冠陳皪華女士來信，云收到稿費支票的退件，原因是地址上沒有寫Avenue字眼，口氣中對美國郵局效率不滿。我不好意思同她解釋，L.A.如此之大，漏寫Avenue，叫郵局如何端詳，等於寫信給我而不寫Avenue，不一定會收得到。這一來至少可以澄清誤會之所由來，你轉信的地方絕對可靠，你也沒有拿到手而遺失，是她們的疏忽。希望第二次重寄沒有犯同樣錯誤，而你現在已收到無誤。

皇冠寄來一疊校樣，說是《續集》，但目錄上全是舊作，其中〈心經〉收入短篇小說集，散文小品六篇收入《私語》，故剔除。排出後大約可有200頁，勉強成為一本小薄冊。此事我完全不知情，陳皪華叫我問你同意否？我個人的看法大概如下：

（一）我十二月十五日曾寄上一信，竭力勸你在可能範圍內出版一本新書，此書既然現成，時間上正合適。

（二）不過此書有點不倫不類，即使完全是舊作，當作唐文標的出土文物也配搭得不齊全。如〈多少恨〉和〈殷寶灩〉已經在《惘然記》中登出。令弟那篇〈我的姐姐〉大可不必拿出來示眾。而〈連環套〉和〈創世紀〉也於《張看》中登出。既然不能包括所有舊作，就不能成為舊作的代表性著作。

（三）查舊卷，其中有你〈自序〉的第一頁，大概是為了新散文集《續集》寫的。後來你又有信來提及序中說〈論讀書〉而此文已於《張看》發表。我記得我曾經提起過你一篇發表在《聯副》和《中報月刊》談論吃的長文，遍尋此信不到。時隔多日，或許在更以前的卷內，而且後來皇冠內部張柱國被解職，你又時時搬家，我家中因退休後拿校中的卷宗搬回而雜亂沒有頭緒，以致大家沒有好好聯繫。此外，還有一篇〈《海上花》的幾個問題〉——英譯本序。

（四）如果此書就是我們討論過的散文集，則應該和《張看》和《惘然記》性質相同，內容包含新舊，但可惜我舊卷查不出來，而你時時搬家，新作究竟有多少篇，可以使《續集》具有同樣的balance，恐怕一時無法查到。僅以目前陣容加上前提兩文，似乎是硬湊起來的，新的只佔百分之十，份量太輕了，出了之後效果不好，似乎有點得不償失。

以上各點請你考慮後再答覆我。總之，原則上出書是應該的，但出到書，必需慎重，這點我想你比誰都看得清楚。

前十天，台灣有新秀導演楊德昌託人來說，一定要見我談你短篇小說的版權。他曾導演過：《看海的日子》和《青梅竹馬》，得過影展獎，票房也不錯，曾受過大學教育後在美國進修電影。現在台灣製片一蹶不振，所以獨立製片公司反而願意支持他們新派導演，因為成本低而票房不錯，台灣市場即可收回成本。他想拍〈紅玫瑰與白玫瑰〉和〈色，戒〉，顯然對你的作品非常熟悉，要我開價，我因那天在場人很多，一開價轟傳出去，以後事就不好辦，故反要求他打好預算，然後告訴我版權費最高出到多少。好在他下一部戲即將開拍，我保證將兩故事為他暫時保留，他可以有優先權。張艾嘉的〈色，戒〉沒了下文，主要是她本身沒有辦法演出。《赤地之戀》幸而沒有拍電視，因電視水準太低，因陋就簡，《星星、太陽、月亮》就草草提前結束，編成電視劇之後，反而會影響到你作品的形象。好在他們根本也出不起版權費。楊德昌處我會隨機應變，全權處理，有消息會立刻告知。你銀行戶口的deposit slip可否寄兩份來？祝好。

Stephen
12/30/85

宋淇，一九八五年十二月三十一日〔原稿不全〕

我想皇冠應該根據以上諸文拿來和出土的文物合併在一起出書。如果屬實，那麼出土文章共八篇，佔110頁，新作共七篇（連自序），佔50頁，比例上也還過得去。根據這原則，我想再加改排，大概可能有260頁（同《張看》《惘然記》差不多），份量（指內容）似比以前各作不如，因為沒有新小說，但總是你多年來的心血，有你特殊的風格，也不必考慮太多。我先拿以上意見寫給陳皪華，問一下她們的意見。

瘂弦有信來，請我寫一篇文章，講一下你的近況，因自從水晶一文出來後，轟傳各界，《皇冠》最近一期在作者動態上說你有信給社方，可證無恙，但恐怕讀到的人不多，不足以澄清謠傳。我已回絕瘂弦，云上次不小心驚動了水晶，闖下大禍，一為之甚，豈可再乎？最好的辦法還是，我想請你自己寫一篇短短的〈不捫虱而談〉說一下近況，同時為本書做跋，使這本書更有吸引力，更up-to-date，如此可以完整得多。這篇文章不容易寫，你既已想過，一定有腹稿，不會要憑空起爐灶。希望你借此機會或許可以掃去前一陣的「霉」氣。祝好。

Stephen
12/31/85

宋淇，一九八六年一月十三日

Eileen：

皇冠今天寄了一冊《續集》的樣本來，已經印刷和裝訂好，卻並沒有發行，大概是為了對付唐文標的《資料大全》的。一共只有95頁，自序的十頁缺，所以事實上只有85頁，拿在手上輕飄飄的，像一本小冊子，完全沒有份量，幸而沒有出，否則給讀者一個「欺場」的感覺，對作者和出版社都有不良後果。這書的內容如下：

（一）華麗緣
（二）「卷首玉照」及其他
（三）雙聲
（四）中國人的宗教
（五）我看蘇青

比最近寄給你的校樣少了以下五篇：

（六）浪子與善女人
（七）散戲
（八）氣短情長及其他
（九）女裝女色
（十）我的姊姊——張愛玲

我認為新加五篇中至少有三篇應剔除：

（六）浪子與善女人——給蘭你的信並不高明
（九）女裝女色——雖你自譯，但一看就是翻譯，沒有你的本色。
（十）我的姊姊——張愛玲。反對的理由已詳前函。

至於（七）散戲和（八）氣短情長二文則可以考慮保留以充實篇幅，如此出土文章便有了七篇。

加上我十二月十三日給你的信中提出的六篇，就產生了內容上的平衡。你曾寫好〈自序〉，於1983年十月十日寄上抄好的第一頁，其後你又在後來說寫時忘了〈談看書〉一文已在《張看》中發表，此後即沒有了下文。所以我這裡只有原稿一頁，餘文請你設法找一下。我前信中提到的兩文：

羊毛出在羊身上

表姨細姨及其他

都是替你自己的作品為人所誤解而加以澄清的，集子既名《續集》，不妨順便指出二文性質不合書名。

目前你所應做的事是：（一）同意原則上照我們的建議出《續集》，目錄可分為二，一是出土文章七篇，前後次序由你決定；二是近年來作品，照發表日期前後為序。（二）設法找出那篇最長的小品文〈談吃〉，或底稿。我又翻箱倒篋地找了一遍，仍找不着。照理你應有發表後的報紙。實在找不到，我們仍可託《聯副》代覓。這是你近年來的力作，也可視為《續集》的主力。（三）照理，你應整理〈自序〉一過和另寫〈不捫虱而談〉一文作為壓台戲。可是鑒於你身心狀態，未必一時能完成兩項任務，我想可以有一個取巧的辦法，一是用〈不捫虱而談〉為名，略寫幾段近況，然後接自序，旁邊加小標題——「代序」。一是用〈不捫虱而談〉，內容差不多，放在書的最後，用小標題——「跋」。這樣一來可以省事和時間，目的也達到了。

依照以上辦法，篇幅數量差不多了，文字數目仍稍嫌不足。我認為有一着險棋可用。我相信皇冠為你出版的著作中，銷路可能以《海上花》最差，這是大勢所趨，勉強不來的。如果《續集》中刊出——

〈《海上花》的幾個問題——英譯本序〉

一文，那是假定讀者看過《海上花》的國語譯本。如果讀者不一定讀過《海上花》的國語注譯本，豈不白費心思？我以為大可以重登〈國語本海上花譯後記〉一文，理由是內容結實，篇幅可觀，可以引起沒有讀過《海上花》單行本的人興趣，同時作為《海上花》的幾個問題一文的陪伴。別人既然可以盜印或採用你的作品為選集之用，你為什麼不可以將自己的作品再度介紹給讀者，庶幾不負你介紹和翻譯《海上花》的苦心？好在書名既叫《續集》，內容自可尺寸較寬，這樣一來，一舉數得，希望你予以慎重的考慮。

我們知道你的情況，所以原則上不寫信來煩你，現在看到目前你正面臨寫作生涯的轉捩點，不知是否可以勉力一試衝破這一關口？其餘影印各文、校對、等細節交給皇冠和我們替你代辦好了。

這一陣文美和我都免不了有點小毛小病，大概歲月不饒人，好在我們對生活和這世界要求不高，勉強自己能退〔對〕付過去就算了。祝　安好。

Stephen
Jan. 13/86

P.S. 陳皪華有回信來，對我十二月卅一日的建議完全接受，開心之極。

宋淇，一九八六年四月二十八日

Eileen：

自上次寄上長信講《續集》的事，沒有接到你的回信，深知你為難。我寫這封信並不是存心要向你索稿，因為我知道以你目前的身心狀態，實在不可能應付這種額外的負擔，何況結出這樣一本集子來，未必能滿足你自己最低的要求，那就等於強人所難了。主要原因是皇冠方面對你期望甚殷，平鑫濤和陳皪華再三來信希望我能說服你，再出一本新書，因為你一出新書，就會帶動其他各書的銷路。我後來將致你的信的副本寄給陳皪華一份，表示我已盡力而為。有一件事我忘了做好，就是沒有另外寄上一信，告訴你其中經過和委曲，以免你心中對我存有不知如何應付是好的兩難之境。其實，只要你信中提一筆，說你認為此書內容不合理想，暫時無意成書，等到有了足夠的資料再說。我就將實情轉告，他們也不會怎麼樣。一個作家如果對他的書沒有最後的發言權，就不是真正的作家，至於我的感受更不必放在心上，我在上面已說得清清楚楚。

前次信中曾提過，台灣導演楊德昌對〈紅玫瑰與白玫瑰〉和〈色，戒〉兩故事有興趣。我打聽過了，他是留美學電影的，曾拍過《青梅竹馬》和《竹籬外的春天》，頗受好評，也參加過影展，票房還過得去，可是知名度比不上另一位侯孝賢。他這次回台後有信來，說原則上取到片商的支持，目前正在拍另一部片子，告一段落，再來港商談。我也沒有答覆他，到時看情形好了。

前半個月電懋公司老同事黃也白打過電話給我，說中央電影公司想拍你的《怨女》，打聽來打聽去，原來我可代為轉達，問我如何？我對他說：幾十年老朋友了，一切自可商量，先不妨聽聽，中央公司為什麼想拍這故事，因為不易討好？他說因為旗下女主角楊惠珊連得兩年影后獎，一是台灣，一是亞洲（白先勇的《玉卿嫂》），她再也不能演小姑娘，不容易替她找適當的角色，所以非要《怨女》不可。我一聽這情形，倒認為機會不錯，因目前台灣對文藝片很認真，編導人材在香港之上，攝製條件差了一點。中央公司是國營公司，經不起外人的批評，一定會隆重其事，何況楊是今天最當令的女星，大概不會出差錯。我就老老實實說，張女士原則上不願出售她作品的電影版權，因為如拍不好，會影響到她書的銷路，而且她也不理會外面的行情，什麼黃春明、李昂等作品都在漫天討價，既然是老朋友，我不妨告訴你一個底盤：兩萬美金，上次成交價也是同一價錢。你不妨考慮考慮。過了一天，他又有電話來，云是否可以有可能減低，當然張愛玲如果開這價錢也開得出去，可是恐怕對方出不起。我也很爽快，我說你仍開兩萬，將來可以商量，不過最低要一萬五千元方有可能成交。結果昨天又來了電話云對方開會詳細討論，原則上決定進行這部片子，但版權可否減為一半，黃也白說：這等於殺半價，等於在令他為難，一定要還價，起碼要還到一萬五千，方有希望。他將此情形告訴我，過了兩小時，他又通電話，云對方已同意。合同由我簽，內容可仿邵氏合同，我說行不通，邵氏的合同是用英文擬的，在台灣沒有法律作用，不如照一般的中文通用合同好了。我想事情已有了眉目，只等下一步手續，可是電影界的事千變萬化，非看到合同，拿到支票不能算數。

將來這筆款子如何處理也是問題。香港人很敏感，這一陣大家對美元失去信心，很多人改存E.C.U.，即European Currency Unit，計德國Mark佔35％法國法郎和英鎊各佔15％，利息年利大概在7％左右，比美金稍高，價值則稍低。為了分散起見，我們可以代你開一個戶口，免得將所有家當都存在美國銀行中。香港很流行，而且是海岸外存款，不必報稅，那麼將來萬一有什麼變化，還可以救你燃眉之急。我只不過是個建議，隨便你決定好了。譬如你沒有這筆外快，又如何？

楊德昌的事等他來了再說，中央公司成事後，有利有弊，因〈傾城之戀〉導演有問題，始終沒有在台灣上演，誰搶先將你的作品拍成電影在台公演，總佔點光。後來者也許失望而退，也許覺得你是熱門，反應如何未必預料。總之，以這價格將《怨女》脫手給一個大公司，並不會吃虧，我就大膽替你做主了。靜候好音。希望這一陣你一切安好。

Stephen　上

4/28/86

張愛玲致鄺文美、宋淇，一九八六年六月九日

Mae & Stephen，

這封信寫了三個月了。上次轉寄皇冠散文集校樣來，附了一角報紙上寫的便條，說明後天再來信，此後迄無片紙隻字，擔心你們會想着又出了什麼事，又不能托人打聽，怕出疪漏。我也因此焦灼，就是無法寫信。住的問題越來越尖銳化，沒住過的旅館只剩下最廉價與高價的。太便宜的沒用，不能消毒，貴的大都要身份證，再不然就是不讓換房間。幾乎天天要換旅館，好萊塢、機場區等幾個旅館密集區早住遍了，別處旅館都隔得遠，老遠把行李車來車去，席不暇暖。郊區越搬越遠，上城需時更長。改進的搬家前後的消毒手續有增無減，佔的時間也更多。接連幾天只睡一兩個

鐘頭，「身懷鉅款」大包小裹擠公車，又盹得東倒西歪，三次共被扒竊一千六。後兩次車上並不擠，而且我覺得這些人行跡可疑——一次是三人幫，一次兩人合夥——竟忘了不久以前剛被扒，毫不警覺，理路隔斷了。過街也常無故闖紅燈。*Newsweek*上那篇專文說連日失眠會有暫時的精神分裂症，真是一點都不錯。Credit card小些的旅館不接受，沒身份證也不能有credit card。我唯一的辦法是除了每天非做不可的事之外，絕對什麼事都不做，儘量多睡兩個鐘頭，清醒點。信箱要付月費才去，拿了信來也都不看。當然你們的信最後還是看了。遇到惡狗也真是——！狗牙因為髒，有毒，不是瘋狗也可能危險。我一直想告訴《聯合報》fleas現在好多了，想耐心點再等着看怎樣。躭擱太久想必已經得罪了人。這些時fleas一直不絕如縷，陰歷〔曆〕除夕終於絕跡。那天剛搬進這家旅館的第三幢大樓，新蓋的，比其他兩幢貴，工役也格外上勁，每天用大號吸塵器打掃各樓甬道，樓上樓下全都打成一片。本來我一層樓住兩天，就可以keep one step ahead of〔預先準備〕吸塵器——每層樓有一個。——元旦就又有了fleas，又是一場空歡喜。我想duplicate〔重複〕上醫院消毒：把行李放在一家旅館裏，到另一家開房間洗澡——從未踏進的房間內，隨身帶的東西除鈔票外都簇新。消毒後回掉房間，到第三家旅館住下。還是沒用，毛病出在衣服上不大能噴射辟蟲劑，會有污漬。買便宜貨也不能再挑揀顏色耐髒的。離開第一處時，有fleas叮在新衣外面跟到第二處，脫衣後就轉移到房間裏，等我浴後再換了新衣出來再叮上。沒個anteroom〔前廳〕可供脫衣，立即裝入袋內紥緊拋棄，浴後最好從另一個門出去，不經過anteroom。「狡兔三窟」法試了兩次，同時要找三家旅館實在難。將就點把行李放在一家髒小旅館裏。迄今還沒碰上一家有fleas的旅館，這次終於碰上了！連夜又把行李搶救出來，原來奄奄一息的fleas輸入新血，又惡化，最近這兩天更是一天一個crisis。我天天搬家這一點，大概實在史無前例。最善適應的昆蟲接受挑戰，每次清剿到快沒有了就縮小一次，（現在小得像鬍子渣，而細如遊絲）變得像細菌一樣神出鬼沒。還是會飛躍叮咬刺痛。我最近才知道螞蟻叮也沒痕跡，大群螞蟻咬了才有一片rash。變小的fleas一度也叮了有一條幾寸長的紅紅的rash，再小就rash也沒有了。前幾天剛發現一兩年前住過的旅館已經沒有fleas，就又搬回好萊塢，住的問題倒解決了，只愁今年夏天遊客怕terrorism不出國，洛杉磯的旅館一定擠，奧運沒實現的終於實現了。我姑姑來信要我乘這limbo期間回上海一次，也許沒人知道。她顯然不相信我不能回大陸，以為只是顧到台灣出書問題。我也沒去辯駁，只告訴她對於fleas，飛機火車不過是間房間，當然跟了去。不用說，她家裏也染上了，豈不害死人。散文集目錄與剪報本來都齊全，只缺"A Return to the Frontier"〔〈重返邊城〉〕譯稿補寫未完，還有想寫〈回眸十八春〉（暫名）、〈又成畫餅——再談吃〉、〈不捫虱□□〉、還有另一篇，差不多夠再出本書了。這一本就照Stephen籌畫的，前面加一條解釋：

書名《續集》，是收集繼續寫下去的幾篇散文，因為隔了一個時期沒發表作品，有些人以為我擱筆了。

我在此地TV上看過台灣連續劇，知道可能多麼壞。TV deals如果需要寫委托書，請馬上寫張便條來告訴我。歐洲credits最好了。祝好——

Eileen 六月九日 86

宋淇，一九八六年七月十七日

Eileen：

六月九日的五頁長信收到了，我們看後，心情為之一寬[42]。這信雖然前後斷斷續續寫了三個月，至少證明你還在努力嘗試解決問題，而且有過幾乎消滅fleas的邊緣。這真是一個沒人相信只有你自己一人作戰的抗戰，八百孤軍名義上是孤軍，究竟還有八百人在一起。

我們這一陣流年不利。先是Mae的堂嫂忽然中風，她本人是個醫生，原打算明年退休，但平日就血壓高，又有糖尿病，終於患了左腦小血管爆裂。最初的一星期是很critical的，她平時對我們極

42. 張愛玲為了蚤患而頻頻搬家，從一九八五年底起便音信全無，直到一九八六年六月九日才再有來信。

好，在我病時常給我們精神上，有時經濟上的補助，所以我們都為她心煩意亂。兩個兒女在加拿大，先後飛回，目的當然是看母親病，其實想動遺產的腦筋，令我們不能完全以局外人的旁觀態度看戲，心裡當然感慨萬分。在這時期我患上了感冒，我一直對通用的抗生素敏感，因服用過多，不免敏感排斥，就服了一隻新出的日本抗生素，誰知我本來小便已經不太流暢，我自知和年齡有關，男人過了六十歲，很容易患上prostate〔前列腺〕腫漲，服藥後竟然惡化，連忙再去看醫生，他說有現象，叫我服另一種藥以通小便，可是絲毫不見效。只好各處打聽，問到了一個專家，所謂泌尿科的外科醫生。經過檢查小便，靜脈注射藥劑後照X光，斷定kidney、bladder〔膀胱〕沒有發炎，大概是prostate的問題。為謹慎起見，又去作cystoscopy（膀胱窺鏡），以rule out其他可能並斷定prostate漲大的狀況，以便實行手術。可能在這半月之內就要入醫院了，這次是用最新的方法，不必全身麻醉，簡單省事。結果我們家的傭人患上了感冒。Mae還得管家中的三餐，堂嫂幸而全面逐漸好轉，用不着每天趕去醫院，可是得陪我看病，去診所、化驗所、醫院，心情緊張，患上了消化不良，又要去銀行，買藥，買食物日用品，全家靠她一人支持，真是心力交瘁，結果一不小心sprain〔扭〕了左腳踝，昨天也發了寒熱，看了醫生，當然也是感冒，打針服藥在休息中。總之，全家老弱殘兵，個個病倒，還得互相照顧。這一陣天時不正，typhoon〔颱風〕前後，暴熱之後，大風驟雨，病倒的人極多，我們自不能例外。

（一）《怨女》版權終於賣掉，成交價為一萬五千美金。來向我接洽的人是從前電懋公司的老同事黃也白，他一向主持宣傳，編《國際畫報》，名義是中央電影公司的駐港代表，最近還見過兩次面。通過電話後，我心中盤算策略，先探聽他的口氣，然後查到一張邵氏公司支票的影印副本，定金兩千元，（始終沒有動過，後來原票退回）所以我一開口就說張小姐原則上不希望賣版權，因如果成績不好，反而給人壞印象，影響到書的銷路，電視更不必談。其實，我心中有數，《怨女》是不會有人問津的，女主角楊惠珊連得兩屆影后，中影（中央電影公司簡稱，國民黨官方機構）非拍不可，因她已超齡，不再能演少女戲。黃說兩萬元以張的地位也不算獅子大開口。我接下去說，張從不問市價，也不打聽別人的行情，我知道台灣流行文藝片，有幾本暢銷書版權費比張還高，但她一向有自己的看法和主張。這樣好了，張小姐同你也算是同事，說不定還看到過《國際畫報》有關她編劇的影片開拍、攝製、上演的宣傳文字，加上我同你三十年交情，我當以各種理由說服她減到一萬五千元淨收，不信請你看邵氏公司的定洋收據，就是二萬元的十分一。她事後聽說成績不理想，更沒有興趣，這回當是我們老朋友的友誼的表現好了。我想他不會去邵氏那面打聽，邵氏在這方面守口如瓶，而且向高裡說，絕不會否認。他說那麼就開價一萬五千好了，我說千萬不可，對方一定還價，你仍開價二萬，這是公價，而且有過成交，等到他們還價，再答應不遲。他真是個君子人，不知道我雖然是書生，也做過幾年生意，這點小門檻當然懂而且善於運用。結果報過價去，暫時沒有消息，忽然有一天，云已開會通過非拍此片不可，可是此片非商業片，版權費太高，不克負擔，希望我們酌量減低。我說你告訴他們，只有還價，沒有自動減價之理。結果回電，還價一萬，黃心中有數，說這是蘇州人殺半價了，我可開不出口，至少一萬五，還可一試。過了一天，終於同意，還價一萬五，但聲明這是最高限額。我就對黃說，你不妨說張有回信來，對黃不認識，可是曾在同一公司服務，總算是同事過，給他點面子，所以委託我全權處理，便宜行事，而宋以三十年交情亦願玉成。事情當然不會如此順利，拖了很久，一直沒有下文，中間還有波折，此地不必詳說，我知道這種半官公司的作風，所以說中影在報上亂發消息，說已自宋（張之全權代表）處商洽購得版權，價格若干云云，結果張處收到信件，甚至電報云云，如尚未成交，有人願以此價購下，並擔保另三個版權，張當然不會答覆，曾有信來問我如尚未成交，則限他們月底前付清，否則作罷。黃聞後立刻打電話去，云已在申請外匯中。過了月底，我在七月三日晨再問，云可能款已匯出，但手續麻煩，而且要經過香港一家銀行，後來一打電話去台問總公司，云，申請匯款的單據尚缺某一人的蓋章，只好同他們商量，由他在香港商借一萬元代付，然後俟全部款項匯來後再行付清餘數。他果於四日下午送來現款，並給我看合同，我說其中兩條不能接受，必須修改，這是原則問題，否則我情願退訂取消，他一聽我的解釋，也認為有理，例如賣給他們的只是電影版權，並不包括舞台劇版權，廣播劇、電視版權。他同意修改。結果終於在七月十五日送來餘款四千九百四十元，（扣除印花稅六十元），簽了合同，大功告成。合同六份，正本二份，雙方各一份，副本四份，呈送各機構，你想麻煩不麻煩？收據上我填上六月三十日，表示我們尊重我假傳的聖旨，在六月底之前履行。

七月十六日Mae去銀行替你買入了一萬二千E（歐洲）C（貨幣）U（單位），其組成體如圖，除英鎊稍弱外，其餘都比美金強，利息為年率6又9／16，三個月定期，因為利息看低，銀行不接受六個月的。因為我不能去銀行，先由Mae一人出面簽字，將來再補辦手續，授權我也可簽字。幸而昨天辦好，因昨天美金已大跌，今日更見新低點。我覺得這樣做至少可以讓你有一小部份錢變成非美金，否則可能美金還要大跌，手中的錢越來越貶值。你要不要我出一張正式收據？以你目前那樣行蹤無定，還是不要帶在身邊每天搬家好，否則萬一遺失，或者給人扒了去，給人知道追究起來非常麻煩。此信已過長，寫得也吃力，先寄出再說。祝好。

Stephen
7/17/86

（With xeroxed copies of 收據 & ECU〔前為「E.C.U.」〕chart）

宋淇，一九八六年八月二日

Eileen：

七月十七日長信寄出後，即為我自己和Mae的病所擾，家中本來已經是老弱殘兵，經感冒一來，全家都此仆彼起，幾乎像醫院的病室。Mae因精神體力透支，現在有胃病之嫌而我則已證實患上了攝護腺狀大（男人的老年病），現已決定六日入醫院，七日動手術，大概前後要休養六至八星期，所以乘現在還能伏案執筆，將一些未了的事告訴你一聲[43]。

（一）《怨女》收來的錢共一萬五千元，（替你買了一萬兩千ECU，已經因美金貶值而賺了2%。）其中十分之一我要付中間人，否則人家不會這樣賣力，借錢先付現鈔，以免成交有變化。

我自己也老實不客氣取了十分之一，因為我忽然靈機一動，利用邵氏的定金支票作證據，抬高價格，否則如果老實開價一萬五千的話，說不定只會到手一萬到一萬二，當然我們可以堅持不賣，但《怨女》之能賣出，實在是可遇而不可求，況且有好導演和演員作保障，同時我還伸了後腿，將來〈紅玫瑰與白玫瑰〉和〈色，戒〉都由同一機構拍攝。

（二）一直忘了告訴你，唐文標患口腔癌於一年前逝世，原來他是廣東人，香港受的中學教育，然後去台灣讀大學，美國得數學博士，後在美某一小大學任助理教授，始終拿不到tenure，只好回台灣任教，搖身一變為愛國學人。大概也算是個文藝青年，在美時受左派影響，談起文學來，自然流露出左派的觀點。因此對反共的作品攻擊不餘遺力，對暴露台灣資本家剝削工人的作品，其中不少是鄉土派主力，大加譽揚。他生的癌也是典型廣東人最易生的部位，以後急於出你的資料大全主要是為了現成可以賣錢，不必去張羅醫藥費。後來平鑫濤抓到證據，他的書中有四篇已由皇冠代你登記在先，他的書出版於後，遂寫信給《中國時報》，他們自知理虧，官司必輸，故情商後自動收回該書，不再發行。其後《中國時報》即通知唐經過，並着其將存書取走，證明沒有吃掉他應得的版稅。他的學校不在台北，一怒之下，開車前去取書，書又重又大又多。後來我看見一篇悼文，說他取書時受傷，鼻孔流血，就此病情惡化，其時癌症已經到了終端期，不久即去世。我現在拿他的事前後寫出來，不知你有沒有覺到一種汗毛凜凜之感。真像中國講因果報應的舊小說，他明知做的事有問題，卻仍然鬼使神差的不顧一切地幹，結果弄得這樣下場！而他的友好都對他此舉不表示同情，尤其因為他對反共小說鞭撻，有人出來說話，還在《中國時報》副刊上開了一場筆戰，結果為唐辯者敗下陣來。

（三）我在報上見到一段消息，云有人要改編你的〈茉莉香片〉為舞台劇，後一看改編和導演我都認識，就託人帶話給他們，說這樣做不像文化人行為，張女士和我都不會在法律上追究，但我們會向社會人士表達我們的看法和立場，因為：

43. 宋淇在動手術前，又一口氣寫了六頁信，向張愛玲交代賣《怨女》版權予中央電影公司、改編〈茉莉香片〉為舞台劇等事項。

（一）張女士是港大學生，有記錄可尋。導演和編劇則在港大任教。

（二）張女士《短篇小說集》曾在香港出版，該書出版社已結束，但為香港之註冊公司，且張女士本人健在，我受她全權委託，大家都知道，電影、電視界都來找過我。

（三）張女士曾在香港合法居留，並為香港編過電影劇本，譯過書，並不是海外之民。

（四）我們知道此次話劇是實驗性質，所以不會作無理的要求，甚至對方只有能力付象徵性的費用也無所謂，可是非打招呼和辦正式手續不可，否則以後群起效尤，張女士的作品絕無保障，只好訴之於社會。

結果話帶了過去，立刻就有反響，先是一位我認識的影評人和電影工作者，我就拿上面的話再加發揮，他立刻說他們承認疏忽，一時沒有先辦好手續，問我有什麼具體辦法，我說第一必須先要書面徵求同意，第二即使窮，付不起錢，可以有通融之法，例如先付一筆極小的象徵性的定洋，然後照門票抽百分之幾的版稅。如果一定不付，也可以，就是不得用張愛玲原作〈茉莉香片〉的名稱，把故事改動一點，人物姓名更換好了，我們決不追究。過了一天，那位導演親自打電話來，表示歉意，云必須和公司商量，認為我的建議行不通，（一）他們上演的戲分三部，每部45分鐘，故張女士作品只佔三分之一，而還得另付改編的人編劇費，如果每人都抽的話，這筆賬很難算。她問我要多少錢，我說我不便開口，只要你們正式具函，給予張女士以保障，以免將來有同樣情形發生，她就很爽快地說，劇團是一批戲劇愛好者組織的，始終沒有賺過錢，現在希望由此劇的演出可以得到官方的資助，他們願付你五百美金，也就是他們付Arthur Miller：Death of a Salesman的翻譯成廣東話舞台劇上演的費用。我看爭也爭不好了，就答應了。請看附上的信副本便知。我請她將支票給我，否則給Eileen C. Reyher。地址我還是不給，倒也不是怕什麼，而是怕以後如有同樣情形，直接寫信去，結果你不答覆，或者取了信而不看，可能要誤事。大家認為已經向你打過招呼了，你不理表示你已默許，話劇事小，電影、電視牽涉到數目大。有人告訴我此間電視曾經偷用〈第一爐香〉的plot，但未說明是你的原作，而改動很多，我倒認為這樣只有好，否則給他們改得一場糊塗，反而對你有損害。

這封信不應寫得如此之長，這一提起筆來就不能自休，我總有個毛病，喜歡一部廿四史從頭說起，好像非如此不足以說明一件事的經緯，有時免不了make a short story long，可能也是為了我們中間通信沒有以前那麼頻煩。至少這一陣你不會接到我的長信，最多是在床上塗抹一張便條而已。

即祝安好。

Stephen
8/2/86

宋淇，一九八六年十一月二十六日

Eileen：

自收到你六月九日來信，已經五個多月沒有接到你的信了，很是惦記，不在話下。我在七月十七日和八月二日寫過兩封長信給你後，也沒有再寫，說來話長。總之，我動手術後，還沒有完全復原，Mae又患胃癌入醫院，將整個胃切除，可以說是大手術。幸而她平日身體底子好，加上精神積極，能安然渡過難關。目前正在接受化學治療，現已步入第四個星期，頭兩個星期也只有她能忍受得了。

夏志清和莊信正都說寫過信給你，沒有回音，轉而來問我，我當然也無從回答。志清九月初來港，我因病也未見到。

現在只在此約略告訴你：〈沉香屑——第一爐香〉的電影版權，已代你脫手賣出，今天為你買入了14,761.90歐洲貨幣單位，利息為6又7／8%每年，不用付稅，上次《怨女》購入並存得$12,201.25，也是同樣利息。我們另外在兩家銀行為你開了不同戶口，用我們兩人的名義。今天美金價格為1.05對歐洲貨幣1.00，歐洲美元存款息只有6%。你知道後，可以心中有數。接到消息後再談。

Stephen
11/26/86

張愛玲致鄺文美、宋淇，一九八六年十二月二十九日

Mae & Stephen，

十一月廿六的信收到。先在上一封信上看到你們倆臥病前夕還預先替我安排一切，賣電影版權，實在感激到極點，竟也沒工夫來信說一聲。又天天忙着找地方住，使我聯想到從前三蘇筆下的天天「撲水」的情形。上次講一年前住過的旅館已經沒有fleas了，隨又發現小點黼點的地方還是有，想因殺蟲不力。當然不能斷定是我帶去的，但是以前確是沒有。屢次連夜遷出。而上中級旅館現在嚴防terrorists，堅持要身份證，以前住過的統統給吃閉門羹。沒辦法，還是要馬上去補領遺失的入籍證。從前已經丟過一次，走去拿來，現在要兩年！但是可以同時申請一紙「曾經入籍」的證明，（要兩個月）再拿了去申請加州身份證（不定要一年半載）。目前只好揀郊區沒去過的城鎮，偶有中等旅館不嚴格要身份證的，又大都不讓搬房間。席不暇暖，又要去見別家的經理，有時候電話上拒絕的，見到本人又肯通融。入冬有兩天fleas幾乎絕跡，一場感冒半月沒大搬家，又回復到不絕如縷——房間裏永遠有。以後能住的地方越來越少，遇到合適的不免戀棧，不天天搬更難斷根了。去衛生署化驗室，——別家化驗室都不受理，以前那家診所附設的，是醫生交代下來的——驗了枯草屑似的標本，也說不是生物（我想大概是糞屑）。叫我用Scotch Tape貼上去保存——哪捉得到？想找自然史博物館的全城唯一的昆蟲學家，問有沒有fleas變小之說，至少要有個標本才行。還有件禍事：前年冬天離開最後一個apt.之後，雖然吃過倉庫的大苦頭，又腦筋不清楚，隨身帶的行李太多，就送兩件去存庫——用過兩星期的行李，把原先存入的全新行李都污染了。很久以後才想起來，終於不得不去處理。東西全扔掉，只留絕版的書、mss.等，全在一隻大木箱裏，估計箱內還無礙。扔掉箱子，文書裝袋，移到對街新闢的支店，一隻上層大鐵櫃內，遠離地面，不然買不到能載重的行李架，無法凌空，地上fleas最多。沒想到倉庫的電動大門，不駕車出不去，要等工役接送。擔心被關在裏面過夜，忙亂中防範欠週，搬運過程中全污染了。結果箱外的fleas轉移到袋內。當時毫無fleas跡象，回去才發現兩腿沿着內褲一邊一排三四個大疱，整齊得嚇死人。這還是以前沒

變小的fleas，變小後叮了沒有疤。兩天後再去了一趟，新房子，這隻鐵箱前的地毯倒已經污染了，兼及我帶去的手提袋，與鐵箱平行的頭上頭巾。此後一直沒工夫去過，將來再想辦法，不知道能不能送到大殺蟲公司去，在那裏用cyanide（氰化物）毒氣薰。檢點東西的時候，發現《海上花》譯稿只剩初稿，許多重複，四十回後全無。定稿全部丟失，除了回目與英文短序。一下子震得我魂飛魄散，腳都軟了。本來高高的一疊定稿一直看着擔心，想送去複印，常去的一家關了門，另兩家頁數多了就每次漏印兩頁。要分好些次送去，躭擱了。後來在Serrano許多built-in的櫥櫃內藏來藏去防fleas。恐怕離開Serrano後就已經沒有了，一直疑心不全。寫這封信實在painful。慧龍合同也沒有了。Mae的日記簿倒歷劫猶存，像我的守護神。後來看到十一月廿六信上Mae的病，給我的震撼更大。唯有希望已經好多了。我今年一年過得特別飛快，因為白忙的事特多。稅務局來信說我前年少報了兩千多利息，與American Savings報的不同。那年這家儲蓄行風聲不穩，改存另一家，舊存摺沒留着。有職員知道我居無定址，一次換旅館時存摺全丟了，亂得一塌糊塗，可能混水摸魚。我付罰款時去信解釋，American Savings倒又查出他們報的利息是別的存戶的，要弔卷宗澈查。此地利息低，二月存款期滿，我想寄筆款子來請Stephen代買歐洲貨幣。真不好意思開口，希望Stephen也已經復原——又還替我賣掉一爐香電影版權！

Eileen 十二月廿九

張愛玲致鄺文美、宋淇，一九八七年一月四日

Mae & Stephen，

前兩天剛寫信來，又收到丘彥明這封信，想請Stephen代退還這張$1500支票，附封短信——她知道Stephen不舒服，不會嫌短——我自己寫信會氣烘烘的得罪人，要等心平氣和再推敲琢磨，還不知道要躭擱到幾時。本來想把支票直接寄還，免得你們又還要費事掛號，但是附條也難寫。——這封

信是站着寫的，房間裏椅子都不能坐。匆匆祝你們倆都快點好。

Eileen 一月四日

〔本頁有宋淇字跡：〕Rec. 1/12 當日letter to 丘彥明 & Cheque See 丘 file

宋淇，一九八七年一月五日

Eileen：

茲附上《明報月刊》一月份特大號刊出你在十八春的連載小說〈小艾〉，信內一位大學講師的文章說得很清楚。麻煩的是台灣《聯合報》副刊於十二月廿七日開始連載，將分段取消，到三十日已登了三十八節，大概八到十天可以登完。丘彥明來信云這是《明報月刊》的編輯黃俊東和瘂弦直接談的，過了年她入《聯合文學》做副總編輯，三月號擬出「張愛玲卷」，要我寫文章，我以健康理由婉辭。據說其中有你從前為電懋寫的電影劇本《小兒女》，然後由「聯合文學社」出單行本，包括〈小艾〉和《張愛玲卷》，並已請求社方預支版稅一千五百元。收到信後不久，當天皇冠的陳皪華就有長途電話來，我那時還不知《明月》已出版特大號，一口氣刊完，即告以《聯文》的計劃，然後說我事先毫不知情，我也不信任何人同你聯絡過並取得你的同意。陳皪華接到我給丘彥明信的副本和《明月》的全文後，今晨又有電話來，說預備將〈小艾〉和《小兒女》和其他作品出書，書名就是《續集》，我就對她說，不必如此猴急，丘彥明既已說清楚，不致鬧雙胞，因她們已接到我的信，所有張愛玲的著作單行本均歸皇冠出版，我不能推翻她親筆簽的合約與承諾。目前要務是：（一）先將〈小艾〉登記版權，免得像上次那樣給唐文標乘虛而入；（二）和張愛玲取得聯繫，看看她的反應如何，出版者一定要尊重作者，秉承她的意旨行事。她欣然同意，並表示今晨剛收到我寄去的《明月》全稿，所以想搶先一步。

大陸方面的態度在陳子善一文中看得很清楚。我想你站在原作者的立場應該說幾句話：現在

《明月》和《聯副》已將全文刊出，等於潑出去的水，收是收不回來的了，文章當然越短越好，話說得越多，越會引起不必要的議論。文中也不必提陳子善一文，否則正中他們的計謀，當作沒有這回事好了。

你如果身心不佳，不能寫作，亦請告知，我可代擬一段，你再修改，也無不可。Mae仍在接受chemotherapy〔化學療法〕，因有心理準備，能夠應付得了。再談。

Stephen
1/5/87

宋淇，一九八七年一月二十二日

Eileen：

最近〈小艾〉在港、台同時刊登，因讀者好久沒有見到你的作品，不免造成轟動，為了這事，我時常接到詢問的電話。經我慎重考慮後，不如將你近來發表的作品，彙集成書，我已和皇冠的主編陳皪華交換過意見，認為應將這些文章分成兩冊。一是因為如放在一起，會分量太厚，可能超過五百頁，二是內容和時間和時代背景不同，放在一起，有格格不入之感。我們的建議是將你在大陸寫的，為別人所發掘出土的收入一冊，暫定名為《餘韻》；將你來香港後所寫的收入第二冊，沿用以前所擬的書名：《續集》，事實上其中大部分文章都是講自己的作品的，表示你仍在繼續寫作。上星期我發了狠，拿所有舊的檔案翻查，居然找到了很多漏網之魚，相信你一時不會有時間和精力去做這種事。

我知道你這一陣不會有心思來管這種事，但時勢迫上頭來，我們不得不設法應付。丘彥明處我已將支票退了回去，並附了一信，口氣是軟中帶硬，她已有回信來，有知難而退之感。問題是其他人士心懷不甘，動腦筋者大有人在，《中國時報》和遠景的沈登恩都來探過口氣，如果皇冠遲遲不採行動，將來再鬧出唐文標第二事件，反而令大家費時傷神。我現在拿二書的目錄加上小注寫在另紙上，只要你在原則上同意，通知我一聲，其餘的事由皇冠和我為你代理，二書內容我都細看過，等於已經代你編閱一遍，請放心。祝　好。

Stephen
1/22/87

《續集》

關於《笑聲淚痕》（一九七六——《星晚》）
羊毛出在羊身上（一九七八——《中時人間》）
表姨細姨及其他（一九七九——《聯副》）
談吃與畫餅充飢（一九八〇——《聯副》）
國語本海上花譯後記（一九八三——《聯副》）
海上花的幾個問題——英譯本序（一九八四——《聯副》）
小兒女（一九八七——《聯文》）
南北一家親（片段）（一九八七——《聯文》）
附錄：張愛玲語錄（我同Mae寫的，登在《明報月刊》上，我自己都找不到原稿。）
（一九八七——《聯文》）

以上各文均寫於海外，前六篇是我翻箱倒篋找出來的。其中〈國語本海上花譯後記〉已刊登於《海上花》一書中，算是跋，但除了已經買了《海上花》單行本的讀者外，仍不是隨便可見到的，再登一次無妨，因為原文先登於《聯副》，借此可以引起讀者對《海上花》的興趣。後三篇是《聯合文學（三月號）》的「張愛玲卷」內定刊出，不知道他們如何找來的，另有*Twentieth Century*

的英文稿，打算和《流言》中的中文漢英對照刊出，不合用。

《餘韻》（暫名）

——書名取自「餘音嫋嫋不絕」，「餘音」似乎太直，另外可以考慮的是「留」，匆匆離開，「留」下沒有一同帶出來；或是「流」，流落在外，再想另一字去搭，你一定會想出一個合適的書名。

華麗緣

卷首玉照及其他

雙聲

中國人的宗教

我看蘇青　（以上見1984年印好為註冊用的《續集》一書。）

散戲

氣短情長及其他　（以上見其後補充的資料，認為有保存的價值）

小艾

這篇中篇約六萬字，由《明報月刊》一次刊出，我已將全文和陳子善的〈〈小艾〉的創作背景〉一同掛號寄上。《明月》的黃俊東將副本交瘂弦，同時在十二月廿七日發表。《聯副》已於一月十八日載完，並同時刊出一文，（我尚未見到，但香港《信報》的專欄作家已有反應，現將影印副本附上）。總之，《聯副》將比較敏感的部份，尤其最後的三分之一，加以刪除。現在〈小艾〉從一個吃盡苦頭的女人，變成人見人愛的對象，非出單行本不可了。你不出，別人一定搶先會出。陳子善那篇文章也已由台灣的《自由日報》轉載。皇冠不出，聯文求之不得，中國時報和遠景都有電話給我，希望取得版權。我的看法是你在讀了《信報》一文後，自己沒有精神和時間，不妨將原則定出，通知皇冠主編陳皪華請她代為刪改，亦無不可。

宋淇，一九八七年一月二十三日

Eileen:

希望你已收到我於十二月廿九日寄給你的〈小艾〉和陳子善介紹〈小艾〉的文章，好在丘彥明的信中已提起此事。《明報月刊》的編輯直接從上海取到，他們換了主編，事先沒有告訴我，並直接和痖弦聯繫，同時刊出，我事先全不知情，以後也假裝不知，否則我一開口，變成事後追認，去追索稿費了。痖弦我倒不怪他，因為他如不登，《中國時報》必登，而且他現在心情很壞〔……〕。Mae最近已打了第十針，化學治療第一期定六個月，到下星期剛好一半，打重劑時免不了有惡性反應，幸而她一向身體硬朗，心理有準備，希望可以安然渡過治療過程。在這種心情下，我們當然希望多一事不如少一事，無奈事情弄到頭上來，不能置諸不理，尤其是〈小艾〉有少數犯忌諱的地方，明眼人當然會原諒，可是一不小心，授人以柄，可能影響到你其他作品。所以我不得不好好應付，明知你現在的情況不容許你有時間細想、推敲、甚至寫信，仍然只好按部就班照原則辦理，其辦法詳另一信和二書的目錄，希望你在可能範圍內迅速給我一個簡短的答覆，好讓我們可立即進行，只怕夜長夢多，另外生出不愉快的枝節，大家都不開心。

附上你姑姑來信，我還沒有答覆她，我預備拿你的地址告訴她，反正她如有信給你，你不願回答或不便回答，可以不加理會。不過我看她口氣很誠懇，況她今年已85歲，上海天冷，家家都沒有取暖的爐火，老年人實在耐不起寒流。柯靈曾寫過一篇文章，等於是致你的公開信，號召你回國去看看，他好像來過中文大學開過會，認識我。你姑姑見了他的文章後，看得出來他文章的用意，由此可見國內對我們中間的關係瞭若指掌，把握到全部資料，甚至我家中的地址。這早在我意料之中，用不着大驚小怪，如果他告訴你姑姑我仍在中文大學，就表示他們工作不靈光了。

美金存得太多，等於是將全部雞蛋放在一隻籃裡，萬一有問題，不堪設想，而每年deficit〔赤字〕如此之大，進出口的deficit也嚇死人，這種寅吃卯糧的心理狀態，不過將定時炸彈遲延一下而已。我在去年替你買入歐洲貨幣單位，第一次是七月，那時價格為一歐幣等於0.97一美金，第二次是十一月，價格為一對1.05一美金，現在已漲到1.13一美金，而利息平均都在6又1／2%之上，至少可以保值。看上去美國本身還要減息，以刺激消費和投資，所以日本¥和德國馬克都升值很多而逼得減息。香港至少這幾年內還不致有問題。

讀你十二月廿九日的長信，不禁為你擔憂，這樣下去如何是了局？而你為了每日的居停都要傷神，虧你能維持到今天。現在你連身份證都丟了，想必passport〔護照〕也沒有，即使想出門也未必辦得通。我始終以為如能來香港入醫院治病或許是個解決的方法，因為香港的私家醫院和醫生只要你肯出錢，總可以讓你入院徹底消毒，而且費用雖貴，總比美國便宜得多，其奈你動彈不得何？現將此信寄出，另信有副本給陳皪華，免得她接不上頭。即祝好。

Stephen
1/23/87

宋淇，一九八七年二月二日

Eileen：

今日接皇冠陳皪華來信，原來為了省事，免得麻煩你，我直接去信給皇冠，以你的代理人名義，先申請將〈小艾〉登記，誰知此路不通，竟然給駁回，理由詳附上陳函之複印本[44]。

事已至此，只好再寄上空白的委託書和切結書各兩份，只要在人名下簽名和填上地址即可，其餘「書名」，在何處發表，以及日期空下來，由皇冠代為填寫好了。陳皪華信中僅提《續集》和《小艾》二書，那是她尚未接到我一月廿三日信，建議出《續集》和《餘韻》二書，相信她必會和

44. 陳皪華致宋淇書提及〈小艾〉申請著作權被駁回，理由是需有出版發行日期，而宋淇代理張愛玲證明文件在國外簽訂，名字又是英文書寫不宜採信。因此寄上《續集》和《小艾》的委託書和切結書，請宋淇轉寄給張愛玲。

平鑫濤先生商量並作出妥當的決定。

〈小艾〉引起的反應我上次寄上〈被刪節的小艾〉一文兩節，現在附上最後一節，此人頗有眼光和見解，特再影印全文寄上[45]，也許可以供你參考，省掉很多事。〈小艾〉現在真成為大家注意的中心，沈登恩特來香港找我，我告以全家病倒，沒有見他。他是唐文標的後台，心目中總想打倒皇冠，說不定一計不成，又生一計。他已將《明報月刊》陳子善一文交給《自由日報》發表，而美國的《世界日報》已根據《聯副》的稿，逐日登載，可以說港、台、美全知，捂是捂不住的了。問題是如何讓你少操心簡簡單單解決出單行本，以免為不肖之徒所乘，白便宜了別人。我想這樣也好，反正已通了天，只好認了，而且到現在為止，我們所見到的反應都是有利於〈小艾〉的，你的讀者一定會原諒和同情你，這點你可放心。即祝安好。

Stephen

1987 二月二日晚

宋淇，一九八七年二月十日

Eileen：

茲附上皇冠寄來你名下1986年下半年度的版稅結單一份和支票一紙，計$6,704元。數字比你平時收入為高，因為近半年來台幣同美金比率升值約14%，現每美元自四十元以上跌至三十五元。同時亦可看出你的作品銷路仍然強大，尤其短篇小說集，自出版以來，每年均列暢銷榜上，連《海上花》都能刊行四版，真出乎意外。正本由我帶〔代〕你保存，因為我知道你隨便一放，將來必會失落。

前次《怨女》版權賣出後，因導演和女主角大鬧桃色新聞，導演太太是蕭颯，名女作家和編劇，在報上寫了一封〈致前夫的信〉表示傷心和決絕。社會輿論當然沒有保留地支持她，而女主角和導演身敗名裂，公司只好放棄。幸虧那時我毅然作主將版權爽快脫手，否則可能是一場空。

最近又有人來探口氣，對〈金鎖記〉頗有興趣，大概是看《怨女》拍不成而有這想法，我表示很冷淡，能淨到手一萬五千或以上還可以談談，否則放在那裡好了。

Mae的病情有反覆，又入了醫院，天總是選一個人最弱的一點予以打擊，我真是睡夢難安。你姑姑那裡我始終沒有答覆，因為想想大陸又在搞運動，當然她歲數已大，不會弄到她頭上去，可是心裡總有點不安。祝　好。

Stephen
2/10/87

張愛玲致鄺文美、宋淇，一九八七年二月十一日

Mae & Stephen，

最近此地為了Super-Bowl足球賽——比奧運還要轟動——鬧旅館荒，剛緊張過了這陣子，我又感冒病倒。收到信只揀marked urgent 的一封擱在手提袋裏，也帶出帶進好幾天後才拆看，完全同意。別的信都還沒來得及看。明天存款到期，不得不去，預備順路到郵局寄張一萬元支票來，托Stephen買歐洲withdrawal rights〔歐元提款權利〕，回去趕緊躺下，過天再寫信了。希望你們倆都好多了。

Eileen 二月十一

45. 葉彤，〈被刪節的《小艾》〉，《信報財經新聞》一九八七年一月二十一日、二十二日、二十八日。臺繼之，〈另一種傳說——關於《小艾》重新面世之背景與說明〉，UNITED DAILY NEWS，一九八七年一月十八日。

張愛玲致鄺文美、宋淇，一九八七年二月十九日

Mae & Stephen，

前兩天寄來一萬元想已收到。這一向你們倆可都見好了？我姑姑曾有好幾封信寄到我現在的Wilcox 645信箱通訊處，顯然也收到我的回信。我最後一封信（一九八五年年底？）告訴她我暫停來信，請她仍舊得空就寫信來告知近況。似乎我這封信寄丟了。但是怎麼會就此不再寫信寄到Wilcox，另費大事打聽，找到你們頭上？（過去要緊點的信往往被扣留，失落。）我非常不喜歡〈小艾〉。桑弧說缺少故事性，說得很對。原來的故事是另一婢女（寵妾的）被姦污懷孕，被妾發現後毒打囚禁，生下孩子撫為己出，將她賣到妓院，不知所終。妾失寵後，兒子歸五太太帶大，但是他憎恨她，因為她對妾不記仇，還對她很好。五太太的婢女小艾比他小七八歲，同是苦悶鬱結的青少年，她一度向他挑逗，但是兩人也止於繞室追逐。她婚後像美國暢銷小說中的新移民一樣努力想發財，共黨來後悵然笑着說：「現在沒指望了。」出書的計劃再妥善也沒有，在這情況下只能這樣。書名就叫《餘韻》。請Stephen代托劉爍華〔陳皪華〕替我刪改〈小艾〉有礙部份[46]，我不寫信去了。我知道你們不像我小病就什麼都扔下不管了，何況是幫助別人的事。但是費這麼大勁翻找出我的舊稿出《續集》《餘韻》，我實在真是惶愧，怪我上次換倉庫時沒把那包《續集》剪報帶回寄來——那時候還沒污染。這次Super Bowl足球賽在近郊Pasadena舉行，我剛巧在那小城，方圓百里內旅館除了最壞的全都給包下了，有的都是一兩年前就預訂的，遠比奧運舉國若狂。需時兩個月的「查證曾入籍」書，（用來領加州身份證的）快三個月了還沒寄來。等下次去開信箱如果還沒有，（《明報月刊》上的〈小艾〉大概在信箱裏）再打電話去問，再問要出國怎樣領護照。這裏附寄來一份委托書，萬一用得着，也許一勞永逸。

Eileen 二月十九日

宋淇，一九八七年二月二十六日

Eileen，

二月十八日接到你二月十一日來信，內附美金支票一萬元一紙，立刻存入我們的美金戶口，銀行說照規定要三星期後收到錢後再作數，我告以二月二十六日有一筆歐幣單位到期，可否從美金轉為歐幣單位，銀行方面以款仍在行內，只不過轉一筆帳而已，認為可行，但如有退票情事，則要再行計算。今天是二十六日，我一早去銀行便將此事辦好。現在簡略將你在我們戶口名下的歐幣單位定期存單，大概說一說：

（1）恒生銀行自Jul. 16,1986起E.C.U.$12,000滾存到Feb. 23,1987為$12,430.82（利息自6又5／8到7又1／2%不一。）（事實上，另有US$77多，因要付印花稅和自美鈔變為美電的差距。這是《怨女》的版權費。）

（2）上海商業銀行自Nov. 26 1986起，E.C.U.$14,761.90（這是《第一爐香》的版權費。Rate是US$1.05換1.00E.C.U.），滾存到Feb. 26，87，為$15,017.71。今日再以US$1.1355換1.00E.C.U.，共$8,806.69（你寄來的支票一萬元），共$23,824.40，存三個月，利息為6又3／4%（上三個月為6又7／8%）。你第一次的兌換率為0.9935，第二次為1.05，今天為1.1355，所以在rate上，你已經gain了0.14元。加上利率為6又3／4%，比美金要高1%，況且Brazil賴債，美金隨時會再跌，E.C.U.最高曾到過$1.17，所以要比存美元可靠得多。

你姑姑處我已同時去信約略告訴她你的情況[47]，我想她已85歲，即使告訴她也不會有什麼嚴重

46. 「劉爍華」當是「陳皪華」。陳皪華是當時的皇冠出版社總編輯，之前有編輯叫「劉淑華」，張愛玲可能因此混淆了，屢次把陳的名字寫成「劉爍華」。

47. 一九八七年一月十三日張茂淵致宋淇書，說在張愛玲出國前一直與她共同生活，雖然在張愛玲去美國後在文革時期斷絕音訊，但一九七八年起又恢復聯繫，直到一九八五年搬家後杳無回音。向柯靈打聽，又輾轉聯繫上宋淇，盼告知張愛玲最新的通訊地址。

的後果，免得她牽腸掛肚，況且這次的運動，不致於弄到她頭上，就是有海外關係，也不會像以前那樣出事。我是摸清了底細才如此做的。

Mae已從醫院回家，要用walker〔助行架〕走路，仍要打針。祝好。

Stephen

Feb. 26/1987

張愛玲致鄺文美、宋淇，一九八七年三月十三日

Mae & Stephen，

收到二月十日的信。Mae病情反覆實在使人心焦。此地大赦非法移民的新法實施後，移民局忙亂得傳說完全癱瘓。我屢次打電話去問幾時有「兩個月可以領到的『曾入籍』證」，最後才告訴我非得到那裏去問。又要天不亮從郊外乘公車，晨七時前趕到排長龍。感冒剛好了沒幾天又病倒，再不寄皇冠版稅收條來，會當被冒領了款子。同時寄出《聯合報》$1830〈小艾〉稿費收條。過天給我姑姑寫信，預備提起你們倆扶病幫我料理侵佔版權事，我實在真過意不去，跟你們說了請千萬不要再給我姑姑寫信了。——希望Mae已經出院。

Eileen 三月十三

宋淇，一九八七年三月二十二日

Eileen：

皇冠的收條當代你寄回。

三月十日來信收到，很高興你將《聯副》寄來的稿費收下了。瘂弦這次完全被動，因他拿到稿件時，《明報月刊》已秘密發排，他變成非登不可。此次刊出後，《中國時報》的副刊編輯聽說給受了申斥。前信已將這種情況大約提起過。

皇冠方面我已看過一部份校稿，改正了幾處，只有一處我不太了解，見另紙，希望你就在紙上批一下寄回。我讓陳皪華先出《餘韻》，再出《續集》，因為我還沒有時間校一次《續集》的稿子。陳刪的〈小艾〉比《聯副》改動得少，沒有大事刪削，而且還保持原來的節數，我覺得這樣做很對，既然原作是在《亦報》上連載的，自應越接近原作越好。她辦事的效率驚人。她很高興，因為能有這兩本書出版。

《餘韻》和《續集》二書的序，經我考慮後，由我毛遂自薦代為執筆，具名者是皇冠出版社編輯部。陳要我具名，我說我有苦衷，如我出面，不啻公開身份，以後有很多事不便做，很多話不便說，現在以社和部出面，比較抽象一點，最妥當。我一時還不知如何下手，總之，說得越少越好。目前情形下，再要求你寫，分明是不情之請，害你做力有不及的事，而且一拖不知何年何月，日久生變，仍違反初衷。不知你意下如何？反正我們照此決定進行，皇冠恨不得立刻交卷付印。

丘彥明編的《聯合文學》三月號「張愛玲卷」已出版，內容有電影劇本：（一）《小兒女》，（二）《南北喜相逢》（選段），原來就是Charley's Aunt，後來改用這名字上映的，（三）影評五則，其中〈借銀燈〉的英文原作和（四）更衣記的英文原作同時刊出，（五）鄭樹森論文：張愛玲·賴雅·布萊希特（是他訪問James Lynn教授寫的），（六）鄭的論文：〈張愛玲與二十世紀〉，（是他訪問德國出版商後寫的）（七）柯靈的〈遙寄張愛玲〉（八）荻村傳的翻譯始末[48]，原作者所寫，此二文是轉載；（九）丘訪問王禎和：〈張愛玲在台灣〉。大體上還不錯。還沒有什麼令人起反感的地方。她事先曾將內容告知，等於是要我追認。相信也會有稿費寄來，既然〈小艾〉的稿費收了，也不必拒絕了。丘一定會寄上一冊給你，如需要看那一篇，可告我，另行影印寄

48. 查《聯合文學》為〈荻村傳翻譯始末〉。

上。我曾寄上《皇冠》二月號蕭錦綿的長文給你，此人侵〔浸〕潤你作品中凡數十年，蕭是台灣的大族，蕭麗紅是她的本家。她學你的文筆，居然有幾分神似，至少她的愚忠很令人感動，沒有時間看，略翻一下也好。即祝安好。

Stephen
3/22/87

Mae已出院，腳傷快好，仍在受化學治療。

張愛玲致鄺文美、宋淇，一九八七年三月二十八日

Mae & Stephen，

我近來丟三拉四更荒唐了，Stephen一月五日的信竟混在別的信內沒拆看。前天理行李，匆匆翻看有沒有能扔的，減輕負擔，才發現了。雖然躭擱了，還是想請Stephen代寫一篇關於〈小艾〉的短文，不用給我看了，儘快發表。我一直覺得Mae也有幽怨抑鬱的一面，（從前信上說過她也有些地方像黛玉，Stephen說要比除非比寶釵，還有點像[49]——當然是像，不過真人總比較複雜）所以她病中我也不感到陌生，完全可以想像她住醫院時Stephen的心境。可已經出院了？——我已經寫了信給我姑姑。

Eileen 三月廿八

宋淇，一九八七年三月三十一日

Eileen：

三月廿二日信中問起你梁京的筆名，我的猜測雖hot，仍太fanciful〔古怪〕，昨晚忽然之間給我想通了，相信我已解了這個謎：

梁——「玲」的子音consonant「L」，「張」的母音vowel「ing」[50]——切為「梁」

京——「張」的子音consonant「Ch」，「玲」的母音vowel「ing」——切為「京」

又，《明報月刊》四月號轉載了《亦報》上的反響，關於《十八春》和梁京的，其中有叔紅兩短文，陳子善說明叔紅是桑弧的筆名，「叔」和「桑」用同一子音「S」，「紅」和「弧」用同一子音「H」。

最好此信能和前信同時給你看到，免得再麻煩你解釋，如無誤，可不必作覆。Mae仍在打針，雖有反應，但能打下去總是好的。

Stephen
3/31/87

張愛玲致鄺文美、宋淇，一九八七年五月二日

Mae & Stephen，

二月廿六日的信與三月廿二、卅一的兩封都收到了。〈氣短情長〇〇〇〉「酸酸」「洞明 」

49. 「從前信上」指一九七六年十二月十五日張愛玲致鄺文美、宋淇，以及一九七七年一月廿一日宋淇致張愛玲。
50. 應為「iang」。

四字間漏印了一段，下句是說另一人，不記得是誰了。補寫了一段附寄了來，請叫人用稿紙抄一份。我過天再寄點錢來付這些雜費（買ＥＣＵ費用等）這麼壞的文字，還要Stephen校！如果還來得及的話，請轉托劉爍華〔陳爍華〕找人校這本書，我絕對不會不滿。又如再有別的問題，也請以意度之，不要再問我了。梁京筆名是桑弧代取的，沒加解釋。我想就是梁朝京城，有「西風殘照，漢家陵闕」的情調，指我的家庭背景。我上次看到一封mislaid〔錯置〕的信後補了封郵簡來，請Stephen代寫篇短文，希望已經發表了。《聯合文學》上鄭樹森文內說Ferd半身不遂，想必是引Lyon的書。——那本書我只匆匆翻了翻，沒看——想是Ferd女兒告訴他Ferd最後兩年臥床不起（bedridden），Lyon纏夾。看來中外訪問者一樣靠不住。王禎和文內說聽麥卡賽太太說我旅費只夠到洛杉磯，這話更不知從何而來。我告訴麥卡賽太太Ferd那裏有足夠的錢住醫院，又有他女兒在那裏，她又能幹，我可以不必趕去，還是照原定計劃到香港去做點事。根本沒提旅費的話，她不會對別人說任何可供纏夾的話。似是禎和不懂我為什麼不回美，當時揣測，除非是路費不夠到華府；多年後追憶，誤以為是聽見麥卡賽太太說的。我想連同聖校汪老師說我為一首打油詩差點沒畢業的話——其實是物理不及格——寫一篇辨正，實在沒時間。也許Stephen可以寫篇極短的，引我信上的話，作為更正。如果沒有適當的時機，就先擱着好了。又還是寫了信給我姑姑，我真過意不去到極點。很高興Mae已經回來了。我覺得walker像傢俱不像拐杖，還很輕便可愛，而且有倚欄的情致。《聯合報》又寄來〈小艾〉後半稿費一千六。我本來收到稿費也想着是否應當退還，但是既然不能打官司，也只好照收算了。報館也來信道歉，提到痖弦。匆匆祝你們倆好。

Eileen 五月二日

又，桑弧崇拜李叔同（？）——弘一法師（？）——不知是否與叔紅筆名有關。

P.143第六行末：

〔酸酸〕地一笑，說出話來永遠是「一言堂」，從來沒有異議。另一個較年青的，兼營洋裁，同是穿着寒素的線呢長袍，手上却戴着一隻晶光四射的大鑽戒。以他的氣派，沒人會懷疑不是真鑽石，儘管他身材瘦小，貌不驚人，短闊的臉，塌鼻子尖下巴。他少年得意，戰後做遊客吧女舞女的生意，做得很大。但是我拿出舊車毯改製大衣，舊桌布做旗袍，祖母的綢夾被面做連衫裙，他面不改色，毫無不屑的神氣，不過開價特高。有一次他說：「裁縫其實跟工程師一個道理。」是說造成理想的女體的幻象好比造房子，同是用線條構成立體。雖然經過深思，對二者社會地位的懸殊感到不平。我聽了也肅然起敬。

〔分段接下文。「洞明」二字起五行全刪。〕

張愛玲致鄺文美、宋淇，一九八七年五月十八日

Mae & Stephen，

前幾天剛寄了封信來，附〈氣短情長及其他〉補寫一節，這兩天預備寄錢來付買E.C.U.等雜費，才想起來Stephen代賣掉《怨女》電影版權，我都忘了送15%代理費！精神不濟，近來越來越荒唐得不成話。也是因為深知跟影劇界這些人磨，多麼頭痛，連我只看見成果，都已經頭痛萬分，急忙把信收了起來，拋在腦後，就像是不知感激。這裏補寄來$2250，無論如何一定要收下，讓我心裏舒服一點。另外兩次代買E.C.U.，與找人抄稿子，掛號郵資、長途電話等雜費，我完全沒數，先寄$300來，不夠再補。過天再寫信了，衷心盼望你們倆都好。

Eileen 五月十八

宋淇，一九八七年五月二十四日

Eileen：

五月二日信和「酸酸洞明」的校正稿都收到，在這種情形下，你居然還趕出校稿，真不容易。皇冠因為有很多人虎視眈眈〈小艾〉，急忙趕出《餘韻》，五月初旬出版，五月號《皇冠》雜誌和《中國時報》都已見到廣告。預備過兩天再好好寫信給陳皪華，請她在再版時更正。《餘韻》我已收到，她們必已寄上單行本給你，希望你收到此信時已見到，大體上算過得去，還有一兩處校對上明顯的錯誤。關於梁京的筆名，我想還是讓我的解釋stand好了，因為外人猜測紛紛，有人認為是「涼」「驚」的諧音，現在說是切韻，沒有人會挑眼，也不得罪任何人。〈代序〉是我代寫的[51]，一則她們太忙，二則對你的作品和心意都不特瞭解。她們本來要我具名，我加以婉卻，因為我一出面，更坐實我們之間的關係，變成真正的代言人，再也不便替你說話，所以將credit〔功勞〕給了編輯部。這篇文章要顧全到作者和出版者雙方的立場，措詞很難恰到好處，很費了點心思，希望你看後不會太失望。我還考慮到如何拉近你和讀者的親近感和提高序的authenticity〔真實感〕，所以作主將來信有關〈小艾〉的看法複印了出來，間接表示對外界擅自將之發表的不滿，信中提及桑弧，我代以友人，因為他還健在，大概出身較好，運動中未見有人重點批判，多提他對他可能不好，梁京筆名是他擬的這一點，我也不預備提。

《續集》一書，皇冠預備和《餘韻》一同出版，因我算來算去，篇幅不夠。《南北喜相逢》是Charley's Aunt改編的，丘彥明說沒有全稿，否則她們一定登全部。我現在各處在找線索，現在已覓到《魂歸離恨天》的原稿，由秦羽保存，她不日就要移民加拿大，居然清理出來了。另外還有人允承設法找其他劇本。我以為這本書不妨從緩，因為除非你的身體狀況改善，否則一時不會寫作，那麼此書趕出之後又要中斷一個時期。我在想不妨觀察一下讀者對《餘韻》的反應，即使拖到今年年底出也無所謂。這本書的代序不易寫，太空洞，如果有充裕時間，你不妨寫一篇短短的前言，八百到一千字即可，我finalize了目錄後再說。

請不必寄錢來，第一筆版權費改存E.C.U.時，有$77美金餘款，付另碎雜費，甚至郵費，都綽綽有餘。最近美金跌勢暫告喘定，本來日本、德國減息，美國加息，可是臨時因南美債務問題，又不敢立刻加，所以只可說「喘定」。E.C.U.因德國馬克和英鎊減息，所以利息也下降，目前為6又1／8％，反而比美金要低1／2％，不過相信不至少於美金的儲蓄存款利息。E.C.U.對美金為rate為1:1.15，最高曾到過1:1.20，但我們的目的在保值，不在賺錢，這點錢弄不好了。你現在第一筆是12,646，第二筆是23,824，將於本月26和27日到期，利息尚未計在內，每年應可有2,106E.C.U.利息可收，約等於2,400美金一年，200美金一月，告訴你個數字，好讓你知道後心定一點，有什麼需要時，還有個後援。

最近台幣對美金的rate約漲了20％，你的書既以台幣為單位，版稅收入自應水漲船高，上一筆就似乎比平日多些。我的看法是如果《餘韻》在上半年出，《續集》下半年出，每出新書一次，總會帶高其他的書的售量，很多人總會查一下，某一冊我還沒有看過，不如補一本罷。

你要我寫一篇短文，解釋一下誤傳，我會放在心上，看有適當時機再說。目前正在《餘韻》出書時，大家又revive〔恢復〕了對你的興趣，似乎不必趕熱鬧。

Mae仍在接受化學治療的注射，反應視份量輕重而定，總之，能接受比不能打針好得多，有些病人不能繼續打下去，似乎更心中難安。我們總覺得天主自有安排，而且從各方面說來，我們還是幸運的，至少「比上不足，比下有餘」。你姑母處我再也沒有接來信，我僅知她已回上海，並會直接寫信給你，對我絲毫沒有麻煩，請不要掛在心上。此信內容關於《餘韻》序，和桑弧事都不足為外人道，當然你也沒有別人可說。祝好。

Stephen
5/24/37

51. 指《餘韻》的代序。文中引用的張愛玲信件，寫於一九八七年二月十九日。

宋淇，一九八七年六月二日

Eileen：

我已於五月廿四日收到你信後立刻告訴你不要匯錢來，誰知過了一天立刻接到你掛號信，內有支票二紙計$2,250和$300，一看是銀行開的本票，並不是你私人的支票，所以只好先存入我們的戶口再說。

（一）《怨女》的事早告一段落，我在去年五月至七月中屢次將經過詳告，可能我寫得太長，沒有深入。為了徹底了解起見，我再說一次。這劇本是我老同事黃也白經手的，你名下淨到手美金$12,000，已扣除我和另一人的佣金各10％，（不是15％），因為開價是15,000，這故事不大可能有人要，所以相當克己。你已經付出了佣金，所以絕對不必再付。Mae後來替你買入了ECU 12,000，還有美金$77元餘款，原來是她名下，她開刀後改為我們兩人的joint A/C。我另外開一張清單，（1）項即是，其中rate、利息等數字，你也許弄不清楚，只看紅筆上的數字便是最近的總數。

（二）〈第一爐香〉的版權也於去年十一月尾前簽合約收費。對方是獨立製片公司，正好邵氏公司交給我的定洋是$2,000，我就表示大片的低價是20,000，對方說小公司付不起，而且將來多數不用原故事名，只用張愛玲原著，所以後來以18,000成交，計扣另一人1,800，我名下1,200，你的淨到手款項是15,000，這事經過我沒有詳細說明，只在信中說你net了15,000，也許你將此事搭到《怨女》上去了，覺得沒有付過我。我想這是唯一的解釋。事實上，你也付過了，錢到手後我立即以15,500買入了ＥＣＵ（500元是〈茉莉香片〉舞台劇改編費），後來你在二月十八日又寄來了10,000，我一併存入另一戶口，即附單上的第（二）筆，看紅筆上的數字便是最近的總數。

你寄來的2,250和300，我沒有理由收下來，先存入我們的戶口再說，今天去過銀行，云要等到支票寄到美國收妥後才能入數，我還是預備替你買入ＥＣＵ，約2000左右，那麼到時你可以有39,000左右了。我細算一下，你先後寄來10,000，2,250，300，等於是《傾城之戀》的版權，其餘則是《怨女》和〈第一爐香〉的版權，根本沒有虧本，多出來一筆nest-egg，也好令你心安一點。《傾城》賠本，《怨女》停拍，《第一爐香》半年來沒有下文，那是他們的事，你反正已淨到手ECU 39,000了。總之，以後每過半年我會給你一個statement。這封信也不必保存，害你勞神。

秦羽即將去加拿大，行前整理一切，發現你寄去的《魂歸離恨天》手稿，並說當時公司風雨飄搖，沒有付你酬勞，承她情交了給我。我正在愁《續集》稿源不足，《南北喜相逢》丘彥明說沒有全稿，即使有我也不願拾人殘餘。我預備給《聯副》，因為讀者最多，稿費最高，皇冠只要出《續集》時給他們好了。《續集》的序等我有暇草一短序給你修改，反正不急。

Stephen
6/2/87

收據寄還給我即可。

Eileen：

附上皇冠版稅結算單（1987年上半年）和支票一紙，計Merrill Lynch Bank One, Columbus，Ohio支票一紙，計$13,862.00，數字相當理想，超過我的估計。原因有二，（一）是台幣對美金升值三成，多了三千元；（二）是《餘韻》出版，兩個月銷了六千本，並帶起其他各書。這原是我的策略，果然見效，但想不到會增加一倍左右。這使我想起《續集》有動手的必要，原計劃是年底出書，因為好久沒有你的消息，代你擬的序，還沒有動手。好在內容已定，《南北喜相逢》就是Charley's Aunt，劇本已找到，可以和《魂歸離恨天》放在一起。餘再談。祝好。

Stephen
8/15/87

1) 《怨女》版權費　Eileen名下美金$12,000 net（開價15,000）
（另付佣金1,500　Stephen佣金1,500）

已於7/16/86買入ECU$12,000（rate為0.9936，計用美金11,923.08，尚餘美金$77.00）
即存入恒生銀行定期儲蓄，每月自動轉存，到今天已滾存為ECU12,719.36，年息自6％至7又1／2％不等。

2)〈第一爐香——沉香屑〉版權費　Eileen名下美金$15,000 net（開價18,000）
（另付佣金1,800.00　Stephen佣金1,200）
已於11/26/86以美金$15,500買入ECU14,791.60（rate為1.050）存入上海商銀行定期儲蓄，到2/26/87為15017.1（年息為6又7／8％）
又在2/18/87收到支票$10,000一紙，再於2/26/87買入ECU8,806.69（rate為1.1355）
一併存入到期之戶口，總計為23,824.40，到5/27/87為24,220.93（年息為6又3／4％）。
現又續轉兩個月。

3)〈茉莉香片〉舞台劇改編版權：美金$500，這是民間非貿利團體，付的是三齣短劇之一，已上演，寥寥數場，只好算是象徵，以杜盜版而已。
此數已入（2）中，當時買ECU乃在15,000外另加500，故總數為15,500.00

〈傾城之戀〉舞台劇改編費，這是政府Urban Council話劇團辦的，要到今年十月才上演，公演後才付錢，計為港幣$5,000（約合美金640.00）。這是他們有史以來最高價，官方機構來提倡話劇，其賠錢無疑，想來想去還是同意（他們也派人來打招呼，很客氣）。政府機構照樣要付原作者費用，傳出去可以讓香港社會aware of 這件事。另一機構改編為廣播劇，就不給錢，大概沒有收入。本來想交涉，打起官司來，實在麻煩，只好假裝不知道，算了。以上小事，沒有詳告，〈茉莉香片〉曾在信中提過，反正有錢就買入ＥＣＵ，一併存入你名下戶口。總之，你現在一共有ECU37,000左右，年息以6％計，每年可收入ECU2,250左右，照目前的rate等於有美金$2,500一年。

宋淇，一九八七年六月二十二日

Eileen：

六月二日曾有一信給你，告訴你所編的《魂歸離恨天》的劇本已送來，事先和瘂弦接洽過，因為他一向支持你，所出稿費也最高，所以給他獨家發表，好讓他有所表現。這樣一來，《續集》一書的稿源問題同時解決，我已於今晨將副本影印稿寄皇冠陳皪華。我想《聯副》總在七月初至中連載副本，七月底他們會將稿費寄上，所以在此說明，使你心理上有準備。最近形式有了新變化，我大略綜述於後：

（一）皇冠最近深深體會到你作品的份量，尤其在台灣，深入各階層，復為各女作家的model，大家都已認你為作家中的作家，多年來就是沒有新書出版，銷路始終可以維持水準以上。所以他們打算重新排過，出全新的版本，開本比目前稍大，這樣一來，投資相當浩大，遠比不上坐吃現有的版本，希望在版權上有新的協議，使他們有保障。我的回答是：只要愛玲在世一日，皇冠就得照付版稅，以後的事，誰都不敢說。何況我們身為她的知交，歲數比她大，身體比她差，將來輪不到我們說話，但我們細想她親戚中只有姑母一人，也已到八十餘歲，無須愛玲照顧。愛玲如何想法，我們不知，也從未談過，但絕沒有理由讓出版者吃虧之理。我想B. Shaw，A. Huxley，T. S. Eliot都有人代為管理，從未聽說有版權之爭，你至少也應想一想，成立一個trustee，版權收到的版稅和其他收入不妨或成立基金，用以一個特殊的purpose，未嘗不可。

（二）《餘韻》已出版，想已見到，「酸酸洞明」和其他校對錯誤我已有信通知。這是你作品中的第十冊。《續集》稿已齊，《小兒女》之外，再加上《魂歸離恨天》，和〈STALE MATES〉和〈五四遺事〉的中英對照，大概有230頁左右，可以出書了。這是你作品中的第十一冊。現在只剩你一篇短序，我知道你未必有時間、心思寫，所以在前信中末尾說我會代你草一短序，空一格寫，寫個500-到1000字，由你批改寄回。等我忙過這一陣之後，才能進行，到時你看如過得去，應付一下。因為這次《續集》為我所編，我不願出面寫序，而《餘韻》我們已取了一次巧，《續集》

你再不自己具名寫一短序，讀者恐怕真的會想到歪裡去了。

（三）皇冠順便問起慧龍的《赤地之戀》，既然預備出全集，只有這本書漏網，似有遺珠之憾。他們想知道當時是否賣絕？你手中還有沒有原來的合約？我回答說張愛玲女士絕不會賣絕，當時由於一時誤會，才簽約給慧龍，據我所知慧龍的出版人已去世，他們多數沒有履行合約，到期付版稅，因去年朱西寧曾來香港，向我提出要《赤》書的版權，是則表示他已知慧龍對該書已沒有claim了。原來合約還在不在不敢說，即使在，一時也找不到，拿不出來。希望他們根據這線索去追尋。同時我也去信給愛玲一詢。這是你全集的第十二冊。

（四）秦羽離港去加拿大，行前拿所有劇本都捐給ＴＶＢ，事先我取得她同意，凡你所寫劇本，都應影印一份給我，否則成了公共財產，流落在外，後患無窮，我於上星期收到下列劇本：

人財兩得

桃花運

六月新娘

一曲難忘

南北喜相逢（一半，未全，現要求補印）

另《小兒女》一出〔齣〕，已給《聯文》發表過，不算。《小兒女》和《魂歸離恨天》定由《續集》中發刊，故「包括在外」，include them out。以上五齣劇本當在300到400頁之間，已是厚厚的一冊了。我立刻將封面寄去給陳皪華，先去申請登記，並說這五劇本可出一單行本，書名暫定《流言》中的篇名：《借銀燈》，此外我會另寫一篇專文，講你看電影、評電影和編電影的經過，這當然是在《續集》的序後才能着手，到時我會請你回答我一些問題，目標暫定為今年年底。這樣就不必急急於為《赤地之戀》操心，因為這正好是你新版全集的第十二冊。

以上一切順利得出乎意外，似有天助，尤其是電影劇本合浦珠還，一下解決了《續集》和新版全集的問題。高興之餘，先將這信趕出。又，你寄來的錢另數倒可以派用場了，因為影印費、郵費、雜費加起來也需要一筆錢，你會寄錢來，雖然是誤會，但似也有先見之明，當然2,250的整數根本不必要，仍會代你購入ECU，好在這一陣美金價稍穩定，不必急急處理。即祝　安好。

Mae的化學治療已進入第八月。

Stephen
6/22/87

張愛玲致鄺文美、宋淇，一九八七年九月九日

Mae & Stephen，

這些時一直沒空寫信，儘管焦急惦念。今天趁便先把《聯合報》這張支票與稿費通知單掛號寄來，讓Stephen退還，《魂歸離恨天》不知道可又是別人冒名寫的東西。《明報》〈小艾〉稿費已收下。梁京筆名當然就照Stephen的解釋，我沒預備廣播它的來歷。過天再寫信。希望Mae好多了，Stephen這向也好。

Eileen 九月九日

張愛玲致鄺文美、宋淇，一九八七年九月十七日

Mae & Stephen，

皇冠版稅已經收下好幾天了，還是沒工夫寫信，挨到今天不得不先寄收條來。《魂歸離恨天》題目陌生，（作為我的作品）還沒看見，不知道是否又是別人冒名寫的。《世界日報》寄來稿費也附寄給Stephen退還。《續集》就請動手編。非常惦記Mae可好些了。過兩天一定寫信來。

Eileen 九月十七

宋淇，一九八七年九月二十日

Eileen：

收到你九月九日短信和《魂歸離恨天》的稿費支票。顯然你沒有收到我六月二日和二十二日兩信，向你報告經過。現再簡述如下：

（一）《魂歸離恨天》是你為電懋編的最後一齣劇本，那時我已去了邵氏，就交了給秦羽。事隔二十年，她最近全家移民去加拿大，行前拼擋一切，赫然發現你的原稿。那時電懋已結束，正在改組，風雨飄搖，沒有開拍，也沒有付你酬勞，現在交還給我轉交原主。我以《聯副》出稿費最多，而且對你很尊重，所以交給他們獨家發表。我決定請他們轉開一張支票給我，收到後存入你香港的E.C.U.定期戶口，將來再告知。

（二）我信中提過《續集》的出版計劃，現在有了《小兒女》和《魂歸離恨天》（附上你親筆的原稿第一頁副本，證明此劇並不是別人冒名寫的。），篇幅足足有餘。我打算代你寫一短序，等到我心定草成後，空一格抄寫寄上，由你修改，表示是你親自寫的。上一次《餘韻》的偷雞辦法，可一而不可再。《餘韻》一月中賣了兩版，並且帶起其他作品，所以《續集》非出不可。希望你收到我八月十五日的掛號信，內有皇冠的版稅清單和支票。

（三）《餘韻》之後，接下去出《借銀燈》，內容是（一）《人財兩得》；（二）《桃花運》；（三）《六月新娘》；（四）《一曲難忘》；（五）《南北喜相逢》，由我寫一篇序。這本書你可不必操心，劇本全部從秦羽檔案中取到並已委託皇冠前去登記。《情場如戰場》在《惘然記》中發表，《小兒女》和《魂歸離恨天》則將於《續集》中露面，改編的劇本全部有了着落。

（四）Mae大有起色，化學治療已告一段落，希望以後每月去檢查一次就可以了。我的心境和身體也大有進步。希望這向你有好轉。

Stephen

9/20/87

宋淇，一九八七年十月十五日

Eileen：

這是《續集》的序，首三行是你自己寫的，其餘由於你弄錯了內容，大寫其〈談看書〉，文不對題，寫信來給要了回去，以後就沒有了下文[52]。現在事過境遷，出版計劃有變，曾經在六月信中問過你，也許你沒有見到，也許見到而沒有入腦。所以只好硬着頭皮，代擬了一篇短序，特為隔行抄，以便你刪改。如你有時間，可以加以改寫，如沒有充裕的時間，則請你將口氣改得像你的一點[53]。上次《餘韻》出版，半個月銷了兩版，並帶起其他作品，這句話已經有了三個多月，打鐵乘熱，皇冠已將《續集》內文付排，只等序文，即使如此趕，出書也要等到年底左右。這篇序對你很重要，一可以Quell〔平息〕所有的不利謠傳，二可以說明你作品的銷路。改完後就請你將改正稿原件掛號寄回給我，由我代抄好了。

你的〈離恨天〉稿費$1,446已於十月九日買入了ECU1,260.00，將於十月廿九日存入定期戶口的$26,748.00元，昨日美金因外匯逆差令人失望，對外幣又開始跌價。你另一筆ＥＣＵ存款為十月廿八日到期的$12,991元，每月代你滾存，放心好了。另一筆《世界日報》的轉載稿費$400也已請他們另開支票給我。我看以後金錢的事還是由我經手的好，免得鬧笑話。祝安好。

Stephen
10/15/87

52. 一九八五年十月廿八日張愛玲致宋淇書：「散文集叫《續集》（繼續寫下去，因為許多人當我擱筆了），自序要寄來請你們代看一下。」這自序大概是一九八五年底寫的，但因「離題」而索回，之後再無下文。書信檔案中有張愛玲親撰的〈續集自序〉頭一頁影印本，正本已經歸還，應該早銷毀了。但這篇「離題」的自序，其實早在一九七九年已在張愛玲的腦海醞釀，只是宋淇忘記了，證據是一九七九年六月廿六日張愛玲致宋淇書：「〈談看書〉刊出時，平鑫濤信上提起說可以出個單行本。我當時沒接這個碴。等〈相見歡〉寄去了，有了四篇小說（連〈五四遺事〉在內），附錄四篇：〈談看書〉，〈對現代中文的一點小意見〉（引法文誤la為le），〈關於《笑聲淚痕》〉，〈關於〈色，戒〉〉，我想夠出單行本了，也許叫《斷續集》，前面有個短序，提起〈談看書〉的部份內容與〈關於〈色，戒〉〉可以代序。」

（以下為張愛玲筆跡，寫在「愛玲專用」稿紙上）

自序

書名《續集》，是繼續寫下去的意思。雖然也並沒有停止過，近年來寫得少，刊出後常有人沒看見，以為我擱筆了。

前些時被人放火燒了的好萊塢圖書館，新書小說架上掛了一張橫額看板，上面白紙黑字印了兩行英文：

我們看書的口胃，像戀愛的口胃一樣使朋友驚異。

——安德雷．莫汝瓦（Maurois）

法國作家莫汝瓦與漢明威一樣macho——一般譯作大男子主義，也許寧可嚕嗦些譯為「講究男性的英雄氣概」——韻事也多。想必這是他經驗之談。一般人對朋友的太太戀人或丈夫的感覺往往是「不知道他（她）看上她（他）什麼。」那怎麼又說「別人的老婆，自己的文章」？（一作「自己的兒子」）那是因為從前中國男女隔離，別人的老婆至多驚鴻一瞥，引起無限遐想，自己家裡的黃臉婆當然望塵莫及。現代人常與「朋友妻」接觸，喪失了神秘感，而又缺乏較深的了解，不像對自己的太太，儘管熟悉她的短處，另有種種溫馨與甘苦抵消了。

看書也同是各人別具隻眼。我寫那篇〈談看書〉，因為長久沒寫東西，不知道怎麼，說來可笑，雜七雜八長篇大論講人種學等等，乘讀者昏昏欲睡，才偷偷的塞進兩段我對文藝的信念，不然不好意思說。——人種學是我的一個嗜（未完）

自序

書名《續集》，是繼續寫下去的意思。雖然也並沒有停止過，近年來寫得少，刊出後常有人沒看見，以為我擱筆了。

〔以上為張愛玲筆跡，以下為宋淇筆跡，隔行寫〕

前些時有人將埋藏多年的舊作〈小艾〉發掘出來，並利用《明報月刊》分在台港兩地刊載，事先連我本人都不知情。這正逆轉了英文俗語的說法：「又要壓著馬兒去河邊，又要禁著它喝水。」這水的冷暖只有馬兒自知。聽說〈小艾〉在香港公開以單行本出版，而且用的不是原來筆名：梁京，還理直氣壯地用了我的本名，其大膽當然比不上用我名字寫和出《笑聲淚影》的那位「張愛玲」。我是香港大學文學院的學生，讀了一年半，後來因珍珠港事變沒有完成學業；一九五二年我重來香港，住了三年多，都有紀錄可查。我實在不願為了「正名」而大動干戈，何況聽說美國還有人和莎士比亞同姓同名呢。皇冠出版社認為對〈小艾〉一書心懷叵測者頗不乏人，勸我不要再蹉跎光陰，免得重蹈覆轍。事實上，我的確收到幾位出版商寄給我的預支版稅和合約，打

53. 宋淇為張愛玲捉刀，實在逼不得已。箇中內情，可參考以下幾封宋淇致陳皪華信的節錄。一九八七年九月三十日宋淇致陳皪華：「《續集》的事，她沒有下文，只好不去理她，等我心神稍定後，徑自代擬序文請她過目批准好了。只要她仍健在，書非出不可，《餘韻》一出，仍然有銷路而且還可以多少帶起其他作品的推銷。所以我們不應讓她的名字冷下來，如果今年年底可以趕印《續集》，明年可以將〈借銀燈〉付梓，那我就是犧牲掉一點自己的時間也在所不計了。」一九八七年十月十日：「《續集》的序還在醞釀中，要等內人十二日去了醫院複診方能專心寫作，期以月底，就怕愛玲沒有時間閱讀和修改。」一九八七年十月十八日：「我在十月十日信中說希望能在月底前趕出《續集》的序。不知怎麼一來，我忽然想通了，從十二日連寫帶改，終於在十五日定稿，謄抄一遍，並於十六日航掛寄給愛玲，希望老天幫忙，她能平安無事，在十月底前寄回給我。如一切順利，《續集》或可於十二月份出書。我所擬的序有很多地方模擬愛玲的口氣和思路，但究竟是西貝貨，非她好好改動不可。這兩天好像生了一場病，什麼事都不想做，連正經的書都看不進去。大概《續集》的序不容易寫，而自己漸漸老邁，不復有當年的銳氣。有時想想這樣做所為何來？自己的正經事都不做，老是為他人做嫁衣裳，可是如果我不做，不會有另一個人做，只好義不容辭，當仁不讓的做了。」一九八七年十一月十九日：「最可惜是我十月十九日掛號寄去《續集》的序，現在她根本不能收掛號信（編者按：因為張遺失了身份證），當然又落了空。我寄去的是原稿，中間空一格寫，有幾處用鉛筆寫了點意見，徵求她可否，現在也無從知道她的反應。想來想去，目前唯一辦法是照她信所說，只好由我做她的槍手，重新理過，用正楷抄一遍，寄上發排。同時影印一份給她，請她看看有什麼意見，如有重要的，等到再版時更正好了。否則遙遙無期，大家都給她吊在半空。平信會遺失，掛號信不能收，到手後忘了看，看到了又不入腦。想不到一代才女會落到這地步，不禁憮然。她的近況，除你外，別人前我一字不提，免得不必要的驚惶。」在一九八七年十二月十五日的信中，宋淇又指出〈自序〉的話「多半是從愛玲給我們的信中摘出，相信句句話都是她本來想說的。」

算出書。我只好原璧奉還，一則非常不喜歡這篇小說，更不喜歡以〈小艾〉名字單獨出現，二則我的書一向歸皇冠出版，多年來想必大家都已知道。只怪我這一陣心不在馬，好久沒有在綠茵場上出現，以致有人認為有機可乘，其實仍是無稽之談而已。

這使我想到，我本人還在好好地過着日子，只是最近寫得較少，卻先後有人擅自將我的作品視為公產，隨意發表出書，居然悻悻責備我不應將自己的舊作發表，反而侵犯了他的權利。我無從想像富有幽默感如蕭伯納，大男人主義如海明威怎麼樣應付這種堂而皇之的海盜行為。他們在英美獲得諾貝爾文學獎，生前死後獲得應有的版權保障。蕭伯納的《賣花女》上演，後改編成黑白電影，改編成舞台輕音樂劇《窈窕淑女》，再改編成七彩寬銀幕電影，都得到巨大的版權費。海明威未完成的遺作經人整理後出版，他的繼承人依舊享受可觀的版稅。如果他們遇到我這種情況，我相信蕭伯納決不會那麼長壽，海明威的獵槍也會提前走火。我不忍再提，以免喪自己志氣，長他人威風。不必諱言，在這一方面，我們的社會仍舊是落後的，比不上中南美洲國家。

我想既然將舊作出版，索性從前遺留在上海的作品選出一本文集，名之《餘韻》。另外自一九五二年離開上海後在海外各地發表而未收入書中的文章編成一集，名之《續集》，免得將來再鬧《紅樓夢》中瞞贓的竊盜官司。

〈談吃與畫餅充飢〉寫得較長和細膩，引起不少議論。多數人印象中以為我吃得很少而隨便，幾乎不食人間煙火，看完之後，大為驚訝，甚至認為我「另有一功」。衣食住行我一向比較重視衣和食，然而現在連這一點小偏嗜都成為奢侈了。至少這篇文章可以滿足一部分訪問者和在顯微鏡下「看張」的好奇心。這種自白式的文章只是驚鴻一瞥，雖然是長的一瞥。我是名演員嘉寶的信徒，幾十年來她利用化裝和演技在紐約隱居，很少為人識破，因為她一生信奉「我要單獨生活」的原則。記得一幅漫畫以青草地來譬喻嘉寶：「私家重地，請勿踐踏。」作家借用書刊和讀者間接溝通，演員卻非直接面對觀眾不可，為什麼作家同樣享受不到隱私權？

〈羊毛出在羊身上〉是在不得已的情形下被寫出來的。不少讀者硬是分不清作者和他作品中人物的關係，往往混為一談。曹雪芹的《紅樓夢》如果不是自傳，就是他傳，或是合傳，偏偏沒有人拿它當小說讀。最近又有人說，〈色，戒〉的女主角確有其人，證明我必有所據，而他們說的這篇報導是近幾年才以回憶錄出現的。敵偽特務鬥爭的內幕那裡輪得到我們這種平常百姓知道底細？王爾德說過，「藝術並不模仿人生，只有人生模仿藝術。」我很高興我在一九五三年開始構思的短篇小說終於在人生上有了着落。

《魂歸離恨天》是我為電懋公司寫的最後一齣劇本，沒有交到導演手上，公司已告結束。多謝秦羽女士找了出來物歸原主。

"Stale Mates"（老搭子）曾在美國《記者》雙週刊上刊出，虧得宋淇找出來把它和我用中文重寫的〈五四遺事〉並列在一起，自己看來居然有似曾相識的感覺。故事是一個，表現的手法略有不同，因為要遷就讀者的口味，絕不能算翻譯。最近我看到很多關於我的話，不盡不實的地方自己不願動筆澄清，本想請宋淇代寫一篇更正的文章。後來想想作家是天生給人誤解的，解釋也永無止境，何況宋淇和文美自有他們操心的事。我一直牽掛他們的健康，每次寫信都說：「想必好了。」根本沒有體察到過去一年（出《餘韻》的時期）他們正在昏暗的隧道中摸索，現在他們已走到盡頭，看見了天光，正是《續集》面世的時候。我覺得時機再好也沒有。尤其高興的是能借這個機會告訴讀者：我仍舊繼續寫作。

張愛玲致鄺文美、宋淇，一九八七年十一月九日

Mae & Stephen，

Stephen五月廿四信後，八月十五、九月廿日兩封掛號信前，（八月十五信內版稅清單已簽字寄還）我只收到一封，三頁寫滿，沒日期，想必還有第四頁，也許只小半頁，可能我看過後失落了。信封上郵戳「六月四日」，當是六月二日的信。六月廿二的一封肯定寄丟了。航空信寄丟了就我所知還是第一次，非常意外。我對借用《魂歸離恨天》題目太反感，所以排斥在記憶外，也真荒唐可

笑。還有荒唐得令人難以置信的，Stephen的信我都沒細看就收在不離手的皮包裏，因為怕丟；直到今天寫信才又看一遍，看到代寫《餘韻》序。兩本《餘韻》早已寄給莊信正，一本請他轉給志清，都沒寫上下款，也沒翻看過，根本不知道有序，只好以後再看了，相信一定妥當。絕對不是看了不滿意，不便說。《續集》序請無論如何要代寫，不用寄來給我看了，免得又再躭擱。我確定不會追悔。九月廿日這封掛號信，碰上一個郵局職員不肯通融，拿不出有照片的證件就不許簽收，堅持要信箱店主代領。他拒絕，因為他每天早上去取信只在郵局後門領一大包信，另代簽收要花上好些時間排班。我告訴他只此一次，我馬上（！已經躭擱了快一個月）通知親友不再寄掛號信來，才勉強答應了。看來在我領到身份證前不能匯錢來——既然普通航空信有時會寄丟了——就請暫存在這裏，等積得多了些再買歐券。Mae好多了，我又心定不少。前一向一直忙的緣故，是因為從經驗上知道每年夏天最熱的時候fleas會絕跡一兩天，不知為什麼，也許忙着去繁殖去了。要利用這時機，先要勵行我這regimen（養生法），天天換房間，勤換旅館，再回到fleas不絕如縷的地步——這些時不進則退。光這就已經忙得睡眠不足，因為現在地段僻遠，上城難，公車又緊縮，又因屢爆醜聞飽受攻擊，往往不宣佈就悄悄裁減。只聽見司機說「從今天起晚上七點鐘後一律一個鐘頭一班車」，就沒加一句「這輛車七點鐘後停駛。」一等一兩個鐘頭，有時又白等，接連幾天午夜後才回家，最後一程還是叫汽車的。所以別的事全都擱下了，真是牙痛才去看。沒固定住址，連找靠得住的牙醫生都難，否則以前那醫生搬離LA也不會不告而別，會寄通知來介紹另一醫生。寫信給退休了的老醫生沒回音，也不必再打電話去追問了。臨時到USC公立醫院，至少可靠，與一個戴手銬腳鐐的犯人一同候診。去年夏天不熱，今年熱浪也姍姍來遲，又短。熱到第二天，果然fleas幾乎沒有了，次日天一涼又回來了。秋後再熱似乎沒用，大概季節關係。入秋後有兩天熱到108度，也只好些。這才確定無望了，縮小的fleas太elusive，與前不同，我那一套土法上馬效力不夠，只能控制不能除根。但還是要繼續下去，一失去控制就不得了。當然趕緊撥出兩天不搬家，去移民局打聽補領身份證的下落。連去兩次，女科員當場去查電腦，說我入籍記錄全無。問我「綠卡」號碼，我根本沒有過綠卡，她又聞所未聞。（事後我想是因為那是work permit，我沒找事，又沒人告訴我要領。在火奴魯魯繳出入境證後，就沒片紙隻字作證，我當時也一直有點不放心，但是四年後申請入籍，也並沒要任何證件。）結果說再去查，要一個月。此外稅局說我欠稅沒付罰款，我寄了他們打了印戳的cancelled check去，才罷了。一方面American Savings終於查明，他們申報的我的大筆利息屬實。實收的利息不到一半，顯然有人做了手腳。那年年底我因為信箱收信怕丟，一直留神，等着年終利息清單，而沒收到。開春去要，並沒像從前那樣拿到清單副本，只一張小紙上鉛筆寫了個數目，奇少。當時我正因為reinfested放棄了最後一個apt.，再度陷入泥沼，打擊得暈頭轉向，儘管疑惑，沒去查問。那時American Savings風雨飄搖，我想是一個現在久已離去的中東青年出納員，對我的存款很注意，我丟失全部存摺，與改存別家，都是跟他打交道。被侵佔了幾千元。近來事事拂逆，只有Stephen代籌畫的是一線曙光，給我一點安全感。這封信趕着寄出，不久得到移民局信息就再寫信來。

Eileen 十一月九日

張愛玲致鄺文美、宋淇，一九八七年十二月十日

Mae & Stephen，

這次遇到一個肯通融的郵局職員，領到了十月十五的掛號信。代寫的序真好，可惜又躭擱了這些時，其實我不用看。今天趁便去郵局寄還。身份證還沒回音，打電話去問，叫再等，說我入籍與上次丟失補領都在加州他們電腦化之前，所以要到華府去查。希望Mae病況繼續見好，Stephen這向也好。

Eileen 十二月十日

我上月來信想已收到。信裏說收上一封掛號信的周折，以及寄丟了的Stephen的信是六月的一封。六月信上說寫序的事，那就是那一封了。害Stephen疑慮不決，真是——！又麻煩Stephen代買歐

券。以後一定錢都由這裏經手，免得再出亂子。

又及

張愛玲致鄺文美、宋淇，一九八七年十二月二十九日

Mae & Stephen，

最近我又把所有的存摺都丟了，連同Stephen寫的那封備查稅的信，與僅有的一點身份證——Social Security Card——說沒用，少了它也更寸步難行。不是被扒竊，錢都在。丟了好幾天，到銀行取錢才發現，也沒人去冒領。今年此地冷得打破一百多年記錄。連日感冒在家，今天翻看一兩個月前收到的報紙，發現一張十一月三日的掛號信第二次通知單，早已過期（檢視時漏掉了沒看見），不知是哪一封，非常懊喪。隨又發現《聯副》蘇偉貞的信，說她告訴Stephen稿費我已經收下了——如果是指《魂歸離恨天》，我因為忘了有那篇作品，當是別人冒名寫的，把那張支票寄了去給Stephen退還，會不會沒收到？——又發現《世界日報》寄$400稿費來的信。明天我去買藥，剛巧就在這小鎮郵局旁，順便寄封掛號信，把$400支票與這些統統寄了來。Stephen這樣忙還替我管這些雜務，我實在感念。至少東西都在手邊，減少一點紊亂。Mae可又好些了？非常高興看到林文月〈香港八日草〉寫Stephen一段，雖然那篇文章又有些時了。也許不用寄social security no.給《世界日報》，因為以後要他們寄給Stephen。

Eileen 十二月廿九

張愛玲致鄺文美、宋淇，一九八八年一月五日

Mae & Stephen，

上星期急於趁便寄掛號信，感冒吃Aspirin吃得昏頭昏腦，寄來的支票也忘了背書，害Stephen還又要掛號寄還給《世界日報》，兜這麼個大圈子，笑話層出不窮。越是想給Stephen省點事越添出事來。寄出後兩三天才想起來，這幾天一直沒出去，今天才能寄這封短信來。掛號等等零碎費用請千萬有便時就扣除一小筆錢留着貼補。我上次信上講的一張掛號信二次通知單，想必就是上回領到的那一封，領到後又收到二次通知單。希望Mae好多了。

Eileen 一月五日

宋淇，一九八八年一月七日

Eileen：

十二月十日掛號信和看過的〈自序〉收到，我已等不及了，幸虧這一陣Mae病情穩定，再休養兩三個月可以正常，她雖不能抄寫，但至少可以細看原作。寫這種文章一定要多一幅眼睛，經她細閱後，刪去了、潤飾了原來有點過火和嚕囌的文句，至少我平常喜用的字眼比較容易給人看出來，都逃不過她細心的combing〔爬梳剔抉〕。經過討論之後，我抄了一遍，正預備將定稿寄去時，郵差上門送上你的信。其中只有一處「細膩」改為「詳細」，是我們疏忽，如寫「細膩」變成自誇自了。其餘你沒有什麼意見，有些地方我們自動改了，港大文學院你改為文科，我們的定稿是就讀於香港大學，更經濟含混。這裡不再多說，總之，皇冠的陳皪華已收到，對我的設計很滿意，校對方面他們做得極好，就是有問題，在刊出的原作，不在他們。〈自序〉大概將來由皇冠和《聯副》同

時刊出[54]。台灣開放報禁，《聯合》與《中國時報》都增加篇幅，又有新的報紙成立，大家都在搶人，搶稿，作家現在吃香得不得了。

今天收到十二月廿九日掛號信，內附蘇偉貞一封信，那時你還沒有將《魂歸離恨天》支票寄來，所以我寫信去查詢，其後就收到你寄來的支票，我早已替你買入了ＥＣＵ並存入你的戶口，目前我們替你開了兩個銀行的定期存款戶口，最近情形如下：

（１）ECU $13,200 Feb 1/88到期（２）$28,592.00 Jan. 29/88到期，你買入的rate自1.05至1.13，目前是1.28，最高到過1.32，利息則自6.125%到7.5%不等。

你信中寄來的《世界日報》支票稿費$400，因為你在支票背後沒有endorse〔簽字〕給我，我無從代存，不如存入你自己的戶口好了，好在為數不大。

Stephen
1/7/88

《魂歸離恨天》 張愛玲

人物（年齡係劇中早年）
葉湘容——十九歲
永生——十九歲
葉祖培——湘容之弟，十七歲
葉太太——湘容之母
高緒蓀——廿歲
高緒蘭——緒蓀之妹，十八歲
客——風雪夜行人。
錢大夫。

老王——葉家僕人，四十五歲，胖大角力者型。
高宅僕人多人。
舞會賓客。
高父——緒蓀之父。
葉家女僕一。
端傭用新僕一人。

張愛玲致鄺文美、宋淇，一九八八年一月二十二日

Mae & Stephen，

我上次掛號寄了《世界日報》的$400來，支票忘了背書，又補了封航簡來，想必都收到了。信上說遺失存摺，原來是丟在銀行櫃枱上，又由銀行寄了回來。Social Security Card與Stephen那封業務信都無恙，實在僥倖。怕Stephen要再重寫那封信，就又補這封航簡來告知。鄭緒雷的聖誕信我也是前兩天才看到，趕緊打電話給他介紹的一個醫生。打了去說沒這人，大概是已經離開那裏了。是皮膚科，那裏的醫生聽上去都是USC、UCLA的教授。現在我先送標本到衛生署lab去，有結果拿了去找醫生比較好。台灣出版界大陸熱，我想多寫兩篇不相干的短文，也許書的銷路會稍微好點。得便請平郵寄三十頁稿紙來，免得找人抄。邱〔丘〕彥明寄來一大包稿紙，帶來帶去好些時，東西太多拿不動，還是只好扔了。希望Mae續有進境，Stephen也好。

54. 宋淇收到張愛玲一九八七年十二月十日短簡和〈自序〉改稿後，便在十二月十六日致函陳皪華：「『重來香港』改為『重臨香港』，重來是我們住在香港的人的口氣，她居然看了出來。……她還沒有見到我們的定本，連草稿她已極滿意，相信她會對更含蓄、更乾淨的定稿不會有任何意見。這樣我們手中有了她的證明，更可以睡得著覺。」按〈自序〉原文是：「一九五二年重臨香港，住了三年，都有記錄可查。」

張愛玲致鄺文美、宋淇，一九八八年二月十二日

Mae & Stephen，

我上次信上說送標本到衛生署化驗後再去找醫生，化驗了也說不是，只有一隻小蝨蟲。鄺緒雷介紹的原來是UCLA醫院診所，醫生姓Kaplan，他信上不知怎麼寫作Kalcan（是這樣print寫法，不過很潦草，我仔細看了好幾次，疑心是Kalgan，又不是。）打電話去說沒這人，後來約見另一醫生，問起怎樣到UCLA就診，我說朋友介紹此地的「Dr. Richard——」他立刻剪斷說「——Kaplan！」我恍然稱是。因為是怪病，幾個醫生會診，Kaplan也在內。當然他們更當我神經，連個名字都鬧不清楚。診斷是至少現在沒有蟲，是皮膚特別敏感，容易irritated。Kaplan說可能與腳上的eczema（濕疹）有關。我覺得可信，因為'84年秋剛搬進最後一個apt.的時候，過了十天太平日子，沒有fleas，但是就連那時候也發現我不能walk around naked，像有個什麼tiny particle（小粒子）黏附在身上。Allergic to my own carpet—to my own dust?—invisible bits of dead skin.（難道我是因為自己的地毯過敏？因為我身上代謝的無形死皮？）以後fleas似乎變小得幾乎看不見之後，我每次懷疑fleas的存在，就想着可會是這怪異的sort of allergy。但是我一直告訴自己這與fleas的存在並不是mutually exclusive。現在看來，二者並存，錯綜複雜，兩三年前我以為fleas忽然變小得幾乎看不見，其實就是絕跡了。照樣騷擾，那是本來不過是皮膚irritated，但是sensations externalized（感覺具體化）到這地步——在頭髮裏距頭皮半吋遠，或在帽子、頭巾外——實在難於想像。現在搽抗生素特效藥，馬上好了。（從前那「無為而治」的醫生也說過特效藥也許有效，當時只是為了跌傷流血不止，給吃藥片防炎，說也許會產生副作用抗fleas。結果沒有。）現在去找房子，等找到了還是保留Wilcox信箱兩個月，信不會寄丟。倉庫裏的東西還是有fleas，以後再說了。兩星期前我又感冒，連日在家沒出去，

Eileen 一月廿二

找出以前收到的報紙來看，赫然又發現Stephen六月廿三日的信。當時正是夏天想趁熱根斷fleas，最緊張的時候，郵件拿回去趕緊打包預備搬家，竟有一封信夾在報紙裏沒看見，真抱歉到極點。慧龍合同絕對是遺失了。我以後恐怕會有許多醫療費用——目前就是三十年前黏在上顎的整排假牙隨時會掉下來，前些時牙醫生看了說暫時無礙，一安定下來就要去找個好牙醫生，工程浩大——現在不需要錢，等不夠用的時候不知道能不能用未來的版稅作抵押借款？到底不是固定收入，沒有前例，如果大打折扣還是借不到，也許只好把版權賣斷給皇冠。我喜歡businesslike〔講求實際〕，不願憑交情跟皇冠借錢。好在這都是假設的話，因為Stephen六月廿三信上提起未來的版稅，才想起來的。等有機會請替我向秦羽道謝，說我實在感謝她費心。《魂歸離恨天》（改編的劇本我還看得津津有味，雖然完全忘了）與〈小艾〉有兩處觸目的錯字，校改了寄來。最糟的是「關外」誤作「國外」。當時一九三〇年間，已有滿洲國。希望Mae好多了，Stephen也好。

Eileen 二月十二

宋淇，一九八八年二月十三日

Eileen：

寄來的信和支票都收到，現在綜述如下：

（一）支票$400（《世界日報》稿費）因你未簽背書，收到後即於一月七日寄還，並囑你存入自己戶口。

（二）《續集》的〈自序〉寄去皇冠後，已在《皇冠》二月號發表，該期並有《續集》一書的廣告，相信書不日即可出版發行，他們自會寄上兩冊給你。

（三）鄭緒雷為人很熱心和謹慎，頗有波士頓公子風度，他介紹的醫生想來已在1988年一月脫離原處，美國醫生的流動性很大。

（四）附上皇冠的1987下半年版稅結單（請簽收寄回）和支票一紙，稅收比較下來，以美金計和台幣計都有所不如（比上半年），一個原因是沒有新書，而且《餘韻》後勁不繼，另一個原因是台灣經濟起飛，新作家、新出版社和新書大批湧現，幾乎成災。老牌作家都受影響。像我的書，書店裡根本放不進去。希望《續集》出版後可以帶好其餘各書銷路，至少應比《餘韻》好。

（五）支票可存入你的戶口，不必寄來。這一陣歐洲貨幣單位不看好，因為英國罷工，歐洲各國內部爭吵不停，1988上半年美金或暫時可穩定一時期。

（六）稿紙已於上月航空寄上十五張，如能寫短文，再好也沒有，足以證明《續集》自序中許下來的願並澄清謠言。

Stephen
2/13/88

張愛玲致鄺文美、宋淇，一九八八年二月二十六日

Mae & Stephen，

附有$9723支票的二月十三日信與稿紙都收到。先把皇冠收條寄還。一月七日附$400支票的信沒收到，過了週末就到租信箱處去問，看有沒失落在那裏。不會是我又混雜在報刊內沒看見——前兩天剛看完了所有的舊報紙。鄭緒雷的信也收到了，真是熱心可感。這次醫生名字寫作Kaplan，我預備把上一封信上的筆誤寄還給他看，不然再解釋也還是使人不大相信。找到的這apt.正是我所要的，房間小，房子好，也相當新，連蟑螂都沒有，至少住進去一個禮拜還沒露面。有冰箱沒爐灶，置了個小烤箱，原有個hot plate，足夠用。倉庫的東西還沒來得及料理，不但不能取回，去一趟就得先去住旅館，等確定沒帶回fleas才回家。匆匆去寄信，過天再寫了。希望Mae好，Stephen這向想必好。

Eileen 二月廿六 1988

張愛玲致鄺文美、宋淇，一九八八年三月六日

Mae & Stephen，

前信附皇冠版稅收條，想已收到。滿一萬美元的支票，此間銀行就要申報政府，九千餘元還沒關係。以後萬一有上萬的支票，請不要寄來。我去年緊張了一夏天之後，心情灰暗，從五月後沒再寫信給我姑姑，她來了三封信都只擱在皮包裏帶來帶去，直到最近才拆看。明知害她着急，當然也怕信裏有她生病的消息。最後一封信（去年十一月廿六日）是別人代寫的，她病了，又說

今接西安電影製片廠來函，錄如下：（信由柯靈轉來）

柯靈同志並轉張愛玲女士親屬：

張愛玲女士的小說〈金鎖記〉，現已由我們改編為影視文學劇本。鑒於張愛玲女士早居海外，實無法奉告本人。為此我們就原作版權問題前來求教二位，希望得到您們的支持和許諾，並望在可能的情況轉告張女士本人。我們將充份尊重她的權益。致

敬禮

西安電影製片廠 胡楊
西北大學 顧周
1987,11,8

我前兩天寫信給她，沒提這事。你們看應當怎樣應付？Stephen一月七日的信確是寄丟了。我到租信箱處問過，家裏郵件全清理過，不會又再從哪裏冒出來。——收到二月十三日信前，也是惦記着好久沒收到你們的信了。——只好寫信給《世界日報》田新彬，請他們把支票掛失。我把信寄丟了的過程簡化，不然太費解釋。這封信抄了個副本附寄來[55]。另附《明報月刊》來信，他們要兩本

《明報》與二千五港幣的收條。我記得都收到，支票彷彿寄了給Stephen，我是否應當寫個收條給他們？過天再寫信了——還沒來得及寫信謝鄭緒雷！Mae好？

Eileen 三月六日

代理人的雜費累積起來可觀，過天我再寄點錢來擱着備用。

又及

宋淇，一九八八年三月八日

Eileen：

連接二月十二日和廿六日來信，欣悅莫名。知你已遷新址，而且很喜歡新居，想你一定可以很快settle down〔安頓下來〕，並將從前流浪生活結束。不是我迷信，我們中國人一向認為一個人必需踏入一新年度方始可踏入新生活，所謂「轉運」即是。二月十七日方是農曆年初一，你一定要入了新的龍年之後，才能將以前的「晦氣」掃清，開始新生活。

從來信可以看出Dr. Kaplan〔卡普蘭醫生〕是個好醫生，而且你對他的診斷也認為可信。我希望你重視這種醫生病人的關係，以後不妨過一陣去看他一次，檢查一下。老實說我們不再年輕，日前我曾在友人面前笑說，上天給我們奇妙的身體，可是這套機器，平均說來只能正常操作七十年，此後各器官（零件）即會出毛病，有的可以修理，有的漸漸損壞，終而破爛，機器不靈。現在醫生正在試驗用人造零件（器官）來代替（如transplantation〔移植〕之類），但一時還看不出有完全做到的可能。你也比我們年輕不了多少，如能認識一位好醫生，他即使自己看不來，也會refer〔轉介〕給適當的專家。何況UCLA〔加州大學洛杉磯分校〕醫院有自己的team〔團隊〕，各方面都會給你照顧，要比你自己找的「無為而治」的醫生好多了。我們這麼多年來大病小病，都能安然過關，就是因為認識了幾位好醫生，及時診治，得以帶病延年，如果像從前上海時那樣誤於庸醫之手，早就不堪設想了。

很高興知道你收到皇冠版稅支票，希望能暫時維持一個時期。現在生活安定，用不着三五天換一個旅舍，交通、生活費用當可較省。上次來信中所提如需要款，問我可不可以將版稅賣斷給皇冠？我認為不必，因為近年來你版稅收入雖缺少新書出版刺激帶動，可是《惘然記》、《海上花》、《餘韻》，再加上不日可出的《續集》（〈自序〉已於《皇冠》二月號刊出），總算可以勉強維持不斷出書的印象。這次版稅較少於上半年，是因為《餘韻》後勁不繼，加以台灣經濟起飛，出版社新張亂出書，幾乎氾濫成災，正統作家和正經作品都受影響。但你的幾本主力如《短篇小說集》、《流言》、小說等始終保有原來陣地。尤其是你現在生活正常，如不斷有新作品問世（最好除了寫大陸的散文外，再寫幾個短篇，將來另寫中篇或長篇，這才是你真正的métier〔長處〕，仗以成名和暢銷的工具。），我想絕沒有問題。再過五個月又可以收到1988年上年度的版稅。在此期間或以後，錢不夠，只要寫信來，我立刻可以從你兩筆定期存款中調出數千元來，不成問題。一月七日的信現在再影印一份寄上，如果你在轉信地址找不着的話，必是遺失了。其中附有一張《世界日報》給你的稿費支票美金400元一紙，因為你沒有簽背書，所以退了給你，實在找不到可以去信《世界日報》解釋，因為抬頭人是你，別人拿到也沒有用，請他們補發一張好了。《世界日報》來函影印本附上，支票因數目不大，沒有留底。

一月七日信中所提兩筆定期存款，已續存三月，如下：

（1）ECU $13,335.00 April 6到期（2）$29,106.00 April 29到期。一共有$42,441，每單位等於美金$1.23，共美金$52,200.00

為數也不算少，最近利息每年只有5又1／2%—5又3／4%之間，世界大勢所趨，隨美金利息率一同降低，德國馬克向下調整，所以ECU價格也隨之而下，但ECU是a basket of currencies，比

55. 一九八八年三月四日張愛玲致田新彬信，說明收到《世界日報》〈小艾〉稿費四百美元，但發現信寄丟了。請他們幫忙將支票掛失，補寄一張支票給宋淇，並請他們往後稿費直接付給宋淇。

較平穩，我們手中也持有ECU，美金要看deficit和南美國家的債務情況，隨時會起波動。

鄭緒雷去秋路過香港和雙親相聚數天即去大陸，曾和我同吃晚飯暢談。他是哈佛的比較文學博士，專攻小說，對歐美小說很有心得，現任職於一Mutual Fund公司，晚上在MIT開一課。近幾年來，集中精神研究張愛玲的作品，可以說熟極如流，但為人恂雅，頗有Boston世界子弟風，鄭樹森、水晶的研究一大部份追隨他研究的對象。居然給他trace到Mrs. Rodell，及至找到那間公司，查出她已故世，名下的file也已毀去。看到我文章中提及《半生緣》源自Marquand的H.M. Pulham Esq.，他去找了一冊來對讀，結論是《半生緣》寫得遠比馬氏原作好。他已在用英文寫一冊書，有朝一日他認為可以為「張」定位，認為是本世紀大小說家之一。他同志清，莊信正也相識，他們都很看得起他。附上《明報月刊》三月份文章一篇，我猜是他化名寫的，Mae同我看了認為寫得不錯。附上給你一閱。即祝　安好。

Stephen 上

3/8/88

張愛玲致鄺文美、宋淇，一九八八年三月九日

Mae & Stephen，

我三月七日來信說沒收到一月七日信，今天又找到了，仍是夾在報紙裏沒看見。趕緊又寫信給《世界日報》[56]。（附副本）笑話層出不窮。Mae快好了，我看了信高興到極點。〈自序〉就這樣非常好。

Eileen 三月九日

莊信正曾經來信（我昨天才拆看）說他寫的東西要出版，想把我的信全收進去，給我稿費。

我預備告訴他儘管印，除了這幾年的兩封，因為有關近況，我自己預備寫一篇。

又及

宋淇，一九八八年三月十四日

Eileen：

三月六日信和給《世界日報》田新彬的信副本均收到。信中所提問題就我所見到和想到的答覆如下：

（一）一月七日信的副本已重新影印寄上。《世界日報》的稿費四百元支票也附在內，顯然已遺失，現在你既已去信要求補開支票，借機會整理一下積案也好。下一次版稅可能會超過一萬，我當去信通知。因為《續集》已於三月份出版，今日從郵局寄來二十冊，定價為台幣一百四十元，比《餘韻》還高，新書版稅必較平時多一點。

（二）《明報月刊》的稿費支票弍〔貳〕仟伍佰元港幣你根本沒有寄給我。關於此事只有你九月九日有一短札一提，並沒有下文。奇怪的是你保留了他們七月九日來信並將原信寄來，但支票和收據的事始終不見提起，然後九月十七日的短信內附皇冠版稅收據和《世界日報》寄來的稿費，信中當然也沒有提及。看上去你將這幾件事混在一起了。我對《明報月刊》極不滿意，所有的禍都是張健波闖出來的，他手下的黃俊東明知我是你的代理人（全香港文化界現在由於電影和話劇版權的事都知道了），至少禮貌上應該通知我一聲，給他中間阻攔。台灣《聯副》明明是黃俊東寄給痖弦的。《明報月刊》既不尊重原作者，照理應採用梁京的筆名，然後編者注：梁京是張愛玲的筆名。他們現在明目張膽在該期封面上用大字登出「張愛玲新作」字樣，而且在《明報》上大登其廣

56. 一九八八年三月九日張愛玲致田新彬書，說明原請他們將稿費支票掛失，但又發現支票未寄出，請他們如已掛失再補寄一張。往後有稿費仍請寄交宋淇。

告。《明報月刊》自從他接手主編後，得罪了所有基本作家，銷路直線下跌，該期借重你的名字得以賣完，印第二版，救了他一把。付你的稿費也是出奇的少，合美金$320，（《聯副》稿費比他們多4—5倍），比不上《世界日報》的轉載費，只有政府機關付〈傾城之戀〉原作改編費的一半。你如果承認並接受這麼低的稿費，和自己的身價有關，以後在香港說起話來就很為難。如果支票已遺失，不妨聲明已毀去，你不必寫回信給他，就草一封短札給我，說事先沒有得作者同意，製造不少麻煩和誤會，不遵守行規，還用張愛玲之名大登廣告，《明月》兩冊和支票已毀去，如果親自去函，有損你的尊嚴。問題是你會不會已將收條寄回，請你查一查，回憶一下，想想清楚，免得鬧笑話。支票不怕丟失，港幣支票在美無人能領。

（三）你姑姑得病是事實，諒你在接我三月八日信和附上的訪問記後即得證實。你姑姑的李先生很會說話，他們怎麼會不知你今日的地位？難道柯靈一字不提？明明是利用你姑姑和弟弟和你搭上線。目前自台灣開放探親後，形勢混亂。前此，金庸的武俠小說和瓊瑤的言情小說群起翻印，銷路之廣，影響之大，無與倫比，甚至造成紙張缺乏。白先勇、林海音、黃春明等和你的作品都有翻印，影響遠不及前二者。他們多數是付人民幣，而且銷路以少報多，版稅也低，存在大陸或交給作者的親友代領。如果作者拒絕，他們照常出版。可是如果接受，心中有所不甘。不妨作如下的答覆：

我於去夏起多病，所有來信均暫時沒有拆閱，最近病情好轉，方始發現十一月廿六日請人代寫的信內附西安電影製片廠來函。我本人原則上不贊成將自己的作品改編為電視片集，所以這些年來，我只有出讓過電影版權，所有要求改編為電視的請求一概不允，說起來話長，可是已行之有年，有案可查。我知道這種說法易滋誤會，你們盡可回報說我因病，沒有作答。目前情形之下，想來不會對我的親屬見怪。只當我不知情好了。如果說已取得我的默許，我會加以否認，否則我沒有面目見那些以前我拒絕出讓電視版權的請求者。

如果覺得不妥，因此反而落了痕跡，那麼就繼續不加理會好了。即祝安好。

Stephen

3/14/88

宋淇，一九八八年三月十四日

Eileen：

〔……〕

在這情形之下，似沒有理會張健波的必要。近來海峽兩岸情勢大改，白先勇已回去過探親，條件是不許登報宣傳，不可訪問他要求他談話。他是回去revisit上海法租界和南京中山陵，以便完成他的中篇小說。最近見到台灣報紙報導，說瓊瑤正在考慮回上海探親云云，可見雙方都改變策略了，不必再大力爭取，由其自由發展好了。

《續集》我已通知皇冠先航寄上兩冊，其餘的書，我會聯絡，或可由我轉寄十冊給你。大陸西安拍電視的事，想想還是以不理之理最妥，實在迫急了，再照我的方法答覆好了。

Stephen
3/14

張愛玲致鄺文美、宋淇，一九八八年三月十九日

Mae & Stephen，

我上一封信末尾說預備告訴莊信正他出書可以收入我的信，除了最近幾年的。後來才想到他書上決不會說我這幾年我沒寫信給他。給人的印象是我suppress〔阻止了〕這幾封信。結果我給他的這封信又重寫過，請他把這幾封信先影印了寄給我看看。我可以刪改重抄再寄還付印。想着你們看

了我上一封信也會覺得不妥，所以又補了這張便條來。又，寫到這裏剛想起來，我姑姑信上說的〈金鎖記〉拍片事也跟大陸出版《傳奇》《十八春》一樣，只能置之不理，用不着應付。Mae好？

Eileen 三月十九

張愛玲致鄺文美、宋淇，一九八八年三月二十七日

Mae & Stephen，

三月八日、十四日信都收到。我查存摺，去年八月存進$318.70，顯然就是《明報月刊》的兩千五港幣，約合$320。不記得有沒寄收條去。張健波來信索取，想必是沒收到。大錯鑄成，也許只好補張收條去，不回信？《明報月刊》實在可惡。司馬新那篇文章還沒看。我這姑父有點政客作風，大陸變色前曾經幫工務局趙局長（他的留英同學？）調解工潮。他替我姑姑代筆的信上說「你現在是真出名了」，顯然impressed。我最近又牙痛，受暑（天氣暴熱近一百度），又發了眼睛流血的老毛病。下星期去UCLA診所看牙齒——現在認定了這地方可靠，又比較貴，不像USC是公立醫院。等稍微消停點再去找Dr. Kaplan，可能的話還想請他介紹個內科醫生。現代的醫療費是個無底洞，這一點你們倆比誰都更清楚。我說將來也許需要賣斷版權，不過是所謂worst case scenario〔最壞的情況〕，不是想這樣做。現在我這裏還有六萬，可以長期不動用歐券。莊信正來信說他已經出了個短文集，另寫一篇長文關於《金瓶梅》，預備與《桃花扇》等合為一集，因忙沒寫完。接着說：

我沒有計劃發表您的信，好像前年曾有意寫篇談您的文章，裏面會用到手邊保存——應該說什襲珍藏——的您的來信。此文如果寫成，一定會先呈您過目，隨意改正的。

大概忘了他前兩年來信說要在評我的作品的《桃花扇》後加上按語，收錄我所有的信，「當然要給您稿費。」我最近剛拆看。倒害我頭痛了好幾天，才寫成那封回信，又還補了封航簡告訴你

們。他這封信又說：

我正在應一書店之邀編一本中國近代小說選（至1949），希望能特別突出您、魯迅、沈從文、蕭紅和老舍等人。您的作品想收至少三四篇，不知對於取捨您有沒有指教。

不知道是否有統戰意味。In any case事關皇冠版權。希望Stephen能先就這事寫張字條給我。Mae可好了？

Eileen 三月廿七

我要寫的「幾篇不相干的短文」也與大陸不相干。

又及

宋淇，一九八八年四月一日

Eileen：

附上中央公司的宣傳稿，《怨女》一片大概已煞〔殺〕青。他們原來想給楊惠珊演的，楊曾屢獲最佳演技獎，導演是張某人（名字一時想不起來），張的太太是蕭颯（名小說家和編劇），三人一向被稱為鐵三角。誰知張和楊二人在外同居了很久，就瞞蕭一人，蕭於是寫了一篇公開信給張，登在《中時》的《人間副刊》上，結果博得所有的人同情，張和楊二人就此遭觀眾杯葛，張大概從此沒人請教，楊尚有合同，但無戲可拍。中央公司後來找我，要將《怨女》換〈金鎖記〉，我不答應。然後他們另找導演，新進的但漢章，演員也換了香港女星夏文汐，我看見過幾張造型照，很不錯。中央公司原來目的是用張和楊拍，然後參加影展，得獎後再在台灣公演，因為明知《怨女》不會賣座。現在情況就不得而知了。寫文章的劉藝是影評人出身，從事影視工作多年，現在常為《皇冠》撰稿。

《傾城之戀》的導演是我女兒的同學，許鞍華，港大畢業，曾在BBC做過，後去美國留學，在美國和香港電視和電影界任職多年，曾拍過又賣座又叫好的《投奔怒海》（我認為是fluke），邵氏對她寄以厚望。Mae同我看了片子後大失所望，〔……〕最令人氣短的是服裝、佈景、道具完全不是那麼一回事，一點點nostalgic的氣氛和味道都沒有，反而令人看了極不舒服。她去大陸拍過片子，所以在台灣通不過。最近情勢有變，從報上看到她大概可以過關。如此，《傾》片或可在台上演，一定挨罵，好在罵的對像〔象〕是導演和出品公司，不會影響原作。

Stephen

4/1/88

宋淇，一九八八年四月二日

Eileen：

三月十九日航簡收到，莊信正那幾封信是應該重新檢討一下，我對外總說你身體不好，心情因而欠佳，對皇冠比較接近，也只說你患的是皮膚敏感，現在看到名醫，大概已可控制。上次給水晶文章一寫，嚇得我們不敢再在別人面前提起。

信中所說大陸要拍〈金鎖記〉片集，只能置之不理，和我前信結尾時建議的「不理之理」不謀而合。大陸只有稿費，好像沒有版稅的規矩。反正為數極有限，犯不着因此壞名壞譽，好像受了他們恩惠似的。

皇冠和《聯副》方面我已通知他們，告以他們你的新址，皇冠有信來云已寄上《續集》十冊和稿紙，另特印你專用的航空稿紙。我順便告知版稅如超過一萬美金，支票要分開來寫，照理《續集》出版，可能超出，但近來台灣出版界情形很亂，社會富裕後未必會引發人多看書，正統文藝作品可能銷路反跌，但你的書是不能以常理喻的。《聯副》因為一向對你另眼看待，所付稿費特優，要比《皇冠》、《中時》等高多了，你寫作不多，似應一稿兩投，好在《聯副》、《皇冠》合作過，都以能發表你的作品為榮，相安無事。

附上皇冠寄給我朱西寧一文的影印稿，他真是第一號張迷。提起朱西寧，我就想起他上次來港曾打過電話給我，表示想出版《赤地之戀》，顯然他一定知道慧龍不再對此書有興趣，經我告以皇冠仍有版權才作罷。等有空時，整理一下舊信的檔案，理出一條線索來，好代你擬一信給皇冠，委託他們收回《赤》的版權，由他們放在全集中。祝安好。

Stephen
4/2/88

張愛玲致鄺文美、宋淇，一九八八年四月十日

Mae & Stephen，

收到四月二日的信。莊信正信內關於發表我的信，與出選集的話，我把全文都抄了寄了來，別的都是不相干的閒話，附近沒影印店，沒去影印。因為allow for 函札往返的時日，我總是一有問題立即不假思索寫信告知，爭取時間。上一封信寄出後就也想起來，莊信正要收我的小說入選集，其實也跟唐文標一樣，不過先徵求我的同意，而且（大概）預備給版稅。他顯然不大有版權觀念，怪不得一直只感謝唐文標把我的舊作rescued from oblivion〔免於世人遺忘〕。我不忙着回信，但是也只好回絕。先補這封信來，不然Stephen想着我想在選集內躋身於魯迅老舍等之列，感到為難。《世界日報》的$400支票，下次去銀行就存入。目前請不要寄錢給我，積多點就買歐券，不管漲落。我看牙齒因為耽擱太久，特別棘手，去一次回來躺兩天。拔了隻牙又有後遺症，過了週末還要去。洗碗槽又忽然漫出髒水來，流了一地毯，又值星期日，管理員不在家。亂糟糟的，不寫了。Mae好？

Eileen 四月十日

宋淇，一九八八年四月十九日

Eileen：

四月十日短信收到。

關於莊信正要求選你的小說入他的選集事，我想到一個極好的答覆方法，也許你一時記不起來。《聯副》有一年選你曾在副刊上發表過的〈談吃與畫餅充飢〉一長文為該年度聯合散文集之一，你去信表示反對，因為你平時寫文章極少，對選你的作品入選集的要求一直拒絕，因為如果此例一開，你自己的作品銷路會受影響，對不起出版社，也對不起讀者，如《聯副》一定要選，你可以退還稿費云云。接信後，瘂弦特地通知出版社毀版抽出該稿，重新以他稿代替，表示一定尊重你的意見。為了此事，我對瘂弦頗有好感。你不妨以此例在有空時告知莊信正，如果答應了他，便對不起瘂弦和其他要求選你的小說的編者和出版社，不必提什麼魯迅、老舍等人。這種問題早就過時了，夏志清、錢鍾書對他們的看法早已成了定論，想不到看過西洋小說的人，現在還在念念不忘地拖着幾個大名字不放，「替五四下半旗」口號有人叫，這旗始終放不下來。

我問了皇冠，他們說《續集》的銷路比《餘韻》好，這是理所當然的事，且看後勁如何？目前已銷完一版。《怨女》在台北上映，據朋友說，票房比一般台製片好，但無法和港片比，附上影評，大家總算很捧場，只要不「惡評如潮」就算不錯。李昂寫了一短文，也影印了給你一閱。《皇冠》還借機會為《怨女》的書作了廣告。即祝安好。

Stephen

4/19/88

張愛玲致鄺文美、宋淇，一九八八年四月三十日

Mae & Stephen，

今天順便到郵局掛號寄$300來作代理的零碎費用，暫時用不着就請先cash了擱在這裏。過天再寫信了。

Eileen 四月卅日

我再回想了一下，去年八月存進《明報月刊》三百多美元，決不會沒寄收條去，一定寄了張航簡去了，而且照着他們的信封寫地址的，不知怎麼沒收到。寄兩份不如不再寄去算了，等追問再告訴他這話。

又及

張愛玲致鄺文美、宋淇，一九八八年五月十四日

Mae & Stephen，

收到四月十九日的信。回莊信正的話再好也沒有。我正趁便上郵局，有機會把鄭緒雷寄來的一本*Vanity Fair*轉送給莊信正，就附信把這話說了。昨天晚上莊信正打電話來，（我因為防急病不能不裝電話，號碼是〔……〕，電話簿上沒有）說有個報館派人住進我這家公寓，預備不擇手段採訪，問我有沒有看見有中國人等等。我最近剛巧感冒病倒三星期沒出去——出去過兩次，一次遇見一個東方青年偕同一個美國女孩找房子，打聽房租，也可能就是的。本來我也想到這裏的地址不應當告訴《聯合報》《中國時報》，但是實在懶得再一趟趟去取贈報，又想着遲早會洩露出去的——不過沒這麼快。《聯副》剛托了一個住在ＬＡ近郊Alhambra的女作家戴文采（《中央日報》女記者？）來訪問我，我剛寫了信給她跟瘂弦擋駕，就又得到莊信正的警告。他隨即言歸正傳，

講他編的1918—1945小說選，序內不能不提起我，因此不能不收我的作品。我說其實儘管提起，就說因為版權問題沒收進去好了。他說這樣人家一定以為是不肯多出錢。又說劉紹銘編的集子（我根本忘了這回事）有沒有徵求我的同意。我說沒有，又說問過我的我從來沒同意過。他忙笑道：「那就算我沒問過您，好不好？」我說那就跟劉紹銘唐文標一樣了。最後他說這件事他實在是騎虎難下，出版社也非要不可，他們不怕打官司，如果逕自收編了，以後會還有許多人跟進。他要到我的「permission to」寫信告訴Stephen這情形。我這次感冒，終於得閒拆開皇冠寄來的兩包書，看了〈自序〉與〈代序〉。等到看明白了〈代序〉是「代作的序」，就wonder（好奇）不知道署什麼名字，猜着不會是林以亮。最後看見是皇冠編輯部，再妥當也沒有。〈代序〉是真說了許多自己不便說的，就說也沒這麼痛快。引我的信關於〈小艾〉的情節，也使這故事憑添幾分深度與未能寫成的惆悵。《續集》〈五四遺事〉中英文對照也真是個inspired touch（神來之作）。〈自序〉中自比Shaw，Hemingway[57]，即使不過是在版權方面，我也說不出口。這是因為Stephen不寫小說，觀點上沒十分「入戲」。末了非常感動人。其實我一直conscious of（知悉）這邊的事，像同在大船上進了水，隔着一扇厚鋼板門波濤洶湧sealed off（被截開）。哪還有這精神講給我聽？我知道了又沒用。我說「Mae想必好了」，是看了上一封信上說就快好了[58]，臨寫到這裏還找出那封信來查出這一句，怕是我wishful thinking（一廂情願）記錯了。——莊信正其實並沒說要發表我的信，是我一看見要編我的作品入選集就頭痛，甚至於整大段都只草草一瞥，竟看錯了。昨天電話上我逼急了也blurt out：「我最不喜歡這些選集，一看見就反對。」跟他這一夕談之後，更覺得《餘韻》《續集》這兩本書是虎口餘生，好不容易，都虧Stephen慘淡經營，無中生有，簡直使人心酸[59]。大陸印瓊瑤金庸的書用光了紙，真發噱。「洛陽紙貴」變成紙盡。我在大陸就聽見說「現在有個瓊瑤。」想了快四十年終於到手了，也真是個unifying的民族性。以後來信請改寄舊址（……），也說不定不久會搬家。此地沒蟑螂非常難得，但是這次臥病積下一排垃圾袋沒送出去，就來了兩隻老鼠。管理員說從來沒有過。鼠患可作藉口，再多付一個月房錢，也許行。四年前打過一次肺炎預防針，說可保多年。並不是治經常感冒的，但是馬上好了些——迄今什麼都無效——發起來止於重傷風。現在顯已失效，等一好了就得趕緊去再打一針。發起來時間越拖越長，約了牙醫生又不能一再改期。這次是在公車上坐在有太陽的一面，一坐一個鐘頭，就此熱傷風感冒，（天並不熱）防不勝防。迄今都只是頭痛醫頭，腳痛醫腳。應當在夏天醫生紛紛旅遊度假前去找Dr. Kaplan，萬一他暑假後到別處做事。希望Mae完全好了。

Eileen 五月十四

這次感冒了快一個月才好，這封信得趕緊寄出，不能再躭擱了。

又及

宋淇，一九八八年六月二日

Eileen：

你五月十四日的信，今天（六月二日）才收到，看信封上的郵戳則是五月廿七日，大概是你寫好後沒有立刻寄。

《自序》中自比Shaw〔蕭伯納〕、Hemingway〔海明威〕，一點不錯，是我不寫小說，沒有想

57. 〈自序〉：「這使我想到，本人還在好好地過日子，只是寫得較少，卻先後有人將我的作品視為公產，隨意發表出書，居然悻悻責備我不應發表自己的舊作，反而侵犯了他的權利。我無從想像富有幽默感如蕭伯納，大男子主義如海明威，怎麼樣應付這種堂而皇之的海盜行為。他們在英美榮膺諾貝爾文學獎，生前死後獲得應有的版權保障。蕭伯納的《賣花女》在舞台上演後，改編成黑白電影，又改編成輕音樂劇《窈窕淑女》，再改編成七彩寬銀幕電影，都得到版權費。海明威未完成的遺作經人整理後出版，他的繼承人依舊享受可觀的版稅。如果他們遇到我這種情況，相信蕭伯納絕不會那麼長壽，海明威的獵槍也會提前走火。」
58. 「上一封信」實指宋淇一九八八年一月七日的信。
59. 「跟他這一夕談」：「他」指莊信正，他本打算把張愛玲作品收入自編的《中國近代小說選》，與張商討，但張不允。「虎口餘生」，是指有賴宋淇幫忙，才不致讓那些「盜墓者」把她的舊作據為己有，擅自出版。

到觀點問題，當時只往為中國人所知的作者去想，未免太自大了。希望沒有人借題發揮，那就替你引起麻煩了。

莊信正的話未必可信，他的選集1931—1945是英文的還是中文的？劉紹銘同夏志清、李歐梵合編過一冊《現代中國短篇小說選》，其中有你自譯的〈金鎖記〉，一定另付你稿費和授權。Cyril Birch的《中國文學選集》第二冊選登你的*Northern Rouge*第一、二章，想必得到你和英國的Cassell出版社的同意。又，劉紹銘另有一本《台灣短篇小說集》（1960—1970）我未見過。到現在為止我們*Renditions*接到外界投稿，有人試譯你兩篇短篇，文筆欠佳，我們都加婉卻，鼓勵譯者翻譯〈傾城之戀〉和〈第一爐香〉，都沒有下文，大概知難而退。我實在想不出來英文中有何現成的譯文可資採用，除非莊本人自譯，連"Stale Mates"也放進去。據我所知都盡於此點，要不然放兩章《秧歌》、《怨女》、《赤地之戀》、〈金鎖記〉、〈五四遺事〉，終不成還有別的花樣？

《續集》在香港書店都擺在很明顯的地方，銷路不出我所料，超出《餘韻》。你信中所說倒是實情，我對這兩本書所操的心，比自己的書有過之而無不及。總算為你填了一個空檔，可是嚴格說來，只能算是「填房」，將來明媒正娶仍要你的新作品來以真面目示人。《傾城之戀》總算在最後一下午通過上映，但片商根本沒有時間發廣告，賣座一定奇慘。《怨女》送去Cannes參加影展，原本希望走偏鋒可以撈一個小獎，結果鎩羽而歸。片子本身沒有吸引力，女主角夏文汐是香港不見經傳的女星，沒有票房價值，可能香港排不上期上映。另一齣《第一爐香》開拍遙遙無期。幸虧那時候走運，一連串賣出三個小說的電影版權，如果分開幾年，第一套《傾城》一上，一炮不響，說不定另兩套根本無人問津了。現在你名下仍有四萬三千餘E.C.U.，最近因美金比較穩定，馬克因德國不景，較弱，英鎊漲後亦下跌，所以價格不像前一個月那樣高，利息也減低。可是這是短期現象，中、長期大概不會有問題。反正要等定期存款到了期再說。好在皇冠的版稅1988上半年度即將於六月底結帳，七月中可以收到，出了《續集》後不會太差。

台灣不知有多少人和刊物都在對你虎視眈眈，恨不得派人得到獨家訪問，作為scoop。《聯副》和《中國時報》不會洩露你的新地址，因為都想捷足先登。《自立晚報》從皇冠處得到Wilcox的舊地址，一位女記者（好像叫黃美蕙）打長途電話給我，說這是信箱號碼，並不是地址，我說我只知道這地址。她問我有沒有電話，電話號碼是什麼，我說可能有電話，但我不知道，因張愛玲的電話只打出，打完後即拔掉，所以根本打不進去。她一聽之下，即悻悻然將電話掛上，好像對我滑頭的答話極不滿意。《中國時報》的編輯季季本來想打電話給我，後來從你處得到新地址即來follow up。夏志清和莊信正台灣親友眾多，有人很有可能從他們處取得你的地址。他們這樣的窮追猛打，害得你又要搬家，並且再度借用Wilcox的信箱，真令人氣短！。

你目前的情況是大敵已潰不成軍，可是你身體進入戰爭狀態很久，完全是上了弦、刀出鞘的姿態，現在一旦警報解除，忽然鬆懈下來，小毛小病就此湧現：眼睛發炎、牙齒有問題、感冒等不一而足。我看這樣子總要維持一個時期，慢慢適應，恢復心神正常，不要操之過急。寫作只要偶然寫一兩篇點綴一下，還要繼續寫下去即可。我在翻閱你的舊信，其中有一段講起你想寫《謝幕》，描寫曹禺來美後的心理和窘態。這題目很好，構思也好，曹是南開中學出身，南開以演話劇出名，學生大都會演戲，有些學生並男扮女裝，周恩來和曹禺均是，曹聽說演過Ibsen的娜拉。另外還有一個劇作家：吳祖光（作品有《風雪夜歸人》、《正氣歌》、《牛郎織女》等，新作和電影劇本不詳），他的太太是新鳳霞，兩人在文革時都吃過苦。新鳳霞寫了一本《回憶錄》，相當暢銷，我看過一小部份。他為中共邀請入黨，精神污染運動時期，不記得是不是胡喬木親自上門，口頭通知他請他退黨，他也照辦，事後他說請我入黨是你們，請我出黨也是你們；做黨員並不是一種光榮，取消黨員資格也沒有什麼損失。故此他大受知識份子擁護，好像美國的機構請他去美，大受歡迎。你不妨將曹、吳二人合併為一人，再加油加醬，免得讀者一看就知是一個名人的caricature（卡通化描寫），thinly disguised（只稍作掩飾），就沒有什麼滋味了。這題材值得醞釀一陣。

另一項工作你也許會感到興趣。《紅樓夢》你熟極如流，已寫了一本書。另一本經典是《金瓶梅》，你也極熟。你在文章中說過，看到宋蕙蓮和李瓶兒之死你會忍不住大哭。（我一點也不感動。）最近我的小同學梅君根據日本珍藏《金瓶梅詞話》加以校刊、標點，出了四冊繁體字香港版，看起來極舒服，看完後令我消除不少以前對此書的成見。此外，大陸出了一冊《金瓶梅研究資

〔料〕彙編》，大陸和台灣學者現也出了多本《金瓶梅》研究專題書籍。我認為你大可乘現在尚未能全心投入創作時，不妨細讀此書，並且寫幾篇文章，如果有興趣，不妨像《夢魘》那樣出一本書。現在只等你搬好家，我就可以直接寄給你，平郵掛號，一包即可，花不了多少錢，況且你有零錢存在我那裡。將來文章寫完後，書可送給別人，捐掉，或扔掉，不會成為你的包袱。你如同意，請告訴我一聲。

你手中沒有一套乾淨的《紅樓夢》，需要不需要一套俞平伯的八十回校本（四冊，一二是前八十回，三是注解，四是後四十回），繁體字，香港中華版，價錢很便宜，底本是有正大字本，校以脂庚、脂甲、王府、程甲諸本。我平時就用這本寫文章。我知道你不喜歡累贅太多，但你似乎不可一日無《紅樓夢》，請告知，很方便。

文美大好，脊骨有小毛病，牙齒有問題，都已治好，歲月不饒人，情況同你相彷彿，大敵一去，小毛病就發作了。祝安好。

Stephen
6/2/88

張愛玲致鄺文美、宋淇，一九八八年六月二十六日

Mae & Stephen，

上一封寄自圍城中的信想已收到。我感冒一好了就天不亮悄悄遷出，合同沒期滿，留條出走，藉口鼠患，多付了一個多月房錢。搬到莊信正的地產商朋友林式同與人合夥蓋的新房子，太大太貴了些，一房一廳，沒傢俱，$530一月，外加電費煤氣費。要像我所要的小「獨身漢apt.〔公寓〕」要自己看了報去找，舊址進出不便，辦不到。莊信正說林是台灣一個部長的兒子，脾氣有點怪癖，太太是日本人。我告訴林我搬家搬得精疲力盡，再搬實在吃不消了，他答應代保密。這住

址我除了你們誰都不告訴，只用Wilcox Av.〔威爾考克斯大道〕信箱。莊信正當然知道。本來我那天跟他在電話上有點鬧僵了，倒去住他好友的房子，好像不大好。即使不至於被要挾，結果住址誰都不知道，只有中共知道！雖然他們對我沒興趣，也說不定會leak給台灣記者。但是顧不了這許多了。剛搬來那幾天冷氣機還沒裝，牆上一個洞灌風，擋住也擋不嚴，又受涼感冒病倒，半個月還沒好。我姑姑上次來信，姑父代寫的，又在要我去上海，再不然，他們倆本來想來美探望，只因她直不起腰來的病加劇才作罷。他們每年到廣州他女兒家過年，住幾個月，去年也沒去。他天性外向，好動，好事。我信上雖然不止一次說過我非常enjoy一個人獨處，他大概總以為我太寂寞沮喪，需要打氣。（說我收到信不拆看是精神反常。）我躭擱到前兩天才回信，堅決的說不能去，但是當然只好說等她好了些，能跟他一塊來最好了，我現在住的地方也夠大，（我姑姑對apts.最有興趣，不說她也會問）沒傢俱可以租。其實擔心此地貓狗幾乎家家有，租來的沙發再講究也可能有fleas，再沾上可真是此生已矣。雖然他們來的可能性不大，（我前兩年在一個遊覽區看見一對韓國老夫婦偕行，太太也是有病直不起腰來，似乎人家照樣出國旅遊）總需要知道怎樣及時通知我。租信箱處收到電報也不肯打電話通知我。——我也不大敢告訴他們我的電話號碼，因為他們是我唯一公開的地址。——過天再去打聽看可有別的辦法。《譯叢》寄來US$94支票，我收了起來，就此不見了，搬家時遍尋無着。等有便請告訴他們掛失，再開一張給我，扣掉掛失等等雜費。即使原來的一張又出現了，我也不會存入銀行，鬧雙包案。希望Mae身體續有進境，Stephen這向也好。

Eileen 六月廿六

我下次寫信給我姑姑，告訴她租傢俱危險，還是光買個雙人床與沙發，或是請他們住旅館，我住過的比較最喜歡的一家剛巧就在附近，也不貴。

又及

鄺文美，一九八八年七月十三日

愛玲：

久未通信，我罹患惡疾，掙扎年餘，總算活了回來，本有無數的話要告訴你，可是家裏一波未平，一波又起，Stephen病了。上星期五（七月八日）醫生替他動了割切腸瘤（是良性抑或惡性尚未揭曉）的大手術，如今還在病痛的陰影下。昨天收到皇冠寄來的版稅結算單和支票四張，必須盡速轉寄給你。他囑我附語如下：

（一）這份7760年上半年結單副本，請照以前辦法簽名寄還給我們以示收到。

（二）此次版稅特別多，來得正合時，原因你可以看得出，仍舊以你的小說舊作為主，尤其是《怨女》因為拍了電影，大受歡迎。《餘韻》和《續集》均未見出色，以後恐怕仍要走創作小說一途。

（三）支票四張乃皇冠依照你從前的指示分開寫的，請你特別小心，不要再鬧遺失的事，希望此款可以應付你暫時的需要。

我們身心俱瘁，不能多寫，待康復後再談。

美

一九八八年七月十三日

張愛玲致鄺文美、宋淇，一九八八年七月二十五日

Mae & Stephen，

收到Mae的信，高興到極點。我搬家前後兩個月一直感冒，好了沒兩天又發，所以信寫了也沒能寄出。這兩天剛接連收到你們兩封信，隔些時沒消息就有點惴惴起來，怕又病了，果然Mae剛好Stephen又開刀，真是人生味永遠是mixed〔苦樂參半〕的。莊信正要出的是中文選集。明天有機會趁

便上郵局寄掛號信，先把收條與四張支票寄還，版稅請等方便的時候再給買E.C.U.，不忙。匆匆祝
好

Eileen 七月廿五

張愛玲致鄺文美、宋淇，一九八八年八月三十日

Mae & Stephen，

收到Mae的信一直擔心Stephen可好些了。那天趁便寄來四張版稅支票，在你們多事之秋還煩買歐券，也太不近人情，不過因為知道你們會分輕重緩急，擱着等有空隙的時候再說。又收到《聯合報》$25，似是轉載一篇舊作，題目完全陌生，疑是冒名。不管是收還是不收，先寄了來。久未收到台灣報紙。《聯副》蘇偉貞一直寄她的書給我，前不久又來信，瘂弦也來信。我回信謝她，另寫了一封給瘂弦，說皇冠錄下的他的童年回憶給我印象非常深，同時謝絕他派來的住在L.A.郊區的女記者的訪問。大概因為我對蘇偉貞讚美得不夠，瘂弦沒再來信。以前已經有過一次，認為我不夠尊重他手下的邱〔丘〕彥明，（不勤回信）特地來信說他對她多麼倚重。我覺得只好聽其自然，並不是我不重視瘂弦的關顧。我那兩封信寄出後，又收到蘇偉貞的信，催問書都收到沒有，還有寄給我的稿紙。我忘了兩次收到大包稿紙，以為只有皇冠的一包，所以寫信給她忘了提稿紙，也就沒再補封信去。莊信正大概重新考慮過，沒寫信給Stephen，最近來了封信，也忘了附所說的目錄。我附寄來，另抄了個部份副本留着。搜檢垃圾，使我看了毛髮皆豎。我也曾經慮到這一招。臨搬走扔掉廿幾包垃圾，包括一包誤扔的保留的信件，不堪設想，有你們的信在內。當時也有點不放心，實在沒力氣送到幾條街外的垃圾桶去。新居的管理員是中國北方人，有一次幫我拎大包小裹的食

60. 當為「88」，「77」大概是指民國77年，西元88年。

物。他住在Valleys，也許習慣到中國超級市場買新鮮蔬果，我買的都是冷凍盒裝。他只看見兩隻pie box，我告訴過林式同我常吃pie，到處都有，因為他表示關心住旅館吃不到中國菜（其實是雞批牛肉批，甜品只吃pecan pie）就以為我光吃甜點度日。我信上說過感冒一好了就要去找從前那醫生再打一針肺炎預防「針」（種痘之誤），打了有四年都沒大發。醫生度假去了，代看的告訴我預防肺炎種痘現在發現只能一輩子一次。他看我也許是allergy，——我不大相信，因為從小就有，與皮膚病引起的皮膚過敏症無干——給了一小瓶嗅的樣品，却有奇效，迄今兩次着涼都沒感冒。牙醫有些手術要先問過內科醫生是不是能動手術，只能找從前看過的醫生，他度假回來至少還要去看一次，再去找鄭緒雷介紹的皮膚病醫生介紹一個內科。UCLA的牙科教授比一般牙醫貴得多。我只剩下些「即棄衣服」，到那最貴的地方實在穿不出去，又既怕冷又怕熱，長短厚薄大衣都要齊備。此地買便宜貨只有七月至八月初。（聖誕節後大減價只限較貴的大公司）此外買了一桌一椅一榻一燈。「手提傢俱」市區不大有，要乘公車拎得動的，不然每覓到一件都叫汽車運回來，就也不便宜了。好容易都買全了。《謝幕》小說的主要內容是兩個party，戰後上海電影公司歡迎曹禺從重慶回來，加大演《雷雨》後的雞尾酒會。他的私生活我其實一無所知，全部臆測，除了陪李麗華買衣料這件瑣事。沒入黨，我想是他sensible，知道入黨就被視為有政治野心，會捲入永無休歇的權力鬥爭。如果不是文革逸出常軌到意想不到的程度，他沒事。我對近年來的大陸非常隔膜，連較早的文化部門也得儘少提起。我十幾歲的時候看魯迅雜文，雖然不清楚是怎麼回事，就憎惡左派文人像dog pack〔犬群〕一樣圍攻。當然，這些人一般稱為「打手」，有作品作為redeeming factor的是例外。吳祖光的作品我看不進去，毫無印象。曹禺我可以identify with，很難與吳祖光疊印。着重年齡，改小些也weaken the situation。寧可讓人說我罵曹禺——我寫過的嚴肅的作品的主角有幾個正面人物？就這樣也還極可能寫不出，長久不寫東西。有吳祖光新鳳霞的資料或是任何有關大陸生活的，（除了《聯合報》刊與《中國時報》上的）等有便的時候還是請寄給我，我過天寄點錢來買書付郵費等等。《紅樓夢》目前不要。這封信大講買東西的經驗，無非是照常又需要解釋「這些時又在幹些什麼？」唯有希望Stephen已經好多了，Mae也完全穩定下來，不然細敘這些瑣碎更absurd了。

《怨女》影片我看影劇新聞就知道非常壞。是真幸而那一向一窩風買我的小說的電影版權，稍緩就沒人要了。我抄莊信正的信看到「我也記起十多年前您的飲食習慣，」不知道是指什麼。他也跟林式同一樣問起我吃飯問題，我說沒廚房不得不吃館子的時候就叫一碗青菜炒肉片之類，不吃飯，菜全吃了，葷素都有了。他顯然記得，還去告訴他當時的女友。此外除非是聽於梨華傳出的，我那次到Albany，那是我不要她請吃飯，下午兩三點上飛機前路過soda fountain吃了一客冰淇淋蘇打。《聯合報》$25支票又找不到了，只剩下稿費通知單！什麼怕丟就丟什麼，我有點shaken。搬家半個月後才發現有一包東西混入垃圾袋扔掉了，內有一捆前幾年流浪中收到的信，你們的另擱，但也有幾封在內。這家報館不登淘垃圾這篇，遲早也會面世，只好不去想它。是我常告訴自己的一句話：This way lies madness.〔此途總有瘋狂之人〕

Eileen 八月卅日

又及

宋淇，一九八八年九月十日

Eileen：

七月廿五日信和支票四紙都收到，因在病中沒有立刻作覆。版稅簽單副本已寄回皇冠。你的書始終保持穩定銷路可稱奇蹟。最近台灣因成為四小龍，經濟起飛，大家富裕起來，時間不肯花在看書上，尤其嚴肅的書。我的一本詩話找不到出版社。皇冠我編的那套書沒有人問訊，因為一共有一千多種書，書店給皇冠的shelf space〔書架空位〕有限，幾個大熱門之外，偶然有幾個暫時熱門的作家還能放出來，其餘永不見天日。你的書不能說是暢銷，至少是長銷，而皇冠最喜歡這類書，每年重印三、四種，成本低，沒人注意，利潤厚。瓊瑤的書已經過了時，可是他們很會打算，她是台灣唯一的T.V.獨立製片，自己有錢，用好cast：秦漢、劉雪華；憑面子借實景；服裝道具都是第一流；然後在《皇冠》上大登其宣傳文稿，彩色照片。拍完之後，自己控制剪接，然後自己找廣告商，電台當然給她prime time。據說電視可以不賠錢，但小說舊作又有revival，至少電視片集上演時，銷個幾版不成問題。這次去了大陸，更助長她的聲勢。可是我們不得不承認他們有眼光，有能耐。《皇冠》這樣厚的一本雜誌維持了三十年不脫期，不大漲價，那裡去找第二份？皇冠現在的最暢銷作家可能是三毛，她寫得很努力，也很吃力，但她只能算是一種文化上的現象，在歐美不足道，在中國就吃得開了。金庸和瓊瑤二人在大陸都銷到四千萬冊以上，一是寫得多，二是正遇上大陸開禁，各出版社和書店都要「自負盈虧」，唯有二人出的書可以自由盜印（大陸沒有版稅，只有稿費，銷路實在太好，再補送一筆。），大量銷售，連國營的發行社和書店都大賺其錢。這兩年也不行了，要看的人都看過了，沒有錢和不識字的人究竟佔了一大半，以後這記錄不容易打破。三毛的作品沒有如此吃香，聽說也要去大陸，也許可以多銷個幾十萬冊，因為她那種到沙漠去居住的想法在大陸上是完全alien。沒人聽說過一個女孩子到新疆沙漠去過日子。好像在另一處見到你的《半生緣》銷了兩版，每版七萬冊，也算是暢銷的了。嚴肅作家的書幾乎沒人肯出版，沒人肯虧本，楊絳的書都先出港版。兩岸文學作品幾遭類似命運，令人啼笑皆非。

本來還想多寫一點，但開刀回家後，不停發現有水腫edema現象，服了利尿片，似乎控制着了，又變壞，不得不再去看內科醫生，現在驗了小便、血，拍了X光，要等十二日方知。最麻煩的是極易感覺到氣促，稍為走動、作一點事情便會氣喘。醫生和我都知道和心臟有關，這種病可輕可重。多年來，我左邊的肺完全collapse（萎陷），以致影響到心肌功能。我早料到會有這麼一天，等到年紀一老，各器官老化，便會如此。但總希望能再抱病延年，和文美再廝守一時期，於願已足，當然也希望不要受什麼痛苦。這次開刀是sigmoid colon（乙狀結腸）中長了一瘤，不知是良性還是惡性，但即使是良性，拖延下去，仍會轉惡，所以我毅然決定開刀切除。化驗結果是良性，剛開始有癌的跡象，可說不幸中之大幸。最出人意外的是前後一月，文美為我奔走、主持一切，居然支持下來，體重也沒有減輕，給我莫大的安慰和鼓勵。以後說不定又要她來關護我了。

八月卅日來信收到。乘我在十二日看醫生之前，先寫上幾句，其餘可由文美慢慢再寫[61]。痖弦因台灣開放報禁，《聯合報》本身增加篇幅一倍，還得應付外來的競爭，工作壓力陡增，實在沒有時間寫信，不必介意。關於曹禺，我可以供給你一些資料：出身自天津南開中學，專業話劇界人士，曹本人在校時也演戲，反串易卜生的娜拉（周恩來也是南開出身，也演話劇，所以和他是先後同學，對他曾加保護，曾吩咐他寫《王昭君》一劇，為少數民族統戰而作。）後在抗戰時重慶上台演過《安魂曲》中的Mozart（作者為Bela Balaz）。他沒有入黨，並不是不想入，而是黨不要他，看不起這種知識份子。在清華大學時出名，可是考庚款留美，兩次都輸給同校的學生，後來去美是勝利後由美國國務院保送老舍同他二人前去，可能還是Fairbank的主意。文革他是鬥爭對象，誰名氣大、有讀者、誰倒霉，私人恩怨不在內，曹禺如非周力保，很難過關。他在勝利後已經是個has been，共黨來後，更沒有作品，所以不發生作用。

《傾城之戀》終於在台上演，前一晚放演執照仍然沒有批下來，報上廣告都不敢登，一定上座奇慘。《怨女》有copy來香港，排不出期，大概香港不可能上演。《怨女》本指望參加影展得獎，結果落空，Cannes影展就是中共的陳凱歌導演的《孩子王》得不到獎而鬧得很不開心，成了電影界的笑談。《怨女》之得不到獎乃意料中事，洋人現在不容易騙。

你的美金支票寄來時我正在醫院，由文美存入戶口，但因為是私人支票，然後在背面endorse給我，一定要到美國去collect之後才能作數。這不成問題，可是前後要三星期，我們就存入活期儲蓄戶口再說，歐券這一陣價格偏低，主因是德國馬克和英鎊都是弱勢貨幣，其次，存銀行利息太低，一向比美金高，現在反而低一厘。Group of Seven（包括日、德、英、法等七國）拼命維持美金價格，大家不敢公開講，私下都希望共和黨贏，給Reagan〔雷根〕面子，為Bush〔布希〕打氣，大家都不加息，維持美金於高價。你最近的情況如下：

（1）ECU 13,728.69　到期Dec. 6/88　Rate 6.9375%（上次為5.625%）三月定期

（2）ECU 30,000.　到期 Nov. 9/88　Rate 6.9375%（上次為5.75%）二月定期

61. 所謂「幾句」，其實是兩頁紙，內容包括為張愛玲的《謝幕》（一部只有構思卻沒寫成的作品）提供參考資料、交代《傾城之戀》（一九八八年才在台灣公映）、《怨女》二片的上映狀況等。

嫌利息太低，存入儲蓄戶口一月多，可以變成整數

（3）USD$17165.00　到期 Nov. 7/88　Rate 7.8125%（反而比ＥＣＵ高）二月定期

在美大選之前到期，可以觀望一下，暫時不應有太大問題

歐幣的局面要等美大選後才會開展，目前德國人太膽小，英鎊自顧不暇。歐洲各國原則上通過到1992年，將ＥＣＵ變成正式歐幣，自印鈔票，全歐通行，大家都在做準備工作。你的運氣，正如你自己所說，真不壞，不知如何陰錯陽差，居然高價賣掉三個故事版權，今天送給獨立製片，恐怕沒有人敢拍。先將這信趕出再說。

Stephen

Sept. 10/88

張愛玲致鄺文美、宋淇，一九八八年九月十三日

Mae & Stephen，

我的一封長信想已收到。《聯合報》轉載短文的$25稿費，支票找到了補寄來。希望Stephen已經好多了，Mae也好。

Eileen 九月十三

〔下為宋淇筆跡〕

文美aus.Oct,13/88

支票退還，存入自己戶口，沒有背書書款收到，Stephen病轉好後再辦

張愛玲致鄺文美、宋淇，一九八八年九月二十八日

Mae & Stephen，

收到九月十日的信。我寄來的《聯合報》$25支票想也收到。明天趁便去郵局寄$300來買書，有剩下的作代理一切的雜費，不夠請提一聲。大陸小說集有北京或任何大都市的生活細節的都可供參考。請平郵寄給我。過天再寫信了，希望Stephen已經快好了，Mae也又好了些。

Eileen 九月廿八

鄺文美，一九八八年十月十四日

愛玲：

來信都收到，早應該答覆……無奈上月間Stephen又大病一場，這次是心臟方面的問題（heart failure and dyspnea〔心臟衰竭和呼吸困難〕），有水腫、心悸、呼吸急促等現象，需入醫院急救治療，真嚇壞人！那幾星期我每天在病室陪伴，從朝到晚困坐愁城，目睹他活受罪的情形卻愛莫能助，說不出的痛苦，根本沒法寫信。如今病情穩定下來，他已出院回家靜養，我才提得起筆來告訴你。

九月十三日信中附着的$25支票，因為抬頭用你的名字，且背後沒有加簽，我們不能代收，所以退回讓你存入自己戶口。廿八日信中所附$300支票沒有問題，但指明用來買書，暫時還無從進行。目前Stephen仍相當虛弱，只好等他康復後再說。你一定會諒解。長期以來我們兩人帶病延年，我都能應付裕如，從來沒有像現在這樣心煩意亂——簡直可以說六神無主——這封信寫不下去了，其餘的話留待下次再談吧。匆此遙祝

安好。

美草於
一九八八年十月十四日

宋淇，一九八八年十一月三日

Eileen：

附上North Carolina的Ann Carver來信，要求將"Shame, Amah"轉載於她的選集內[62]。

"Shame, Amah"我未見過，不知原作是不是〈阿小悲秋〉，她說見1962台北出版的Heritage Press的選集，我記得Heritage Press是當時Dick McCarthy支持的中國人辦的出版社，印刷、裝釘、紙張、發行都在水準之下。現在既有機會重見天日，大可接受。Birch的選集選登《怨女》首二章，志清的選集選登你自譯的〈金鎖記〉，既有先例可援，何況又是自譯，我認為可以接受。

我已覆信，說不能代為作主，必須你本人同意。她信中說寄上信兩封，事實上只有一封，我留了底，將原信和給我的信副本寄上。其中有一點我認為不妥，她第一段說先印4000冊，那還可以，付你美金$150，那和二十年前的$10差不多，不去研究。可是第一頁第三段說：「to use this material as part of our work in all languages and for all editions」〔此文可用於本書所有語言與版本〕，似乎範圍太廣。但事實上，這類書不會有什麼銷路，只是合同中應有的具文。此點請你考慮一下。她信上說限十二月底以前答覆，也太匆促了一點。另外有人要法譯《秧歌》和《赤地之戀》，我已先回了一信，等有了進展再告訴你。此信只能談公事。

祝安好。我們都好。

Stephen
11/3/88

宋淇，一九八八年十一月十二日

Eileen：

隨信寄上一些和你有關的東西。

（一）你姑姑和「姑丈」的照片四張，這是台灣一位蕭錦綿女士拍攝的。她是一位台灣人，同先生開了一家陶瓷社，她沒說，想來先生很寵她，曾於前年訪港找過我，今年又隨旅行團去大陸。原因是她是道地的張迷，能把你的著作翻覆細讀不知多少遍，還對「張學」也頗有研究，例如對文美和我，你的姑姑都有興趣而且相當瞭解。前年見我時Mae正在靜養，只同我長談了一次，回去後曾在《皇冠》上發表了一篇看張的文章，原稿我見過，我不願提意見，免得生是非。文章寫得不錯，有時學你頗有些神似。這次去大陸旅行，先去廣州，後去上海，再去北京。在上海時，曾找到你從前住的公寓，去參觀了一下，其中有一位老房客很客氣，讓她參觀，後來發現你姑姑和姑丈仍住你原來的地方，就此認識了。（上次鄭緒雷去上海，是特地去訪問她們的，結果姑姑身體不好，同你姑丈在外作了長談。）可是時間太匆促，就要趕回旅館，然後飛去北京，所以沒有深談。

（二）到了北京之後，她對旅行團的安排不滿，遂決定暫時脫團，自由行動，不去西安，而飛回上海，好在大陸這一陣對台灣人奉為上賓，毫無困難。她住在賓館，因你姑姑行動不便，好像spine有毛病，唯一活動範圍就是從房間的一頭走向另一頭，可是腦筋很靈敏，很清楚，身體想來有問題，否則去冬不會取消去姑丈的廣州女兒家避寒了。談話很高興，滔滔不絕的是姑丈，姑姑很少插嘴，說到後來，姑丈一套「統戰」的話就出來了。什麼總歸是中國人，國家是國家，你應該設法同她說，勸她回來一次etc. 蕭說我根本不認識愛玲，也不知她住在什麼地方，但是過一陣姑丈又來這一套了。她也不清楚是大陸的人都是如此，還是統戰部交給他的任務。反正他們認識了蕭，組織

62. 一九八八年十月十六日Ann Carver致宋淇書，由於準備一本台灣女性作家的短篇小說，也因為張愛玲對現代作家的重大影響，希望能夠收錄張愛玲自己翻譯的"Shame, Amah"，因此來信請求授權。

一定知道，不報上去是「犯罪」。午飯時，她們留她午飯，一看實在不像樣，菜只有兩小碟，也不新鮮，可能錢不夠，更可能價值太貴，沒時間和精力去排隊去買，也未必買得到。於是他們請蕭一人到外面去吃，吃完後再回來。蕭只好去功德林素菜館，（大概是你以前常光顧的，現在仍在）她去問可否外賣，功德林說從來沒做過，蕭說我照付錢，另放下盛菜的器皿的押櫃錢，立刻就回，拿菜倒在家中的碟裡，如此來回走了三次，才算吃得痛快，二老可以飽餐一頓。吃完後洗了碗碟，姑丈照例在床上午睡，才輪到姑姑和她談話，可是話題也不多，只說偶然也通信，信中也沒有什麼可說。然後拿出了一本照相簿，自己一個人翻弄，似乎生活在過去，然後最重要的一句話：多年不見，即便見了面，恐怕幾句話就說完了，也沒有什麼話可說！她見你姑姑似有眼淚，自己有點心酸，但姑姑話中從未漏出希望你回去，也沒有一句黨八股，只是實事求是的說：歲數大了，身體不好，不一定見得到了。蕭拍了四張照留念，我們覺得這是難得的機會，就問她要了來寄給你。她也很爽快，說拍照是為了讓二老覺得有人關切她們，因為她們的生活太寂寞了。當時看看，居住條件等太不成話，事後一觀察，一打聽，一比較，他們還算是特殊、受照顧的單位，說不定還沾了你的光。蕭後來就走了，姑姑沒有囑咐她做任何事，姑丈的話她聽了，不過表示無能為力，既不認識你，更不願寫信麻煩你。最後我們說既然如此，照片沒有用，不如我們試寄給愛玲一看，她要保留最好，否則可以寄還給我們。她說再好也沒有，她又不想借此寫文章或寫書，旅客總有像（相）機，隨手照了幾張。她說甚至於不必將她的名字告訴你，她不想討好你，或借我們之力，間接認識你。我們說沒關係，一個抽象的名字對愛玲無意義可言。她做人自有原則，我們無從影響或勉強她做不願做的事。蕭並無異議。我們認為你和姑姑既有多年未見，同時未必有人會去訪問她們並拍了照，這是難得的機會。完全是就事論事，別無他意。看完後隨你處置，保留也好，寄回給我們，我們再寄給蕭也好，雖然蕭並不expect取回。

（三）從蕭所說，你姑姑健康情況欠佳，所以需要你姑丈照顧，二人不能分開，此點毋庸置疑。你以前六月廿六日來信最後有這樣一段：

> 我下次寫信給我姑姑，告訴她租傢俱危險，還是去買個雙人床與沙發，或是請他們住旅館，

我住過的比較最喜歡的一家剛巧就在附近，也不貴。

又及

可見你已考慮得很周到，我們也同意住旅館最好，別說其他問題，光是心理和精神上的壓力就受不了。這一點錢不必省，何況買床和沙發，擺好是大事，走後如何dispose又是大事。住旅館，主權在你，身體好，精神好，有話可談，多留一陣，否則少留。反正他們照顧自己衣食，也夠忙的，閑下來看TV，也不會悶。姑姑坐飛機身體關係可以申請航空公司出、入機場時坐wheel-chair，一切檢查手續包括行李、護照都有優先權。我們有一親戚、一長輩老師都如此去美國，非常方便。你回大陸的想法，大概從來沒有考慮過，事實上，不必考慮，各方面你都難以適應。所以這方面不必討論。

以上所寫都是就事論事，你姑姑沒有開口託蕭提出要求，蕭本人更沒有意見。我們只是將所知所聞全部轉告，同時認為如果要和姑姑見一面，恐怕現在是時候了。大陸醫藥水準以前不壞，現在大家為了錢，沒有關係，得不到好好照顧。照我看，你姑姑患的病是老年人骨質退化病，年老婦女患者尤多。如此繼續degenerate〔惡化〕下去，早晚會影響到spine 的central nervous system〔中央神經系統〕，那就不能行動了。但是有一點，你必需考慮清楚，美國醫藥費對有medicare的人都會覺得吃不消，外邊來客，小病一送醫院，一看醫生，那還得了?我們有位極熟的醫生朋友，親友都在美西，並且買了一個小公寓，已經辦好移民手續去住了兩次之後，決定回港渡餘生，因為要住滿五年才可以成為公民，在此期間，夫婦兩人俱已七十七歲，如生病，則可能破產。你請兩人來美，機票和旅館最多咬牙一次過，萬一生病，可乖乖不得了。你自己看眼、看牙便知行情，這是Mae要我特地提醒你的，她又說照片保留好了，不必寄還。餘另函再談。

Stephen

Nov./12/88

宋淇，一九八八年十一月十五日

Eileen：

以下是你存在我們處的ＥＣＵ最近結單，請你另行保留，俟有更新的報告寄來後再扔去。

（一）Mae和我兩人joint A/C定期ＥＣＵ存單，恒生銀行旺角分行：13,728.69三月定期：Dec. 6/88到期：年息6.9375%：開始時為July. 16/86，數目為10,000。

（二）兩人joint A/C活動定期：上海商銀行旺角分行：分開兩行穩一點。45,000一月定期：Jan. 9/89到期：年息6.9375%（較三月稍少）：原來是30,000.00

你寄來皇冠版稅美金支票四張，計US$17,165，先存入儲蓄戶口，後再存定息，共收得利息$165，連儲蓄戶口息$70，加在一起共$17,400，以cross rate ECU 1.1602比US1.00，換入ＥＣＵ，（時為Oct./24/88），然後於Nov./9存一月定期，30,000.00加15,000.00，共得上述45,000.之數。此外還應有30,000的利息，和ＥＣＵ儲蓄戶口的利息，要到年底才知道，至少也有幾百元，到時再將具體數字告知。

前一陣ＥＣＵ因德國馬克和英鎊均弱，故和美金比率不振，最近Bush當選，美金反跌，今天cross rate ECU已漲到1.2000比US1.00，利息亦可看高。最近各國政府已通過ＥＣＵ到1992年為全歐通用貨幣，前途應受歐市共同體（Spain和Turkey已申請加入為共同體會員）保護，應可無問題。

Nov. 15/88

宋淇，一九八八年十一月十五日

Eileen：

前日方寄出一長信和四張照片，想你已收到。

這封信主要講以下四點，現分述如下：

（一）你弟弟子靜託人帶了一封信給《聯合報》，由蘇偉貞寄來，並囑我轉寄。令弟以前託我轉過一次，向你訴苦，因住的地方太小，希望你給他美援。我說不必理會，因為必有下文，結果沒有答覆，大概認為我沒有做或者辦事不力，所以不再找我。目前台灣、大陸可以來往，不像從前那樣軍事管理，所以不知那裡打聽到《聯副》，遂有此舉。奇怪的是：他居然找《聯副》而沒有找皇冠。蘇偉貞信中沒有說這事由誰經手，我也懶得問，好像要盤查似的。信拆開，我看了一下，令弟似對現狀很滿足，手中有數千元，住的地方較寬，在大陸是頭等大事，不能說他沒出息。看上去，他和姑姑沒有來往，所說都不確。Dick Wei有這麼一個人，從上海來了香港，海派中有點名氣，但在十年前已過世，不知是否一人？你看情形，就用通訊地址，寫張便條給他好了。當然要你情願，我毫無意見。

（二）有一位法國年輕翻譯家，太太是中國人，通英文，曾將白先勇的〈玉卿嫂〉譯成法文，大受好評。他有志譯《秧歌》和《赤地之戀》，先勇將他介紹給平鑫濤，平如何會管這種閒事，就原件pass了給我。我已和他通了一次信，覺得他很認真、誠懇，對翻譯的看法也很正確。我認為《秧歌》的法譯版權想來早由Marie Rodell售出，以後法譯本出了沒有，或出後默默無人理會就不知道了，這是一。他兩書譯起來很慢，勢必要為期數年，目前沒有sample，一時找不到出版商，要他自己付翻譯權版稅，根本不可能，樂得漂亮大方一點，放他一馬，此其二。我已答覆他，先允他provisional〔暫時〕翻譯權，譯完後由一有地位的reader推薦，再由出版商付翻譯權費，然後正式簽訂合約。希望他能接受。他住在香港，另有正業，我想說不得由我直接打發算了，免得你為這種事操心。他名字叫Francis Marche，白的書名叫《桂林的童年》*Enfance à Guilin*。

（三）今天由書店從郵局平郵掛號寄上書一包，共重5 kilos，再大再重就不化算，希望郵差能直接送上你門口。自香港到美國西岸照理應在一月內寄到，希望不要在X'mas季內擠在一起，但美國郵局效率很差，竟無把握。書名如下：

《金瓶梅詞話》（香港版，根據日本大安影印的詞話為底本，用繁體字，加「校勘、標點、釋詞、全圖」。編者我認識，的確花了不少心血，可以說是近年來最有貢獻的文獻。我想你生平最喜歡《金》、《紅》二說部，《紅》已研究過，現在如一時無意創作，不妨評一下《金》。既有如此好的版本，不妨一而再，至少可以occupy你不少時間。此書在大陸是禁止流行的，只有高級幹部才可以借讀，市上只有刪節本。

為此，我另外委託書店另配上比較有份量的兩本論文：

《金瓶梅箚記》

《金瓶梅探原》　讓你看看別人怎麼樣研究

《紅學耦耕集》　是香港兩中年紅學家的近作，考據方面比大陸認真，究竟受過正規訓練。

《紅樓風俗談》　很有趣味，有些是我們非京油子所不知的。

關於大陸的文學作品，主要是小說，我選了些台、港翻印的作品，表示已經有高度的評價和讀者，經過淘汰的。

《小城之戀》　是女作家王安憶的選集，王的三戀已有英譯本，即將出版，本書好像只有兩戀。

《紅高粱》

《閣樓》　西西選的中、短篇小說集，她最近為台、港高知共譽為最有份量、前途的作家；受南美、歐陸作家影響，自成一派，但不能成為暢銷，因不講究情節。中年、獨身、終日翻閱大陸報紙、雜誌、冷門書、發掘好作品，範圍之廣勝過大陸自己。我對她的taste有信心，早買了一套，極欣賞。前一陣聽說她要出第三、第四套選集，結果最近才等到：

《第六部門》

《爆炸》　西西選的中短篇小說集，經過精心節濾。

書價連包紮、郵費約合$80美金，不算太貴，因台幣漲價，已經貴了一、兩成。你寄來的300元足足可以應付四批書，不必擔心。

（四）有關你存在我們的ＥＣＵ最近情況，詳另紙，總之，大概在60,000左右，約合美金72,000。長期是較穩健的投資。餘再詳。

Stephen
Nov. 15/88

張愛玲致鄺文美、宋淇，一九八八年十一月十八日

Mae & Stephen，

收到Mae的信，確實嚇得腳都麻木了。如果我也在香港，雖然也不能天天打電話來問Stephen的病況，讓Mae忙着跑醫院與別的無數事之外還要向我報告，我就光是hover around〔徘徊左右〕也會覺得好些。幸而Stephen已經出院回家養息了，Mae還沒歇過來就寫信，也使我過意不去。也還是想不出來向你們說什麼——說什麼都像是無關痛癢的風涼話。還沒寫信，倒又收到Stephen十一月三日的信，實在愧疚，剛好點就又為這種事操心[63]。那家大學的條件雖然範圍太廣，我也想着大概無礙，不過要在十二月一日前答覆，（見我附寄來的一頁第二段）我這兩天又感冒不能出去，沒馬上簽名寄還，寄到香港再轉寄到美國，來不及了。如果直接寄去，期限太迫也無從考慮起，還是寄給

63. 宋淇收到北卡羅來納大學（University of North Carolina）教授Ann Carver的信，要求把張的「Shame, Amah!」（即〈桂花蒸　阿小悲秋〉的英文版，由張愛玲自譯，但內容與中文版不盡相同）收入選集，宋淇只好帶病覆信。那篇作品原載於Eight Stories by Chinese Women, ed. Nieh Hua-ling, Taipei: Heritage Press, 1962, P.91-113。

Stephen轉，過了期不等就算了。《聯合報》的$25稿費，我因為一直沒看見報載的那篇稿子，疑心是冒名，不知道是否應當收款，所以猶疑，支票沒背書，現在補寫了再寄來，如果收下就請歸入買書與郵雜費備用。自從上次搬家通知報館，就沒再收到報刊，想必因為住址無定，不贈報了。《聯合報》《中國時報》《聯合文學》有關於大陸生活的文字，你們不需要留着的就擱在一邊，等有便的時候再寄給我。我前一向腿上皮膚病惡化，趕緊去找鄭緒雷介紹的那醫生，順便請他介紹內科醫生，但是一時不會去看，因為牙醫有些事要問我從前的醫生，不得不再去看一次，作檢查。皮膚病治好了些，却又蔓延到身上臉上，以前誤以為是fleas變小的徵象又一一出現，本來效驗如神的藥又漸漸失效。存在倉庫的書籍文件，大殺蟲公司不受理，再多試幾家再說。我沒想到你們沒有那本收了"Shame, Amah!"的小說集，以後倉庫裏如有，就寄一本來。我說要寫的幾篇短文，太久沒寫東西實在難，改來改去，過天再寄來。希望Stephen好多了，Mae也沒又累病了。

Eileen 十一月十八

宋淇，一九八八年十二月十九日

Eileen：

十一月十八日信收到。這一個月來我身體有進步，一切已在控制中。有時行動太急促，自己不覺得，很容易氣喘。尤其要避免的是爬樓梯，所以我只好盡力避免坐subway〔地下鐵〕。好在自己知道病的性質和限制，做起事來不能像以前那麼性急，一定要慢半拍，倒也是陶冶性情的好方法。

Carolina U.的Carver處，我接到你的信後就立刻將同意書和自己的短信一同寄去，可能趕不及十二月一日，但差個幾天不應有問題。一有具體消息，大概應是支票，我就會通知你。法譯者我已代你應付了，因為他還沒動手譯，所以我先給他provisional翻譯權。照我猜想，那時Mrs. Rodell一定已將法譯權賣掉，但以後大概沒有出書，此事我也沒提。法譯本銷路也好不到那裡去，版稅更少，至少在歐洲，有點exposure，也是好的。

《聯副》處我寫了一信給蘇偉貞，向她解釋了你的情況，並請《聯副》和《聯合文學》仍舊贈寄到你的舊地址去。他們一則同我有多年交情，二則對你也有特殊感情，偉貞就說報刊求之不得同作者有聯繫，已照辦，相信你下次到從前通訊地址的郵箱時，會見到《副刊》和《聯文》了。《聯文》的發行人同我很客氣，但並不認識，我不想麻煩她，免得欠她交情，所以一客不煩二主，也請偉貞代辦。收到後，最好寫張便條給蘇偉貞，多謝她一聲，這是應有的禮貌。《中國時報》我沒有寫信，因為他們沒有航空版，平郵全份寄來，來起來十份一大堆，我和家人都嫌煩，生病之後，更是頭痛，所以已經請他們停止贈閱，所以我不便出面同你說話。少看一份也無所謂。

Mae和我身體都好，在家靜養，體重都增加。祝好。

Stephen

1988十二月十九日

附上的袖珍calendar有陰曆，很方便

張愛玲致鄺文美、宋淇，一九八八年十二月二十七日

Mae & Stephen，

收到Stephen十一月十二、十五的信，非常高興，想必好多了。Mae太累了不知道可受影響，不比從前健康的時候再累也撐得過去。我寄來的"Shame, Amah!"合同想已收到。因為合同限期，已經晚了，急於寄出，就沒提在這之前已經寫信給我姑姑，告訴她我找到一個代轉電報的地方，緊急的信寄到那裏也隔日送到。住附近這旅館，我陪着住隔壁房間。（傢俱買了只能留着。除非搬家，賣傢

俱要上門來看，安全可慮。）可以買傢俱等等我也都說了，不然就像是見外，不能住在家裏。蕭錦綿當然是台灣人一般的看法，兩老的生活環境在大陸算好的了。我也一直疑心能保留公寓還是看在我份上。我姑姑一向在吃上馬虎。我想大概是我姑父拉攏留飯，讓她們單獨談話，要她去勸我回去。我姑姑一定知道靠勸沒用。翻閱照相簿，好像沉湎在過去裏，是她避免多說話的技巧。她屢次說過境況不錯，有積蓄，他們也乘飛機去廣州，所以姑父上次信上說也許來看我，我就以為旅費沒問題，我粗心沒想到大陸物價漲的影響。其實她說有錢也是阻止我多還錢。要再補封信去講買機票的事，先在這裏試試打聽一下航空公司手續。我知道醫藥費駭人，美國又還比香港更甚。——現在看來，我姑父大概是想立功。我甚至於有點怕他來了知道我地址，即使藉口髒亂不能請他們去。也許推說客滿，另找一個較遠的旅館。當然也很容易跟蹤——此地的士必須打電話叫，但是旅館外面常有的士可坐。我弟弟上次的信（第二封）是我用General Delivery作通訊處時，從總郵局領到一大疊信，全丟在公車站長櫈上。這次預備回封短信，也不提這事了，免得他又補寫一封來。我姑姑結婚的事，同在上海都纏錯了，大陸的閉塞真可怕。Dick Wei我沒聽說過，我母親和姑姑的朋友姓魏的只知道一個魏道明，前外交部長。收到ECU存款單，真不知道說什麼好，實在真是受之有愧。以前關於這錢的信也都在。搬家誤扔的一大捆信是在一包東西裏，內有隱形眼鏡等什物。那篇記者掏垃圾記終於在中報上登出來了，戴文采著《我的鄰居張愛玲》，莊信正寄了來，說《中國時報》人間編輯季季拒登，我請他得便代謝她。我也只跳着看了看大致內容，儘少生氣。你們如果沒看見，我就寄來。莊信正說季季問我的地址，要寄報給我，他把我的信箱地址給了她。同時我又在信箱裏收到《聯合文學》。我上封信裏請你們剪報寄給我《聯合文學》、《聯合報》、《中國時報》上有關大陸生活的文字，後來馬上懊悔，你們輪流病了這些時，百廢待舉，Stephen剛好點倒又替我料理了許多事，我是真的非常不安，倒又再要替我剪報？也太顛三倒四了。現在也都有了，再加上代買的書，儘夠參考了。目前就想寫點東西，等倉庫問題解決了，再把《海上花》譯文整理出來，不想寫考據。法譯《秧歌》照Stephen說的那樣安排再好也沒有。瓊瑤的大陸銷路驚人也是意中事，因為大陸還停留在台灣的三四十年前，而且五〇年間就想看的慾望壓抑太久了，一旦爆發，即使已經是新的一兩代了。從前桑弧就舉出那樣的天文數字作為今後的market potential，勸我留在大陸。（根據蘇聯小說銷路）結果實現這些數字的倒是台灣作品，不是大陸的，也真是歷史的反諷。我一年一度去移民局催問補領入籍證事，這次說「tried to contact you,」旅館說搬走了（我本來說明住不了幾天，另有固定通訊處）；說同類申請書有一尺多高一大疊，因而遺失（！），問我有沒有申請費收條，（也遺失了）沒有就要重新申請，叫到另一大樓領表格回去填了，「寄給我們就行了。」寄了去原封未拆退回，打了「Refused」戳子。又要親自送去，天不亮去排班。年下路劫多，要等過了年。希望今年過陰曆年你們倆都完全復原了。

Eileen 十二月廿七

宋淇，一九八九年一月二十三日

Eileen：

收到十二月廿七日來信是一月十日，大概這一陣正碰上節日的賀年片狂潮，堆積如山，郵局加班都不及處理，美國人手更不如香港那麼多而有效率，以致比平時慢了很多。現在理應恢復正常了。

最近在《聯副》上看到一月十八日的「大陸作家隔海拜年」專輯，其中柯靈一文〈聊贈一枝春〉中提到鄭樹森助他將〈憶傅雷〉和〈遙寄張愛玲〉二文在《聯文》發表，其實，二文也都在港發表過，大概是《明報月刊》罷。關於你另有一段：

張愛玲的名字在大陸湮沒三十餘年，近年來鐵樹重葩，在書林次第爭發，受讀者稱賞。《金鎖記》已搬上銀幕，我昨天應邀看了試映，基本附合原作精神，只是片名改為《昨天的月亮》。在報紙的記載中，說這是「為海內外文學交流做了一件很有意義的事情」。攝製組送來一盒錄影帶，請轉向作者致意，並聲明他們代為保存原著稿酬。我只好把錄影帶就近送愛玲的姑姑代收，請她傳語，新歲珍重。

這一段文字有幾點可以一提：（一）附合應作符合；（二）這位老先生同你姑姑一向有來往，所以仍通過同一渠道；（三）大陸沒有「版稅」，國內外作家一視同仁，只付一次稿費，就此賣斷，版稅等於在exploit國家，至於稿費仍為人民幣，原則上要你本身回去才領得到，但錢拿到後只可在國內花掉。親友中有人拿到從前沒收的財產，因為是僑胞，所以平反，但錢花不掉，只好分贈親友，由此引起不少糾葛。最近物價大漲，通貨膨脹尚在其次，有錢買不到東西，他們自己也說千萬不可蹈以前金圓券的覆轍。今天又說連外匯券都沒有用了。這一陣大陸的老百姓真正在為衣食奔走了。今天聽到廣播說全國提高利息，以阻通貨流通速度，看情形不太樂觀。你不妨寫信問姑姑有什麼辦法可幫她忙，不要隨便匯錢去，變成外匯券買不到東西仍無濟於事。國家大量缺外匯，總有辦法給收款人保障的，否則他們即使有錢，換不到物資，無可奈何！

今天又有人打電話來，代表台視（台灣三家ＴＶ公司之一）的年輕編導，姓周，聽說我可以代你作主，想買《半生緣》的電視版權。我告訴他：張女士原則上不願作品改編成電視，他問我：為什麼，我說不知道，總之，是原則問題，所以一向拒絕。不說別的，《半生緣》的ＴＶ版權，你是第三位問的，前此還有一家電視台，派人來接洽，結果也是不成。他說很多大明星都想演，我也懶得同他再說下去，就說多謝他的盛意，很抱歉無能為力。台灣的電影業已經遠不如香港，電視更不行，粗製濫造，常有趕拍情事，戲已上演了，手中只有十集，一路拍，一路演。徐速的《星星月亮太陽》（《星星．月亮．太陽》）上電視，特把徐太太（徐已於多年前中風過世）請去主持開拍典禮，演員cast也很像樣，結果收視率不像話，迫得腰斬。《半生緣》的上海味道，四十年代的佈景、服裝如不像樣，這麼溫吞吞的故事，說不定也因收視率不佳而停演，豈不掃興？看ＴＶ的人不用花錢，程度較低，多半不會為了ＴＶ節目而去買原作看，不像電影現在票價在香港等於一本書，在台北也便宜不了多少，觀眾水準較高，而且ＴＶ版權費出手太低，弄得不好真是得不償失。

你存的兩筆ＥＣＵ現在多改為三個月的定期儲蓄，其中之一是一月十日轉的，年息為７又５／８％，比美金的９又１／４％不如，但比前次已經漲了１％。現在全世界的貨幣利息都看高，美金為了打下Libya〔利比亞〕兩架飛機，日皇逝世，Bush〔布希〕上台，大家都得捧他場，所以價格可望在近期至中期暫時穩定，但內憂（budget和trade的赤字）和外患（拉丁美洲的債務和欠日本德國的債券每年要付的利息），比《紅樓夢》中末世的賈家還不如，除非Bush大刀闊斧，不許美國人買外國貨，國民強迫儲蓄，到三、五年後或可喘定，否則過了上半年，下半年起就要大告不妙了。ECU因為要到1992年才正式有歐洲commission成立，暫時不能代替各國貨幣，加上德國的利息太低，拖低了本身的年息，短期內大家都看好高息貨幣，但息高，risk也高，天下絕無便宜歸你一人之事，我們這種年齡的人還是risk低一點好。

加拿大友人來電話，云寄去的書已收到，想來你也收到我寄來的書，這樣至少可幫助你打發一部份時間。友人特別欣賞標點校訂的《金瓶梅詞話》和西西選的四冊大陸短篇小說。我也想聽聽你的意見。

附上幾張剪報的副印本，內容不言自明，所說均非捏造，而是根據他們自己的報導而來，一點也不是危言聳聽，閱後便會體會到我們的心情。我們一點都不在乎1997，未必活到那時，但我個人擔心香港就在火山之旁，古語云「覆巢之下，焉有完卵」？可為我心中想法的寫照。即祝安好。

Stephen

1989年一月廿三日

無話可說

糧食短缺農民攔途劫糧

令人憂慮的一九八九年

張愛玲致鄺文美、宋淇，一九八九年三月六日

Mae & Stephen，

書與一月廿三的信都收到。日曆非常有用。陰曆年前吃了五十年的草藥忽然失效。兩年前已經有過一次，我想也許是睡得太沉，使腸麻痹，改變服藥時間就又好了。這次去找那皮膚科醫生介紹的內科，也是UCLA的，沒抱任何希望，反正本來要去的。一個月後才見到醫生，完全沒用，另外許多tests，也許會查出些別的不相干的病。這兩天煮藥法改了，已經好些了。如果再惡化，要是打聽到可靠些的針灸想去試試。搬家後就沒收到過我姑姑的信。她病了不寫信，我說過姑父代筆也是一樣，但是片紙隻字都無，當然是因為沒告訴她住址生氣了。我寫過八封信去反覆解釋。最後一封說如果真是不能來，就把旅費等花的錢寄去，幸而現在知道大陸經濟有變化，不會冒冒失失寄錢去。明知她不會來，似乎還是應當再等些時再去信問可有別的辦法寄錢。我已經回了我弟弟的信，明言沒能力幫助他，不會當是Stephen沒給轉信。我寫信非常費力，大概寫信較近說話，不會說話就不會寫信。給Stephen的信因為業務大都是有限期的，此外只跟志清等兩三個人通信——都怪我難得寫——已經覺得週而復始，是個負擔。Mae信上說到醫院看Stephen的情形，還有Stephen說的但願多相守些時，我都看了心脾淒動[64]。如果當面對我說我也不會說什麼，當然寫信就不能這樣。我想我們都應當珍惜剩下的這點時間，我一天寫不出東西就一天生活沒上軌道。還是少寫信，有事就寫便條。事實是自從你們倆輪流病倒，我從來沒覺得像任何別的夫婦的cases〔情況〕，是真是連我在旁邊看着都有世界末日感。還因此聯想到《海上花》譯序上我一直想改的一句：「愛情的定義之一是誇張人與人之間的差別。」寫的時候也就有點覺得不妥。其實一個人與另一人的分別太大了，心理學不過是個最大公約數。改印一頁不影響紙版？皇冠出的我的書全扔了，也不再要，實在沒處擱。想過些時再跟陳爍〔皪〕華要一本國語《海上花》改這一句，因為上次為了替志清要一本，而記錯書名，原信丟失無法查，陳爍〔皪〕華來信又寫錯書名，結果害她連寄三本書給他，煩不勝煩。《金瓶梅詞話》要細看才看得出與坊本的分別。當然從魏子雲的考證上也知道一些。大陸小說

看了一本，有的很好。我關着房門睡覺聽不見門鈴，郵差送書來只丟下一張通知單。一定要晨六時半郵差出發前打電話去要求再送，有的職員又不肯讓公寓管理員代收。打了三次電話才拿到。如果還有一包，就請在我名字下添一行。

附《聯合文學》張寶琴的信、我回信的副本[65]與Marie Lalitte的賀年片，她八（？）年前來信說譯了巴金一本近著，想譯《秧歌》〈金鎖記〉，要出版公司commission她譯，沒成功。這兩年我沒回她的賀年片。過天補張卡片去。有沒有收到《聯文》稿費轉寄來，不記得了。好在她查收條便知。希望你們這一向都好。

Eileen 三月六日

宋淇，一九八九年三月七日

Eileen：

好久沒有你的消息，自從一月廿三日寄出一信後，至今沒有回音，深以為念。我們這裡每天的天氣報告都包括Vancouver〔溫哥華〕、L.A.〔洛杉磯〕、〔原信中無「、」〕San Francisco〔三藩市〕，所以有幾天見到L.A.竟然只有零度，不免為你擔心，怕你沒有冬衣，又要出去看牙醫，很容易患感冒。

上星期收到皇冠寄來你名下的版稅結單和支票三紙，這次只結到去年十一月底而不是年底，竟然有10,537元之多，打破了記錄！一方面拜美金貶值和台幣升值之賜，否則如照以前的匯率，不

64. 參考一九八八年九月十日宋淇信。
65. 一九八九年三月六日張愛玲致張寶琴書，言及因為搬家未收到《聯合文學》等國內報刊，後來因宋淇去信請繼續寄給她才收到。由於托宋淇作代理人，代收稿費版稅，收到後會轉寄香港由他簽收，避免混亂。由於不記得是否收到《聯文》稿費，請張寶琴代查是否有收條。

過7000元多一點。另一方面，完全和我預料一樣，出一本新書必定會帶起其他各已出版各書的銷路，近三期的版稅即是最好的證明，「毋怪余言之不謬也。」

檢討結算單，小說集和小說銷路最好：（一）《短篇小說集》30版；（二）《秧歌》25版；（三）《怨女》21版；（四）《半生緣》25版；《半生緣》出版最遲，頗有後來居上之勢。散文中最好的是《流言》，仍不過17版；《張看》竟然比《悵然記》好，也是想不到的，大概和書名有關。

因此我想起「慧龍」的《赤地之戀》，他們到現在沒有付給你版稅，而且也不印明年月，從未說明幾版，在香港（相信在台灣也如此）不惜廉價傾銷，要比皇冠定價多打一折，反正不用付版稅。我希望你用中文寫一封私人信我，大致如下：（一）早已委託我為全權代理負責你作品的版權、版稅、電影、電視權等事宜，並已行之有年。（二）慧龍的《赤地之戀》當時出版情形為慧龍出版社負責人苦苦央求，該書交其出版，以挽救他的業務，否則唯有倒閉一途，（此人姓名我記不起了）（可以查到）同時負責原作完整性，決不刪改一字，因此才交其出版。（三）預支版稅都付不清，改由皇冠社協助才勉強付清。（四）校對不精，嚴重錯誤不下數十處，寫信去要求改正，一直置諸不理。（五）負責人其後逝世，不知是誰接辦，從未接到通知。（六）最嚴重者為書之內容仍遭刪節，顯係違反原來諾言，出版後即去信交涉，始終未獲答覆。（七）到今天為止，不知印行了多少版，從未收到報表，更不要說版稅了。（八）負責人逝世後曾寫信詢問情況，未見答覆，完全不尊重作家應有的權利，而違反出版界的守則。現在請你代我全權處理，如再無令作者滿意的答覆，請即通知慧龍出版社取銷其單方面之海盜式行為並另行委託其他合法出版社代出尊重原作的真版本。

我好像說過，不知你是否賣斷？你原始的合約不知還在不在？即使在，也在貨倉中，一時不便找。不如先寫了這樣一封信再說。不妨一試，以了一件心願，以便合浦珠還。附上支票三紙的副本一張，報表的副本如舊存我的file，原件請你簽後寄還。我們都好，只是每天只能做一件事，生活完全軍事化。祝好。

Stephen
3月7日/89年

張愛玲致鄺文美、宋淇，一九八九年四月三日[66]

Mae & Stephen，

傷臂手腫，不大能寫字。三月初曾來信。你們好？

Eileen 四月三日

張愛玲致鄺文美、宋淇，一九八九年五月三日

Mae & Stephen，

過街被人撞倒，一個月後才照X光，右肩骨裂——broken arm〔手臂骨折〕！醫生說只要讓它自己長好。好了再寫關於慧龍的委托書。附志清信。（有副本）張寶琴寄來$1200 cancelled check，是我簽收，忘了。（！！）一定寄過航簡收條去。一個多月沒去開信箱，我姑姑曾寄掛號信到Wilcox，一個月後退還。你們可好？

Eileen 五月三日

66. 全信就只有這幾句。張愛玲即使傷臂骨折，也勉為其難給鄺文美、宋淇寫信，以免他們擔心。

張愛玲致鄺文美、宋淇，一九八九年六月二十九日

Mae & Stephen，

傷臂這些時沒寫信，惦記你們倆可都好。我大概快好了，用不着開刀了。是一個中南美青年在鬧區跑着過街撞倒我。當時以為不過是扭了筋扭得特別厲害。看牙齒看完了，共花七千多。內科醫生許多tests，只查出有一種infection〔感染〕，「a proteus organism,」〔變形桿菌屬〕又說是bacteria〔細菌〕。吃了有penicillin〔盤尼西林〕的藥馬上好了。可能是住了兩年旅館後染上的，我當是fleas變小得幾乎看不見，又再住了兩年旅館。至少現在知道不是我神經，疑神疑鬼。去年復發，又當也是eczema。兩個皮膚病醫生都沒想到order this test。這醫生確是好。此外只查出膽固醇太高了些。肉、蛋早戒了，還有些違禁品要找可口點的代用品，再要實驗做兩樣簡化菜。《赤地之戀》合同遺失；絕對沒賣斷，版稅15%（通常10%？）。大陸小說有兩篇非常好，我想是或然率——人口多，現在識字的又多了。文禁稍一鬆就冒出人才來。《金瓶梅詞話》有許多古色古香的生活細節，時代氣氛濃厚，是更好得多。似乎又多出幾回妄人添寫的。Stephen說過沒人給出文集，我實在speechless〔無言以對〕，看着他們出書之多，之壞[67]。所以一直沒提。看到過一句批評，說Stephen論詩像詩話。大概現在非照西方文學評論理論不可了[68]。《太太萬歲》對白本經影片公司抄手濫改脫落。西德如果大量投資USSR，可能也像投資第三世界一樣蝕本，歐券也會大跌。但是下次收到皇冠版稅我還是想買些。上次是因為Stephen說現在一天辦一件事，在這情形下我實在不好開口。還是說了試試。等下月到銀行去再寄點錢來作各種零碎費用。上次收到版稅支票，第一次送來向來收不到，門鈴低啞，又大概故意只輕按一下。有的房客也抱怨聽不見門鈴。黎明郵差出發前打電話去要求再投遞，現在郵局偷懶不傳話，叫自己跟郵差說。黑人郵差乘機想要小費。我交了五元給apt. mgr.代給，不料副理逕去郵局把他捺下的掛號信代取了來，錢又還了我。從此我訂的雜誌老寄丟了。又請mgr.轉了封信給郵差，恐嚇他要告知Postmaster，似乎生效。（真告狀萬一他丟了差使，也許上門尋仇，更防不勝防。）掛號信恐怕c/o Mgr.也還是會出花頭，下次請用Federal Express，$19一封信。如

UPS就總是送上apt.門來。（我自己到郵局領掛號信，沒I.D.，職員不通融也還是領不到。）*Rouge of the North*事你們想怎樣回志清，我寫信給他。

Eileen 六月廿九

張愛玲致鄺文美、宋淇，一九八九年七月二十六日

Mae & Stephen，

我上一封信上提起寄點雜費來，今天乘便從銀行取了錢就到郵局寄了來，只來得及附條。希望你們倆都好。

Eileen 七月廿六

宋淇，一九八九年八月十七日

Eileen：

今天接到你七月廿六日掛號的短簡和支票US$300一紙。我以前早已說過你還有錢存在我們處，不必寄來，現在只好暫時存下，慢慢再說。

我忽然於七月十六日舊傷口流血，正是颱風襲港之日，狼狽之情可以想像出來，幸而鄰居醫生把我介紹入葛量洪醫院，全港最出名的胸科醫院，醫、護、設備均第一流。廿五日晨動手術，將

67. 參考一九八八年九月十日宋淇信。
68. 這種批評，一九七六年十月廿四日宋淇信中也有提及。

廿年來積垢藏污割清，因禍得福，一切順利，八月三日回家。現在每天晨晚兩次有政府的護士上門來清洗傷口，換紗布，文美用不着勞心勞力，但願早日復原，則《紅樓夢》的文章或有機會再續寫下去。病前寫〈情榜〉，初稿已完成十之八九，相信必可完成。

整理舊信，夏志清徵求你同意將*Rouge of the North*交Cheng & Tsui Co.出版，想你已洽妥。這家書店同我們翻譯中心也有往來，規模雖不大，但還算正派。五月三日信說你右臂被撞碎裂，還算不幸中之大幸，其實，人到了我們的歲數，反應遲鈍，文美前年慢步過馬路，兩腿忽然無力，竟跪在地上，幸而年輕學生把她攙扶過馬路，後來入院，發現右腿小腿也有骨頭碎裂。歲月不饒人，必需有自知之明，出門要分外小心。我們現在的原則是像童子軍，每天只行一善，（自己的私事），別的留待明天再說。

六月廿九日信問起如何答覆志清的信，我想答應Cheng & Tsui出美國版對你不會有壞處，況且現在你已是established的作家，就是挨罵也對你無損。版稅多少不必計較，反正多不到那裡去。現在正是亞裔人的時代，多出一本書正合時。信中又說給醫生查出來病源是來自一種bacteria，是大喜事，從此，如你所說，不必再疑神疑鬼。希望你從此可安然無事，說不定還可繼續寫作，一定要創作，寫些散文也可。

《赤地之戀》決定收回，一切俟我身體再進步後處理，細節留後再談，正好配合皇冠的計劃。平鑫濤聽到之後，不禁大喜。

重要的是在我入醫院療病時，皇冠寄來你89年度上半年度的版稅結單和支票三紙計5000，5000，1642.97三紙，共11,642.97。掛號寄來的，郵差送上門來，由文美代簽收，後來送來醫院給我過目，那時我實在沒有心力照顧，一直到今天才整出來給你寄上。細查版稅結算單，總數竟又超過上次的10,537元，又增加了10%。這同我的估計相差不遠，因為我始終相信《餘韻》和《續集》的出版，本身沒有什麼了不得，銷路遠不如前作，但至少證明作者仍健在，一定會帶起其他各書的銷路。但沒有想到會如此之靈光！另一點也是和上次相同，讀者還是喜歡你的小說，依次序，銷路最好的是（一）《短篇小說集》——這是台灣出版界的長青樹，每年必可銷三版；（二）《半生緣》；（三）《秧歌》；（四）《怨女》；然後才輪到《惘然記》和《流言》，而《惘然記》本身等於是舊作、新作的短篇小說集。新台幣已略回跌，所以銷路實際增加不止此數。《短篇小說集》是長青樹，定價又高，只吃這一本已很可觀了。平鑫濤經營發行多年，對我說：作家均有起有落，只有你始終維持水準，為生平所僅見的異數。現在附上結單的副本，請你簽字後用掛號寄回，香港郵局服務好，郵差認識我們多年，決無問題。又影印了一份，由你保存，現在有了固定居所，多一份報單，也不應成為累贅。

1989年美金轉弱為強，相形之下，日本、德國的政治局面混亂，不及美國穩定，所以hot money都傾向於暫時存留於美國，同時去年美金的跌勢未免過份，所以也應有一個反彈的pause，結果對日元和馬克先約回升了15%左右。所以美國第一次減息，以免熱錢流入太多，氾濫成inflation（通貨膨脹）。同時，馬克和英鎊利息太低，拿歐幣的利息扯低到6又1／2%，隨着馬克和英鎊的加息，歐幣最近的利息已升至8又1／2%左右，所以對美金的比價也從1:1升到1.1:1，（最高曾到1.2:1）。你存在我處的ＥＣＵ目前的情況如下：

（一）上海銀行47,395.56，自17/7/89到18/9/89，年息為8.75%。（因為和我們的存款同日到期，另開一單，所以可以享受高1／4%的利息。）

（二）恒生銀行14,227.00，自6/6/89到6/9/89，年息為8又3／8%，因款碼小，所以利息較低。

歐幣的利息現在和美金不相上下，大概比價也可告穩定，手中持有歐幣，眼光要稍長，因為歐洲共同體1992年正式成立，除英國因本身英鎊脆弱故加以反對外，其餘各國均投票贊同屆時成立中央銀行，大概在Luxembourg，自己issue紙幣，可以通行全歐，免得小國小民旅行做小生意將貨幣兌入兌出。到時必可大放異彩。

你這次看牙醫花了不少錢，手中可能不太寬裕。因你的歐幣連利息已快到七萬，也不算是小數。你如果要寄來，我或許看情形替你買入Canada幣，因Canada同美國連繫，而且雙方訂有合作同盟條約，以北美聯盟對付歐洲共體。目前一美金可換1.17加幣，大家都看，過不了多少年，二者會同價，這是一。目前加幣的年息是11又1／2%，比美金高3%，因失業率、通脹率比美國稍高，但貿易從沒有赤字，地大人稀，遠景很好。不瞞你說，我們的錢主力就在歐幣和加幣上。你如果一定要寄錢來，我們可以依照你的意思再添購歐幣或另購入加幣。又，你寄來的支票是Home Savings of America，最好以後存錢不要在Savings and Loans一類的銀行，因為以前倒閉了多家，最近美政府還花了70 billion來bail out〔紓困〕多家，是美國財政的一大隱憂。加洲〔州〕的銀行因受貸款給南美各國之累，吃虧不少，Bank of America從第一位就此掉了下來，幾乎搖搖欲墜，最可靠，排名世界前十名的是Citycorp，其餘銀行總比Savings & Loans可靠得多。為了方便不妨在家附近的小銀行開個小數目的戶口，定期存款不如改大銀行。美國今年不會有問題，但究竟底子虛弱，國家和貿易赤字始終沒法解決，現在全靠七國聯手維持。萬一世界經濟有變，大家自顧不暇，美國就慘了。我現在定了Wall Street Journal、Fortune、International Business Week，一星期看下來也夠忙的了，幾乎成為理財能手。因為是業餘的玩票性質，目的在保值，所以The Economist 、Far Eastern Economic Review、Forbes等沒時間看。友人往往請我為顧問，大致不錯，文美有時嫌我多嘴，因天下沒有包賺錢的事。

這次這封信照你來信所說，決定委託Federal Express International送上，因為事關版稅，收費多少，不必計較。這裡廣告做得最大的是ＤＨＬ，但來信既說Federal Express，先委託他們再說。你回信只要航空掛號即可，萬無一失，香港郵局的服務世界一流水準，從沒有疏漏情事，只要你去郵局辦理掛號真是萬無一失，不必麻煩Federal Express。

這封信先寫到這裡為止，另一問題當在另一信中討論。這信寫得很長，但說不清楚又要費你端詳，好在我現在頗喜短話長說，to make a short story long，又習於寫我自己的行草，只要你有心思看就行。祝安好。

Stephen

8/17/89

宋淇，一九八九年八月二十四日

Eileen：

平鑫濤八月五日來長途電話，云有意拍為TV上映的電影，在考慮之中的有你的《半生緣》，問我你意下如何？他也知道我能代你出主意，等於是要我答覆他，原則上是否同意，版權費要多少？這種問題難以答覆，我說原則上愛玲不願出售版權給TV，因拖得太長，不夠緊湊，反而給觀眾一個壞印象。他說那就不必勉強，我說情形不同，行貨都是肥皂劇片集，可以拉長到三、四十集，你現在只不過是二至三小時，此其一；他們以前的電視片集，製作謹嚴，成本高過收入，cast用明星，與眾不同，當然可以考慮。況且他還說其中有於梨華的《夢回青河》和瓊瑤的一或二本小說，她們二人要求也會很嚴格，愛玲的全集既由皇冠出版，電視版權費少收一點，書籍多銷一點，可以收之桑榆。此其二。至於價錢，我要他開價，他不肯，就問我電影版權費多少，我故意報大一點，說二萬五至三萬美金，他聽了之後，就立刻說絕對出不起這價錢。我說二者不能相提並論，因為國語片電影成本高，起碼數百萬。而他們拍的是為電視上演的，向電台收的錢是有限的。至少原則上，我相信Eileen是不會反對的，等我想一想再給他具體答覆，如有必要，我可以寫信去問愛玲，但他如急想知道我們的反應，我當然過兩天打電話給他。然後我考慮到以下各點：（一）平曾和瓊瑤開過一家電視片製片公司，改編自她的小說，她做監製，另找編劇、導演，不問電台要錢，自己出資本，演員用秦漢、劉雪華，和相當有份量的演員，佈景用實景，憑交情去借友人的別墅、住宅，所以配上好服裝和道具，非常有真實感。第一套好像是《幾度夕陽紅》，皇冠上有劇照，《庭院深深》etc. 拍好之後，再去找電台給他們看，然後要黃金檔期，廣告也由他們自己去找，無論收視率如何好，結果還是要賠本。可是錄映帶的收入和瓊瑤的原作小說的銷路復蘇仍可扯平。他們公司的地位和信譽由此大增，上映的時候，對方兩台都慘敗，到了後來只好避戰，由他們獨霸。這次再來一定是有備而戰，所以不再拍片集，改拍電視上映的電影，進可以攻，退可以守，錄映帶收入必很可觀，如成績好，或可成為電影院上演的影片，則更有收穫。瓊瑤一人難以獨撐，所以將你和於梨華放入以壯聲勢。我的想法是你的《餘韻》和《續集》的後勁不足，你又一時沒有新作，銷路要再維持這水準，恐難以為繼。所以我盤算了一下，寫信給你，我們兩人身體都不好，花去不少時間，結果你還是不如讓我暫替你拿主意為上。此情形之下，不如原則上先答允他，我對他們兩人的配搭有信心，至少比我們更知道迎合觀眾的心理。電視片版權少收一點，書的版稅多收一點，可以扯平。所以我在八月七日下午四時打長途電話給他：（一）《半生緣》的電視版權當然要看他們製作的成本，不應超出預算，不合情理，而且影響到別人的價碼，這點請他放心，只要他能力所及，我們絕對接受，沒有異議。（二）但價格方面，張愛玲不想要得比瓊瑤高，因為銷路和讀者遠不如她，但至少沒有必要比於梨華低，講資歷和地位都可以，這點他連忙說當然，當然。我說於也是我朋友，我只是說句公道話。他聽了很高興，但是說他目前進退兩難，他們去過大陸，大受歡迎，所以想到大陸去拍外景，《半生緣》是在上海，於的《夢回青河》也在大陸，整隊人馬共七十人，拍出來的效果當然比別人好，他們講明不涉政治，兩岸雙方都想討好他們，必與他們方便，而且兩岸關係，表面上對立，實際上在接近，但他說自六四天安門之後，他大傷腦筋，他可以約束大家不要公然參與活動，但其中如有人出口不謹慎，出起事來，可大可小，真是進退兩難。此點我完全瞭解和同意。他表示我們對他的支持很感激，至於他究竟如何解決他的問題，那我不便置一詞，就是說也沒有用。總之，risk很大，reward也不小，天下決無容易成功的現成便宜事，只好由他自己解決了。

有一件事雙方都同意的便是《半生緣》決非情節戲，寫的是細膩的感情，觀眾心目中的標準「文藝片」，但原則上不能更動情節，加油加醬，編劇者非此道高手不可。他並不指望這部片會轟動叫座，但至少要精神上忠於原作，好在他手下有兩個頗有經驗的編劇，如果改編後不夠理想，他情願不拍，張愛玲和皇冠的牌子不能拆掉。這點我倒信得過。

最重要的一點是他計劃中準備1990年出張愛玲的全集的新版精裝本。這筆開辦資本相當浩大，因為要完全重新排過，印過，字型、版面、封面等無一不換。今年新出於梨華全集的新版，以之作為試驗，他已由航郵寄了一套給我，大概也有一套給你。我翻閱了一下，的確面貌與前大不相同。他說仍然不夠理想，有可以改進的地方，張愛玲的作品已經被讀者認為經典之作，值得出考究的新版。但這是他的出版計劃，和拍電視無關，並不是交換條件，此點我亦很欣賞他的鑒別能力和坦誠。

既然提到出新版全集，我就順便告訴他《赤地之戀》的事，他聽後大為高興，認為這才是真正的全集。電話中不便長談，我告訴他：你有委託書給我並將經過原委告訴我，俟我病體稍複〔復〕後，當寫一長信給他。他說即使打官司還是要出版，我說對方必居下風，如果知道我們有信和他提不出證據來，他絕對不敢打官司。請他安心等我信好了。我很高興《赤地之戀》正好配合他的出版計劃，成語中有「合浦珠還」一說，想不到會應用在你全集身上。

這兩封信寫了前後約十天，因女兒和兩外孫住在家中，時時打斷，他們明天便要回美。這次總算能從醫院中回家後一同過了半個月，也算不幸中之大幸。我別的事情都沒有能力和心思做，唯有這件事一直放在心上，不能擱得太久。好在寫寫停停，並沒有令我費力耗神。信很長，內容也很豐富，慢慢看好了，不必急急回信，也不知為什麼，大概年紀大了，說話和寫信都無法言簡意賅。

附上各件，都附有說明。希望支票三紙都能順利存入你戶口中。如果你為了種種原因一定要將其中一部份寄來，我也附有說明。好在過了五個月又要會有下一筆版稅了。我原有意將你的「電影劇本」另出一本專集，但鑒於一般人反應不好，暫時擱置，將來如出新書時，不妨再添一、兩出〔齣〕進去。即祝　安好。

Stephen
8/24/89

《半生緣》電視版權事

張愛玲致鄺文美、宋淇，一九八九年九月三日

Mae & Stephen，

幾篇短文只改完了一篇，天安門事件後也彷彿不大合適，姑且先寄了來，只為了自己想突破寫不出東西的瓶頸。我姑姑那封掛號信退還後沒再來信，不知道學運期間一度郵件擱壓是否只北京一地。我寫了信去問寄錢可有別的辦法。我常常haunted by〔苦惱〕寫的信裏有一兩句不清楚，會引起誤會。以前有一次不記得是給志清還是劉紹銘的一封極普通的信，害我守候在郵筒旁幾個鐘頭，等郵差來了拿到條子到總郵局取還信。好像有點歇斯迭里，不過我一直這樣。從前告訴過Mae我初中一的時候數學大考前夕，與同班生張秀愛都自料不及格，她找她高一的表姐來給我們講解。講了快一小時，完了我向秀愛一笑，咕嚕了一聲「還好。」是說「幸而……不然不得了。」她面無表情，她表姐把頭一摔，走了。最近去看跌打損傷醫生，也是UCLA的，很年青。他說手臂好了，可以不用再去了。我說「那太好了！」他作艴然狀，說：「Sorry you never want to come here again.」〔很抱歉知道你永遠不想再來這裡。〕我連忙說：「No, I'd be happy to see you any time.」〔不是的，什麼時候我都樂意見你。〕他怔了一怔，幸而隨即明白了是我措辭不當。永遠是這pattern〔模式〕，也不知是心理學上什麼錯綜，沒聽說過。你們不能跟我計較。我上次信上是想說你們是真是我畢生僅見的偉大的情侶[69]，與別的夫婦不同，儘管有些夫婦的感情也非常感動人。此地的黑人郵差收到我的恫嚇信，倒就不再偷雜誌了，但是我想掛號信還是寄Federal Express較妥，因為在這些人看來，掛號信就意味着錢。如果收到《中國時報》US$120稿費，就請平郵寄給我，我收下不再寄還，馬上寄收條給他們的美西代表唐小姐。你們倆這一向可都好？念念。

Eileen 九月三日

張愛玲致鄺文美、宋淇，一九八九年九月十五日

Mae & Stephen，

此地公寓經理剛巧去度假二星期，不知是否少年副理代簽收Federal Express信——我只知道這一家，不是選中它——九月七日經理回來了我才收到，又重傷風感冒不能去掛號寄皇冠收條來，想先打個電報來，免得躭擱太久，不知道到底本人收到沒有。打電話去打電報往往錯誤百出，唸還給你聽，全對，寫下來還是錯，因為心不在焉。纏夾的電報可能更alarming。所以還是等到今天出去寄信兼打電報。我正擔心你們倆可會有一個又病了。真嚇人！幸而已經過去了。Mae百忙中又還要去寄Federal Express，要費事關照他們，我看了真不過意。附版稅支票三紙，與《聯副》《太太萬歲》稿費$1055。我不會忘了寄收條去。買加幣，《半生緣》編TV等，我當然都贊成。過天好了再寫信。

Eileen 九月十五

69. 「上次信」其實是指一九八九年三月六日張愛玲致鄺文美、宋淇信。

張愛玲致鄺文美、宋淇，一九八九年九月二十七日

Mae & Stephen，

這照片不止一張，可以不用費事掛號轉去。如果皇冠不便憑空登張照片，就等明年出散文集的時候再用。匆匆祝好，過天再寫信。

Eileen 九月廿七

張愛玲致鄺文美、宋淇，一九八九年十月二日

Mae & Stephen，

電報與收條想都收到。今天乘便去影印店與對街郵局寄這篇短文來，過天再寫信了。Consonant是否「子音」？不對請代改。（第六頁倒數第四行）Stephen可好多了？Mae也好？

Eileen 十月二日

又及

《聯副》又補寄了$110來。《中國時報》共寄來$770。我都收下了。

宋淇，一九八九年十月十一日

Eileen：

電報收到，錯誤不多，Stephen變成Steven，情理之中，具名Eileen變成Elaine，我們女兒的名字，好在我們經驗豐富，一看就知是電話中聽錯，美國人的拼法一向低能，這次還算是好的。附致陳皪華的信[70]、ECU、〈草爐餅〉。

〔……〕我試打你的電話三、四次，算來在你的黃昏左右，ring了二十下沒人聽。Federal Express也說打電話和按門鈴均無回音，我再通知他們不必再試，改投Wilcox好了。我們如此做，目的想快一點，因支票已由我病耽誤。你給了我們地址後，從未說過搬家，電話我猜你只用來打出去，平時根本不plug in〔接插頭〕的。Wilcox，你信中說有時一個月只去一兩次，怕送了去投入信箱，你剛

70. 一九八九年十月十二日宋淇致陳皪華書，討論將張愛玲的電影劇本出版單行本之事，認為如果繼續出書，「不妨再像《惘然記》、《續集》那樣放進去一、二齣。單獨出一冊專集，似有另外考慮的餘地。當然一切由她本人決定。」

去過，下次遙遙無期。好在Federal Express很遷就，生意做不過DHL，後者大做廣告，價格比Federal便宜，香港DHL佔了一大半以上。請你澄清一下你的情況，下次如有同樣情形，是否直接遞送Wilcox？已於九月廿七日買入德國馬克23,821.00/39年息6又3/4%，下次詳報。（九、十五日）信和支票都收到。前此九月三日的信和附來的短文〈草爐餅〉，這篇短文章用的是《聯副》稿紙，一共二千字出頭一點，犯不上一稿兩投或三投那麼大陣仗，乾脆給了瘂弦獨家刊登，去了一信，收到後歡天喜地，還打了長途電話來，已於九月二十五日刊出，並要刊登我的信，我說信是personal的，不宜登，他改稱「按語」，我實在不願爆〔曝〕光過度，何況內行都知我是你的代理人。你的文章還真有人看，十月一日香港《明報副刊》上名食經作家陳非就有短文論及。

〈草爐餅〉一文中有兩處誤寫：（一）班班點點、「褐色疤班」——班是「上班族」、「高、低班」的「班」，應為「斑」紋之斑，「斑」點、「斑」痕等俱是。這是文美一下就看出來的。（二）青浦的名稱，與黃埔「對立」——黃埔疑是黃浦的筆誤，我查了《辭海》、《辭源》等書，黃埔是孫中山的黃埔軍校，在廣東，如果用「黃埔」，則下文應有解釋，黃浦雖然是黃浦江，河名，但上海亦名黃浦灘，又有黃歇浦之稱。所以我寫了這兩點意見，請瘂弦斟酌，也是對編者尊重之意，他同意照改了。「斑」字不成問題，黃埔我稍為有點「嘀咕」，但文美也同意，如果我們妄測，以後你再改正好了。香港美國航郵現在因美國人手不足，來回至少半個月或三星期以上，所以沒有事先寫信告知。此文已於九月廿五日刊出，想你已見到。

附上我給陳皪華的信，這本來是我的原始建議，其後擱置，因為後來我問了很多人，除了少數人外，多半都不看，對白本實在看不明白，比話劇遠不如。我現在仍覺得犯不着專出一本電影劇本集。當時是為了反駁夏志清說你自大陸來港、美後，除了翻譯外，寫作趨低潮，後來我就寫了一短文在《聯合文學》發表，說明你從事編劇，志清看了，承認是他的疏忽。但事實上，那時我幹電影是為了養家，你寫劇本是為編劇費，我們沒有什麼理想，只在我們能力範圍內盡力而為之罷了。當然，講competence〔能力〕是沒有問題的，否則公司和導演不會開拍，但終究不算是你嘔心瀝血之作，還是出下一冊書時把《人財兩得》和《太太萬歲》放進去好了，至少可佔全書的1／4，偷工減料，何樂不為？請回信給我，說得婉轉一點好了。餘再談。

今日下午收到十月二日信和〈嗄嗄〉一文。過一陣再覆。我們都好。

Stephen
10/11/89

張愛玲致鄺文美、宋淇，一九八九年十月十七日

Mae & Stephen，

我上個月打電報與寄稿附條，都沒來得及解釋。Federal Express是不大好，我以為像United Parcel Service一樣會送上樓，一直留神聽敲門聲，還是由apt.副理代簽收，又值副理換人，走了，Mgr.度假二星期後回來，才告訴我Federal Express有個「file」給我。我九月七日拿到信，打電話去問還有回條是否要簽字交還，Federal Express答說用不着；一兩個星期後却又打電話來問有沒收到信，把我名字也搞錯了，我差點當是打錯的電話。我打電報沒利用電話，怕有錯字，等感冒好點親自去，結果還是由職員在電話上唸給總店拍發——總店有computer。一共躭擱了好些天，讓你們擔心不知道到底收到沒有，我是真過意不去到極點。上次寄來的稿子，稿紙太薄，捲入影印機內失蹤，找了半天才掏出來，團皺了。再上次的〈草爐餅〉，忘了黃埔是在廣州，把這一頁改了寄來。另一篇〈「嗄？」？〉第四頁也添了幾個字，一併寄來。又要費事請代抽換，實在不安。去看眼睛，有cataracts〔白內障〕，是被睫毛eczema〔濕疹〕污染，眼鏡也不對（我總是到我所知道的最可靠的地方去驗光，還是不好），要再配一副，再用嬰兒洗髮精洗睫毛。每天又多一門功課。手臂還要勤做體操才能復原。皮膚光是搽藥就要四五個鐘頭，藥效遞減，馬虎點就無效。改diet部份成功，也常常忙半天沒的吃。前兩天才得空寫信給志清讓崔書店出*Rouge of the North*。去年看牙醫花了七千是因為幾年沒看，積壓太多，UCLA又比別處幾乎貴一倍，約七比四。Stephen的信我都仔細看

的，看得飛快，不費時間。千萬不要再費事凝煉縮短，我更過意不去了。現在這裏存款還剩四萬五，這家S & L算是口碑好的，倒風一起反而大增資，許多存戶移到這裏。大概一時無礙。我剛打電話去問Citicorps，要有兩個I.D.才能去存錢。過天再去移民局，先領個verification of naturalization，（要兩個月，如果查得出的話——在有computer前的難查——補領入籍證要兩年。1985的申請書被遺失，重新申請，叫寄去又被原封退還）有了這證書就可以去領「加州I.D.」。平與瓊瑤製片總比「三台」好。我本來下一篇預備寄來的稿子叫〈天安門外地球村〉，恐怕妨礙《半生緣》片拍外景與銷大陸，擱下了。我不是一定要買歐券，就請買加幣，不忙，與《赤地之戀》、《半生緣》事都等Stephen復原了再說。葛量洪醫院我也聽說過。這次醫療是真是運氣。又還有政府看護上門換紗布，我還記得上次在香港Stephen胸前創口就是Mae自己換。我至今想起來猶有餘悸。琳琳帶兩個外孫來，太理想了，可以想像多麼愉快。〈情榜〉寫了如果不登在《聯合報》、《聯合文學》或《中國時報》上，就請影印一份給我。我一直因為血脈不流通，久坐突然站起來就站不穩，前幾年下台階腿一軟跌了一跤，沒想到Mae也有過，還有骨頭碎裂——！我姑姑那裏一直沒信來。我過天再寫信去，要生氣誤會也隨它去。希望Stephen好多了，Mae這向也好。（今天三藩市大地震。）

Eileen 十月十七

宋淇，一九八九年十月二十二日

Eileen：

附上《聯合報副刊》通知單和稿費支票美金$180一紙，大概我寫信說是你好久沒有寫稿，這是多年來的新作，而且只給他們一家，有點tickled pink（欣喜若狂）。〈草爐餅〉不過一千八百字，給到你美金$100一千字，不可謂不大手筆。該文在九月廿五日《聯副》刊出，相信你已見到，否則請告訴我以便影印寄上。支票為數不大，存入自己戶口好了，免得為此小數寄來寄去。

十月二日短簡和〈嗄嗄〉一文都收到，該文提及《聯副》登《太太萬歲》而且內容太專門，不如給《聯副》一家算了。可是我讀了第一頁之後，發現文中有一serious omission〔嚴重疏忽〕。你判斷「下飯」通「嗄飯」真是憑直覺，厲害之至，出我意外。可是「下飯」一詞，因你來往的人不多，這種場合也不多見，其實已為上海人家所通用。我現在將第一頁寄回，並寫了一段補充說明，請設法將之incorporate〔併〕入去，否則讀者懂上海話的人不少，紛紛讀者來信起來，也不太好看，何況你文中口氣似對這方面頗有研究。我在上海的日子不算太久，可是家中繼祖母和女傭人都是蘇州人，朋友中如傅雷是本地浦東人，錢鍾書是無錫人，姑丈和商場中友人不少是寧波人，接觸面較廣。例如我家中留客人吃飯，我祖父必例行說這一句話，親友中大抵如此，當然只有寧波人方才完全以下飯來代替小菜。同時我覺得你寫文章不必太密切，等你改好了寄來再轉去未遲。你只要抄一份留底，不必為此一頁趕出去影印。

你的美金我沒有買加拿大元，我作主帶〔代〕你買入了西德馬克，是世界最強勢貨幣，最近加了利息，我是九月廿七日以一美元對1.876替你兌入23,821.39馬克，先存定期一月，年息為6又3／4％，加息後現在是7又1／2％，比美金僅低1％。ECU中馬克原佔35％以上，最近分了15％給新加入的西班牙和葡萄牙，因你手中ECU已不少，不如獨沽一味：手中持有一些西德馬克也好。

皇冠又有信來（附上影印本）。事實上我曾於1987年去信建議出電影劇本單行本，並用tentative title《借銀燈》，意思是借電影劇本之光解決生活問題，當然是外人不會知道的，陳皪華置之不理，我以為她沒有興趣。現在我仍保留前信的看法，你既然已開始恢復寫作，總希望兩三年後再出一本新書，把《太太萬歲》和《人財兩得》收進去，來得省事和自然。最大問題是她要我寫一篇序，非Mae同我在目前身心狀況之下所能負擔，健康人不知病人之苦。你意下如何？

Stephen
10/22/89

現代上海話已把「下飯」從寧波話中吸收了過來，成了日常通用的語彙，代替小菜或菜肴。（《簡明吳方言詞典》有這樣一條：「下飯」（寧波）同「嗄飯」。引一實例：「寧波話就好，叫『下飯』，隨便啥個菜，全叫下飯。」見獨腳戲：《寧波音樂家》。）上海人家中如果來了極熟的親友，留下來吃飯，必說寧波話：「下飯嘸交（讀如高）飯吃飽。」意思是自己人，並不為他添菜，如果菜不夠，白飯是要吃飽的。至於有些人家明明菜肴豐盛，甚至宴客，仍然這麼說，就接近客套了。可是在日常生〔原為「日」〕活的談話中，下飯並不能完全取代小菜，例如：「今朝的小菜哪能格蹩腳（壞或糟）！」「格　店〔原有空格〕的小菜真退板（壞或糟）！」還是用小菜而不用下飯。

吳方言（包括上海【浦東本地】、蘇州、常州、溫州、嘉興、紹興、寧波七地）是華東中區的方言，相等於京、粵等主要方言。

（$180支票複印）

下飯（寧波）〔$Ho^{313}Vg^{313}$〕

同「嗄飯」：「寧波話就好，叫『下飯』，隨便啥格菜，全叫『下飯』。」（獨腳戲《寧波音樂家》）P.10《簡明吳方言詞典》　1986年　上海辭書社出版

另附〈嗄？？〉1st page、陳皪華信copy

張愛玲致鄺文美、宋淇，一九八九年十一月十九日

Mae & Stephen，

十月廿二的信收到。看了Stephen介紹〈草爐餅〉的一段，立刻覺得一般讀者看這篇東西是真有點摸不着頭腦，看不出什麼來，幸虧有這一段解釋。不過是真覺得guilty，讓Stephen沒好全又還寫這些東西，急等着做的事還不夠多？〈「嗄？」？〉的一個大漏洞，差點鬧出笑話來。我的上海話本來不過夠用，較生或「文」（包括新名詞）的字就讀不出。寫上海的時候不便插入我十八歲才會說上海話的「軼事」，就像是一副老上海姿態，其實並不是諱言。〈「嗄？」〉這一段正在改寫又擱下了，因為此地新房子蜜月期已過，蟑螂螞蟻都有了，房東發通告警告髒亂與違規養貓狗，看來fleas也會接踵而來。我遠道去買較好的殺蟲器材，房東也叫了殺蟲人來，要出清櫥櫃，等於一次「小搬家」。過一兩個星期我再自己來，又再過兩星期才能把堆在地下的東西放回去，不久殺蟲人倒又要來了。許多房客（這裏全是中南美與黑人）怕麻煩，都棄權不要。一年一度去移民局，今年也還沒去。現在此地好一點的醫院，沒保險的病人就不收。有病只能進公立醫院。像我這樣還是現付比保險上算，但是不能不保個最起碼的醫院險。不料六十五歲以上沒Medicare的都拒保。（我付稅年數不夠，沒社會福利。）去問福利局可有什麼辦法，說可以買Medicare，限每年一月至三月內。明後天再打電話去問身份證遺失是否還能買Medicare，非正式的證書明年四月前恐怕也補領不到。我的電影劇本出書的事，皇冠要出全集，倒又挑精揀肥。我絕對反對Stephen還沒完全復原就又費精神去寫序。我想擱着再說了，$180支票左下方銀行名不是美國的，此地銀行不收。請代存在香港，以後買外幣的時候加進去，免得退還換票，寄來寄去。我這就寫張收條寄給《聯副》。希望你們倆這一向都好多了。〈「嗄？」？〉改稿要趕在年底賀年片潮前寄來。

Eileen 十一月十九

宋淇，一九八九年十二月三日

Eileen：

十一月十九日信收到。「下飯」一段遲些寄來不急，文章寫得少，發表期也不要過密，好在文章沒有時間性。

來信始終沒有令我們明瞭你通信的問題，信件是否可以直接寄你的住址或必須寄Wilcox的信箱？寄信箱，你又說一月才去三兩次，是否會躭誤太久？看你來信，新居蟲患叢生，看上去你不久又得遷居，是不是犯了驛馬星？

又，來信說付稅年數不夠，沒社會福利。我們想知道的是：那麼你senior citizen的權利可以不可以享受？丈夫死了，widow's pension總不見得也取消罷。像你那樣完全不懂理財的人，文人中想來也有，但多少還有點門路。真不能想像你能survive到現在。

皇冠想出你的全集，到現在為止只有十冊，瓊瑤是44冊，連於梨華都有十數冊，你到現在為止的十冊雖是double digit〔兩位數〕，未免寒酸一點，所以動腦筋動到電影劇本上去。我現在建議向慧龍收回《赤地之戀》（請閱我給陳皪華函的副本，我實在無法翻箱倒篋查舊信，所以內容或略有出入，但大體上是這麼一回事），你不必表示什麼意見，由他們去處理好了。陳皪華沒接到我信時，已預備自管自出，頂多打官司，現在更應理直氣壯。此外，我另外想加你譯的海明威的《老人與海》（只有五萬字），前面可加Robert Penn Warren的《海明威論》（約三萬字不到），大概不會比《秧歌》和《流言》薄到那裡去。另一本可收入去的是Marjorie Rawlings的*The Yearling*（《小鹿》，電視我沒有看過，當然小孩討好，男主角是Gregory Peck），電影史上還提過，導演是Clarence Brown，好像提名過Oscar，1946年拍攝，在大陸或在港、台上演時，片名《鹿苑長春》，文藝得很可愛，不妨考慮。）這樣一來，有了十三本。電影劇本暫時免談，我一想起就心悸。至於Washington Irving和Emerson不要說你本人不喜歡，這種題材和文體都已過時，那裡還有人看？不必為了湊數而拉在籃子裡就是菜，不必考慮。

以上想法你有什麼意見？

我替你買了德國馬克，近一月來因柏林圍牆和東歐事件成為貨幣之王，比日本的¥還漲得厲害，而且利息也有7.625%，比美金低得有限。美金因冷戰可能解凍或暫時會有reprieve的機會。我不會是一個好作家，缺乏體力和那股urge〔衝勁〕。我有一個好商業頭腦，問題是我對money〔錢〕沒有瘋狂的愛好，所以也不能成為tycoon〔大亨〕，也算是性格上的悲劇。

即頌安好。Mae在服侍我之餘，居然overcome〔克服〕傷風，精神和身體都不錯，我仍舊有水腫，差一點又是heart failure〔心臟衰竭〕，每日服藥。

Stephen

1989年12月3日

Copy給陳皪華兩封之中一封[71]

張愛玲致鄺文美、宋淇，一九八九年十二月十九日

Mae & Stephen，

〈「嗄？」？〉補寫了好幾處，把全文寄來，留了副本。《吳方言詞典》說吳語區包括七地內有溫州，疑有誤，也許是我認錯了草字。溫州我去過，溫州話完全聽不懂，似乎接近福建話，聽說也不同，反正絕對不是吳語。我不是急於發表，當然應當匀開來，下一篇也還不知道什麼時候有。急於寄出是心理上clear the deck〔清除障礙〕，才好做到別的事——下一件事是自力

71. 一九八九年十一月二十六日宋淇致陳皪華書兩封，澄清說明《赤地之戀》版權問題以及處理經過。另封信則說出版張愛玲全集的第一目標便是將《赤地之戀》版權取回。其餘可考慮張愛玲譯作《老人與海》和《小鹿》（即《鹿苑長春》）。

殺蟲——不過〈草爐餅後記〉不宜與原文相隔太久，請先寄去。希望你們倆都好多了。明年再寫信了。

Eileen 十二月十九

文內引Stephen信，「推板」是普通話，不用加註。我現在的腦子真壞得嚇死人，連林以亮名字也與《鏡花緣》的林之洋混淆。

又及

Chapter 2

1990

|

1995

宋淇，一九九〇年一月四日

Eileen：

附上法譯者一信[72]，其中提及重新再版《秧歌》和《赤地之戀》事宜，不知你意下如何？我嫌她是agent，拿去丟售，不太妥當。

蕭錦綿全家從台灣移民到New Zealand，他們是陶器作者，這是專業，得以順利入境。過港時曾通過電話，我以前招待過她，這次因文美和我身體不好，加以婉卻。過了幾天，她又來電話：云她特地到上海探望你的姑姑，去了兩次，談了很久，有話要面告，並且有信和照片，在此情形之下，我們當然答應她前來。她因交通不便，晚到了三刻鐘，但前後也談了二、三小時。我們沒有預備，所以沒有招待她晚飯。

現在將他們寫的信和姑姑的照片一同寄上[73]。姑姑並不睡在床上而坐在沙發上，不能走動，大小便都要開第服侍（攙扶），但精神不錯，亦很alert〔思維敏捷〕。照蕭看，她目前離不開開第，如他外出買食物、菜品必很緊張，一直等到他回來為止。蕭去了兩次，一次在外面和開第談話，這才真正了解姑姑的病情。原來去年離廣州前，姑姑患病入醫院檢查，發現她肺部生cancer，而且醫生說她的情況已接近terminal，只給她二至四個月。開第決定不告訴她，因為沒有好處，所以飛機票定好了之後去退掉，等到醫生說可以成行時再飛返上海，而那時正是天安門事件前兩天，廣州不覺得，上海已有點風聲鶴唳。大凡肺部和肝、腦、脾等生cancer都無法治。肺病纖微〔維〕特多，最易滋生cancer cells，加上可能影響到心臟和氣管，所以多數不能開刀，也不能用化學治療打針，radiation〔輻射〕可收暫時遏制之效，但亦有問題。姑姑能拖到現在已出意外，我們認識的人中患

72. 一九八九年九月四日Francis Marche致宋淇書，提及希望重新再版英文版《秧歌》和《赤地之戀》，並準備翻譯〈第一爐香〉的法文版。

73. 一九八九年十二月二日李開第致張愛玲書，說明張愛玲姑姑張茂淵病情，〈金鎖記〉改編為電視劇事宜。也談到張愛玲一個人在美國多所不便，且文藝界多推崇張愛玲地位，最好能回去旅遊探親，看看情況，是否有葉落歸根的可能。

肺癌者多不能如此太平。一來姑姑不知道有此病，心情正常，二來開第照顧亦有很大支持，加以吃些中國所謂秘方，或有其效用亦未可知。據蕭說，姑姑沒有對她講，但心中頗希望你能回去一次，見上一面，大概自知照自己的年齡和病況，不可能維持太久。至於開第信中的話，那是凡是有親友在外國居住的話，必用的八股，寫來給當局看的，也許他們大陸人的確是如此想法，大可不必理會。關於這點，我已有信去告訴他們，老老實實說，你的舊護照已遺失，現在申報補領，因取得時沒有電腦，所有資料要到東岸總部去查舊檔案，不知何年何月方能辦好。如果外界人士不明真相，在不得已情況下，不妨據實以告，以減輕壓力，否則守秘。

我的考慮是你不宜於去大陸，別的一概不談，大陸的衛生條件之差無從想像，即使上海最貴的第一流旅館都有問題：食水、廁所用的水、食物根本不合衛生條件。電力時時輪流停電，冷熱氣時有時無。這一陣聽到親友中去國內旅行的人出來時，一般都患感冒，而且還有人傳染上B型肝炎（食物不潔所致）。以你的健康情形，在任何條件下，都犯不着冒這個險！我們認識的人中之所以去大陸者大都年輕，從未去過，現在移了民有了新護照，希望乘現在有機會時見識一下，或者是大陸分到財產，進去一下分散給親友。我不知道你的反應如何，你的姑姑能活到現在，已近乎奇蹟，能見上一面，當然再好也沒有，但如有不可克服的困難和risk，那又是另一回事。至於東德和羅馬尼亞以後，大陸情況又有變化，誰能預測？

我由文美航匯三百元美金給李開第，折合人民幣¥1,401.36，事先問明，不能匯給張茂淵、李開第二人，否則要二人同去銀行領取，幸而有此一問。最近人民幣貶值，當然仍比黑市為高，但他們是特別戶口，備受注意，我們還是照規矩辦為是。1400元大概等於他們二人月入的五至六月，可以讓他們舒一口氣。你根本有錢存在我處，（詳另函）過幾天再寫，不必匯來，甚至以後都可以由文美代匯。我給你姑姑寫了一信，說了你一些最近身體情況，寄了〈草爐餅〉的影印本去（文末提起姑姑，），並說你根本有一小筆款作購書、郵雜等費用，我可以作主，只要向你報知即可。銀行是交通銀行（不肯收美鈔，telex不懂，只好航匯；一問三不知，其官僚主義令香港人可笑。），日期是一月三日。其餘我隻字不提。〔……〕只輕描淡寫說Eileen信中提過打算匯錢給姑姑，只是暫時失去聯繫，我寫信通知愛玲後，自會商妥良方以解決姑姑的困難。照我的打算，看他們的需要，平均每二至四月匯三百元去，足足有餘。你既不可能去，她們即使想來，那點錢還不夠住一天醫院，想都不必想。現在首先要使他們心安定下來，無匱乏之慮，這種病錢堆滿了也沒有用。還有一點要補充的就是大陸的人現在最高的願望就是能出國去美，不知有多少人夢寐以求，最近當局設法堵塞這漏洞，但大家都以為好的中國人應該活着時去天堂（美國），你有何辦法？我看開第這一批後輩也有此望，所以乘早先將門關上，你沒有了護照，怎麼能擔保人？

信中一長段談及你的地位，我猜又是替柯靈傳話，柯靈自命同你有交情，所以受命統戰，設法勸你回國，連夏衍的名字都搬了出來。我看柯靈不時去探望他們，然後叫他們傳話，前幾年柯靈曾寫過一長文講你，後來他來香港開會時，好像也託人向我致意，我當然裝不懂。現在附上我寫給她們的信中一段[74]，這話你不能說，我能說。向他們表示：你的地位是國際間有定評，並不是大陸把你抬高的，說老實話，他們爭取你，就是為了你的國際知名度。法國巴黎大學準博士確有其人，向我接洽翻譯你的《秧歌》，因沒有譯完，不能和出版商簽合同，所以我懶得告訴你。我這樣一寫，好讓柯靈等知道外面世界的情況，不要念念不忘夏衍、巴金、這批老人。又，附上《檔案》一文，我以為是「卷」的，現在才知道用口袋，你我大約不止一袋了。即祝好。

Stephen
Jan. 4/90

74. 宋淇覆姑姑、KD信節錄：「前幾個月我們寄了一批書去，她非但在看書，並且開始寫作。她是天生的作家，再度開始執筆表示她已正常了。附上最近寫的一篇短文的影印本，姑姑看了，一定能看出她舊有的筆觸。至於外人對她的估價，她從不放在心上，也很少看書評或批評文章，她有自知之明，知道自己的限制，既不自尊，也不自卑。現在大家公認在某一範圍內，她是首屈一指的作家。歐美大學碩士、博士近年來研究她全部作品者大不乏人，最近巴黎大學準博士就是張愛玲專家。」

張愛玲致鄺文美、宋淇，一九九〇年一月六日

Mae & Stephen，

這些時因為忙，收到報紙一直都沒看。昨晚剛發現Stephen十月十一日的信（接到我的電報後寫的）夾在報紙內沒看見，趕緊寫張便條寄出，趕週末最後一班郵。——我不知道有個「斑」字，以為都是「班」！！！過天再寫信了，非常高興你們倆都好。來信還是請寄Lake St.住址，不掛號無礙。我信封上總是寫Wilcox Av.，因為萬一放在案頭被訪客看見。

Eileen 一月六日

張愛玲致鄺文美、宋淇，一九九〇年一月九日

Mae & Stephen，

我上次感冒一好就寄了張航簡來，從來沒發得這麼厲害過，大概因為diet，抵抗力弱。（富營養的豆類作氣，不能吃；有的東西又吃厭了不吃。）想「食補」可以精神好些，出去找，出去一次又歇兩天，又拖了幾星期才照常做事。加州身份證倒已經領到了，還沒去找notary public，現在清一色都是中南美人，（除了一家豪華大旅館的附設秘書部）上次約了兩次都白跑——臨時有事走了。K.D.說存證信還要到中共大使館簽證，他想我不便去也行，不過談條件吃虧些。我沒comment。他堅拒拿錢，也彷彿怕跟我弟弟平分會惹麻煩。我本來後來也想起來，寫信給我弟弟要說明將來如果有一天版稅能匯出境，我還是要收回自用。但是在他不免視為遺產，不托他經管已經失面子，又還要收回？不如不提，以後送他點錢，一次的事。KD我當然堅持他把錢擱在手邊備用。他又叫我去旅行一趟，暗示我可以回國養老，僱傭人較便。我又再告訴他我不會去，喜歡這裏，雖然不得志，從來沒懊悔過。也是實話。柯靈有信給他介紹一個日譯者給我，不知道可

有地方打聽她的譯筆怎樣。（附資料，我有副本）不忙，我告訴他我有過一本書有非常壞的日譯本，需要慢慢的打聽試試。Wilcox信箱還是不得不續租下去，用作授權書上住址——不能用郵局信箱。此地倒是沒螞蟻，我住遍城郊，只有海邊一個小城有。不像東亞，此地一有就奇多。Wilcox信箱那一隻當然也可能來自海船上。但是店裏人在櫃枱上午餐，有一次邊吃邊看我一本*Newsweek*，滿頁油污。三明治粒屑要引螞蟻。報紙太多，兩隻信箱都不大夠裝，他們懶得一一塞入，全放在下面櫥內一隻大帆布籃裏，更容易爬蟲。我只發現一隻，難保沒兩三個。繁殖起來又要成千上萬花錢。驚弓之鳥，前後扔掉的《聯合報》總有兩個月的。Stephen的《紅樓夢》論文只看到兩篇半。等有便就請補寄一份給我。前信所說的「生意眼」是就現有的文字而言。想寫的兩三篇小說都還缺一點什麼。等到寫出來也與出全集無關了。就連正在改寫的《小團圓》也相當費事，改了又改，奇慢。「才盡」也就隨他們去說了，先要過了自己這一關。上次感冒錯過了三個月的存款到期，寧可逾期提款罰錢，決不請你們又費事寄一次錢給我。S & L雖壞，存的錢還是要夠用些時，我最怕的就是等着錢用，要你們扶病去兌換外匯寄錢來，我心裏太過不去。這一向可都又好了些了？我實在忙，信也只好少寫了。

Eileen 一月九日

宋淇，一九九〇年一月十一日

Eileen：

隨信附上：

（一）皇冠1989年下半年版稅結單一紙，請簽名寄回給我，以便我寄還皇冠。

（二）本期版稅兩張支票：$5,000.00及$13,328.00各一張，請存入你在美的戶口，不必寄給我，因我最近將你的〈紅玫瑰與白玫瑰〉電影版權賣去，你名下淨到手15,000元，款項已收到，一部份買入了西德馬克，另一小部份尚在觀察。我名下你的錢相當可觀，不必再寄來。〈紅〉版權事當詳另函。

（三）我為你做的版稅收入表，你可以一目了然。最近一次比前跌去三成，照我的分析是（一）你名下沒有新作，缺少刺激；（二）讀者口胃有變。（三）台幣不再升值，對美金的匯價已告穩定。

我的建議是你借此機會振作一下，重新寫文章，甚至短篇小說，這點你已在做，因為你是天生的作家。瓊瑤的作品走下坡，她就拍電視，去大陸寫旅遊記，寫自傳，最近又去大陸拍電視，她們二人深悉市場心理。祝好。

Stephen

1990 一月十一日

皇冠版稅收入表（每半年結帳一次）

日期	新台幣總數	折合成美金
（1）Dec. 29，1987	281,979	USD$9,723.00
	（《續集》方出版）	
（2）May 31，1988	497,796	USD$12,655.00
	（《餘韻》亦出版）	
（3）Nov. 30，1988	289,768.50	USD$10,537.00
	（台幣對美金增值，銷路實跌）	
（4）July 12，1989	301,902	USD$11,642.00
（5）Nov. 30，1989	219,021.00	USD$8,328.00

以上是經我手轉寄給你的，在此以前並無記錄。諒都直接寄給你。

以下幾點請你注意：

（一）根據以上，你平均年收在美金二萬元，不出我的估計，和出版《續集》和《餘韻》二新書有關。新書帶動全集銷路。

（二）二年後，二書吸引力已消失，所以此次銷路比前一年打了七折。台灣讀者口味因經濟起飛，政治動盪而起變化。讀者多讀短小精悍的短篇和雜文，對正統的文藝作品興趣漸降。

（三）身體正常後，應恢復寫作，否則讀者會忘了你的人和書。

張愛玲致鄺文美、宋淇，一九九〇年一月二十八日

Mae & Stephen，

此地這郵差又故態復萌沒收雜誌起來，還是非向郵局告發不可。這兩天實在沒工夫。我以為平信無礙，但是你們的信與掛號信同來自遠東，可能聯想到與錢有關，也會吃沒，還是寄到Wilcox妥當。希望這張匆促間寫的便條不是已經遲了一步。因為殺蟲，the only habitable area〔唯一可居住的地方〕沒桌子，寫字不便。又，我信上說過《中國時報》美西支部給我$770稿費，我寄了收條去，幾星期後存入銀行，有一張三百多的支票過了六個月期限，銀行拒收。換了一張，收款人名寫作Allien Chang，又拒收。月初我寄還台北請他們再換一張寄給Stephen轉交，以後稿費全部自台寄港——也說過不止一次了——如果收到，請等下次來信時再附寄給我，不要特為來信。我現在馬上出去寄信。你們過年好？

Eileen 一月廿八

宋淇，一九九〇年一月三十一日

Eileen：

收到你一月六日航簡，告訴我們信可以寄South Lake Street，我自從Fed Express遞送後，不知何所適送，問你又得不到具體說明，只好仍將信寄Wilcox Ave.的信箱，計：

（一）一月十〔一〕日信一頁，皇冠的版稅通知，要你簽字寄回，另支票兩張共5000、3328各一張，我的remarks一頁。急待你處理。

（二）一月四日我給你長達五頁的信，報告你姑姑的詳情。我已於三日由Mae航匯寄去300美金，銀行只肯收港幣，就兌成等值港幣，我原想用電匯，怕太招搖，還是用航匯，到今天已是一月底，沒有接到他們的acknowledgement。我故意寫匯款人是張愛玲，不寫宋淇，以表示此款是張愛玲給她姑姑的。我有點擔心他們給我和你的信是由蕭錦綿帶出來的，沒有經正常途徑，我也是第一次給他們寫信，信中用字極謹慎，例如不用「大陸」、「中共」，而用「國內」，但免不了會驚動公安部，要徹底了解一翻，否則照常理，李開第應有信來。又一可能是你姑姑病情惡化，或李直接再寫信給你，請到Wilcox去查一下。

你的〈紅玫瑰與白玫瑰〉已經賣掉，分兩次收款，你淨到手15000元美金，付的是港幣，我已替你買入西德馬克約25000餘，準確數字容下次寫信詳告。馬克看好，因Berlin Wall crumble〔柏林圍牆倒塌〕，東德垮掉，你去年原來就有24000馬克，現在總數當在50000以上，而且最近利息有8%，比美金只少0.25%。〈嗄？〉！即將於本星期寄出。祝安好。

Stephen

1/31/90

宋淇，一九九〇年二月七日

Eileen：

又收到你一月廿八日的航簡，囑以後信仍寄Wilcox。問題是近年來全世界郵局效率減低，尤以美國為最老爺。西部還算快，東岸來信，至少兩星期。你去Wilcox開信箱也沒有一定日期，有什麼要緊事，一來一回至少要一個月，只好盼望你至少每月去Wilcox兩次。關於皇冠版稅和支票的事，我是一月十一日寄Wilcox的，沒有掛號。關於你姑姑的事，我是一月四日寄Wilcox的，今天已是二月七日，看上去非超出一個月不可。東岸朋友如有急事，我們只好通電話，要等來回信件辦事，急死也沒有用。

我以後決定有什麼事，只寫一封航簡，郵差知道其中不會有錢或支票，總不見得半路截去罷，然後重要的文件和支票等再寄Wilcox，你過兩天去Wilcox便可收到。又，你的電話是否打出去時才plug的，平時根本打不進來。順便也請告知。

查你的舊信，詢及溫州話不應屬吳語範圍，可是我細看說明，編者是根據趙元任研究的吳語三十三個方言點，選出七個重點，都有代表性的。我起先也以為是大陸學者閉門造車，沒想到是趙元任、李方桂（U. of California的教授，蒙古，西藏等少數民族語言專家，最近方去世）等語言學專家研究的成果。其實，純寧波話也同上海話不同，不過做生意人打入上海圈子中，寧波人日多，他們的詞彙也被我們吸收了，才見怪不怪。

最近文美的同學來港，上海話也與前不同，例如很好——「交關」或「蠻」好——必說「老」好；精彩我們通常說嶄或贊，她們說「嫠」。其中大有講究。這本詞典很有意思，可惜大陸印數不多，香港更分不到幾冊，再要去買時已買不到了。

文美和我這一陣身體還不錯，她手腳仍有時麻痹，我有可能找到服藥適中的劑量。餘再談。

祝好。

Stephen

又，你來信夾着改正青浦和黃埔一頁，寄到時文已發表，我等不及已擅將黃埔改為黃浦，雖然遠不如你改後的精彩，但至少沒有鬧笑話。〈嗄？〉！已於日前寄出。

1990年二月七日

張愛玲致鄺文美、宋淇，一九九〇年二月九日

Mae & Stephen，

寄到Lake St.的信收到後，我今天到Wilcox取回一月四日、十一日的信，明天星期六，如果郵局上午開門，（一度週六休業）去趕寄版稅收條來，附支票二紙，想再買外匯。日內再寫信來。你們倆都好？

Eileen 二月九日

張愛玲致鄺文美、宋淇，一九九〇年二月十五日

Mae & Stephen，

二月七日航簡也已收到。前一向忙得一個多月沒去開信箱，剛巧錯過一月四日、十一日的兩封信，以致匯款不知下落，真太對不起人了。我本來想改用Stephen提起過的Federal Express之外的一家代替掛號信，屢次倉促寫便條都沒來得及說。如United Parcel Post就總是送上門來，毫無岔子。有intercom〔對講機〕，不過鈴聲低啞。以後收信人就請寫我，附註投遞無着就由apt. mgr.代收。平信仍請寄Lake St.電話我因為房東常打來問候——是莊信正托他照應——多談吃力，所以還是只打出去不接電話。Wilcox店家大概看我是老主顧份上，最近兩次悄悄地破格代簽收掛號信，但是究竟不十

分可靠。殺蟲還未完，（不預備搬家，蟑螂到處有，此地是實在太多，一杯咖啡太燙，擱下一會，沒裝袋紮緊，就吃進一隻蟑螂，幸而沒咽下去）看蛀牙剛看完，又兩次感冒。移民局來信說我入籍no record，不能補發入籍證。這兩天還沒來得及再去。我就是會碰上這些聞所未聞的怪事。此地的存款，沒I.D.無法改存可靠的銀行，就儘着這裏的用着，不想增加。所以版稅還是要買外匯。一直從前聽Mae說過，就知道Stephen是理財聖手。現在超級市場都整排陳列*Forbes*〔《福布斯》〕等雜誌，可見人人都想至少保值，我如果錢多點也要看。這裏附寄來的兩張支票，$2250的一張，是〈紅玫瑰與白玫瑰〉賣掉電影版權，無論如何要給Stephen 15%，請千萬收下。給劉爍華〔陳爍華〕的信與關於《赤地之戀》的信，我看了實在覺得guilty，太費心力了，如果出書與收回版權，也無論如何總應當Stephen拿版稅的15%，不然太說不過去了。電影劇本集也許可以叫《最後的老電影》，套「The Last Picture Show」，自序講為什麼有人愛看老電影。但是我目前決寫不出。我一直想寫一個中篇小說《美男子》，好兩年了，有一處沒想妥，先把兩篇散文寫出來再說。我也反對出書兼收散文與小說，但是情勢所逼，也許可以出一本叫《張愛玲一九八〇末葉》（或《年間》）。提起雜文，我廿年來一直想寫一篇講相面，苦於找不到一本書：'62左右在ＬＡ中央圖書館見到，書名似是*American Presidents*〔《美國總統列傳》〕，自開國起，似至Nixon止。作者名字忘了。David Whitney著*American Presidents*到處都有，格式相仿，圖片與傳記內容不同。此書略大些，也沒有畫冊那麼大；最觸目的是林肯照片特別清晰，耳垂分裂為二，如圖。

大概因為與Whitney的書太近似，被擠得絕版。那圖書館大火後重建，無法查。本地大學圖書館沒有，問Library of Congress也不受理。不知道可有辦法買到一本？只要看林肯的照片，比我畫的還要顯著，簡直是雙瓣earlobe〔耳垂〕。我以前信上說過還了我姑姑$2500。這次我告訴她機票錢與在美費用都現成預備在這裏，如果實在不能來，就把這錢寄去。後來因為Stephen說大陸現在有外匯也買不到東西，我又去信問可有別的辦法寄錢去。他們因為ＫＤ（姑父）親共，對大陸情形一向諱疾忌醫。我當時就有點擔心他們可會以為是過慮，還當是我說了寄錢去又改了口延宕。我寫過好幾封信去催問，上月又問，說我這些時一直多存了點錢在活期存款裏，要姑父千萬寫張便條告訴我

Mae & Stephen，

二月七日航簡也已收到。之前一向忙得一个多月沒去開信箱，剛23錯过一月四日、十一日的（信兩封），以致滙款不知下落，真太对不起人了。我本来想改用Stephen提起过的Federal Express之外的一家代替掛号信，屢次倉促寫便條都沒来得及說。如United Parcel Post就總是送上门来，毫無架子。有intercom，不过鈴声低啞。以後收信人就請寫我，附註投遞無着就由apt. mgr.代收。電話我（平信仍請寄Lake St.）因为房東常打来问候——是兼信正托他照應——多讀吃力，所以还是只打出去不接電話。Wilcox店家大概看我是老主顧份上，最近兩次悄悄地破例代簽收掛号信，但是究竟不十分可靠。殺蟲还未完，（不預備搬家，蟑螂到處有，此地是实在太多，一杯咖啡太燙，擱下一會，沒来得蓋緊，就吃進一隻（蟑螂），幸而沒咽下去）看牙剛看完，又兩次感冒。移民局来信說我入籍no record，不能補發入籍證。這兩天还沒来得及再去。（我就是會碰上這些聞所未聞的怪事。）此地的存款，沒I.D.無法改存可靠的銀行，祇儘着這裏的用着，不想增加。所以版稅还是要匯外匯。一直從前听Mae說过，就知道Stephen是理財聖手。現在超级市場

2

都整排陳列Forbes等雜誌，可見人人都想至少保值，我如果錢多点也要看。（附寄這裏）来的兩張支票，$2250的一張，是「紅玫瑰与白玫瑰」賣掉電影版权，無論如何要給Stephen 1570，請千万收下。給劉燦華的信与同誌「赤地之戀」的信，我看了实在（guilty）（覺得），太費心力了，如果出書与收回版权，也無論如何（總）應當Stephen拿1570（版税的），不然太說不过去了。電影劇本集也許可以叫「最佳的老電影」，套"The Last Picture Show"，自序講为什么有人愛看老電影。但是我目前決寫不出。我一直想寫一个中篇小說「美男子」，好兩年了，有一處沒想妥，先把兩篇散文寫出来再說。我也反对（散文与小說出書兼收），但是[illegible]情勢所逼，也許可以出一本「張愛玲一九八〇末葉」（或「年同」）。提起雜文，我廿年来一直想寫一篇講相面，苦於找不到一本書：'62左右在LA中央圖書館見到，書名似是"American Presidents"，自開國起，似至Nixon止。作者名字忘了。David Whitney著"American Presidents"到處都有，格式相仿，圖片与傳記內容不同。如書略大些，也沒有画冊那么大；最

觸目的是林肯照片特別清晰，耳垂分裂為二，如圖：

大概因為與Whitney的書太近似，被擠得絕版。那圖書館大火後重建，無法查。本地大學圖書館沒有，問library of Congress也不受理。不知道可有辦法買到一本？只要看林肯的照片，比我画的还要顯著。簡直是双瓣ear-lobe。

我以前信上說过还了我姑姑\$2500。这次我告訴她私蓄錢与在美費用都現成預備在這裏，如果实在不能来，就把这錢寄去。後来因為Stephen說大陸現在有外滙也買不到東西，我又去信問可有别的辦法寄錢去。他們因為KD（姑父）親共，对大陸情形一向諱疾忌醫。我當时就有点担心他們可會以為是过慮，还當是我說了寄錢去又改了口延宕。我寫过好几封信去催問。上月又問，說我这些时一直多存了点錢在活期存款裏，要姑父千万寫張便條告訴我怎樣辦，「还是照常？」（照從前一樣）也這次說得很沉痛懇切。附寄了影印的「草炉餅」去。如果Mae每隔兩个月代寄\$300去，我怕他們會想着是慮到姑姑為日無多，覓得便宜了别人。我姑姑也會覺得，也許會想着我像我父親給錢不痛快，「放在口袋裏多焐一會也好的」。李家子媳輩包圍她，不論她是否看穿他們的動机，我看她從前信上顯然是喜欢这樣，因為加强了她与她所愛的人的関係。如果有錢剩下来，將来由KD支配分給小輩，她也有面子，也許會覺得她白对我好了一場，也还不是个total loss。

我姑姑且把預備下的这\$2500寄了来，如果能一次寄去的話，他們手边錢多些也許會多花点，僱人買菜，買个新電視之類。請你們看情形辦，再不然就請Mae每隔兩个月寄\$500或\$800去。附信請代填地址寄給蕭錦綿。真高興你們倆這向都好。

Eileen 二月十五

社會福利是為拿固定薪水工資的人而設的。Ferd在好萊塢編劇时付高税，年數也还是只差一点，不夠。費了些事才領到\$65一月，（現在约合一百多）不算救濟，但是widow也無份。

又及

怎樣辦，「還是照常？」〔照從前一樣〕這次說得很沉痛懇切。也附寄了影印的〈草爐餅〉去。如果Mae每隔兩個月代寄$300去，我怕他們會想着是慮到姑姑為日無多，免得便宜了別人。我姑姑也會覺得，也許會想着我像我父親給錢不爽快，「放在口袋裏多焐一會也好的。」李家子侄輩包圍她，不論她是否看穿他們的動機，我看她從前信上顯然是喜歡這樣，因為加強了她與她所愛的人的關係。如果有錢剩下來，將來由KD支配分給小輩，她也有面子，也許會覺得她白對我好了一場，也還不是個total loss。我姑且把預備下的這$2500寄了來，如果能一次寄去的話，他們手邊錢多些也許會多花點，僱人買菜，買個新電視之類。請你們看情形辦，再不然就請Mae每隔兩個月寄$500或$800去。附信請代填地址寄給蕭錦綿。真高興你們倆這向都好。

Eileen 二月十五

社會福利是為拿固定薪水工資的人而設的。Ferd在好萊塢編劇時付高稅，年數也還是只差一點，不夠。費了些事才領到$65一月，〔現在約合一百多〕不算救濟，但是widow也無份。

又及

張愛玲致鄺文美、宋淇，一九九〇年二月十六日

Mae & Stephen，

昨天去寄第二封掛號信，順便打個電報來，就在郵局對街。這次匯版稅給我如石沉大海，實在太「懸」，我真內疚到極點，以後絕對不能再有這樣的事。信寄出後馬上想起信中說'62左右看到非Whitney著的，也許也叫*American Presidents*一書，寫到Nixon上。'62已有President Nixon？是'72，我是十廿年來一直想寫篇講相面，不是「廿年來」。趕緊又補這封信來，免得看得如墮五里霧中。你們倆剛好，倒又bombarded by〔不斷收到〕函電，真是——！信上還有United Parcel Service誤作United Parcel Post，也忘了提我早已告訴過我姑姑補領入籍證幾年也沒拿到，下一封信再講拒絕補發。

當然她與KD（姑父）都知道沒證件不能有護照。關於柯靈夏衍，最初叫我回去的時候就已經說了。〈草爐餅〉中我知道Stephen代改黃埔為黃浦，否則一刊出就會有人寫信給《聯副》指出黃埔在廣東。當然代改也只改一兩個字，不會寫上許多，所以我乘寫〈後記〉又改了半句。《秧歌》等法譯的事我沒意見，請代裁斷作覆。崔書店寄合同來，囊括影視版權，出版後五年必須賣斷（第七條）。我預備去信回絕，兩份合同寄了一份來給Stephen過目，附信，還有男老板鄭洪一封中文信說喜歡《再生緣》，我這封信太重了沒寄來。合同不簽也不用寄還給我了。我想我自己寫信去，免得志清當是Stephen的主張。便中請光就這件事寫張便條給我，不忙。這兩天你們倆都好？

Eileen 二月十六

前信說將來《赤地之戀》、影劇集版稅應當給Stephen 15%，其實《續集》《餘韻》全是Stephen無中生有製作出來的，我是沒想到，以後非得照收條表格上這兩項付15%，好心安一點。

又及

宋淇，一九九〇年二月十八日

這提議我曾於一年多前信中提過，大概你沒有看到，沒有反應，我那時想得沒有現在那麼透徹，我不再等你答覆，先寫信給陳皪華，看看他們的反應。

Eileen：

想了很久，忽然想出來一本新書。我手中藏有你簽名送給我們的《小鹿》。因為它完全符合我們的條件。（一）它是一本小說。（二）在所有作品中你最喜歡它，而且譯筆最好，〈後記〉親自添寫，簡短而有感情。（三）字數在中上。（四）內容比較溫情，正好balance你作品中傾向於人性陰暗的一面的〈金鎖記〉等。（五）美新處版權已退還給各譯者，你自己不出，有一天給別人出，毫無辦法，我自己那一冊《美國詩選》就給別人搶先出版了。（六）我那本《小鹿》你已經校過，內容和後記各改了一字，你不必再校，交給皇冠好了。（七）此書拍了電影，由Gregory Peck主演，提名Oscar，可能童角得獎，由皇冠去調查好了。時為1954年，中文名好像叫《鹿苑長春》，雖然俗氣一點，但比小鹿有吸引力。這至少可解決你近年無新書的問題。其餘各書，Washington Irving、Emerson，不必考慮。《老人與海》篇幅太短，至少有兩三種譯本，故事性不濃，除非能取得兩篇短篇小說版權，但這要從長計議了。我上次建議用Robert Penn Warren那篇論文，中國讀者看不懂，太像「欺場」了。祝安好。

Stephen
Feb. 18/90

如同意，速覆，以便和皇冠立刻聯繫。

宋淇，一九九〇年二月十九日

Eileen：

現在拿你最近的存款作一報告：

（1）DEM西德馬克　前存連本加利到Jan. 25/90為

①24130

②《白與紅》版權費於Dec.11/89買入30000

③《白與紅》版權費續於Jan. 10/90買入8000

三筆共49630

Jan. 25/90起存定期存款三月年息為8%，April 25/90到期

1 DEM等於0.5966美金。

（2）ECU 歐洲貨幣單位　總數49,722.57

Jan. 19/90起，April 19/90到期，年息為10.9375% or 10又15/16 %

1 ECU等於1.2美金

今日收到你寄來的皇冠支票，一張5000，另一張3328，支票上漏寫300 three hundred，已同時寄給陳皪華，請她轉交平鑫濤重寫，並同時囑她以後索性支票開我的名字，省得路上來回耽誤一、兩個月，損失利息，你看我像不像斤斤較量的市儈？我暫時沒動，到時可能買入瑞士的法郎Swiss Francs。

美金仍有隱憂：（一）中南美洲各國欠美國的債，懸而未決；（二）Savings & Loans〔儲貸銀行〕出了事，暫時壓了下去；（三）美國有幾洲house mortgage〔次級房貸〕出了事，如全國出事，為數大約3.5 trillion，等於是3rd world債和junk bonds〔垃圾債券〕的總和。美國到時只有破產，全世界各國都受影響，日、德兩國想幫助都力有不足。目前情形還不致於惡化到這地步。但仍以小心為宜。即祝安好。

Stephen

Feb. 19/90

張愛玲致鄺文美、宋淇，一九九〇年二月二十五日

Mae & Stephen，

收到二月十九日信。以前看到《鹿苑長春》出書的建議，就覺得是個好idea，回信竟忘了提起。自己的事會滿不在乎似的，害Stephen一再為這事寫信，實在覺得慚愧。前幾天寄出第二封掛號信與附崔書店合同一信。我信中說「五年後必須賣斷，」沒提是個option，就像是沒看仔細就反對。我所說的「情勢所逼」出書兼收小說散文，是說如果時局有變化，還有如果一兩篇小說長期孤

懸，沒出集子，被盜印收入選集，萬一台灣混亂也影響出版法的執行。不是萬不得已也還是不要大雜燴。皇冠以後支票開給Stephen再好也沒有了，就只需要寄收條給我簽，不用掛號。報館我下次去信也順便作這要求試試。Mae替我寄給我姑姑$300，我月底去銀行再補寄$300來，買書與郵雜費隨時可能用完了，留$300在那裏備用。道地寧波話我也不大懂，但是不會像完全另一種語言，像溫州話、福建話。古人稱福建話為「鳥語」，「南蠻鴃舌之音」。同去溫州的朋友是紹興人，娶了溫州姑娘，也說溫州話難懂，不過與福建話又不同。究竟不知是怎麼回事，是個puzzle。那本美國總統列傳上，林肯是全頁大半身像，畫面陰黑異常。Whitney's *American Presidents*上是另一張照片，格局大致相仿，小些，淡些，沒那麼清晰。馬上出去寄信，趕下一班郵。你們倆都好？

Eileen 二月廿五

宋淇，一九九〇年二月二十六日

Eileen：

二月十五日長信收到，其中附來支票二紙，計$2250和$2500各一。〈白玫瑰與紅玫瑰〉的電影版權費15,000，是你的淨到手費用，我已代你買入了西德馬克，並存了定期存款。這件事說起來話長而且也很有趣，我實在騰不出時間來寫。我早已扣掉我名下和另一來頭人均分的三千元，一切辦法如以前舊例，不必再另外給我。況且（一）此款已入了你名下的西德馬克賬，不能再掏腰包；（二）以後沒有什麼故事可拍電影的了，你不應如此慷慨大方。平鑫濤打過長途電話來問起我拍《半生緣》為電視電影的可能性，一聽見你的版權費就嚇壞了，我說自己人好商量，他如要拍是另一回事。他是想去上海拍實景，但目前自己的《六個夢》引起了很大的是非，所以沒有了下文。另外有一家台灣電視台來探過盤，我已一口回絕，說張愛玲女士的著作原則上不拍電視。事實上，二十多年前我經手將《半生緣》賣給香港的麗的電視，為數僅數千元港幣，收視率極低，外人都不知其事或者與其事者也都忘了。

你的帳目再清理一下：

（一）$2250你寄來作為我代你賣出《白玫瑰與紅玫瑰》的酬勞，大可不必，因為我如上面所說早已扣除了，現將原支票退回。你我數十年交情，我應該取的錢，絕不會同你客氣。至於我能賣得出和賣好價錢，那是憑我以前多年在電影界的資歷，無非碰巧，並不是由我賣老命去削尖了頭弄來的。

（二）你的《聯副》上的三筆稿費：

(1) 草爐餅　$160
(2) 草爐餅後記　$60
(3) 嗄？　$360

$580

《聯副》都是付的香港收的美金支票，由我去信後，後兩筆直接寄給我了。所以你在我名下有$580美金，以後不必再撥我錢，上次寄給你姑姑和K.D.的三百元即可由這筆款中扣除。因為你以後還會寫稿，稿費仍會源源而來。

（三）你信中說了，但我不敢言必，希望你confirm以下三點：（一）你是否匯過2500元美金還給你姑姑？照我看KD來信，你似乎一直沒有匯過。不是我疑心病重，大陸的人一向不肯說真話。（二）Mae寄去了三百元美金以後，至今沒有收到KD的片言隻字，說此款已經收到，我們在填寫寄款人名下是：張愛玲，這是事實。但至少KD應該通知我們收到與否，這是手續問題，不是禮貌問題。我們知道中共對港澳關係最近監視得很嚴，但既然如此，在需要錢的時候，為什麼要叫蕭錦綿來找我們，求我們轉信給你？可能我們匯錢去引起了他們的盤問，但他有沒有向你acknowledge收到此款？那麼至少應該向你提一聲請轉告代匯款人。〔……〕（三）你說2500元是他們的飛機票和旅雜費已經備好了，確實說得很清楚嗎？我信中說得很清楚你不見了護照，不可能離開美國。既然如此，他們如認為這筆錢是準備給他們作旅費的，他們來不了（中共不太肯批准人出國，他們因為來看你，或有辦法，但姑姑身體不宜旅行），你又去不成，那麼很自然這筆錢應該歸他們所有。大陸的人的觀念和我們不同，我們在資本主義住慣的人絕不會有這種想法。所以我們認為這筆錢$2500應該退回給你，由你決定是否應該匯給他們，好讓你姑姑快樂一點？兩張支票一同隨信寄上。我們沒有資格，也不便辦理，更難於措詞。其餘的話詳航簡。

Stephen
Feb. 26/90

宋淇，一九九〇年二月二十七日

Eileen：

二月廿五日寄Wilcox一信，因為內附有你寄來的支票兩紙，不便寄你家中，支票的抬頭是我的名字，不怕遺失，沒有寄掛號。這一陣天氣陰冷，我已三月沒有出門，Mae也不應在這天氣冒險去郵局，相信不會有問題。接此信後，可以過一兩天去取信。

今天又收到你二月十六日和附來的合同，你的決定很對。鄭、崔書店的合同不合理，「囊括影視版權」一條並不屬於正規的出版商，是他們用打字機添上去的。7%也嫌太少，當然目前一切都貴，公司overhead〔營運費用〕也高，但作者難道要喝西北風？中文大學出版社一律付10%—15%，同中文出版社（如皇冠、聯經）一樣，唯一不同是沒有預支3000元，我相信所有大學出版社都如此。至於預支3000元也不算好，那時《秧歌》預支好像是1000（或500，不記得了），但那是1955年，35年前的事了。況且Rouge又不是你的first book，無論銷路好壞，你總是已經established〔成名〕的作者。這種條件不出也罷。夫妻老闆店，中國人能在美國出版界分得一「小」杯羹，不容易，但沒有理由讓中國作家用血汗去維持。

看了二月十七日的信，我更清楚你已將自己的情形告訴了他們，言明不能去上海，我信中說得明白：你遺失護照，不可能離美。蕭錦綿的message是姑姑不能動彈，唯有希望你去。在蕭面前，我當時沒有提，但在給他們信中說了。由此看來，我的判斷完全正確，2500元是你撥出來給他們的旅費，你既不能去，此款「理當」歸他們所有，從他們的眼光看來。我沒有資格代你整數或分期匯去，甚至不應該與聞其事。至於你如何處理，我毫無意見。如果整數匯去，（一）是完全變人民幣；（二）是變成「外匯券」，但聽說「外匯券（可以到指定店家買外面買不到的東西）已快取消；（三）是仍然是美金，存入中國銀行作外幣存款，本利仍舊是美金。這種辦法用來吸收海外親友匯款回去，避免人民幣貶值。（我上次匯即在貶值之後【最近謠傳可能再度貶值，一時沒有動靜】）。或許你匯款之前先寫信去問一下他們的意見，如他們要人民幣最簡單，因為外幣存款一定手續麻煩，要老人家和你雙方奔走也是苦事。最重要的一點：就是他們給你信中有沒有提到收到我或是你（因我用你的名字）匯去的1401人民幣。餘詳另函。祝安好。

Stephen
Feb. 27/90

張愛玲致鄺文美、宋淇，一九九〇年三月八日

Mae & Stephen，

今天去郵局寄了$300雜費來。剛收到二月廿七航簡，沒來得及在信上添兩行，連夜補寫，早上寄出再睡覺。我姑姑大概自從我搬家沒告訴她地址，就不高興，不信任Wilcox信箱，（我隔幾個月寫封信去，總講得很明白信都收到）一度輾轉找Stephen轉信，我去信說你們倆都病了，我許多業務上的事麻煩你們，已經非常不過意，才沒再找你們。去年三月，久無音訊後忽然有一封掛號信——掛號想必也是怕收不到——寄到Wilcox被退還，因為我傷臂，一個多月沒去開信箱。從此沒有片紙隻字，蕭錦綿成為唯一的溝通管道。寄錢也還是托你們倆比較適當。匯美金成為銀行存款，不

合用。我如果去信問應當匯人民幣還是外匯券，一定又沒回信。一等兩三個月，就像是存心拖，拖到我姑姑去世，就也不必寄了。我日前來信說我寫信去問現在聽說有外匯也買不到東西，能不能想別的辦法寄錢來，當時我就擔心KD對大陸諱疾忌醫，也許認為我是過慮，例如我不能回去，他們就始終不信，以為是過慮，or self-important〔或是自尊心過強〕。——我想最好一半（或一部份）寄外匯券，一半人民幣，也許外匯券廢除前還來得及搶購點東西。如果廢除後換人民幣麻煩，那就全寄人民幣。等Mae一有空就請一次寄去。我過天再寫信去說明。上次Mae代寄的1401人民幣，以後他們如果有信來總會提起，我一定不忘記告訴你們。天亮了，去寄信。你們這兩天都好？

Eileen 三月八日

張愛玲致鄺文美、宋淇，一九九〇年三月八日

With Cheque $300 〔宋淇筆跡〕

Mae & Stephen，

前兩天寄來一封航簡，提起月底要寄$300買書郵雜費來備用。今天乘便去寄。「人之患在好為人師」是孔子說的？不是孟子？等下次來信請告訴我，不忙。你們倆都好？

匆忙間，

Eileen 三月八日

剛收到二月廿七航簡。過天再寫信來。

孟子 離婁上 孟子曰：「人之患在好為人師。」

朱注：「王勉曰：學問有餘，人資於己，不得已而應之可也；若好為人師，則自足而不復有

進矣，此人之大患也。」
〔宋淇筆跡〕

宋淇，一九九〇年三月十八日

Eileen：

接連收到二月廿五日和三月八日航簡，今天又收到八日短簡和附來的支票$300，因為是掛號，反而遲了一天。錢既已寄來，只好收下，反正最近替你買了些書。情況如下：

（一）託《聯副》買了：

張之：《紅樓夢新補》（台灣禮記出版社1981年繁體字校訂版）原來的簡體字本，不知你看到沒有？這是這麼多年來唯一根據脂評綫索寫成的後三十回，續書本來是人力所不能為的事，此本則花了不少心血，委實很用心，但看不下去，我始終無法完篇。大陸近年來對紅學沒有新貢獻，對此書由周汝昌起大捧特捧。

陳慶浩：《新編石頭記脂硯齋評語輯校》（台灣聯經1986年增訂版）編者是紅學家傾一生之力專攻脂評，這版本用不同字型、字體、各種符號，將原文列出，然後把正文之後的脂評先後列出，同時將各種不同版本的變文也放在括弧內。注解包括原文出典，現代紅學家的見解等。單是排印和校對已是龐大工程。可以單獨閱看，尤其對我們這種熟讀原著的人格外親切。

此二書大概已於三月初寄出，寄到Wilcox（瘂弦2/27信云由偉貞代辦，不日寄出）。

（二）我代你訂了以下各書：

楊絳《洗澡》（中篇小說，很別緻，繁體字）

楊絳《將飲茶》（回憶父親、姑母、記錢鍾書與《圍城》、《丙午丁未年紀事》——文革遭遇；共四篇。繁體字。）

瓊瑤　《我的故事》（自傳）

瓊瑤　《剪不斷的鄉愁》（大陸旅行記）

最後一冊香港sold out，已去添購，本月內當可用掛號平郵寄出到Wilcox，一個月前後可收到，請通知Wilcox代收，千萬不要退回。

我替你買書都是經過選擇的，相信一定對你有用。我通知《聯副》費用可從我稿費或你稿費中扣除，瘂弦云出公賬，算是《聯副》送的。自我將你復出後三篇短文交《聯副》獨家發表後，他們心裡是說不出來的高興和得意，並說士氣大為高漲，〈草爐餅〉二文實在太短，如再一稿兩投，未免太「惡形」了，至於〈嗄？〉講的是《太太萬歲》，本身在《聯副》獨家發表，當然歸《聯副》。我約略算了一下，他們給你的稿酬是100美金1000字，大概是稿費最高的作家了。當然以後寫作多了，不能再這樣獨家刊載下去。（皇冠稿費至少要少一半，香港則只有他們的兩成左右。）將來我自會還他們書費和郵費，這種小便宜不必佔。

（三）我寄以上各書，目的是希望供給你寫作資料，《紅樓夢》就有不少可寫。楊絳的回憶錄中人物是你所熟悉的老一代，瓊瑤的大陸遊記可以提供不少具體背景資料，雖然他們是被爭取的對象（現在大陸最吃香的是台灣商人和文化人，瓊瑤的翻印本在大陸和金庸的武俠小說橫掃一切，更是有群眾的作家），所得到的特殊禮遇簡直不可想像，而筆下對大陸也寫得人和地都可愛。至少這些都不是閒書。我也不會隨便亂買，全經過選而又選的。

（四）你好久沒有寫了，最近寫的三篇等於是過了冬天後，在初夏時到海灘去試水游泳。第一篇短文是略為涉足，到膝蓋為止；第二篇是水浸過了一半身體，第三篇則是齊了頭頸，發現水並不冷，但還沒有正式全身入水游泳。我建議你應把《美男子》當作下一步驟的重點，這並不是說下一篇就是它，而是努力把它想通，算是一個「節骨眼兒」好了，設法解決或克服它，甚至避重就輕也可以。這篇小說一發表，立刻會有一高潮，因為題目通俗而討好，可以在《皇冠》和《聯副》同時刊出，必可轟動，出版商和讀者對你發生興趣，信心更不在話下。散文只不過是「吊嗓子」而已，不是正式開腔唱戲。如果再多寫幾篇散文，又可以出一本：《美男子及其他》集子了。在此之前可出《鹿苑長春》和《最後的老電影》，三冊加起來，將另是一個高潮，也不負皇冠出新版精裝本的好意。《赤地之戀》當然只能算是一半。又，你信中提及《赤地之戀》、《餘韻》、《續集》要分版稅給我，簡直匪夷所思，荒謬之至，你想我們會收嗎？

（五）所說United Parcel Post在香港也不十分popular，香港最出名的叫DHL，因開辦最早，佔全部market share百分之六、七十，Federal和United開設在後，很難搶它生意。其實，我們的來往信件、文件，郵局掛號沒有問題。它們都是貨運或重要的documents，至少要有一Carton。否則太麻煩，不上算。寄信到東岸如N.Y.、Washington DC.，至少要十天左右，則可能找它們可以快一點。目前我你之間仍以通信為主，不必多此一舉，費時失時，多花錢還是小事。

（六）你寄來的皇冠版稅兩張支票，其中一張5000，一張3328，計寫支票名是平，轉寄的是陳皪華，收到後轉寄的是我，收到後退回給我的是張，收到後存入銀行的是我，計前後六次，結果銀行發現平的支票3328，漏寫3328中的three hundred，不能入戶口，可見我們幾人都是書生，對銀錢太大意疏忽。我已於二月底寄回給陳皪華，她們又是用信箱，沒有掛號，但不怕遺失。我本來在前信說想代你買入Swiss Franc，結果錢沒有收齊，暫時擱置，好在這一陣美金價值回漲，日元因日股大跌，不敢加息，西德馬克因受東西德統一的可能而受通貨膨脹威脅的影響，幫助了美金暫時回漲，目前恢復穩定，至少Swiss Franc比那時便宜。等到買入後，我再同你結算。

（七）「人之患，在好為人師。」不是孔子，是孟子說的，我查《論語》幾一半，越看越不像，文美查《孟子》，赫然發現原文在：

《離婁》章上：孟子曰：「人之患，在好為人師。」

朱（熹）注：「王勉曰：學問有餘，人資於己，不得已而應之可也；若好為人師，則自足而不復有進矣，此人之大患也。」

又，我們都知道流行的文章中，「人之患」往往是教師的代詞，俗而且濫。注解的朱子是孔孟之學的代言人，（宋大儒），文中引王勉當是朱以前的學者，不是明朝的王冕。

（八）我不記得告訴過你沒有？（一）*The Yearling*在1946年拍成電影，導演是Clarence Brown，童星是Claude Jarman Jr.，得Oscar，男主角的父親好像是Gregory Peck；（二）你譯的是Dick McCarthy給你的ＵＳＩＳ的abridged version，但根據原文，並不是paraphrase，無損於原作價值；（三）我手中有一冊你簽名送給Mae的《小鹿》，1953年，天風版，大概是海內外的孤本了，因印數不多，不受歡迎，美新處的stock版本也已毀去。全書有184頁，可以充得過一冊單行本了。〈譯後〉六百字寫得極精彩。書名《鹿苑長春》在翻譯上不如《小鹿》，但既然電影如此譯，而且銷起來可能比《小鹿》容易，由皇冠決定好了。我想由皇冠去負責編排，ＵＳＩＳ校對極可靠，特地高薪養了三個人，只做校對，不會錯到那裡去。除非你堅持要校一遍，但ＵＳＩＳ原文再也沒有可能找到了，無從校起。你還是多想想《最後的老電影》那篇序吧。等我收到陳皪華的信後再去長信詳述計劃。

（九）關於你姑姑的事，K.D.既沒有信給我，也沒有信給你，說收到此款。一個可能是他給我的信是託蕭錦綿私人帶出來的，沒有經過檢查的孔道，因此引起麻煩。這種事可大可小，他不願再有下文，以免沒完沒了。另一個可能是，恕我直說，姑姑的病情惡化，甚至不起。ＫＤ信中說她已到了臨終期，廣州醫生說只有三、四個月，現在拖了一年有餘，已是意外。如果如此，則ＫＤ一來要忙上一陣，二來缺了籍〔藉〕口，姑姑病可以開口，姑姑不在難以啟齒，這是人情之常。我並不是說不吉利的話，但凡癌症到了臨終期，隨時可以心臟停止跳動，肺停止呼吸。但這並不是說你不應該再匯錢去，我們毫無意見。如果你要求心之所安，fulfill her dying wish〔滿足她臨終前的期望〕，則寄去也無妨。（有一點要考慮的是會不會給ＫＤ麻煩，〔……〕。）決定之後，請告知一聲。

（十）我這一陣好久沒有買有關《紅樓夢》的書籍了。事實上，大陸也沒有什麼值得買的書。看到好的之後，再告訴你。附上Xerox有關曹和紅的column三段，給你一閱。即祝安好。

文美曾不慎向地上一坐，左手的wrist〔手腕〕碎裂，綁上了石膏，明天去覆診。幸而是左手，好在她向來runs the family single-handedly〔獨力（字面義是「單手」）持家〕。祝安好。

Stephen　上

1990年三月十八日

張愛玲致鄺文美、宋淇，一九九〇年四月九日

Mae & Stephen，

我上月卅一日去開信箱取信回來，daily chores〔日常瑣事〕忙到天快亮才看到二月廿六日附兩張支票的信。第二天是星期六，銀行下午關門。上午趕去匯錢，連睡了兩天才補過覺來。四月一日電報想必收到，電話上打的電報永遠不大確定。我是因為萬一我姑姑還在世，我不願意她臨終太鄙薄我。說了一年多要寄錢，結果又不寄，讓她在李家人面前都有點難堪——最後還要給她這點刺激。我想KD不會是怕收款或通訊有礙。前兩年柯靈寫文章拉攏我，此後我也並沒有任何招忌的作為。即使現在大陸氣候又變了，也牽連不到我頭上。他們不回我的信，起因還是通郵後是我姑姑寫信找我，所以幾年後我搬家不給地址，她多了心。尤其是我還了她的錢，彷彿錢債兩訖，可以漸漸疏遠，不來往了。我是真不知道已經通郵——特別模糊，當然也是下意識作祟，因為是衣錦還鄉的反面，不亟於面對江東父老。沒寫信去，就像是賴債，所以她也一直一定不要我還錢，直到1985左右經我堅持，才說「那就給我二千美金好了。」我寄了二千五去，當時給你們信上也說過。她回信也只說了聲「這年頭有外匯收到，真是……」我忘了句末的形容詞。KD如果忘了或是不承認，也不去管他了。其實應當加倍還，現在再寄二千五正差不多。當然是等於孝敬了KD。她如果已經去世，他不通知我也名正言順是遵遺志。最近我屢次輕微地心口疼，去看醫生，這次開了藥方備用，本來一直沒吃藥。驗血倒已經膽固醇降低，diet見效。不犯着為了這事發心臟病，但是一時難免受影響。前信說租信箱處現在似乎肯收掛號信了，其實只有一封，報館寄來的，大概是青年助手任意代簽收。另一次Stephen平信寄支票來，我誤以為是掛號信。以後皇冠版稅直接寄給Stephen，就不必寄來寄去了。萬一要寄支票，還是用Federal Express外的一家專送的，不要平信寄信箱，免得惦記，擱置幾星期，也不知寄到沒有。代買的書上月底還沒到。平郵寄來不用簽收，中文書沒人偷，不會丟失。掛號要自己去郵局領，沒I.D.非常麻煩。自力殺蟲實驗完工，看來需要三星期薰一次櫥櫃，換一次藥粉。小殺蟲公司無效，大公司一間房的公寓不來，現在有兩間。他們是烟薰房間，（也不

是用cyanide毒氣）這房子鋼窗漏風，也不大有用。但是結果也許還是要試一次。那也要出清櫥櫃。東西長期堆在地下，實在嫌多，不想再買書，除了關於大陸生活細節的，尤其是北京，為寫《謝幕》參考。近年大陸關於《紅樓夢》的文字全是為了是許可的題材而寫的，很無聊。莊信正剪寄吳世昌罵《紅樓夢魘》的一篇，似乎沒什麼內容，我也沒看。張之續紅樓夢在報上連載看到一部份，非常壞。托買的《美國總統列傳》恐怕是沒有。下次收到皇冠版稅，請把《餘韻》、《續集》的版稅抽15%後再代買外匯，這兩本是Stephen設計收集的。不然我只好多費點事，打聽了匯率，約合美金寄來。我以前一直聽到「戲班子的事千變萬化」這句話，所以《半生緣》不上電視也完全是意中事。照說是應當買點金幣防市場crash，容易兌換救急。我只知道Kuggerands〔克留格爾金幣〕，現在大概買不到了。怕麻煩一直沒買。回崔書店的信之前再看一遍合同，五年後賣斷的話還是我看錯了，不過是絕版後餘款一次付清。我回信只籠統地說terms unacceptable〔條件不接受〕，不過給志清信上要說得仔細些，說是電影版權與必要時改寫，這兩條not negotiable〔無法妥協〕，不想函札往返再讓他們白費時間，他們已經費事向原出版人打聽與借書來看。Mae似乎骨脆，如果缺鈣，要吃牛奶的話，我發現low fat milk〔低脂奶〕吃冷的倒比普通的冷牛奶好，沒奶腥氣。此外你們倆都好？

Eileen 四月九日

又及

KD最後一封信上說我不能去姑姑就想來看我。至少那時候他們有把握能出國。我為這事屢次去信，找到比華利山一處租信箱的可以轉電報給我，他們隨時說來就來，我馬上去接機。（因為我想着姑姑的病可能時好時壞，不能早說準，要臨時決定。）那信箱租了九個月，一直空着。我隨又去信說如果姑姑真是不能來，我就把預備下的旅費與在美費用寄來作別用，說得再清楚也沒有。此後因為要他們告訴我用什麼方式匯錢來才能買到東西，沒回音，又一再去信懇請接受這錢。

宋淇，一九九〇年四月十二日

Eileen：

皇冠有信來，正在積極籌備為你出新版全集，將舊版全部毀去，重新排過，將來面目煥然一新。我所見到的是於梨華，那是他們用來做試驗的。然後是瓊瑤。平鑫濤有信來，云這是投資重大的計劃，但他認為這與皇冠的聲譽有關，賺錢與否尚在其次。

目前照皇冠以前舊版出版前後的次序算，計為：（一）《秧歌》、（二）《赤地之戀》、（三）《流言》、（四）《怨女》、（五）《短篇小說集》、（六）《半生緣》、（七）《張看》、（八）《惘然記》、（九）《海上花》、（十）《續集》、（十一）《餘韻》。〔原《半生緣》標為「（五）」重，以下序號均小一〕

《赤地之戀》我手中有你原來的天風版，你親自校過的，有五個錯字、三四個標點要刪去；我校對出來三個錯字。慧龍版第一章至少有十、二十個錯字，以後好像少多了。我起先以為二者內容一定有不同，慧龍內容一定有被刪去的礙語。結果我翻了一過，一時找不到，暫時讓它去罷。反正皇冠決定出此書，官司先打或後打由他們決定。

《短篇小說集》他們嫌太厚，（其實《海上花》更厚，）他們要求出兩冊，我想這一半是生意上的算盤。香港的盜版即出兩冊：（一）《傾城之戀》和（二）《金鎖記》，倒滿有生意眼。我已回信云我個人不反對，但我必需取得原作者的同意。因為這不是你的complete short stories，以後還有多篇收入《惘然記》和《續集》。問題是分（上）、（下），還是分（一）、（二），似乎分（一）、（二）好一點或者甚至（甲）、（乙）也無不可。希望你告訴我你的意見。

然後底下是：（十一）《鹿苑長春》、（十二）《最後的老電影》。可以考慮的是《海明威論》（發表於1947年）和《老人與海》，前者論他的早期中期作品，後者是他最後一冊力作，倒可以互相配合。

皇冠希望你為新版全集寫一篇序，我已有信叫他們不要來bother你，不妨先排印《秧歌》起來，留下三至四頁空的。其實短短的一篇也足夠了，一定要mentioned的是（一）《赤地之戀》——「浪子歸家」或「合浦珠還」；（二）《鹿苑長春》雖是翻譯，但是你所心愛的作品，如Emerson、Irving等都不收。（三）稍為談一下你對小說或寫作的看法也無不可，就像你平日那樣輕描淡寫，並不代表任何理論或信念。我始終認為越understate〔輕描淡寫〕越好。不必太隆重其事，反而露了痕跡。當然《美男子》和電話（影？）的序，仍舊不要忘記。照我看priority的分配為（一）《美男子》、（二）全集序、（三）《老電影》序。餘續談。平鑫濤的5523〔3328〕支票退票，弄得我狼狽不堪，好在沒有買入Swiss Francs。餘再談。

新版全集事

Stephen
April 12/90

宋淇，一九九〇年四月十二日

Eileen：

此信收到時，想你已將2500元匯去，現將K.D.來信原件寄上，我們此地留了底[75]。閱他的信後，不禁啼笑皆非，幸而我早決定不再沾手此事，否則我成了罪人了。你看後不必放在心上，只當沒有這回事。你匯錢去是為了求心之所安，只要你覺得如此做對得起姑姑，不必考慮K.D.的胡言亂語，天下決無嫌錢腥之理。K.D.第一怨我不應匯錢去，第二怨蕭錦綿（到了New Zealand後，還沒有信來）誤解他們的情況。我的了解是蕭曾去過兩天，其中有一段時間是K.D.外出，她和你姑姑獨處，有些話是你姑姑說的，相信你對姑姑的了解最深，也許姑姑正如你所說，有了這筆錢，至少可以心裡榻（？）實一些，對K.D.也算是一種assurance，一種保證。這是一。凡在大陸住了那麼多年，〔……〕，信上，口頭說的話究竟何者是真，何者是假，不要說我們估不出，他們自己也同

《紅樓夢》一樣：真即是假，假即是真。這是二。蕭明明說錢夠用，醫藥費也夠用，但要買中藥偏方和補品（因為不在保健範圍內）則錢就不夠。K.D.說把錢交給香港友人，信中沒有說，香港友人的姓名和地址也沒有，我們怎麼能猜度出他的想法？事先說明目前不需要錢，但需要有人幫忙在港購買國內買不到的藥品，則一切都解決了。對誰都沒有公然講明，還要罵我們做最沒有用的事，真滑稽！此其三。事實上，現在照官價匯錢去大陸的人越來越少，尤其香港劃港幣到廣東和深圳去，總是地下劃來劃去，前一陣是一倍，這一陣貶了一次值，大概是照官價升六成到八成。匯到上海也可以，但我想K.D.和姑姑是特殊戶口，K.D.可能認為這是黑市套匯，乃犯罪行為，則茲事體大。即使他不出聲，他們也有辦法查出來，所以我從不考慮走這條路，雖然是公開的秘密。可是錢匯了進去，仍可以依照K.D.信中所說存在中國銀行作為外幣存款，利息當然比美國和香港稍低，但至少可以保值。據專家分析，今年秋後，人民幣必會再度貶值，到時存有美金，絕不會吃虧。至於沒有東西可買，那是因為已經有了T.V.和Hifi，說不定又有一批新的imported貨色上市出售，怎麼會買不到東西？此其四。總之，此事告一段落，錢已匯了，事也結束了，不必再想，也不必再提。我對此信決不答覆，因與我無關。餘再談。

Stephen
April 12/90

75. 一九九〇年四月三日張茂淵、李開第致宋淇書，認為蕭錦綿僅憑個人臆測就告知宋淇關於他們的情況，讓宋淇急於匯款，實際上他們什麼也不缺。但有時需要在香港託親友買藥品就不夠用等等，希望把錢匯給香港親戚。

張愛玲致鄺文美、宋淇，一九九〇年四月二十二日

Mae & Stephen，

四月十二日信收到。第一頁已經撕碎燒燬。我四月中旬的信想也到了。K.D.的信，稱呼就可笑，對大陸外的人不能亂稱同志的。他完全忘了沒說過香港買藥與友人地址的話，是真老糊塗了。在他的年齡也理所當然。我匯錢忘了我姑姑不能到銀行去領，應當寫K.D.名字。後來寫信去也忘了說。他許會以為我是有心作難。此間匯錢無所謂外匯券，匯去就領人民幣，除非先說明要美金。我根本不希望他們存錢保值，最好是怕人民幣貶值，馬上多花點，用在我姑姑身上。ＴＶ一定早壞了，美國貨日本貨都這樣，何況大陸貨——如果不是泊來品。我過天再寫信去，Stephen當然不用回信了。還又代校《赤地之戀》，我是真非常過意不去。我贊成《短篇小說集》分成兩本。稱「一」、「二」不大好，就像是上下冊，不能單買一本。也許可以引黃仲則詩，分別題作「收拾（？）鉛華歸少作」，「屏除絲竹入中年」。小標題「張愛玲短篇小說集之一」，「張〇〇〇〇〇〇之二」。不過似乎把〈傾城之戀〉〈金鎖記〉dismiss as〔貶為〕「少作」，不大對。第二本也不是中年寫的，不過照從前中國人的看法或者能算。《海上花》太厚，也許也可以分兩本，改名《海上花開》、《海上花落》，小標題「國語海上花列傳1、2」。《美男子》內，台灣來美的一對夫婦，北方人，自嘲「兩人都是加大畢業的，結果開超級市場！」我想他們讀最容易的一科如社會學——企管也不太難？畢業後再讀博士以便居留？（'60年間）不是加大也是東岸或中西部名大學。此後夫婦都工作，（商行之類。如讀社會學幹本行只能做social worker或教書？）但是覺得為人作嫁沒前途，還是自己開店。家境相當好。在ＬＡ盤下這爿店的時候，兒女都大了，兒子讀醫，女兒進私立學校（貴族化女校？天主教學校？雖然他們不信教）也許也已經在別處開過超級市場。這些背景只需要提一聲。請等下次來信再告訴我，不忙。以前劉紹銘編英文小說選集，志清代向我借用一張照片。我用膠帶封在照相館用的硬紙夾內寄去，告訴他只此一張，請叫他們特別當心。後來志清寄還給我，沒用硬紙夾，裝在太小的大信封裏，塞得太緊，許多皺裂痕，我非常痛

心。有些照片當時拍了就都說不像我。也可以看得出沒怎麼化妝，是角度問題。反正是我珍視的我的一部份。出全集可以登個「回顧展」，從四歲起，加上notes，藉此保存，不然遲早全沒了。過天去倉庫拿了寄來，你們看附在哪本書上，也許有助銷路。寫序我預備簡單點提起《十八春》，也沒什麼心虛瞞人的事。皇冠支票退票，希望沒讓Stephen太窘。Mae可好了？

Eileen 四月廿二

張愛玲致鄺文美、宋淇，一九九〇年四月三十日

Mae & Stephen，

我上一封信寫得匆忙，又再補這張便條來。所擬的tentative titles如果不太妥當，就還是用原名。不過《短篇小說集》（下加「之一」、「之二」）應刪去「短篇」二字，因為有中篇。以前也跟皇冠說過，隔得太久，編輯也已易人。又，關於《美男子》我想問的有一點是六〇年間畢了業不讀博士，有職業就可以在美居留？代買的書已收到，還沒來得及拆開。你們都好？Mae腿也快好了？

Eileen 四月卅日

宋淇，一九九〇年五月一日

Eileen：

四月九日信（共四頁）和四月廿二日信均收到。

那張退票原因是存款不足，大概第一次開支票時是先將款存入抵用的，及至數目字寫錯寄回去再開一張時，來回一繞大圈子，銀行的結數中有餘款，他就開了出去，沒有細核，以致第二次再

去收時便來不及再存款進去，當然不足了。可見他事情太忙，而且這種戶口只供往來，並無利息，決不會存相當多錢。只是我差一點買入瑞士法郎，我有一次信中提過，那時是一美金對1.50 CHF（銀行對瑞士法郎的簡稱），現在果然大漲，今天是145:50，我也就讓它去了。我原通知陳皪華再補一張支票來，誰知台灣手續麻煩，支票僅能匯港幣，後來要了我的戶口號碼，用電匯，雖說是電匯，收到時也在一星期之後，我眼看瑞士法郎漲，只好暫觀望一陣再說。我本來想替你買二十枚美國的鷹金圓，但這一時期金價雖便宜到US$370.00 per ounce，然而日本和中東都在拋售，可能還要跌，至少一時漲不起來。好在美金短期內還不致於出事。一美金等於DEM1.68，如果再跌到169+近170時，說不定再多買入一些DEM，好在你大局已布定，小數目無所謂。

來信中所云應買點金幣以作救急之用。你只知有Krugerrand，這已是老話，是南非洲所鑄，那時通行全世界，後來南非白人壓迫黑人，為世界各國所譴責並受歐美各大國禁運，Krugerrand只限於已持有者，新幣不得入口，各國見有利可圖，加拿大先出Maple Leaf〔加拿大楓葉金幣〕，然後美國、英國、澳洲都跟進。在香港美國的金幣叫Gold Eagle〔美國鷹揚金幣〕，（美國是否另有名稱，我不得而知）附上報紙的行情單即知。買個三、五個即可，要合到$385左右一枚，當然要加mint〔鑄造〕費用，但銀行出入價太大，只宜持有，不宜買入賣出，你在美國，當然以美國金幣為對象。目前香港因加拿大第一發行，流通量最多，大家都以Maple Leaf為對象。

我委託蘇偉貞寄上的兩冊《紅樓夢》大概是掛號。四月廿四日又由「田園書屋」寄出書一包，他們常寄給外國客戶，說非掛號不可，因常有遺失情事，計六冊：（從香港到美國西岸應為一個月左右。）

（一）楊絳——《將飲茶》——回憶錄四篇

（二）瓊瑤——《我的故事》——自傳，連載或許讀過，現是單行本。

（三）楊絳——《洗澡》——長篇小說，很別緻，下次再談。

另三冊為大陸小說，原因為湊滿2 kilo，否則照付郵費。我好像記得給的是你現在的新地址，我下次順便去一問。

關於你匯錢的事，既已寄給你姑姑，K.D.必有辦法可領，否則他可申請退回去，〔……〕，總得想出辦法來收下為止。他們愛如何想就如何想好了。

全集的事，我有如下意見：

（一）短篇小說集書名不要用全句七字，太熟湯氣，「少作」和「中年」都不切題，如你所說。我建議刪去底下三字，只用「收拾鉛華」和「屏除絲竹」四字，又大方，又得體。你可以說即使那時的作品有絢麗的詞句，可是一直在期待能達到書名的境界，成功與否是另一回事。「之一」，「之二」極好，不排除《美男子》將來另起一名，再加三數篇短篇成為「之三」的可能性。（二）《海上花開》、《海上花落》是神來之筆，渾成而切，用1.2.也對。《世說新語》有典：「陌上花開，可以緩緩歸矣。」（三）《美男子》兩主角最好讀Business Administration：工商管理（不是企業管理），社會學並不像你說那麼容易，社會工作另有social work系，屬於professional（applied）的學科，而社會學是pure學術，另一部份現已分出去為anthropology人類學—考古學。B.A.畢業生開超級市場，好像有點大才小用，帶有irony味道。B.A.在美國最出名者為（一）Northwestern大學，現居全國第一，在Evanston, Chicago，成立於1851；（二）Harvard，好像有School of Economics，世界知名；（三）Wharton School of B.A., University of Pennsylvania, Philadelphia〔賓州大學華頓商學院〕，真正老牌B.A.的學院；（四）U. of California, Berkeley〔加州大學柏克萊分校〕，中文大學校長李卓敏即Berkeley的B.A.名教授。Stanford現在好像也在前十名之內，可是這還是近十年的事，'60年間恐還沒有開辦。比較起來似乎以Berkeley、Wharton、Harvard（你住過Boston）最合適。讀什麼課程，我手中有中文大學一本手冊，B.A.學院共分三條Streams：

（一）會計（accounting）與財務（finance）學系

（二）企業管理（Business Management）與人事管理（Personnel Management）學系

（三）市場（Marketing）與國際企業（International Trade? Enterprise?）學系

大概嫌每一單位太薄弱，所以將兩科合併為一系。你先將二人主修那一系告訴我，然後我可以將該系的課程說明影印寄給你。又，我們學院的教員十九都是ＭＢＡ，然後是Ph.D.，B.A.很少有博士的，只有一位教員是Indiana大學的DBA，BA的博士。在美國這一行的天之驕子往往是大學的Engineering學士，入得廠，然後是MBA，然後再讀Law（要三至四年），因為美國做生意十九牽涉到法律問題。如有以上三學位，比博士還吃香得多。

五十年代我姊姊和姊夫在三藩市開了一家小型store，苦不堪言，因為用不起工人，manual labor〔體力勞動〕就把他們折磨得死去活來，不用說別的，把一紙箱牛奶或coffee從門外搬到架子上去就要你好看。做了幾個月，勉強把自己的膳宿賺出來，後來以賤價讓掉了。現在當然不同，超級市場大概用飛機場裝行李的推車，輕便得多。六十年代或許已有電計算機，未必有personal computer，較之五十年代不可同日而語。

我前一陣在裝文件的盒子中找出一張你送給我們的彩色放大照片。其實，仍是那張黑白的，不過着上顏色而已，用膠紙包着，沒有損壞。如需要，我可以先寄上，然後由你決定是否採用。便中一併通知。

我的《紅樓夢論文集》第一冊定名為《紅樓一夢》，尚差十分之一，希望年底前能交出。除論文外有〈紅樓夢識小〉八篇、〈紅樓淺斟〉四篇、〈紅樓一角〉八篇，相當熱鬧。第二冊是《紅樓夢的情榜》，草稿已完成十九，還得抄訂，〈前言〉一開始就討論脂評的誤認草字和誤抄，太專門化了，文美看了都說不太明白，只好重寫。最後一章四副冊，已寫了一半，最後一半尚待根據筆記寫完，亦可望於今年年前完成。第三冊一冊論文集只怕我不夠精力來畢全功，一共十篇，已發表者四篇、一篇有演講稿、三篇有筆記、兩篇有構思而須從頭細讀做筆記，除非能保持健康到一九九四年或有完成之望。其餘文章我已聲明「金盆洗手」，不再寫了。你如有興趣，我下函同你談〈情榜〉，如何？祝好。

Stephen
May 1/90

宋淇，一九九〇年五月一日[76]

Eileen：

上次的報告是Feb. 19/90[77]，已過了二個多月，情形略有不同，且上次忘了提恒生的一筆ＥＣＵ，現在再補報最近的情況：

（1）ＥＣＵ恒生銀行三個月定期，數目是15,576.26，利息是10.4375% P.A.，6/June/90到期，是Mae同我兩人的joint A/C，因數目不大，是自動轉期的，除非我們另有打算。

（2）ＥＣＵ上海商業銀行，51,063.55（你一個人一張，但可享受100.000以上的優待利率，因為和我們的一張同一天。）一個月定期，21/May/90到期，利息是10.00%（上次三個月是10.9375），因為我看東西德統一，英國inflation都要加息，所以只存一月，期待加息。

（3）ＥＣＵ（德國馬克：Deutsch Mark）原上次報是49,630.00三個月，利息是8.00%，現在連本帶利成為50,620.00，30/May/90到期，僅存一月，利息為7.6825%，同樣理由是期待加息。

你現在共有ECU67,179.81，一單位ECU等於美金$1.22，如折成美金，是$81,958。DEM50,620，每一ＤＥＭ等於美金0.595，如折成美金是$30,118.00，為數也不算少。利息比美金高，而且不用付利息稅。

Stephen

1/5/90

財務報告90/2

（你另外保存，以後過三、四個月報一次）

76. 原作一月五日，由內容判斷，應在一九九〇二月十九日宋淇致張愛玲信件之後，當為五月一日。

77. 原為「80」。

宋淇，一九九〇年五月十七日

Eileen：

今日收到你四月卅日補寫的航簡，郵戳上蓋了El Salvador的章，好在轉得還算快。上次有一封信到過Rotterdam，美國的郵局老爺透頂。

信中所提將《短篇小說集》刪去「短篇」兩字，恕我「不敢苟同」（這是大陸學者來港開會常用的客套濫調）。你原來最暢銷的書，名字叫《張愛玲短篇小說集》，如將「短篇」二字取消，叫讀者如何知道這是那本書的新版？此其一。你嫌〈金鎖記〉等太長，不能算是短篇，將來《美男子》可能更長。這不成問題，Bates〔貝茨〕很多都是中篇，仍算是short story，沒有人會計較，短篇只有Chekhov〔契訶夫〕、Maupassant〔莫泊桑〕、O. Henry〔歐．亨利〕、Maugham〔毛姆〕等嚴格遵守，後來沒人管了。《老人與海》並不長，他出單行本，賣長篇的錢，讀者不出一聲。此其二。「短篇」一取消，《秧歌》、《赤地》、《半生緣》都是小說，怎麼處理？置它們於何地？

你所問的在美居留問題，有職業要看雇用你的公司，如果是有名的大機構，認為需要你，只要出面申請，無有不准。如是小公司、小廠，尤其中國人自己辦的，就不能算數。有了博士，那時多數留下來任教，居留不成問題。

你的美金已買了日本¥，比較最便宜而其實最solid，等我有機會時，下次再詳告。瑞士法郎價已太高，利息也下降，不必去追。

Mae的腿沒有問題？手腕拆石膏後，發現沒有駁好，要去多做兩個月physical therapy〔物理治療〕，夠折騰的。

我的紅學論文計劃已完成，就等我抄訂了。幾時有暇再同你討論，如你有興趣的話。即祝

安好。

Stephen

張愛玲致鄺文美、宋淇，一九九〇年六月六日

May 17/90

Mae & Stephen，

收到五月一日、〔十〕七日信。近來蟑螂又惡化，成天只夠搬東西避毒氣。剛薰完房間又從門縫裏爬進來——「自掃門前雪」難。焚化爐門關不嚴，索性大敞着，爬出三寸大蟑螂，熱昏了釘在過道牆上不動。大概爐子不是一直有火。我前幾天才給我姑姑寫信，要ＫＤ寄個香港地址給我，好寄點錢去托他的友人買偏方藥。我想再寄$500去。我給你們的信上說欠我姑姑的錢應當加倍還，也是因為美元貶值。兩句詩用首四字作書題妥當得多，不過「收拾鉛華」、「屏除絲竹」二句意境相同，不分層次，就像是要做修女去了。我想還是用舊名，不刪「短篇」二字，下加「之一」、「之二」，二字用最醒目的顏色印。《海上花開》本是套「陌上花開」。〈「嗄？」〉如果收入全集，有一處要刪改，過天改了寄來，希望還來得及。去倉庫取回老照片，發現一張1955來美入境證，意外之喜。真是查不出入籍紀錄，至少可以重新申請入籍。照片很多——以前寄來的一張不預備用——這section可以叫「老照相簿」。附注有繁有簡，成為一篇「對影散記」——或「對照記」？正在寫。美男子被許多作明星夢來ＬＡ的少女看中，小說寫他離婚經過與離後情形。過去的學歷只略提一筆。他們夫婦同鄉，同選一科最容易的，能讀博士的，與以後的職業也許也無關。不是專門人才，大公司不會任用，一個在美國人開的小商行，一個是華人開的。（什麼生意？）還沒動手寫，絕對來不及了，越是想趕越是沒有。等有空就去買一塊金幣留着。以後至多再買一塊。希望沒把我的住址告訴蘇偉貞。地址瞞人就為了台灣報界，此外也沒人要找我。今年年初或稍後，《聯合報》寄訂報單來要錢，我以為是營業部不知道我是贈閱戶，沒回信，報紙就此停寄。我這才想起來那次讚痖弦的童年回憶，不知說錯了什麼話，對蘇偉貞的作品又讚得不夠，痖弦一直沒回

信。今年蘇偉貞來信，瘂弦附筆送了我一本大陸小說，也沒提這事。來信是要我寫篇回憶關於《哀樂中年》，我回信說這片子是桑弧一直想拍的題材，我隔着一層，印象淡薄，幾十年後忘得乾乾淨淨。她仍舊堅持，說等秋天我生日那天（！！——「當然代保密」）刊出《哀》劇本，看了就記得了。我告訴她看了也不會勾起任何回憶來，方才罷了。又一再寄她的書來，催問看了沒有。我說還沒來得及看——也是實話。他們這樣小器，只能付之一笑，Stephen可千萬不要再寫信去要他們寄報給我。我看這報純粹因為有在這裏，也只看看新聞，副刊我覺得越來越壞，還是《人間》好一點。不過我投稿向來不注重這些。以《聯合報》與皇冠的關係，有稿子當然還是投《聯副》，不過對他們本人更要敬而遠之。蘇偉貞不久以前來過LA。萬一找上門來或派人來，總要搞得得罪她為止。Stephen的〈情榜〉等紅學論文我非常想先「聽」為快。你們這一向好？Mae需要做體操，我早已不做了，實在沒工夫，右臂只好隨它去。這兩天暴熱，手汗污紙。

Eileen 六月六日

忘了說美男子的超級市場就是他們夫婦倆，週末子女來幫忙。後來才僱了個人幫卸貨等等。他們是山東人，也許比Stephen妹妹妹夫力氣大。

又及

又，此地郵局連香港都會寄錯，使我想起好萊塢分局內豎立的一張牌：「PLIS LINE UP HERE.」

宋淇，一九九〇年六月三十日

Eileen：

五月一日信收到多日，我換了一種藥，需調節適應，文美代我奔波，天時不正，患上了感冒，看了兩次醫生，幸已痊可，只是人疲倦不堪。到了我們這老、病階段，每天只能做一件事，平安渡過一天，便算多了一天。

信中說找到照片，很為你高興。〈對照記〉的名字似比〈對影散記〉好（「散記」給沈從文的〈湘行散記〉用掉了）。同《美男子》都值得寫，慢慢來好了，不必性急，到了我們這age group，一切都要慢半拍。忽然想出來，《美男子》兩位主角，可以讀教育，最容易讀，博士名稱為ED.D，不是PH.D.，專為美國人而設，凡美國中學教員非有ED.D.的銜頭不可，讀的學校另有Teacher's College，以別於文、理、工、醫、等學院。最有名的是Columbia的Teacher's College（其實是中國人的教育或師範學院），我認識該校兩位博士，英文都不通。美國各州立大學都有這科，目的在為本州中學訓練師資。二人讀了ED.D.，在美國是找不到事的，美國中學幾時輪到結結巴巴的中國人來教？聽起來都是博士，註定學非所用。

《聯合報》停止贈閱，與痖弦和蘇偉貞完全無關，大概有人告到上頭去，說副刊贈閱太多，所以現在由發行部接管，我在停止贈閱之前，接到發行部通知，囑我如要續閱，可以付費訂閱，因為航空郵費就很可觀，我也認為合理。就買了美金支票去訂閱。痖弦和蘇偉貞知道後大為不高興，向我道歉，並擬去交涉，經我制止。但你情形不同，即使要訂閱，手續也辦起來太麻煩，犯不着。《人間》沒有航空版，總是將副刊一頁另行寄下，一星期一次，我已去信請他們停止贈閱，我又不再為他們寫稿，實在沒有時間看。自高信疆下台後，由金某人接管，接我的稿子後，置諸不理，既不說理由，如太長或性質不合，也不退回，向字紙簍一投，從此我再不為他們寫文。其後，季季上台，寫信同我聯繫，我也沒有答覆。我絕不會寫信給痖弦他們，但或許會另有孔道，為你設法。並不是想看副刊，我的興趣在台灣新聞，如侯德健的訪問，國是會議的笑話等。

金幣暫時不必買，因為前次寫信說每ounce跌到US$370，這兩天跌到$355，因為澳洲的新採金技術可以減低開採成本。好在為數不多，乘方便時，買一、兩枚，以備emergency之用。美國Savings & Loan出事，超出Bush和國會的估計兩三倍，可能把美國的budget搞得一榻〔塌〕糊塗，幸而蘇聯出事，冷戰結束，可以省卻國防費用。美國有福氣，日本和德國都不願看美國跨〔垮〕，所以像王小二一樣，年年難過年年過。90年代世界經濟中心將移往歐洲，一則是歐洲共市成立，二是東歐瓦解，有了新市場可資發展，可將原先銷美的貨物轉銷歐洲，減輕美國的壓力。所以我手中所有的貨幣主力放在ECU和DEM上，無論near or long range都有上漲可能。日本圓則是全世界外匯儲備最富裕和出口最多的國家的貨幣，應是最強勢的貨幣，將來大家都會以日本馬首是瞻，目前因為沒有做領袖的經驗，一時還不願強出頭，將來必是日本¥的天下。我在May 17給你的信中說為你買進了日圓，一時還不及算，現在弄清楚了，請閱「財務報告90/3第四條」。我替你買入了$9000美金，皇冠的版稅和《聯副》的稿費共8800餘元，好在你另有存款，撥一點過來，湊足整數，方便一點。幸而目前有了calculator，計算方便，還不太費時間。這一陣為你的全集出版事忙。我總要有點事做，視之為occupational therapy〔職業療法〕可也。即祝好。

Stephen
90年六月三十日

副冊	又副冊	三副冊	四副冊
香菱	晴雯	芳官	翠縷
薛寶琴	襲人	齡官	春燕
邢岫煙	麝月	藕官	彩雲
李綺	小紅	蕊官	彩霞
李紋	紫鵑	葯官	琥珀
平兒	鶯兒	萱官	抱琴
鴛鴦	金釧	葵官	司棋

尤二姐　玉釧　艾官　侍書
尤三姐　秋紋　文官　入畫
智能　四兒　寶官　柳五兒
尤氏　碧痕　玉官　素雲
夏金桂　茜雪　茄官　傻大姐

〈情榜〉取錄標準

根據「正冊」，可以看出「大觀園」的重要性，大抵正冊中人物大都是「大觀園」永居居民，持有「大觀園」護照。其中有少數例外，例如秦可卿在園興建之前，即已去世；王熙鳳居園外，但得隨意出入，因為她是余英時所說：理想世界與現實世界的橋樑。元春是園的董事長，奉她的旨意才起建的。湘雲和巧姐另有解釋，大抵和寶玉有友情，是賈母的侄孫女，或在後三十回有主戲。

借用正冊的標準和條件，並脂評所透露的消息，我們大致可以把「副冊」建立起來。其中比較出人意外的是智能，但她是寶玉第一個接觸的異性，又是平生第一知己秦鐘的相好。如柳湘蓮的尤三姐能入副冊，蔣玉菡的襲人是又副冊的次席，則智〔能〕即使在園興建前暫時沒有下落，也情有可原。尤氏是大冷門，其實，她並不是賈蓉的母親，而是賈珍的續弦。賈珍以色取人，尤氏高攀賈家，必是美人胎子一個。第六十三回回目，「獨豔」是尤氏，以一人而匹對「群芳」，其分量可見。第五十八回，賈府女眷陪陵，家中無主，便報了尤氏產育，協理榮甯二府，並和李紈同管理大觀園，可見她並沒有超越產育年齡。她和寶玉等同輩，和大家相處極融洽，時常在李紈處借宿，是大觀園常客，尤二姐、三姐入副冊，沒有理由把她摒諸冊外。夏金桂與香菱共佔副冊一圖，但性質與黛、釵一圖不同，故置榜末。

「又副冊」為怡紅嫡系或曾去過怡紅與寶玉有特殊關係者。茜雪在大觀園前寶玉醉後被逐，但脂評有「獄神廟」一條與小紅並列，必有助寶玉，是極動人和充滿反諷的場面，故列榜末。

「四副」都在大觀園居住或出現過，比較上與寶玉關係不太密切，多數是奴以主貴，少數是怡紅的比較次級人物。最後用傻大姐結束，因她拾到繡香囊，而結束大觀園。

全文名：〈紅樓夢中的情榜〉，共分六節：「前言」、「正冊」、「副冊」、「又副冊」、「三副冊」、「四副冊」，共長十餘萬言。「前言」太專門化，一部份要重寫，「四副冊」寫了一半，另一半未寫完，但有詳細的筆記。目前正在寫完舊稿〈怡紅院的四大丫環〉，因為照次序講，「四大」必需在〈情榜〉（「又副冊」）之前完成和發表。

財務報告 90/3

（另外保存，以後三、四個月報一次）

Eileen：

上次的報告是五月一日，1/5/90，情況又有不同，現在報告目前情況：

（1）ECU恒生銀行三個月定期，數目是15,991.74，利息是9.6875% P.A.，6/Sept./90到期。

（2）ECU上海商業銀行，51,511.23，二個月定期，利息是9.875% P.A.，23/July/90到期。

（3）DEM（德國馬克，Deutsch Mark）上海商業銀行，51,278.25，二個月定期，利息是7.6875% P.A.，30/July/90到期。以上三筆利息比前稍低，大家在觀望東西德統一後的反應和情況。（七月一日是幣制：東西德馬克統一。）（西德希望在年底前實現政治上統一。）

（4）JPY（日本圓或￥，Japanese YEN）March 14替你以9000美金入JPY1,372,950.00，每一美元等於¥152.55，存到28/June/90連本帶利為¥1,380,887，利息為6.9375%，再改為二個月定期，利息為7.125%（因為和我們的大數目存單放在一起），28/Aug./90到期，目前對美金為1 US$=¥152.20

Stephen

30/6/90

附〈情榜〉人物表，請提意見

張愛玲致鄺文美、宋淇，一九九〇年八月二日

Mae & Stephen，

我一直在趕寫這篇〈對照記〉，殺蟲工作三天兩天打岔——我終於想出了個辦法，等這票東西寄出後就去試驗。收到六月卅日的信，沒細看就收了起來，情榜部份也沒看。我本來也想着Stephen幫我出全集，有些半機械性的事，在沒好全的時候也是一種排遣。那是我安撫自己的良心的唯一的方法。希望新藥有奇效，麻煩點也值得。Mae又病了一場！精神可好些了，不那麼累了？這次掛號寄來四包照片，最小的一包是我母親的一張，因為破損，（見memo第一段）很難包裝，最好原封轉寄去，不用拆看了，省點事。這張大部份是房屋外景，剪掉一截沒關係，我沒剪，讓他們美工部剪比較好。照片太多，插入書內又會太厚，只能出單行本，就叫《對照記》。台灣報上登過李香蘭的自傳，似乎在台灣已經平反了。如果提起她還是招罵，也就隨它去了。Lake St.的郵差似乎換了個人，等我確實知道了，就可以在這裏收掛號信。目前只好先請他們用過照片後寄到你們那裏，等以後再說。我今天又感冒，明天星期五，還是要去複印了稿子再趕到總郵局寄出——分局太烏龍——不然又躭擱一個週末。過天再寫信了。（還是躭擱了一星期，九日才寄出）

Eileen 八月二日

又及

蘇偉貞寄的《紅樓夢》早已收到，是寄到Wilcox信箱的，我可以放心了。

宋淇，一九九〇年八月十四日

Eileen：

附上皇冠1990年上半年到五月卅一日為止的版稅結算單，共支票二紙，一為$4000，一為$3522，總數$7522，較1989年同期少了三分之一，那次是$11,642。原因是台灣人心不安定，買書和讀書的人顯著減少。以後情形還繼續不樂觀，不能再指望每年有固定的版稅可收。這次我同銀行商量先存入我的戶口，因我給銀行看你給我的Power of Attorney，而且銀行知道你的支票曾入過我的戶口多次，其中還有一張退票。他們同我們家三代都有往來，特別客氣，也就通融了，但他們不怕別的，怕萬一銀行內部抽查，發現有疑點，可能引起不必要的麻煩。所以請你簽收後將結算單寄皇冠陳皪華時，請同時去一信，囑以後寄版稅時將支票開我的抬頭，以便我直接入帳。省得掛號信寄來寄去，你我跑一次郵局，大有可能生一場病[78]。

你不必愁錢的問題，美國已步入recession〔經濟衰退〕，中東Iraq危機只有加速衰退和赤字同inflation。好在我替你買入的ECU和DEM都對美金升值而且利息也不錯，你如果沒有其他收入，吃吃利息也頗寫意。只有最近買的日本¥表現較差，本來也隨大家一起漲，但oil crisis〔石油危機〕給日本打擊最重，就此漲不上去，但仍比美金好。這次的$7522要十日以後收到款後方能動用，讓我再研究一下買入什麼外幣，你如需要錢，請隨時通知。不要以為我這帳房只收不放。餘再談。祝

安好。

Stephen

1990年8月14日下午

皇冠1990年上半年版稅

宋淇，一九九〇年八月十四日

Eileen：

昨日收到航空掛號寄來大小四隻信封，裡面全是舊照片，因信封是特製的，經拆開檢視後，內容完整無損。現暫時另行置在書架上，俟你的指示到後再行處理。彷彿記得你信中提過想寫一篇長文，解釋照片，然後可以成書。我想預先聲明，如要我代為整理編輯，我無此能力。因我手笨拙，不喜做這類工作。Mae照理可以做，但她經化學治療後，手腳麻痹感，不但沒有逐漸消失，反而變本加厲，令她難以忍受，現在連活計都不能做。

最近天時不正，Mae和女工人都換上重感冒，醫生都為我擔心，總算僥天之倖，沒有患上，可是家中老弱殘兵，變成寂靜世界。我每天還要服藥，早晨有護士來洗滌傷口，能夠自顧已是上上大吉。

這一陣為了替你出全集事，把我每天能工作的空間都佔據了。知道你又忙，身體也不太好，我也不來煩你，免得三地周轉傳話，浪費時間。《赤地之戀》慧龍不肯放棄，大概要對簿公庭。你寄給我的Power of ATTORNEY在台灣無效，但我們研究出來在港有效，於是香港找到律師，當面看我簽中文委託書給皇冠。總之，現在或可辦妥。昨日將你的①《赤地之戀》（原作，天風版）；②《赤地之戀》（慧龍版，慧龍老闆死後，接辦人在1980年付過你第四版版稅，但自1980年到1990年十年中只銷了幾百冊，荒唐得難以置信。）③《小鹿》（天風版，1958年拍成電影，Clarence Brown導，Gregory Peck主演，提名多項Oscar，中文片名《鹿苑長春》，當然很俗氣，但多少有人知道，我暫建議用此名），④《海明威論》（Robert Penn Warren〔羅伯特・潘恩・華倫〕，《戰地春夢》的

78. 一九九〇年七月十四日宋淇致方麗婉書，寄出張愛玲全集的單行本底本共五冊，包括《赤地之戀》（天風出版社）、《赤地之戀》（慧龍版）、《小鹿》（天風出版社）、《愛默森選集》（天風出版社）、《美國文學批評選》（今日世界社），並詳細討論編務需注意的事項。

序，擬和《老人與海》合併出書），⑤《愛默森選集》（天風版）（九歌出版社想出版此書，可見賞識有人，我還以為現代青年人對這類書不會有興趣。）五冊航空雙掛號寄皇冠，了卻一件心事。

我知道你多次搬家，所有書籍或打包存起來，或散失，所以這次將手中鎮家之寶都拿了出去，首三冊中《赤地之戀》和《小鹿》還是你簽了名送給Mae的。不知你手中還有沒有藏書？我本想暫緩出海明威和愛默森，現在既有第三者動腦筋，就索性全都出籠。現在最成問題的是《老人與海》，我自己沒有，朋友中問過也沒有，不知你有否存書，如果皇冠實在找不到，可否一查？

皇冠陳皪華太忙，平鑫濤全副精神放在電視上，他和瓊瑤兩人的電視片獨霸台灣。出版事宜似乎已交給他的兒子：平雲，陳皪華管編務。陳一人分身乏術，所以將張愛玲全集事另用專人負責，即方麗婉，年輕但很努力細心。我已和她通過多次信，現在附上昨晚致她的covering信副本，你看了之後，就知道大概情形。這個月來為了這五本書忙得我將〈怡紅院四大丫環〉一文停寫，沒有辦法，弄濕了頭，只好做下去。這一陣老態畢呈，趁現在還能做事之時，辦了也好。知道照片和文章可交皇冠處理，甚慰。

寫到這裡郵差送來你八月二日寫就、八月九日寄出的信和〈對照記〉，比照像遲了一天，郵差因嫌政府不肯加薪，在半罷工狀態。

Stephen

8/14/90

張愛玲致鄺文美、宋淇，一九九〇年八月十六日

Mae & Stephen，

前幾天剛寄了五包東西來，你們一定預期又會有修改的急件接踵而來，果然。這裏的四頁請代抽換。書名我想改為《張愛玲面面觀》。《中國時報》轉載校刊上我最討厭的一篇英文作文，一

看都沒看就扔了，但是〈愛憎表〉上填的最喜歡愛德華八世，需要解釋是因為辛潑森夫人與我母親同是離婚婦。預備再寫段後記加在書末，過天寄來。莊信正來信說《中國時報》邀我去評判文學獎，是個standing invitation〔長期邀請〕。季季來信說是莊舉薦我，又說蕭錦綿說我姑父也臥病，她還要去訪問他，要寫《張愛玲傳》。季季建議我順便回上海看我姑姑，她陪着去，一切代理。原來是莊搞統戰！我趕緊寫信給季季回掉了。《聯合報》停送與瘂弦等無關，我很relieved〔放心〕。寄卡片去謝蘇偉貞寄書，回掉她的「我的人生觀」徵文。你們倆都好？

Eileen 八月十六

宋淇，一九九〇年九月八日

Eileen：

附上致陳皪華信副本一份[79]。

現在有幾個重要問題要你決定：

（一）海明威一書，前半是你譯的Robert Penn Warren的《海明威論》，曾刊於我編選的《美國文學批評選》，曾經詳細校過並添了不少注解，本身很完整。後半是《老人與海》，我手中只缺這本書，託友人千辛萬苦覓到一冊，本來我已放棄，預備請皇冠到各公立、私立大學圖書館去借。二者在字數上大約有八萬字，份量足可成一書。但書名煞費思量，當然在內容上前者專論他早期作品，後者是最後傑作。如定名為《張愛玲譯海明威》是我在不得已情形之下想出來的，而Penn一文

79. 一九九〇年九月七日宋淇致陳皪華書，說張愛玲最近完成《對照記》，附有照片五十四幀，每幀均有說明，可見張愛玲筆觸。再者是短篇小說集名字應改回「收拾鉛華歸少作」、「屏除絲竹入中年」。張愛玲的譯作三冊尚缺《老人與海》單行本，雖已找到，但有一些技術問題待討論。

是〈論海明威〉，所以有點牽強。如用《老人與海》，在封面上添一小行：附錄：華倫〈海明威論〉似乎委屈Warren，而且與我的構思前後次序矛盾。你往往有奇想，盼能代為解困。（《老人與海》五萬三千字，〈海明威論〉三萬字。）

（二）《老人與海》單行本收到後，打開一看前有一篇李歐梵譯的〈序〉，作者是Carlos Baker，原來是Scribner's版本前的序，美新處從Scribner's取得版權，拿這篇序也一起譯了。李譯很夠水準，譯名也和你Warren一文統一，全文長七千五百字。照理論說來，Warren的論文和《老人與海》之間缺乏一個連接的橋樑，此文剛好說明《老人與海》與前期作品的關係，正合用。但你的全集全部作品是你一人所寫和翻譯，現在忽然多出一個第三者來，有點不倫不類。其次，那時李歐梵剛出道不久，美新處找他翻譯，欣然願就，現在自Indiana去了Chicago，成為美中區的領袖人物，（而且我聽人說，他和劉紹銘有一陣對夏志清很不客氣，大有取而代之的心理，夏本人也不爭氣，一天到晚忙於替女作家、大陸作家寫序。）他對你和我應該很客氣，可是犯不着為此文破例欠他一個交情，夏志清為慧龍版《赤地之戀》寫了一篇序，我們當然不用，現在也應統一辦理。想你也同意我這看法。我的意思是我們兩人身體都不好，不必為此事操心，我建議由皇冠以編輯部名義去找一台大教員寫一篇短文冠於書前，以當橋樑作用。我替他們設計，找到十八冊書，難道這麼大一個出版社這些基本工作都不會作？

（三）《小鹿》我已照國語片譯名改為《鹿苑長春》，並好像已通知過你。這書你譯的非原作而是U S I S的abridged version，所以可以不必認真。《小鹿》比較切題，《鹿苑長春》較多人知，1955年拍攝，Gregory Peck主演，Clarence Brown導演，提名多項Oscar，結果由童星得獎。用作書名是俗氣一點，《老人與海》也拍過電影，宣傳起來，方便得多。《小鹿》恐怕不容易賣。請你來信時confirm一下，我無所謂，皇冠也不會有異議。

八月二日信和照片四包均已收到，來不及細看，照片是美不勝收。說明也很好。但偶然有誤寫的地方，如文美就發現「分辯」寫成「分辨」，所以要校一遍。好在不急。《張愛玲面面觀》當然比《對照記》好，不過如果用《張愛玲譯海明威》是否自我中心起來，另一方面《張愛玲短篇小說集》的名字現在取消掉了。我還想到一個名詞：「有相為證」是Fuji Film的廣告詞句。這本書要等我先拿手邊雜事了卻後再看，不急於一時，要改寫儘管寄來。

附上剪報兩紙，一是朱氏姊妹的發言，朱家一向是你的啦啦隊，這種文章自不足為異，但可看出你的確有基本讀者。另一是水晶新書的廣告，自承從「張迷」變成「張派」，想必有書寄給你。這種人千萬不能理會，他上次對我食言，自知我對他不滿，至今沒有給我來信。

蕭錦綿從台灣過港去N.Z.，停留兩天，我一聽她要寫張愛玲傳，更加不願見她，事實上本來就不能見客。由文美在外面同她談了一會。據說她去過上海，現在姑丈也病了，不良於行，但仍要侍候姑姑。他們收到你的錢，不能動用，存在銀行是美金，一到用時，就照官價兌成人民幣，結果由蕭出面替他們買了一台新電視機。怪不得他們要怨。匆匆即祝安好。

Stephen

1990年9月8日

宋淇，一九九〇年九月九日

關於版稅事

Eileen：

這次寄來的版稅是支票二紙，已詳八月十四日來函，一是$4000，一是$3522。一來數目不大，二來身體不好，三來中東緊張，世界經濟看不出明顯趨向，所以存在銀行中沒有動。〔……〕

照目前情形看，美國已步入衰退，recession，如果budget deficit無法解決，中東之亂加上油價大漲，可能引起蕭條，depression，那就真的不堪設想了。現在政府手段高明，可用各種手段加以tinker〔修補〕，但其後果更為嚴重。歐洲如共同市場如期成立，自成一集團，可以自保。日本是全世界最有錢的國家，老百姓又聽話，也能渡過此劫。但如美國這無底洞無法填滿，歐、日只好自顧不暇，美國人不肯加汽油稅，比世界各國的汽車用汽油要便宜一半以上，政府不敢加稅，油價一漲，蕭條加上雪上加霜，想想真為美國憂。美國本想把加拿大、墨西哥聯起來成美洲市場，但墨是劉阿斗，加比美先衰退一步，所以也只是紙上談兵。好在你已有一大部份錢在港，不必擔心。

Stephen

1990 年 9 月 9 日

財務報告 90/4

Eileen：

上次的報告是六月三十日（90/3），情況略有不同。目前情況如下：

（1）ECU恒生銀行三個月定期，數目是16,369.86，利息是9.6875%P.A.，6/Dec./90到期。（三個月比二個月高，二個月比一個月高。）

（2）ECU上海商業銀行，52,473.20，二個月定期，利息是9.5625%P.A.，28/9/90到期。

（3）DEM（德國馬克）上海商業銀行，51,783.00，二個月定期，利息是7.75%P.A.，28/9/90到期。（有過一個時期，發現東德在貨幣統一後，一查賬，所有公司沒有現代會計制度，賬目不清，浮報虛報，幸而西德實力雄厚，仍能應付裕如。但東德人個個發了小財，引致通貨膨脹，所以提高利息。）（政治上統一仍在十二月中舉行全民投票。）

（4）JPY（日本￥）1,380,887.00，利息為6.9375%，轉了兩個月從6/28/90到28/8/90，利息為7.125%P.A.，再轉兩個月到29/10/90，利息為7.75%P.A.。詳細數字尚未有時間細算，但利息提高到同DEM差不多，比美金只低1／2%不到。價錢也從¥152.55等於一美元漲到¥140.20對一美元，增加了8%，很不錯。

Stephen

9/9/90

宋淇，一九九〇年九月二十二日

Eileen：

附上方麗婉來信和你的新全集的版型sample的original和影印的copy（省得你自己出去影印）各一份[80]，盼你從速過目，如覺得有不妥當的地方，並提修改的意見。

新版型，照方來信所說，是平先生（不知指平鑫濤本人，還是他的兒子）「過濾」過後選定的，我們也應對他的選擇尊重才是。寄來的版型是每頁17行（每行42字，每頁914字）大概是給字數、頁數較多的作品用的，如《海上花》，所以有17行和15行兩種。按原來皇冠現在的《海上花》分上行欄，為18行（每欄21字，每行仍是42字，每頁756字），因為書太長，共608頁，如現在分《開》、《落》兩冊，就不成問題。其他各書都是每頁15行，每行42字，每頁630字。看慣了15行的排版之後，覺得17行好像空白不夠，上下左右都沒有足夠的篇幅可作眉批（如「脂硯齋」）之用。字型當然比舊版悅目得多。上面排頁碼的方法080、081還沒有見到過，想必是現在最流行的新款。我的意見並不重要，不過我覺得舊版二十餘年不變，看了也覺得膩，是應該「換季」了。（請參考《瓊瑤全集》【極好】、《於梨華全集》【較差】。）

我替你買入了一萬西德馬克，一直穩步向上漲，近幾天為了挽救英鎊，大量拋售，但仍在我進價之上。等我日¥結數算出之後，一律在報告中告訴你。祝好。

Stephen
9/22/90

80. 一九九〇年九月十七日方麗婉致宋淇書，言短篇小說集名稱已修改、並附上《張愛玲全集》版型。

張愛玲致鄺文美、宋淇，一九九〇年九月二十六日

Mae & Stephen，

九月八日、九日信都收到。我近來特別忙。又去看過醫生，這次醫生顯然認為嚴重，仿彿第二次heart attack在即，趕緊馬上許多tests。上了treadmill〔跑步機〕却又健步如飛，奔跑爬高毫不費力。驗出沒angina〔心絞痛〕，目前沒heart attack危險，心口疼時間太短暫不算。只有點貧血——從來沒有過。我說是吃素的緣故——我只會烤魚，（烤雞始終沒摸出門路）吃厭了就懶得做了。皮膚病惡化，膚科醫生也說是營養不良。我認為只要少吃素包子，再多下點工夫做雞魚。但還是又要tests看有沒別的原因。同時又正在看牙齒。又是極費事的拆建，要$2000。（錢的事我一點都不着急，上次是因為Stephen信上說我可以立個基金會，才覺得需要說明是這麼個情形。）忙得連三個日光燈全都壞了也都沒工夫找管理員來換，半黑暗也由它去。Stephen的信連同上次的一封全收了起來，過天再細看。「有相為證」會使人問證明什麼。證明我確是漂亮過？系出名門？還是「面面觀」較妥，寧可費點事改掉「張愛玲短篇小說集」。我信上說過「收拾鉛華歸少作」的「少作」二字不對，不能用。另一tentative title是「——回顧展小說集之一、之二」。這題目唯一的好處是一望而知是舊作，讀者不會覺得上當。還要另想。改來改去，Stephen又要寫信告訴劉爍華〔陳皪華〕，我真過意不去。《老人與海》也真是個問題。書名我再去想想看。我以前信上說過《小鹿》就叫《鹿苑長春》。是我寫信不分段，混在別的話裏容易忽略。我是真忘了有「辯」這個字。錯字與其他錯誤你們就在《對照記》稿子上代改，不用再問我了。《赤地之戀》本來是個爛攤子，能在香港打官司已經是好消息了。附寄來侯壽（孝？）諒來信。這些少作「出土」我實在頭痛，還要出書！如果告訴他我在考慮選入全集，（一篇都不要）他就又會說不要的他要。也許可以告訴他我全要，以後終於決定不收，也還說得過去。先擋過這一陣再說？現在先把《對照記》的一頁改文寄來，等稍空就寫信給劉爍華〔陳皪華〕關於版稅支票事。你們倆都好多了？

Eileen 九月廿六

我沒想到〈小艾〉收入全集的問題。根本忘了這篇東西。

又及

宋淇，一九九〇年十月三日

Eileen：

八月16日信和改稿四頁，九月26日信和改稿一頁均收到。

我正在慢慢校讀原稿，今天將目前所見到的都抄錄下來。到了我們的年齡，記憶力衰退，常想不起字來，有時也會筆劃寫錯，我好在有耐性，而且可以查林語堂那本漢字大辭典，因為近來耳漸失聰，老眼昏花，林的詞典字型大，宋體，筆劃清楚，又有英文說明，比辭海、《辭源》要實用多了。

問你的十五條中，大部分我可以作主改，至少有五、六條要徵求你的意見。你只要在上面簡單的加以批改，給我指示，即用原件寄回，不必再抄寫費事。

我看你根本沒有什麼大病，只是吃得太少，營養不足。我建議你吃一種叫ENERCAL Plus的營養品，其中包括已消化好的蛋白質、牛乳、維他命和礦物質。好處是味道不難吃，沖起來容易溶化，不像有的奶粉一塊一塊的膠在一起。不必如說明書所說每次三—四spoonfuls，二匙即可。文美開刀後服用至今，我現在也在吃。同時容易買到，任何藥房都有，不必醫生紙。附上說明書一份，盼你立即進行，身體要緊。

「有相為證」當然不好，《對照記》不成問題，我只是順筆一提。《回顧展》極好，我完全贊成。但如何分上、下？因為分兩冊，又不能說之一，之二，一時想不出來。但你得另寫一短序，說明《回顧展》即以前的《短篇小說集》，文中不妨引那兩句詩：「收拾鉛華」、「屏除巾年」，說一下入了中年以後看少作的心情。不用一千字，幾百字即可。又，我看你信中說：《回顧展之一》、《回顧展之二》，似乎也無不可。暫時定下可也，除非想得出更好的來。

候〔侯〕吉諒的覆信副本寄上。《中華日報》編輯同我私交不錯，想出你譯的愛默森，我也婉卻了。因此得罪的人諒必不少。我有一封信給瘂弦，提起停贈報的事，我說你不想看副刊，但既然投稿，總想知道目前登的是那一類東西，他們大為吃驚，查出來是computer出毛病，營業部表示歉意。你只當不知好了。今天《聯副》開始登《哀樂中年》，卻用你的名字，將來必有下文，麻煩事沒完沒了。即祝好。

Stephen

1990 年 10 月 3 日

P.8 圖九 九溪十八灘——杭州的名勝是九溪十八「澗」，非「灘」，你記錯了，應改。

P.9 圖十一 第七行——星嘉坡

第十五行——星嘉坡

現在已是獨立國家，早已通用的名詞：「新加坡」。星嘉坡現恐已沒人懂。

△P.12 圖 20 第一行——一張上題字的底稿。

照改後成為——「一張上題字的底稿。」看來看去看不懂，參詳了半天，可能是：

「一張底稿上的題字。」

△P.16 圖 22 第五行——拔去三眼花翎

「三眼」不懂，有沒有可能是「三根」？

P.18 圖 22 第六行——我不好意思地分辨。

「辨別是非」、「辨認」distinguish

「分辯」、「辯論」argue

應改

△P.20 圖 23 第八行——雖然不短在幕後效力

說法很怪，可能是「不斷」

P.24 圖24 第八行——芳官吹×[81]——湯字中間少一劃「湯」

P.26 圖24 第四行——爺兒仨的照片

「仨」字未見過，是否「爺兒三」？

P.27 圖25 第五行——用進來的最得力的

第一個「的」字似可略去

P.28 圖25 第二行——大殺風景，和大煞風景通用，我喜歡第二個

P.30 圖25 第一行——有孤僻的名聲

P.30 圖25 第三行——怪癖

原來都用癖字，後塗掉改為僻，二者不能通用。「僻」字是adj.，所以孤僻是對的，「偏僻」、「荒僻」等均是。「癖」字是N.，「怪僻」不能作名詞用，所以應是「怪癖」、「癖好」、「嗜茄〔痂〕成癖」等均是。第一個不動，第二個要改。

△P.31 圖25 第五行——「跟他們的關係僅只是屬於，」說法很特別，大概是英文移植過來的。讀者看半天，未必能參出其中含意。有沒有可能「屬於，」這一逗是多餘的，連下去「屬於一種沉默的無條件的支持」？又嫌太長。

△P.34 圖26 第九行——「話雖不多，夫人不言，言必有失」。我乍看時，還以為是夫人指女太太，看完之後想了相當久才想起你在用四書上的「夫人不言，言必有中」，將「中」改為「失」，俏皮是俏皮了，我敢打賭青年人沒有一個看得出這是雙關。如果挑明了：言必有中，我卻言必有失，則原意全失。可否加符號：「夫人不言，言必有『失』」。或至少應為：言必有「失」。

P.35 圖27 第十一行——「還要人緣好」，筆誤，應為「人緣好」。

81. 繁體「湯」字中間少一橫。

張愛玲致鄺文美、宋淇，一九九〇年十月二十一日

Mae & Stephen，

我夾忙頭裏又生了場感冒，（連日跑ＵＣＬＡ在冷氣巴士上着了涼——看了醫生回來就病了，是我常有的事）以致於Stephen九月廿二日寄來的版型躭擱到今天才寄回。當然是用新版型。十月三日信上的十五條我都同意除了P.31「屬於」改為「屬於彼此」。想不出好點的譯法。P.6「三眼」是孔雀毛花紋正中的一個「眼」形。「三眼」是殊榮。

書名（位置？）

回顧展小說集之一

回顧展II小說集之二

仿Rambo II等片名，我想用不着另寫短序解釋了。黃仲則詩二句預備寫入全集序。兩篇自序我知道what is required，但是不會寫，要費上好些天的工夫，也只勉強合格。不如還是照我自己的方式寫，長就長點，也不費更多的時間。現在先寫一篇〈填過一張愛憎表〉，很長，附錄在《面面觀》末。另一書名目前只想得出《漢明威與其晚年傑作《老人與海》》，太囉唆。給侯吉諒的信真好極了。我先趕寄這幾頁來，過天再寫信。你們倆都好？

Eileen 十月廿一

十五條中P.12應作「同一照片寄出的一張上題字的底稿」。

P.20「不短」是舊小說常有的，即「不缺少」，「不是沒有」。

P.26「仨」是北方話，俗字，仿「倆」。

P.27第一個「的」字不能省。

張愛玲致鄺文美、宋淇，一九九〇年十一月四日

Mae & Stephen，

我實在忙昏了，那兩頁版面擱了那麼久才寄還，希望沒讓Stephen為難。我真內疚。Tests證實我新近貧血沒別的原因，除了吃素。最近收到驗單，X光照出「可能有過heart attack」。（以前別處心電驗出有過。）反正吃low calorie diet沒錯。Mae體質跟我相反，以前曾經貧血，又一直吃得清淡有節制。Enercal是高能量，含礦物的。這次醫生叫我吃iron（鐵）丸，我告訴他minerals我吃了上火，也只好多吃綠菜（有iron）。要補養也只能再想法子做省事而又可口的雞魚。目前沒工夫，天天吃罐頭魚，發現日本拒別國食品進口，說他們僱〔顧〕客挑剔，不全是托詞——日本罐頭魚比中國美國的新鮮。這些時沒大殺蟲，大小蟲入侵紮根。管理員新開了洗衣作，這裏全丟給副手，焚化爐門脫落也不補上。我這兩天剛去試上次信上說的新剿法。前天剛拆看代買的書，就在《八月驕陽》上看見兩個「仨」字。（P.5末一行，P.10 sec.2 1.5）。「怪癖（僻）」，「夫人不言」我原也躊躇再三。真幸而你們及時救了我那句俏皮話。如果還來得及，《端納傳》應補上書名，附寄《對照記》這一頁來。正寫信，看到《聯副》上鄭樹森介紹《哀樂中年》劇本，原來是桑弧編導，我沒具名。事實是內容細節也都是他的，難怪我這樣隔膜。記錯了，真糟糕！如已收入《最後的老電影》，請抽出，我在序中再提起一聲。現在深夜，還有無數雜事要做，天一亮就去寄信。你們倆這一向都還好？

Eileen 十一月四日

張愛玲致鄺文美、宋淇，一九九〇年十一月七日

Mae & Stephen，

我前兩天來信，快寫完了才發現《哀樂中年》問題。寄出後才想起來應當儘快寫封信給蘇偉貞，再寫這張便條，一併寄出，免得Stephen又要費事寫信跟她解釋。匆匆祝

好

Eileen 十一月七日

又及

等下次來信的時候請告訴我self-consciousness怎麼譯。「自覺性」是self-awareness。

張愛玲來信（標題）

編輯先生：

今年春天您來信說要刊載我的電影劇本《哀樂中年》。這部四十年前的影片我記不清楚了，見信以為您手中的劇本封面上標明作者是我。我對它特別印象模糊，就也歸之於故事題材來自導演桑弧，而且始終是我的成分最少的一部片子。

《聯副》刊出後您寄給我看，又值賤忙，擱到今天剛拆閱，看到篇首鄭樹森教授的評介，這才想起來這片子是桑弧編導，我雖然參預寫作過程，不過是顧問，拿了些劇本費，不具名。事隔多年完全忘了，以致有這誤會。稿費謹辭，如已發下也當璧還。希望這封信能在貴刊發表，好讓我向讀者道歉。

張愛玲

十一月六日

11/28日刊出〔宋淇筆跡〕

宋淇，一九九〇年十一月十五日

Eileen：

真給你弄得糊塗。

（一）原稿寄來時，書名為《對照記》——看老照相簿。

（二）八月二日信中仍稱《對照記》。

（三）八月十六日來信，有云：我想改名為《張愛玲面面觀》。

（四）九月廿四〔查張信為廿六〕日信說我偶然提及的「有相為證」不妥，信中仍用《對照記》。

（五）十月廿一日信，卻又說：「先寫一篇〈填過一張愛憎表〉很長，附錄在《面面觀》末。」

（六）十一月四日信有云：「《端納傳》應補上書名，附寄《對照記》這一頁來。」

計書名外，五次信中，三次用《對照記》，兩次用《面面觀》，真成了三心兩意了。我懶得去翻舊信，我相信我一直主張用《對照記》，《對照記》使人想起《惘然記》這種書名，有張愛玲筆觸，而《面面觀》令人誤會以為是第三者寫的報導。大概你信筆寫來，不禁互相通用，希望你回信confirm一下。

（二）到今天為止，先後收到《對照記》的改稿6頁，再預備等到月底，然後開始為你整理。再加上我們提出的意見，得細細校讀、改正一遍以後，再校一遍。這究竟是你近年來唯一的新書，希望皇冠能好好利用，至少造成一個小小的轟動。

（三）新紙版已收到，知道你很滿意，累得皇冠派他們駐港代表麥君來催，好在我剛寫好信給陳皪華和方麗婉（專負責編你的新全集），他們就可動手發排了。

（四）《海明威與其晚年傑作《老人與海》》的確是嚕囌一點，但如你所說，實在不容易想出更好的書名來。不知這「其」字可否刪掉，省一個字也好。姑且暫定為working title。看看有沒有更好的名字。

（五）我在九月十二日替你買入了一萬德國馬克，一美金等於1.585，今天是1.475，漲了6又1／2％，不壞，而且利息有8％，比美金高。（細賬一時無暇計算，過一陣再寫報告。）你現在餘款不多，而且美金也跌得差不多了，可以暫時看一下。一轉眼，下次皇冠版稅應在十二月中寄來。《哀樂中年》寄了稿費來，給林以亮，那是我的筆名，銀行無從入賬，因我無法證明林以亮是宋淇，而且分期付，數字也不符給我退了回去，大約也應有一千元左右，鄭樹森分了一部份去，也應該的。照理此款不應收，上海人說「肥豬拱門」，不拿白不拿，我自會代你收下。即祝安好。你的身體根本是餓出來的，切記此點即可。

Stephen
Nov. 15/1990

張愛玲致鄺文美、宋淇，一九九〇年十一月二十三日

Mae & Stephen，

剛收到十一月十五的信，乘明天出去，趕寫這張便條寄出。九月廿四信上我說不能用「有相為證」書名，下句就是「還是《面面觀》較妥。」確定沒寫錯。書中長文《對照記》未改名。「面面觀」本來是雙關，兼指各種facets與不同的面相，我小時候胖，後來也常有人說我變得厲害，有時候都不認識了。如果太晦，就還是用《對照記》，不用再討論了。上兩封信匆忙中沒來得及說我給蘇偉貞信上說《哀樂中年》不收稿費，「如已發下，也當璧還。」說不收又收，不大好。如果已經代收，我再從這裏寄還美金去。殺蟲殺得欲罷不能，坐在椅子上就爬上身來。你們這兩天都好？

Eileen 十一月廿三

〔紙背還有。〕

漢明威與他的夕照：《老人與海》

隨時再想到好點的，再寫張更短的便條來。

又及

張愛玲致鄺文美、宋淇，一九九〇年十一月二十六日

Mae & Stephen，

廿三日航簡想已收到。我覺得這書名好些，雖然不大像書名：

漢明威老了還有《老人與海》

《對照記》一文內P.32，l.7，倒數第五字「書經」請代加書名標誌：

《書經》

Eileen 十一月廿六

張愛玲致鄺文美、宋淇，一九九〇年十二月二十三日

Mae & Stephen，

剛在報上看見〈紅樓夢與鴉片烟〉。我一直以為繡春囊是司棋的，就沒想到許多人視為懸案，還有學者說是寶釵的，我又驚又氣。當然這是評家太平閒人（名字可能有錯）曲解「夢兆絳芸軒」一回的影響。Stephen寫得這樣心平氣和，避免爭議，但是這篇的震撼性大，我看了有汗毛凜凜僥倖脫險的感覺。這些時一直忙得定不下心來看〈情榜〉，老是惦記着，這才拿出來看。擬得對極了，書中雲霧迷濛的一個大缺口終於補上了，像補天一樣。分類的標準顯然是身份地位、與大

觀園和寶玉的關係。（唯一例外的智能與二尤，我覺得是因為她們屬於《紅樓夢》前身的《風月寶鑑》；以她們的為人，實在無法屏諸情榜外。）尤氏列入的原因尤其警闢。傻大姐我先感到突兀，再一想，十二釵不過是「女裙釵」，不一定要聰明美麗。名單多寄了個副本來，附寄還，萬一副本缺一頁。蕭錦綿寄她的書《寂寞》來，我預備寄張thank-you card去，附筆謝她探望我病中的姑姑姑父。你們幫我想想這樣怎麼樣。不忙。殺蟲這些時實驗下來，唯一有效的是攙和油、粉，刷在平面上。不過fall-out〔脫落〕厲害，人蟲裏足一兩年之久。改用在牆根與地毯邊緣，效力大減。又設法掩蔽漏風的鋼窗，薰十六間房的烟罐薰一大間。煤氣灶兩旁的縫隙也封嚴了再支幕猛薰。浴室天花板上的管道，找副管理員封上，抽風機拆掉，還有洞要caulk〔填上〕。又忙去買聖誕禮送他。等完工後不知道可好些。焚化爐小間裝着沉重的門，住戶連門都懶得推，地下擱個紙包撐開，蟑螂長驅直入。擱了些時沒寫的長文（暫名〈愛憎表〉）把《小團圓》內有些早年材料用進去，與照片無關。作為附錄有點尾大不掉，我想書名還是用《張愛玲面面觀》，較能涵蓋一切。你們倆可都好？

Eileen 十二月廿三

宋淇，一九九〇年十二月二十四日

Eileen：

來信和航簡多封，前後收到，這一陣天時不正，文美患感冒，我的胸腔傷口發炎和流血，令我們步步驚心，所以一直沒有回信。加以出全集免不了有很多問題，須要好好思考商榷，有時恨不得撒手不管，但我想如我再不理會，善後問題更多[82]。現在有幾個重要問題待我們解決，先讓你和我之間取得共識，再和皇冠商量。

（一）短篇小說集的命名問題

你建議用《回顧展》I II，皇冠方面認為行不通。他們不好意思筆之於書，派了一個代表麥君到我家來商量，婉陳發行人的立場。他們設想得很周到，純出於為了雙方的好處，一點也不意氣用事。這些年來皇冠和張愛玲賴以維持領先地位的一本書是：《張愛玲短篇小說集》，把你其他作品也都帶了起來，其後，《半生緣》也不錯，有獨立的生命，但分量和銷路仍遠不及前者。如用《回顧展》，根本不像小說集的名字，青年讀者望望然而去之，因此會根本影響到全集的銷路，大家為此憂心忡忡。他們認為《回顧展》實在行不通，毫無吸引力，他們別的方面或許有所欠缺，但對書名的能銷與否都有一種本能和直覺的判斷力，而這來自多少年來發行和經銷的經驗。他們說用《回顧展》，反而不如用《掃卻鉛華歸少作》、《屏除絲竹入中年》，我說這點不必再提，因為《短篇小說集》正是「少作」，在「掃卻」和「屏除」之列，豈非自己譴責自己的作品？經我解釋後，麥君也接受，並準備向皇冠轉告。為了此事，我想了好久，我們否決兩句詩，是因為以今日之我的觀點來稱呼早年的書，宜乎格格不入，但《回顧展》何嘗不是以今日之我來看昔日的作品。你如果寫一本書來解釋當時寫《短篇小說集》的心態、環境，其中人物有所本否？etc.，就像海明威晚年那樣，用《回顧展》做書名，倒很貼切。現在我認為有兩個可能，選擇其一，（《回顧展》應取消）：

（A）鉛華集（張愛玲短篇小說集I）

絲竹集（張愛玲短篇小說集II）保留兩句詩的key words，正代表少作，你仍可用這兩句寫序。

（B）張愛玲短篇小說集（上）

張愛玲短篇小說集（下）既然這名字賣錢，等於牌子做出，不如保留。

（二）海明威書名問題

你信中提起的《海明威與他的夕照：《老人與海》》、《海明威老了還有《老人與海》》是文章題名，不是書名，太長，放在書背上不像樣。上次我們的建議還是太長，我想我們在自尋麻

82. 宋淇又負疾寫了五大頁，討論張愛玲全集的命名問題及報告財務。

煩，只要實事求是好了：

《海明威論》（用書名字體）和《老人與海》（用書名字體），「和」字可用小一點的行書，以志不同。封面上是：

老人與海
和
海明威論

（書名字體）（行書較小字體）（書名字體）

（書背上也不太長）（很好看，一看就明）

或者用張愛玲譯，或者用張愛玲譯作之三，因為另有《愛默森選集》和《鹿苑長春》。

（三）上次信上說過，《聯副》寄來《哀樂中年》稿費給我，我退了回去，因為開的抬頭是林以亮，我說這是筆名，銀行沒有戶口，收不到，而且結算和支票數字不符。他們大概怕得罪了我，立刻不到月底，全數都寄了來，一共二千多元，抬頭是宋淇，我已入了戶口。這筆錢沒有辦法退，我同痖弦商量過，如果我買了銀行匯票去，他們不存入銀行戶口，他們沒有收到，我們只管寄出，也沒有收到，便宜的是銀行。其次，我們可以將這筆錢撥給桑弧，我想這更不可行。鄭樹森這人真是陰魂不散，居然寫信給桑弧，問他關於《哀樂中年》的事，他說編、導全是他一個人，至於張女士，我只不過用過她劇本，並無交情。如果將稿費寄去，他不是不要錢，他不敢收，現在兩岸交流，很熱鬧，隨時隨地會起變化。他現在生活無憂，可能還是特權階級之一，怎敢公然收《聯合報》的稿費，還是張愛玲讓出來的？〔……〕後來我想通了，張愛玲表過態，正式寫過信要求更正，《聯副》也將來信登出來了，全集中的《老電影》當然不收進去。至於稿費，你出過力，我相信至少交出去的劇本是你謄抄的，痖弦認為是集體創作，不能說你貪天之功，何況稿費是寄給我的，就像我前所說：「肥豬拱門」一樣，只好笑納。

（四）李開第有X'mas卡寄來，云姑姑不行了，他也身心俱疲，所以好久沒有寫信，你匯去的錢已妥收，要我告訴他你最近的地址。我覺得以你姑姑所患的病的性質和她的年齡，恐怕已到達了所謂terminal stage，所以回了一張卡，附了你South Lake的地址，可能你已在此信之前收到李的通知，或有可能，請寄一短信給她。到了這種時候，人會忽然清醒起來，也許正在等候你的消息也未可知。

附上財務報告90年的第5號，等於是90年的年尾結賬。你目前的身價是：

①ECU71,000，約合美金91,000

②DEM62,000，約合美金40,000

③JPY1,420,000，約合美金9,000

總數約合美金$140,000（小數都不算，折合率亦偏低，實際上可能不止此數，而為145,000以上）

由於中東局勢緊張，蘇聯內部不穩，所以近半月來，美金反跌為漲，另一主要原因是美金跌勢過份（oversold），應該告一段落，甚至反彈。可能到明年初，美金有可能再漲回一點，不會再下跌。可是一般情況，美國經濟千孔百瘡，S. & L.[83]先出毛病，各銀行都告不穩，包括五大，Chase第一，其次是Citicorp、Chemical、都因房地產抵押有問題，早晚會牽累整個體系。好在你三者之中前二者都很穩定，利息又比美金高，JPY表現最差，所以手中最少，總算滿意。祝安好。

Stephen
Dec. 24/90

83. Savings and Loan。

上次的報告是九月九日（90/4），情況當然有不同。目前情況如下：

（一）ECU（恒生）三個月定期，數目是16,788.95，利息是9.75%P.A.，March 6/91到期。

（二）ECU（上商）二個月定期，數目是54,177.73，利息是9.875%P.A.，Jan. 31/91到期。

利息比恒生高，因為和我們的算在一起，可以多1／4%。

（三）DEM（上商）52443，（原來是51,783，二個月定期，利息是8.00%），我又替你買入了10,000，rate是一美金等於1.585，曾到過1.475（詳十一月十五日函），（這兩天因為中東可能有戰爭，加上蘇聯外長辭職，美金反而回漲，其餘貨幣均跌，因為美金流通區最大，數量最多，大家手中先有美金，然後靜觀變化，再走下一步，價格約在151—153之間。現在已經是一個political market，而非monetary market，因美國deficit增加，利息減低，銀行不穩，但價格反較以前為高。）所以二者加在一起是62443，二個月定期，利息是8.8125%，Jan. 31/91到期。（利息比美金高1%，前所未聞之事。）

（四）JPY1,380,887.00到Nov. 29先後轉了三次，計二個月兩次，一個月一次，利息自7.125至7.75不等，現連本帶利為1,424,012.00，自Nov. 29/90轉到Jan. 28/91，利息為8.00%，亦比美金高。但因中東危機，石油全部依賴中東進口，故匯價近月不振，較DEM有不如，日本為世界首富，將來中東問題解決，便可迅速好轉。

Dec. 23/90

宋淇，一九九一年一月二日

Eileen：

十二月廿三日航信收到。我自十二月廿二日起居間忽然咳出一口鮮血，其後即斷斷續續，好好壞壞，一直到今天。奇怪的是沒有咳嗽，沒有熱度，沒有不適，就是到了喉嚨口，如果喝點水，自然就咳了出來。曾去照過X光，看不出來。醫生疑是支氣管擴張，明天約好去看一位專科醫生，十九要入醫院檢查。

因為自知會入院檢查治療，趁這幾天連忙將你的《對照記》的text〔正文〕寄來的六張改稿換出原稿，並將你同意修改的地方用紅筆正楷添入、修改，總算趕出來了。看第二遍時，發現「夫人不言，言必有失」的上文是說你如何鈍於口才，所以不能改，現決定保留原文：

夫人不言，言必有失。

「失」字也不必加「」符號，因為這是人人知道的，這樣語氣貫串，而且很俏皮。

今天早上我約了皇冠的代表麥成輝君前來，當面交代圖和文。文沒有問題，一共43頁。你寄來時，照片共分五信封，我一看是照片，而且是老照片，我的手很笨，生怕不小心弄碎了，所以原封不動，今天和麥君當面驗明正身，有些照片背後有鉛筆寫的號碼，有些照片是舊照相簿上黑紙寫白色的膠水號碼，偶或有塗改，經過兩次清點，發現缺少以下兩幅：

圖22　我祖母十八歲的時候與她母親合影。

圖25　我祖母帶着子女合照。

正是最古老而文字也最長的。你寄來的照片計分五袋，兩袋是你放大的照片一幀，一袋是上面有損的照片，用玻璃紙隔起來的。全部沒有掛號。我們花了一小時覆查，斷定這兩張或沒有寄出，或寄出而遺失，會不會有人檢查發現好玩，有歷史價值而加以扣留。請你檢查一下自己有沒有留下。我收到後，全部放入一大抽斗中，從來沒有動過，所經手者是文稿，而看文稿也從未和照片對核。我入醫院後不知何時才能出院，請你直接和皇冠陳皪華通信，我無從插手而且也無能為力。

以後要管也管不了。

你如一定要用《張愛玲面面觀》，請直接去信給陳皪華，你是作者，當然由你決定一切，皇冠和我不過是外人，提提意見而已。我十二月廿四日信建議小說集的書名和海明威的書名，已有副本給陳皪華。也請你直接去信通知你的決定。心亂如麻。不再寫了。祝安好。麥君會將照片和原稿送去皇冠。

Stephen

Jan. 2/1991

張愛玲致鄺文美、宋淇，一九九一年一月四日

Mae & Stephen，

昨天收到十二月廿四信。Stephen又還沒好，加上Mae又感冒，這種時候還要料理我出全集的事，我實在心裏過不去。至少剩下的校對可以自校？我說過自校省力，幾乎一目十行，鳥瞰一下，錯字自會跳出來。只花寄來寄去的工夫。我一直沒說，怕寄來寄去又給你們添麻煩。皇冠不說，我們也不知道《張愛玲短篇小說集》這麼個書名有生意眼。我當然同意不改，就用《〇〇〇短篇小說集（上）、（下）》。我也贊成Stephen擬的《老人與海》書名。《哀樂中年》事我也慮到大陸方面的反響，結果還是遲了一步，落在鄭樹森後面。當然《聯副》稿費就哂納了。我十二月廿三來信說蕭錦綿寄書來，還有封信混在報紙卷中，先沒發現。信上附寄來我姑姑姑父照片與KD的一封信，信上說'88十二月至'89六月寫過三封長信給我都沒回音，不知道收信地址是否改了。我以前去信說過「有時限的信」或電報就請寄到比華利山信箱，（那是有關接機等等，如果來美）平常的信該是仍舊寄到Wilcox Av.。那裏多年來沒丟過一封信。我因為等信，那些時一直一拿到就仔細翻看。即使丟了，也不會連丟三封。似乎只能是大陸檢查扣下了。我擔心KD告訴蕭錦綿我的Lake St.地址，台灣報界就也知道了。我連銀行都只用信箱地址，怕有人看了支票去打聽，萬一他們不代保密。又，我

一直忘了提Lake St.郵差確是換了人，我可以收掛號信了。乘明天出去順便寄出這匆匆寫的航簡。希望Stephen快點好起來，Mae也已經好了。

Eileen 一月四日

張愛玲致鄺文美、宋淇，一九九一年一月十八日

Mae & Stephen，

收到一月二日的信，像晴天霹靂，震得發抖了半天。希望Stephen檢查的結果證實不要緊。幾包照片寄出前我再三複看，決不會漏掉那張——照相簿上撕下的一頁，正面是我祖母十八歲與她母親一起的大照片，反面兩三張小些的照片，其一是她與子女合影。剩下沒寄的後來也檢視過。我想唯一的可能是裝了許多張照片的一隻軟墊信封太厚，我本來料到郵局會拆看，防夾帶毒品，所以只staple〔釘住〕，沒封口，不然更要疑心。想必抽查時有人留下這張一百廿年的古董。據說美國現在職工到處順手牽羊。我前天為別的事去總郵局，順便提起，女職員問知是寄到國外的，「唔」了一聲，表示「怪不得。」其實香港郵局哪像他們這樣糟。當然是怪我沒先拿到照相館去複印一張。怪自己最難受。只好再在《對照記》文內加注遺失經過。我預備寫信給劉爍華〔陳皪華〕請她以後有事就來信，剩下的校樣也寄給我自校，我勤開信箱，不致躭擱太久。——這信箱雖遠，公車直達，附近的要走一大截路，街道又荒凉髒破，所以一直沒換。——《張愛玲短篇小說集》書名現在又改回來了，這本新書再叫《張愛玲面面觀》確是太自我膨脹，使人起反感，還是恢復原名《對照記》。「夫人不言，言必有失」我下筆時也擔心會誤會「夫人」為Mme.。應改為「夫人不言，言必有」失。

匆匆趕週末前寄出，過天再寫信來。Mae感冒想必好了，倒又要忙累愁煩起來。

Eileen 一月十八

宋淇，一九九一年二月四日

Eileen：

我的病始終查不出來，拍過X光，做過氣管內窺鏡（Bronchoscopy）手術都看不出有生腫瘤的現象，極有可能是微氣管擴張，但微到看不出來的程度，沒有熱度，也沒有其他徵狀，只是過一陣就要咳出幾口血，往往是半夜，已一月有餘，令我晨昏顛倒，不勝其煩。文美去醫院覆診，復原程度很好。足可告慰。

附上皇冠1990年下半年度的版稅結單影印本一份，計：

（一）總數為支票兩張，共美金7325元，已存入戶口，但因退過兩次票，銀行說要等美國去收到後才可派用場，也無所謂。反正目前世界，情勢很亂，不妨觀察一陣，可慮者是蘇聯保守派有可能捲土重來，則對歐洲不利。目前馬克和ＥＣＵ價錢已到新高峰，因美國非但已入deep recession，可能變為depression，是否在這麼高的價格再買入馬克和ＥＣＵ值得考慮。

（二）從稅單上可以看出皇冠是把舊版打算全部賣完以便出新的全集，所以再版都只印1000本，而且除《秧歌》、《怨女》、《續集》、《餘韻》外，其餘全部售清。否則收入應不止此數。

（三）從稅單上可以看出《短篇小說集》仍銷路第一，約佔總數40%，這是你的王牌，也是皇冠的王牌。你上次決定保留原名是正確的決定。其次就是《半生緣》，可見讀者還是喜歡有情節的小說。

（四）另一點，銷路比較最差的是《惘然記》和《續集》，《惘然記》出版似不如《紅樓夢魘》（十版）和《海上花》（六版），因為書名太抽象，雖然內容有後期小說四篇。《續集》只有再版，反不如《餘韻》（四版），大概也是書名起得不好，而《餘韻》則沾了〈小艾〉的光。

（五）一月四日和十八日航簡均收到，因身體關係一直沒有作覆。有關書名和《對照記》的事，請你自己和皇冠聯繫，因自生病以來，外事一概不聞問，這是第一封信。我弟弟處只通電話。你可以從字跡上看出來我是在力疾從公。匆匆即祝

安好。

Stephen
Feb/4/91

鄺文美，一九九一年二月六日

愛玲：

一直想寫信給你，尤其這一陣Stephen病了又病，上次他進醫院接受內窺鏡檢查前匆塗的短信已經把你嚇壞，我非常不安，原該早些修函告慰……可是我們家裏真是多災多難，一波未平，一波又起。他前天趕出的信尚未付郵，今晨忽在睡夢中摔跌於地，雖無骨折現象，卻撞得頭部出血，急得只好到離此不遠的醫院求助。經當值醫生診視後，縫了兩三針，並給予藥物消炎止痛，總算毋需留醫（有時怕腦部concussion〔腦震盪〕，還要住院觀察，那就更加麻煩），現已回家休息。趁他睡着的時候，我補寫幾句告訴你。

他急於把公事交代清楚，先把這些附件寄上[84]。你看了便知，關於出版新書的事，盼直接與皇冠聯絡，以免躭誤。事非得已，你一定明白。

恕我不能多寫，雖然時常惦念着你——想到你目前的情況，也憶起多年前我們在一起時的各種瑣事，心裏感受很多，但筆頭枯澀，以致長期沉默，愧對故人。事實上，自從我患胃癌以來，好像

84. 版稅結算單。

只有半個人活着，節奏緩慢下來，許多想做的事都做不成。急也沒用，相信你會諒解。

附上剪報，不知你看了有什麼感想？付之一笑可也。截郵時間將屆，就此匆匆擱筆，

時值歲暮，送馬迎羊之際，順祝

平安。

美草於

一九九一年二月六日

宋淇，一九九一年三月十四日

Eileen：

我的病幾乎折騰了我兩個月，最後做了C.T. scanning〔電腦斷層掃描〕，電腦掃描，終於查出左肺上葉，有「支氣管擴張」，大概是微支氣管，所以X光和內窺鏡都看不出來。後來服了兩種抗生素，終於在停服後一個星期霍然而愈，但在此期間茶飯無心，晨昏顛倒，因晚上平均要醒兩三次將血咳出。這是我病癒後的第一封信。文美為我操心不在話下，還要陪我去驗查、入醫院、看醫生、買藥，現在我好了，她身心俱疲，沒有breakdown〔把身體弄垮〕，也虧她的了。凡是希奇古怪的病我差不多都生過了，居然能維持到現在，一半是自己肯研究病情，然後儘量適應，一半靠文美照顧。

病中唯一可做的工作，是將病前寫就和抄好的論《紅樓夢》文章整理一遍，寄出去發表，同時在香港《明報月刊》和台北《聯副》發表。三月底又有四篇短文陸續在《聯副》刊出，因為我知道你有贈閱，所以不另寄上，盼你將寄來的副刊留意一下。上月的一篇〈爬灰和養小叔子〉很受人注意，可惜現在青年人不再讀《紅樓》，只好給「老、中」兩代看了。

附上剪報兩紙，一是《公教報》上一篇短文，評估《秧歌》。這張報是天主教主辦的，每星

期日在望彌撒時在教堂分贈給教友，其中有半頁是講文藝的，以資點綴。從本期的論文和已連載多期的詩經今譯可以看出水準相當高。評《秧歌》者似乎能把握到原作的主旨，好像那時的英文書評也有過一篇指出《秧歌》是描寫「飢餓」最精彩的書。想不到三十多年後居然還有人讀，非但讀，而且細看，再進一步正確評價此書，頗值得作者引以為慰。這比當時捧場的評論要有意義得多了。

張學良於三月初獲得自由，想你已從《聯合報》航空版看到消息。現在附上《英文報》的照片和說明和《信報》的一篇訪問，這是他一到美國第一次接受中國名記者陸鏗的訪問。希望你仍保留《聯合報》，因為他自台去美的消息是《聯合報》獨家所有的scoop。文美和我都記得你一度有意寫一冊以他的事蹟為中心的小說，後因有「礙語」，所以只好擱置。當時我們都認為設想很好。因為中國的命運自東北起到西安事變可以說都繫於他一身。這句話也許又有了三十年了，想你不一定再有精力來重拾舊山河，或許寫篇文章以誌其經過也可一解心中的結。Anyway，寄上給你一閱（悅？）匆匆祝安好。

Stephen
March 14/91

財務報告 91/1

上次的報告是1990年十二月廿三日，目前情況如下：

（一）ECU（恒生）三個月定期，數目是17,198.18，利息是8.875%P.A.，June 6/91到期。

（二）ECU（上商）三個月定期，數目是55,086.51，利息是9.625%，April 2/91到期。

（三）DEM（上商）根據前次報告，基數是52,443+10,000=62,443加利息920=63,663，利息是8.6875%P.A.，April 2/91到期。

（四）JPY 1,424,012加息18,986，共1,442,998.00。Feb. 13又以版稅稿費美金$9,000再買入JPY，（日期為Feb. 13）rate是US$1=¥128.40，共1,115,560.00（二者合共2,558,598.00），現暫存活期戶口以便

April 2/91到期時連同前數一併變成定期。（利息是8%，P.A.）。

附注：現在全世界都走入經濟蕭條（recession）時期，故各國都採取低利息政策，放寬貨幣，鼓勵人民消費，購買商品，尤以汽車為主，添置房產，以便刺激工業，提高就業，一反以前高利息以遏止通貨膨脹政策。所以各種貨幣紛紛減息。ECU幾乎跌去1%以上。

美金超賣（oversold），看上去不會在近期再大跌。加以中東一戰，形勢扭轉，Kuwait重建，美國受益不少，最近平均較前漲了7%，故反能減息。好在你手中存有美金，加上我替你購入三種強勢貨幣，照今天美金的價格，大約ECU相等於$93,600，DEM約等於$40,500，JPY約等於$18,850。JPY其實最強，DEM和ECU最近為東厥和蘇聯動亂所牽累，大家都有點擔心，有些人寧願賣去換回美金，雖然明知美國基本問題仍然存在：（一）國家赤字deficit無法減低；（二）銀行業風雨飄搖；（三）人民儲蓄和購買力偏低。看上去，種種巧合，美金得以有一個苟安的局面，如果政府和人民肯合作爭氣，未始沒有希望。

我替你購入的三種強勢貨幣總值$150,000+美金以上，利息目前還不錯，總之，要比美金高2%以上。買入JPY最少，因利息最低，只有美金的一半，最近利息也有8%，但就快要減息了，因日本有史以來從未有過這麼高息。

你的版稅一年內不會有很多，因舊版已差不多賣完，而新版《張愛玲全集》等於是陸續出版，因為即使一起出現，也不會有人買全集，所以只能慢慢來。好在美金已見了低價，一時不會再跌，今年可能有個小型的復蘇，即使略為有點收入，或匯給你美金，數目不大，不會有麻煩，或者再添購一些JPY，因為日本究竟是全世界最有錢的國家，今年的GNP增加雖為有史以來最低，但仍強於其餘各國。日本最大的問題是石油，完全依賴中東， 目前中東局勢轉穩，油價不會大漲，前途沒有問題。

以你自己手中的積蓄，加上三種外幣，夠你吃的了。

March 14/1991

張愛玲致鄺文美、宋淇，一九九一年四月十四日

Mae & Stephen，

我收到你們二月四日、六日的信已經非常高興了。正要回信，因為要去看UCLA眼科，左眼視力模糊，想等見到了醫生，知道是怎麼回事再寫信，所以躭擱下來，倒又收到三月十四的信。眼睛不過是degenerating near-sightedness〔衰退化近視〕，不會變太壞，才放心了。Stephen剛好點還又替我理財，我實在真過意不去。積蓄有那麼多，我看了兩三遍還不大相信。Mae胃癌就快好了，我知道進境多麼難，真高興到極點。竟會不約而同想到從前的瑣事——我常常無故想起我們有些極不相干的對白，例如我抱怨買了雨衣雨靴倒又不下雨了，Mae沒說什麼，有點不以為然的神情；還有我說常看見廣告上有像她的人，有一次拿給她看，（一個英文雜誌上）她看了說我總揀比她漂亮些的。我想說又沒說：那是我的Pygmalion complex[85]，所以在我心目中已經加工了。我永遠有許多小難題與自以為驚險懸疑而其實客觀地看來很乏味的事，剛發生就已經在腦子裏告訴Mae，只有她不介意聽。別人即使願意聽我也不願意說，因為不願顯得silly〔傻氣〕或嘮叨。《公教報》上的評《秧歌》實在gratifying〔讓人高興〕。這樣非商業性的報紙會這樣好！對張學良我久已失去興趣，認為他是個limousine liberal〔有錢的開明人士〕，覺得irritating——純粹我個人的偏見。寫了信給陳爍華〔陳皪華〕，也收到回信。上次蕭錦綿轉來的KD信上有他們的電話號碼，我就打電話去，跟他與我姑姑都談了半天。原來從廣州寄給我的三封信全都退了回去，並沒寄丟了。我只收到過一封掛號信通知單，過期去取，已經退還。想必三封都是掛號的。我再寫信去，又曾經在電話上請他給我寫信只要一兩句的便條就行了，他也迄未回信。他並沒生過病，似是季季訛傳。〈扒灰養小叔子〉我只看到下半，《聯合報》時有重覆的，想必剛巧漏掉一天，上一天或下一天的寄了雙份來。曲高

85. Pygmalion complex：畢馬龍情結。希臘神話中，畢馬龍對現實世界的女性沒有興趣，反而愛上了自己用象牙雕出來的女雕像，最後感動了愛神，雕像變成真人。這裡張愛玲是說，鄺文美被她的想像美化了。

和寡慣了，轟動一下是真是個good feeling。年青的讀者即使對《紅樓夢》還有點興趣，也給一部部壞《紅樓夢》影片與電視劇看倒了胃口。（《悲情城市》、《黃土地》等片你們看過沒有？好不好？）我反正三句不離《紅樓夢》的前身。賈珍父子連親戚都是《風月寶鑑》中人物。賈薔成熟後疏遠賈珍，賈珍會生氣的。《鑑》中沒有省親，如有齡官這人物，戲班也不是供奉元妃的，只是家中養戲。小女伶雖然年紀還太小，賈珍也必視為禁臠。賈薔再疏遠賈珍，祭宗祠也不能不到，除非已死或遠走他鄉。光是疏遠賈珍不會闖大禍，總是已有齡官這人物，因而致死或同逃。同逃的happy ending unlikely，想必都死了。寫入《石頭記》，薔齡故事發展下去太傳奇化公式化，就沒用進去，以致於祭祖賈薔沒着落——書中一切漏洞與前後不符的來源。打發芳官藕官等時，似乎齡官也沒交代？不去查書了。《鑑》中可能秦氏也與賈薔有染。這都是我跟你們倆隨便瞎說的，不會寫出來。陳子善想必就是發掘出我畢業那年的《鳳藻》校刊的人。錢鍾書不喜歡人發表他的少作，我簡直感激他說這話。希望你們倆都又好多了。天一亮我就出去寄信。

Eileen 四月十四夜

張愛玲致鄺文美、宋淇，一九九一年五月二十七日

Mae & Stephen，

我上次因為耽擱太久，匆匆寫信來，關於張學良沒來得及細說。以前信上說過，我為了寫《少帥》，對張知道得較多之後，覺得他像一般二世主一樣，沒真正經過考驗，所以對自己沒信心，雖然外表看不出。東北易幟，固然是出於統一大義，而且獨力無望報父仇，也是他心深處寧願做他做慣的親信子姪，甚至於傳人——蔣夫婦極力敷衍籠絡他，他也就當真。當然蔣對他也確是有一種ambiguity。Dick McCarthy說蔣對張是真視如子姪。（我也認為囚禁他是勢不能放。）同時張也是受端納影響。端利用他為自己的政治資本，從coach〔訓練〕他（本想捧他為國際舞台明星）

升為蔣夫人的coach。張終於對蔣政府感到幻滅，憧憬延安。蔣是個intuitive politician〔有直覺的政治家〕，知道聯共抗日一定被吃掉。當時有些很能打仗的軍官都有恐共症。共軍是有一種mystique。假定沒有西安事變，能拖到日本對美戰敗，中國固然沒面子，不能算戰勝國。但是即使內戰持續下去，得能免受大躍進與文革浩劫，總結賬的盈虧也很難說。我無法從趙四的觀點去看張，又not knowledgeable enough to write it from any other viewpoint〔了解得不夠多，不能從任何其他觀點下筆〕，例如端納的。端晚年也失意，'45年淒涼地死在檀香山一個醫院裏，蔣夫人要接他去，他沒去。我最近不得不下結論殺蟲實驗失敗，費了九牛二虎之力也還是只極短期有效。一個月要買$200殺蟲劑，又太費時間，加上搽藥等例行公事，佔掉全部時間，寫東西都是偷空寫的。只好還是托林式同找房子。我所要的極小的apt.少到幾乎沒有，一時決找不到。找到了此地也要一個月前通知，走後還可以在這裏收一個月的信。認識房東，管理員不得不經心點，不會丟失。別處租房子要I.D.，所以又去移民局。這次直截地重新申請入籍，（免得問了又不得要領，又要改天再去排班）因而見到較負責的人員，說現在新設了個代查文件的部門，叫我填表請查'60入籍事。這兩天又忙着看牙齒。一個月刮磨一次，兩個月檢查一次，又還蛀了三個洞，在最難補的地方——過去做的工程太多。以前有water-pick〔沖牙機〕又好些。蟑螂多就不能用。皇冠編輯方麗婉經管我出全集的事，來信說以為寄丟了的照片沒丟。我當然非常高興。她舉出《對照記》文內十廿條質疑，連我引的我姑姑在照片背後寫的一小段，有二〇、三〇年代氣氛的「狠（很）」、「頑（玩）」等字都一一改正，又不識「煊」字。害我逐條解釋，簡短概括點就顯得brusque〔唐突〕；只要求全集內原稿部份（兩篇自序、《對照記》書中兩篇長文）讓我自校一遍，免得再要給她寫長信。段琪瑞她說是「祺瑞」，我本來也認為應當是「祺」，但是「琪」書刊上屢見。如果是「祺」，請告訴我。會計部托她問版稅以後是否直接寄給我，我請他們仍舊寄給Stephen。在《聯副》上看到〈紅樓札記〉。書中年齡是真太要緊了。其實主題就是在那社會制度下，提早而仍極短暫的青春。本身是個悲劇，比寶黛故事還更重要。〈汪恰洋烟〉考證得精確完整得駭人，這絕對是定論了。霍克斯說書中有些地方「渾不可解，」大部份已經都給Stephen解答了。兄弟姊妹間的禮節，我覺得華北華中倒都跟書中一樣，照歲數分尊卑，男尊女卑只限實權與活動範圍上。不知道江南是否不同些。書中像接旨一樣站起來聽傳話，想必是滿人禮節而不僅只是官派。素月跪捧臉盆也是滿俗，以及春雁不能被生母責打——漢人婢女根本不能與生母來往，只有此書的婢女兼賣斷與僱傭性質，才會有這局面。便中請把〈扒灰與養小叔子〉的〈上、（中？）〉影印一份給我，也許等我搬了家再寄來，以防萬一。惦記着你們倆可都在穩步復原。我上一封信問起兩張得獎的國片，也不想想你們哪會得空去看。連我自己都看慣了電視，舒服便利慣了，即使《菊豆》在本地上演也不會去看。「髹漆」，一種發亮的漆，「髹」字下面似乎不是人字邊。希望你們不用費事查字典就可以告訴我。

Eileen 五月廿七

宋淇，一九九一年六月七日

Eileen：

四月十四日信收到，還沒作覆，五月廿七日信又來，如果再不寫信，怕你會擔心。這一陣除了原來的頑疾外，又多了些小毛小病，先是左上肺的支氣管擴張，曾咳過血，總是沒法斷根。那知一波未平，一波又起，上星期背脊生了帶狀疱疹（shingles），一直蔓延到腹部，痛苦難忍，坐立不安。又不敢用手去抓，幸而有了一種antivirus〔抗病毒〕的口服藥，服後可以穩定下來。大概至少還要十天才可以澄清。這種病不會使我發燒、咳嗽，但等於在不斷考驗我的耐心。好在我是老病號，經驗豐富，還可應付。

先解答兩個問題：

（一）段祺瑞——是祺不是琪——我查過《辭海》，有這麼一條，皇冠一定做過功夫，不會貿然改的。

（二）髹漆——髹字沒有錯，照《辭海》說根據《廣韻》，和綵字通。音亦讀Tsai，意亦指發亮。

方麗娟〔婉〕年紀較輕，可是很努力，很認真，也很聽話。皇冠是台灣最上軌道，企業化的出版商，用人選擇極精，陳皪華實在忙不過來，才將此事交給方，當然事先經過慎〔縝〕密考慮。她不懂「二十」「三十」年代用的字眼，主要為年齡學識所限。稍為忍耐一點，她會進步的。她最近來信就和一年前大不相同。

你說看了我的報單，自己也不信有如此多錢。主要是因你鴻福齊天，邵氏買了〈傾城之戀〉，拍成後賣座奇慘，自此以後自己不再拍片。〔……〕中央公司買了《怨女》，存心拍了去歐洲影展得獎，結果在影展期內上演的機會都輪不到，本來還想在香港上演，現在是休想了。另外一公司買了〈第一爐香〉，一看市面不行，不敢開拍，現在這公司倒閉了。你想拿了這五萬元美金版權費，再加上你的版稅，存外幣賺錢加上利息。怎麼會不多？最近西德馬克價錢不好，為東德所累，恐怕在中期內要大跌，我已替你在稍高時脫手換入了日¥，因為日¥對美金暫時雖然不如，但日本本身是世界最有錢國家，沒有理由讓最富的國家變窮！美金最近當紅得令，可能下半年起一反以前的疲態，成為天之驕子。所以你以後的版稅和美國的存款不必再留在香港。至少出了新全集以後，版稅短期內似乎不可能有大筆收入。

張學良的事你分析得很對，目前不值得寫，也找不到適合的角度。最近《聯合報》上的報導令我對他完全失去幻想，幸而表示不想去大陸，否則連這點晚節都不保。你信中所說關於蔣和中共對峙的情況不確。三十年代，蔣利用德國軍事顧問以陣地戰殲滅戰，消滅共軍精銳十分之九以上，只好輕車簡從逃竄，長征就是亡命的逃亡。到後來逃到延安為土共所容，勉強湊滿七、八千烏命〔合〕之眾。高崗就是土共的頭子。大功臣是周恩良〔來〕，說服張學良，遂有西安事變之舉，挽救了中共，斷送了KMT的江山。詳情可閱叛黨的張國燾的回憶錄。餘再談。

Stephen
June 7/91

宋淇，一九九一年六月八日

Eileen：

你的通訊方法令皇冠諸人急死了。前星期打長途電話來，說速寄給你幾封重要的信，到現在還沒有答覆，不知你近況如何？我只好對她們說，你現在的地址是從前住的地方，現已遷出，但始終沒有找到理想的居所，故仍用舊址為收信的地點，但有時一個月去一次或兩次，不一定會收到寄去的信並立刻作覆。據我所知，你身體甚好，不必擔心。她們才放心。其後，方麗婉來信云已收到你一封回信，另有信還未覆，想尚未取到。

今天又收到皇冠快捷寄來的致你5/7日信副本和《半生緣》、《赤地之戀》的封面樣板。原則上一定要你同意或提出意見，方可立即進行。因皇冠說你有幾冊書已斷檔，他們不想再重印舊版，目前打算趕印全集新版以應市。這是非常正確的推銷學。希望你如沒有去取信，速去辦理並給他們答覆。方麗婉備受壓力，而這是來自發行部和營業部，她是沒有辦法反抗的，否則她不會向我求援。你還有很多事，只有文美同我和你深交數十年才可猜度出你的意思，你不能希望皇冠方面也有此能力，恐怕你只好不嫌嚕囌，加以注解，免得躭延時日。祝好。

Stephen

1991年六月八日

宋淇，一九九一年七月一日

Eileen：

附上出版商來信副本[86]和翻譯版權費一百五十元一紙。原來的合同是我代你簽的，她們要求的我猜是〈阿小悲秋〉，兩人合編，其中之一是中國人，還不致於鬧笑話，要求也只不過譯成英文，我就代你答應了。想不到居然能出書還照付費用。她們這筆錢一定會向美國稅局報告，我想不如寄給你，存入你自己的戶口。報稅時可以一併聲明一下以示誠實。最近世界經濟大翻身，德國貨幣從最強變成最弱，全是一時慷慨，援東德弟兄以手，給拉到泥坑中去。好在我已替你在好價錢轉為日¥，相形之下，日¥對美金仍維持以前水準，但利息也在降低中，仍比美金高。

奇怪的是現在人人看好美金，因之也帶好港幣，可是二者的利息均太低，港幣的inflation rate〔通貨膨脹率〕又比美金高，做老百姓的很吃虧。美國自波斯灣一戰大勝後，國家、人民、貨幣好似脫胎換骨，成為最強國，那是蘇聯瓦解之賜，貨幣成為強勢，令人心中不無疑慮，預算赤字沒有減少，S & L之外幾家大銀行都朝不保夕。反正我手中現只有ECU，因為目前價低，但到了1992，EC成立，必取代European USD，到時和美金平分秋色，另外是日本¥，年年有盈餘，現在手中的外匯大概打破紀錄，超過700億美金以上。一部份是USD，和小部份CAD，因為美國和Canada有trade pact〔貿易協議〕，兄弟之邦，利息比美金高兩厘，暫時大概沒有問題。現在美、加正在和Mexico商談，將來聯成一體，建立北美市場，對抗EC堡壘，大家都在鈎心鬥角。

皇冠有信來，寄來幾篇有關你的報導，都是對你新作《對照記》的臆測，問我要不要更正。我還沒有回答，預備稍有空和精力時，寫一比較長的文章澄清所有的誤傳。即祝安好。

Stephen

1991 七月一日

86. 一九九一年五月一日Ann C. Carver、Sung-sheng Yvonne Chang致張愛玲書，說明收錄了"Shame, Amah!"短篇小說選：*Bamboo Shoots after the Rain: Contemporary Stories by Women Writers of Taiwan*已編輯完成。

宋淇，一九九一年七月六日

Eileen：

附上李開第來信（反面是悼文）和李開第給你的信、柯靈給你的信[87]，我最近支氣管舊病復發，又在咳血。實在沒有心情做這種事。你以後的習慣務必要改，自己的住址不告訴人，給人一個信箱，你自己也不常去開，叫別人如何同你聯絡。我在七月二日寄到你現在的住址Dr. Ann Carver和版權費$150支票一紙，也不知道你搬了沒有？

你的姑姑去世，得享高齡，病時非常痛苦，幸有李開第服侍她，得以善終，否則單身一人在上海，既老且病，日子真不好過，早就歸瑤池了。不管李開第信中所述真實性如何，看他對你姑姑至少有真心真意，雖然可能另有other motive〔心思〕——即你的著作的版權費。我個人的意見是安徽文藝社是正規的出版社，他們出的《傅雷譯文集》有精裝、平裝兩種，在國內是第一流的了。與其讓那些不三不四的小出版社雞零狗碎的盜印，不如委託安徽一家出全集算了。至於版稅沒有辦法，不可能結匯，只好存人民幣。上次瓊瑤回國，國家替她出面，收了一大筆版稅，她就在北京買了一所大四合院，給自己的親友居住。如沒有別的辦法，不如給李開第或你弟弟一小部份，至少他對你姑姑共過患難。這純是我個人的意見。一切由你自己決定，請雙方不要再來煩我，我精力不逮，管不了事。即祝好。

Stephen

1997〔1〕年七月六日

張愛玲致鄺文美、宋淇，一九九一年七月十二日

Mae & Stephen，

六月八日、七月一日信都收到。支票等月底存入銀行。KD來信說我姑姑已經去世。我前一向一直無緣無故低氣壓，也是一種預感。我這些天都在忙着搬家的事，此地的信箱鑰匙預備保留到下月十一日。不管對於《對照記》的揣測多麼不堪，我覺得不急於更正，也說不定倒引起好奇心，有助銷路。即使有害，我想也先擱着再說了。實在不希望Stephen還沒十分好全就去費事更正，我每次收到信已經是真是非常過意不去，很難受。你們倆可都好多了？搬定了再寫信來。

Eileen 七月十二

張愛玲致鄺文美、宋淇，一九九一年八月十三日

Mae & Stephen，

寄到Wilcox的信收到。（這兩天還亂糟糟的，一時又找不到了，查不出日期。）我寄新住址來的信想也已收到。此地是Westwood，但是仍舊算是洛杉磯城內。近UCLA。我本來不願擠到這吃香的大學區，但是沒蟑螂的貴的小apt.實在少——不貴就一定有。像上次我自己找的最合適的一處就有老鼠，因為房子較舊。此地沒蟑螂也還是要經常派人來噴射、薰，因為「只要有一個房客帶來的TV air vents〔電視通風口〕裏有蟲卵，就有了。」所以我傢俱冰箱TV全扔了。四年前半價買的

87. 一九九一年六月二十八日李開第致張愛玲書，報告上星期張茂淵病逝消息。且收到柯靈來信有關著作權事，希望可以得到張愛玲回覆。一九九一年六月二十九日李開第致宋淇書，附上給張愛玲的信、張茂淵訃聞、一九九一年六月二十一日柯靈來信和版權法全文剪報。

新冰箱容易壞，本來也已經出了毛病，不犯着再花錢去修。房租$825一月，租冰箱$25，伊朗人房東rug merchant〔地毯商人〕作風，租的冰箱破舊異常，不能用，結果還是另買了一隻。房子精潔，但是住的中國人多，隔壁就是兩個看似台灣來的研究生或科技researcher。大門口的名單上我怕有人認出我的名字，找了個藉口改為D. Phong，（越南人名）。郵差只憑apt.號碼，所以賬單都收到。來信寫本名化名都行。我避人並不是因為孤僻任性——還不至於這樣任性。實在是極力敷衍也會得罪人，至少給人印象不佳。近年來只有更退化。（但願寫作能力是the last to go.〔最後退化的〕）是為了保全這點財路。皇冠半年多以前寄來給我看的封面似是fax來的，直到最近才收到。我預備寫信告訴方麗婉，再強調只能寄普通空郵給我，我一定兩星期去開一次信箱，不致躭擱太久。現在住得更遠，不過巴士直達。我不想在附近另租信箱，暴露地區，萬一引起注意。上次住林式同的房子，他起先竟也守口如瓶沒告訴莊信正。這次我請他還是不要告訴他，因為志清問信正我的住址，信正不得不告訴他，這次我不想讓信正為難，所以連他也不告訴。現在就只有林夫婦跟你們倆知道。我給KD信上已經告訴他要搬家，以後還是用我的信箱通訊較放心。我以前信上痛陳不要他找你們的原因，他八九十歲的人固執，拿他沒辦法。我這就再寫信去，他再給你們寫信，絕對有充份的理由不回信，也不必特為來信告訴我。大陸版稅也只好這樣處置。等收到KD回音我再去信叫我弟弟跟他聯絡。Stephen還咳血，真使人心焦。當然不宜再管我業務上的事，除了理財，但是收到版稅也請就只存在銀行裏，等你們自己要買外幣再順便買，擱多久都沒關係，反正總比存在加州S & L好。

我每次搬家都要丟掉點要緊東西，因為太累了沒腦子。這次是寫了一半的長文，怕壓皺了包在原封未啟的一條新被單一起，被小搬場公司的人偷新貨品一併拿走了，連同住址簿。只好憑記憶再寫出來，反正本來要改。《對照記》一文作為自傳性文字太浮淺。我是竹節運，幼年四年一期，全憑我母親的去來分界。四期後又有五年的一期，期末港戰歸來與我姑姑團聚作結。幾度小團圓，我想正在寫的這篇長文與書名就都叫《小團圓》。全書原名《對照記》我一直覺得uneasy〔拘束〕，仿佛不夠生意眼。這裏寫我母親比較soft-focus〔委婉〕。我想她rather this than be forgotten〔與其被遺忘，寧可如此〕。她自己也一直想寫她的生平。這篇東西仍舊用〈愛憎表〉的格局，輕鬆的散文體裁，剪裁較易。還有關於張學良，兵諫在古代可能行得通，因為世襲的君主地位穩固，不像現代的強人的image經不起重大打擊。蔣被脅迫抗日？造成張的民族英雄形象？稍有常識的人都知道絕對不行。當然張是自恃親同叔姪的特殊關係。使我想起天安門事件時NBC John Chancellor報導：「有些當權的高幹子弟打電話回家說：『今天我要出去。』指到天安門去。當天軍警就按兵不動。」最後還是出了事，同是錯估了自己的特權。（當然他們本人也仍舊能免禍。）我也知道三〇年間國共軍力懸殊，蔣想乘勝殲滅逃到陝北的共黨，輿論一致覺得他輕重倒置，堅持先安內再攘外。我說的恐共症是汪政府的一個有點實力的中上級軍官熊劍東（？），本來也是國軍，有對日、共作戰經驗，獨怕共軍。是否有代表性就不知道了。還有個不相干的事我一直覺得奇怪：我港戰後乘日本商船回上海，船上有日本兵；蔣經國在溫州上船，到寧波前一個小城登岸。乘客（普通上海人）也不驚異，都笑說「皇太子來了！」雖說蔣一直在與日秘密議和，怎麼這麼公開？移民局來信說查出有我的file，但是找不到，還在找。等Stephen好了再給我寫信。Mae這一向一定又忙累，此外可好多了？

Eileen 八月十三

張愛玲致鄺文美、宋淇，一九九一年八月二十一日

Mae & Stephen，

我搬家後的信想已收到。今天忽然想起來，此地的存款還剩一萬多，（皮膚病的藥一直是一項大開銷，二三百一月；醫療保險我還捺着拖着沒保）收匯款要勻開來，不要等到快用光了，數目大點萬一會引起注意。這一期的版稅如果還沒買外幣就請寄給我，不要附信，寫信又勞神使我不安。如果已經買了就請等下一期的，明年再寄給我——不等錢用。今天剛巧要到郵局附近，順便寄信快得多，所以趕寫這張便條。匆匆祝你們倆都見好了。

Eileen 八月廿一

宋淇，一九九一年八月三十一日

Eileen：

收到八月十三日長函，未及作覆，又收到八月廿一日航簡，所詢版稅事，正好收到皇冠寄來本年度上半年的結單和版稅支票，原想順便詢問你打算如何處理，現你既有需要，而且為數也不多，再巧也沒有，現一併寄上。

（一）附上結單，可以看出來皇冠正在出清舊版的存貨，所以很多書不再添印新版，《小說集》新版每次也只印1000冊，只有《續集》存書最多，其實只是再版，大概書名不夠吸引，內容也只有〈五四遺事〉一篇小說，讀者就縮手了。總之，這次總收入為3000加2791，6000不到，比平時少了約三分之一或以上，但不足為憑，因為正是舊版已盡，新版未出的過渡時期。究竟如何，有待新版豪華版全集出書之後。支票兩紙根本是你的名字，我已影印存底，但請務必不要遺失。結單影印本附上，原件我已代簽寄回皇冠，免得來回躭誤時日。

（二）近幾月來，自美國gulf war〔波斯灣戰爭〕大勝，美金又吃香起來，蘇聯動亂，大家認為美國是safe haven，購入美金的人很多，可是美國的經濟情形並不像政府所說那麼好，所以又跌回不少，上落出入很大，但無論如何美金已走出谷底，何況德國面對蘇聯的多事之秋，歐洲整體都受影響。我原想問你如何處理，因存美金利息太低，只有5又1／2%，連日圓的7%都不如，ECU仍有9%。你現在既需錢用，身邊多個幾千元無所謂，外幣的黃金時代已過，不景氣即將來臨，很難保全手中的一點積蓄。我已拿你名下的德國馬克換成日圓，因為西德獨力應付東德已經很困難，如果蘇聯內戰，數以百萬計的難民游向東歐，德國怎麼應付？日本與歐、美都無地理政治上的沾連，可以憑財政surplus獨善其身。所以我已將你名下的馬克掃數易為日圓，還沒有時間細算。總之，你現在名下只有ECU和日圓，同我們一樣，這是我認為目前最安全的保值方法。

（三）你居然搬了家，這是你早應該做的。這些年來你一直在作繭自縛，為了省錢，租一些便宜的公寓棲身，這種公寓必有問題，你為了蟑螂花了多少woman-hour，金錢，自己用殺蟲藥，不見功效，找殺蟲公司，但也只能治標，不能治本。搬一家公寓吧，一票貨色，搬家費，傢私費，結果非但省不了錢，反而可能比現在那樣還要多。我在這裡告訴你一個大略的數字，你名下的ECU有58000餘元，大約合美金70000元，你名下的日圓我這陣忙，沒有細算，大概有520萬左右，約38000美金。照目前的低利率計，每年利息應在8000以上。希望暫時連本帶利roll on，皇冠如果繼續有版稅來，不妨用掉它。這筆錢至少可使你五至十年之內衣食無憂。你既沒有應酬，現在又不見客，連衣服都不必添，以你這種習慣和胃口，吃又不成為開門七件事的總和，除了房租、電話、水、電等外，沒有什麼開支。

（四）住的問題解決，我告訴了你最近財政狀況，應該使你心理輕鬆不少，不必為了殺蟲的事再浪費時間，大可乘現在把心中醞釀多時已久的短篇小說寫出來，還可有幾年風光。說老實話，你的作品自1976《張看》以來，《惘然記》、《海上花》、《續集》、《餘韻》都是利用出土的舊作，拼湊而成，那時後來你正為「捫虱」弄得走頭〔投〕無路，如果再不振作一番，就此萎謝，not with a bang, but with a whimper〔不是砰的一聲而是噓的一下〕[88]，太可惜了。你並沒有「江孃才盡」，現在正是重振你說故事的人的地位的良機。你的《小說集》是「王牌」，但《秧歌》、《赤地》、《半生緣》銷售都上佳，因為是fiction，《私語》是第一本散文集，銷路也不錯。《張看》已經很勉強，其餘更自檜以下，《續集》又拿〈五四遺事〉（先見《惘然集〔記〕》）重登一遍，真是急形急狀之至，無怪讀者都避之若浼了。《海上花》是花了不少心血的，這本書可惜只有少數人能欣賞。嚴格說起來，最後幾本書完全仗你前作的餘威，不應該出，但總不能一片空白。《對照集〔記〕》可能吸引一部份「看張」的人，但又是旁門左道，不像成大器的樣子。原則是只要是小說，而且帶點老派的講情節的故事。你的散文近年來也只有〈談吃〉是力作，放在《續集》中也起不了作用。其實，中西文壇沒有人是以寫散文傳世的，有之，則要到英國十九世紀和晚明小品作家中去找了。台、港的紅作家以女性居多，都是寫情節小說的。我從來不看，但小市民都爭着看，有

88. 出自T.S. 艾略特詩作〈The Hollow Man〉（空心人）最後一句：「not with a bang, but with a whimper.」

什麼話可說。

（五）有一位法國人將《秧歌》譯成法文，和我通訊一年有餘，到現在找不到一家願出此書的出版商，最後只好在一本文藝半年刊上連載。我起先不贊成，他說這本刊物銷路不廣，但有地位，登了之後，可能引起出版商的興趣，其次，登完後，設法到台灣的基金會去請求補助，大有成功可能。這種事我不來煩你，就擅自作主了。

（六）另外有一人將〈金鎖記〉譯成德文，皇冠轉過來他的信，我實在沒時間應付，就請皇冠自己去答覆，皇冠的覆信是照國際通行規則，多少本抽多少，超過一萬本如何，五萬本如何，十萬本又如何，我看得只好笑。你的《秧歌》英文版，書評如此之好，Scribner's還是不肯印第二版。我想你現在的作品志在揚名，如法、德能出版，求之不得，版稅弄不好了，斤斤較量何苦來？

（七）皇冠新版全集事，十八冊，其中三冊是譯文，那知道美新處授權一台灣出版商，已出了書，版權有糾紛，又弄到我頭上來。此事照情理美新處太自說自話，但勢成騎虎，我年老力衰，不能全力對付，想雙方都出算了，譯文沒有人買來看的，對方無非利用你的名字，而全集不包括自己的譯作似缺一隻角。我想照此原則去做，我可以寫信給Dick McCarthy，他又回USIA，但寫信太傷神，家中也沒有打字機，何況對方已出書，不能叫他收回，因為他是拿到授權的，可以反控美新處。這些事我已嫌煩，你更不要分心。只要好好寫幾篇小說出來，就算是莫大的報酬了。皇冠在等你《對照記》的補寫，不知已寄去否，這是當務之急。

（八）張學良已自由，去了美國，有人勸他寫回憶錄，據說他經考慮後，不打算寫了。你信中講了不少關於他的話，我想我們應該write him off〔把他一筆勾消〕，做正事要緊。

我身體好好壞壞，耳漸聾，記憶退化，人老化得很快。無可奈何的事。即祝安好。

Stephen

1991年八月三十一日

張愛玲致鄺文美、宋淇，一九九一年十月九日

Mae & Stephen，

我收到信說查出我曾經入籍，這就去申請補領遺失的入籍證。雖然還要很久才拿到，明年一過了新年（限一月至三月）就可以去買Medicare，解決了醫院保險問題，免得有病醫院拒收。從Wilcox信箱取回的報上發現一隻螞蟻，嚇得我趕緊換地方。附近郵局沒信箱出租。比華利山有些老房子鬧老鼠，郵局也是個小老房子，希望沒蟲。地址是：

〔……〕

報紙全扔了，Stephen關於鳳姐的一篇文章只恍惚看到題目。今天剛看到積壓未拆的舊報上彩明那篇。一直只看了脂批，忽略了45回的「彩哥兒，」以為是作者疏忽沒提是男是女。原來是寫作技巧。Stephen真是作者的知己。等有便的時候請把鳳姐那篇影印一份給我。希望你們倆都好多了。

Eileen 十月九日

〔此頁附有宋淇筆跡如下：〕

Aus. Oct 24/91

(1) 不應因螞蟻驚慌，非害蟲，常見

(2) 收到新全集

(3) 港版改出袋型圖書，讀者讀書和買書習慣讀後棄置，不再藏書

(4) 附《明報》廣告

(5) 寫紅，問護花主人事

(6) 勸她續寫短篇小說

宋淇，一九九一年十月二十三日

Eileen：

十月九日航簡收到。郵箱中發現一隻螞蟻，不值得大驚小怪，何必為此去換通訊地址，你又得重新寫信通知各必需來往親友。螞蟻不是害蟲，我們家中我的書桌，餐桌，廚房間的櫃台上每日都有。一不小心，有食物粒屑更成群結隊而來，但與白蟻、蟑螂等性質不同。凡有建築物，尤其舊樓，凡有人居的地方一定會有螞蟻。下次不可再如此驚慌，焉知新郵箱沒有螞蟻？

皇冠寄來張愛玲新全集兩套，每套已出版者十二冊，因身體不好和提不起精神來，尚未作書致謝。想你亦已收到。皇冠在香港有分公司，負責人麥君，年輕能幹，前曾為《對照集〔記〕》事來我家商談。他本來打算出新全集時登全頁廣告，打破香港出版界傳統。其後他告訴我行不通，因為經他調查香港人的讀書和買書習慣最近幾年來大為改變。因為地價漲、樓價漲而人口增加，唯一辦法就是縮小面積，公寓只有400餘方呎者比比皆是，700方呎是標準中上水準，1000呎則是豪華型了。所以市民根本沒有放置書籍的空間，因之也放棄了藏書的習慣。一般市民都習於看袋型書籍（多半是傳奇小說），看完後便借給親友，或逕自棄掉，價錢同看一場首輪電影差不多。新全集的開本太大，恐不適合小市民的習慣，放在書店裡，銷路有限。現在最流行的是袋型書籍：「博益」（後台是ＴＶＢ）、「明窗」（後台是《明報》），借電視週刊和《明報》之力，打入報攤，較大的報攤當作雜誌賣，可以推廣發行和銷售網。皇冠也走這條路線，現在第一批是瓊瑤五冊，張愛玲五冊，然而一時還打不進報攤，屈臣氏有chain，地鐵站的電視服務站也等於是chain。且看成績如何，看他們是煞費苦心的了。附上《明報》的廣告一紙，地位在左下角，很搶眼，篇幅介於1/4和1/8 page之間。

你怎麼會只看到〈彩明〉一篇？我前後寫了約八、九篇，等文美有暇順便影印後寄上。我現在只重複讀原作和脂評，對別人的理論和主張一概忘得乾乾淨淨，自覺頗有新發現。尤其〈爬灰和小叔子〉那篇，友人看了說如讀好的偵探小說。最近剛寫完論襲人一長文：〈為解語花洗冤〉，記得你曾說過「護花主人」是站在花襲人一邊的，後來未見提起，我手中沒有王希廉的評本，一粟所引的批僅說他署名雙清仙館。不知你有沒有辦法告訴我內中情況。如果他確有此號，可以說是清末文人的例外了。這篇文字還要抄寫，之後就可以發表〈怡紅院四大丫環〉了，文已寫就和抄好。再下一步就是〈論情榜〉。最後看我的體力如何，能不能完成其餘幾篇：（一）敘事觀點；（二）論探春；（三）象徵（？）手法等有大綱或有notes的幾篇。〈情榜〉本身可以成書。〈解語花〉寫畢刊出之後，可以出第一冊論文集，第二冊論文集只好靠天打卦了。

你說心中有不少故事，為什麼不寫出來？你看廣告五冊全是小說，讀者始終停留在情節階段。這是事實，我前信已說得很詳細，盼你在新居安定下來之後好好寫幾篇出色的短篇小說來以慰讀者的期望。祝安好。

Stephen
Oct. 23 1991

張愛玲致鄺文美、宋淇，一九九一年十二月七日

Mae & Stephen，

信收到。我因為給ＫＤ大陸版權power of attorney，他的律師朋友說需要notarized，所以去找notary public，不料認為我證件不足，要我先去領加州I.D.，比較快。我想到明年開春申請買Medicare，雖然不會有問題，萬一有差池，錯過了每年一月至三月買Medicare的期限，就又要等一年。不如還是馬上去申請加州I.D.。去了，明年二月拿得到。接連兩天奔走，就又「寒火伏住了，」感冒快一個月，六年來沒發得這麼厲害過。今天剛好，匆匆寫張便條來，過天再寫信了。希望你們倆都好多了。

Eileen 十二月七日

鄺文美，一九九二年一月二十三日

愛玲：

聽說你一再患病，非常掛念，有許多話想說，但自顧不暇，好像只有半個人活着，無從落筆。現在寄上照片一幀，代替千言萬語向摯友聊表心意，並祝平安。

美草於

1992年1月23日

Eileen：

十二月七日航簡，一月九日信附日譯者介紹均收到。你信中說出去辦領證手續，回家即病，那是你抵抗力低，難以應付氣溫的改變，好在你平時力行節食，如《紅樓夢》所說，丫鬟們生病，賈府有一條秘訣，就是「餓」，所以不會生大病，所以你休息五七天就會痊癒。以你的生活習慣而言，到了這歲數，也不必更改，過正常人的生活。這樣對付下去算了。

我患上了充血性心肌衰竭，再加上支氣管擴張，每日按時服藥，過的是程序式日子。最麻煩就是打噴嚏，我盡力設防，帶〔戴〕口罩出入房間，洗手間裝了紅外線暖爐，可是一連進出幾次之後，就會大打其嚏，把支氣管處結好疤的微血管又再度震裂，咳出小口血來，雖無大礙，可是揮之不去，不勝其煩。我知道這是在考驗我的耐心和自律，但有時情緒受影響是免不了的，不免懶於寫信。除了看看報刊和電視的新聞外，足不出戶，天大的事都由文美一人內外兼顧。

你絕對不可以回去。很簡單，以你的桂花身體，即使住五星旅館或許能解決洗澡問題，可是大陸的五星旅館價錢比同招牌的紐約、巴黎旅館還貴。其次，你現在的書已在大陸出版了，不再是少數高知份子私下傳說的作家，而成為名作家，來訪的親友、客人、慕名而來的讀者、官方媒介的記者川流不息來見你，到時身不由己，你又不能拒見。K.D.當然bask in the glory〔享受各方關注〕，得其所哉。你不要自己〔以〕為有了美國護照就是美國人，他們還是認為你是中國人。

MR. & MRS. STEPHEN C. SOONG
3B, HILLVIEW APARTMENTS,
46 KADOORIE AVENUE,
KOWLOON, HONG KONG.

愛玲：

聽說你一再患病，非常掛念，有許多話想說，但自顧不暇，好像祇有半個人活着，無從落筆。現在寄上照片一幀，代替千言萬語向摯友聊表心意，並祝

平安。

美華於

1992年1月23日

宋淇與宋鄺文美，攝於一九九一年十一月十七日。

〔……〕《秧歌》和《赤地之戀》兩書可以不提，何況在他們看來講的都是第一個十年的事，與present regime〔現在的政權〕無關。你現在這樣隱居最好，在他們看來，你已沒有什麼作用，台灣出全集，還是舊作，所以並不妨礙他們，也沒有積極爭取你的必要。K.D.有他的想法，能persuade你回去，對他是好事，在他們看來，送上口來的肥肉，卻之不恭。不必同他多說，下次他再提，不必答覆，單憑你的生病能耐和生活習慣，不可能回去住。冬天那裡來的水汀房子，都生煤球爐子，連煤塊都沒有。我祖父和母親死後，我們兄弟二人絕不回去分遺產，捐掉算數，為數不小，他們還假惺惺一陣，不肯接受，結果還是受了。

關於日譯本的事，前天我讓文美寄了一冊日譯本給你，平郵沒有掛號，其中有你的作品五篇（大概都是《傳奇》中的）、楊絳兩篇，大概是我經手的。我懶得去翻舊file。再加上你信中所說的那本，不妨告訴柯靈暫緩，日本市場何必要容納三冊？譯成英、法文可以考慮，至少Nobel諸公只看英、法文，不會看日文的，日本的川端也得譯成英文。在柯靈前千萬不可提我的名字。等到收到我們寄的那冊再說，不過我看此人（池上貞子）（柯靈推薦的）從沒有譯過書，而翻譯不比創作，要是沒有經驗還真是不行，索性加以婉卻也無不可。

大陸沒有版稅，只有稿費，如果銷路好，很多外國作家都吵着要，實在沒辦法，改一個名稱，補加稿費。版稅是資本主義社會的想法，只有國家可以剝削作家，怎麼能讓作家剝削國家？K.D.不肯接受和你弟弟平分稿費極有他的道理，一則二人輩份不同，二則大陸人窮志短，為了錢什麼都做得出來，他分了一半去，名不正而言不順，將來說不定有後患。稿費或版稅將來可以匯出國，此生休想，給弟弟的信免寫為上。你的想法很對，另外給姑丈一筆錢，是最好的辦法，算是你酬謝他多年照顧姑姑之勞。可是錢也不必多，因為他有養老金、福利金，可能還有點積蓄，他又沒有嗜好，不會有應酬，不買來路貨，生活無憂。此外，大陸患眼紅症的人特多，多匯了錢去，反而引起李家小輩（應該有人）動他腦筋，可能反而害了他。你匯款時一定要申明這只表示一點心意，因另無他途，以後只要他有需要，當你真為自己人，告訴你一聲便可，立刻再匯，至少可令他安心。如此則面面俱到。

附上支票一紙，是我們私人戶口，共$115元，其中$75乃正中書局轉載費，見《女人》一書，轉載的是〈談女人〉一文；$40見《愛情》一書，轉載的是〈愛〉一文；編輯是鄭明娳、林耀〔燿〕德。$40他們寄來新台幣大鈔1000元一紙，香港的銀行不做台幣生意，特為此小事去尖沙咀兌換店犯不着，而且一定給殺價，所以我暫時留下來，以後有便人帶去台灣派用場。既然給到你錢，不如一次結清算數。$40我去年有信給你提及此事，懶得翻舊檔案。《女人》寄來兩冊，其中一冊已平郵寄上。算算日子，你下一次版稅很快應寄來，此次正值新舊交替，可能書種不全，以致影響到收入，很難逆料。希望比上次好一點。

你要錢用，暫時照你的信中辦法用到期的美金三月定期存款。香港美金定期三月的利息大概是4又1／8％—4又1／4％，比日¥還低1／2％，雖然日本為了討好美國最近拼命減息。你名下的ECU要到三月份才到期，年息是9.9375%，（最近已回落到9又1／2％），日¥是5.375%，也是三月到期，（最近只有4.6125），都比美金高。如前信所說，美金第一季不會好，完全是投機者搶高搶先，根本是false alarm，現已回落。日¥已漲到123=1美金，比前信時的129漲了5％，西德馬克背道而馳，因為蘇聯每天有內戰謠言，德國有東德問題，加以和蘇聯最近。不用說別的，單是以百萬計的難民潮向德國一湧，即可令德國手足無措。所以我已經減少馬克到一小筆，好在ECU中有百分之二十左右，而利息之高僅次於英鎊1／4％。日¥到期後，我還想不出別的出路來，不少經濟學專家看好美國經濟和美金，我沒那麼樂觀，美國以trillion〔兆〕計的國債不是開玩笑的，要到下半年美國真正復蘇才能算數。你的ECU一共有八萬左右（上次信中忘了提恒生那一筆），每一ECU等於1.29美金，已經超過十萬美金了，每年9.9375%利息，那裡去找？日¥仍沒有空算出來，總之，做對了。可以說一步沒有踏空，有人說我是外匯wizard〔巫師〕。匆匆即祝安好。

Stephen
Jan. 23/1992

宋淇，一九九二年二月十六日

Eileen：

這封信是根據你1991年七月十二日航簡給我的新地址。因此信附有支票，所以沒有寄P.O. Box，直寄家中，可以早點到你手上，不料竟遭退回，云attempted not known[89]，可能是你關照家中不收信。前幾天Mae將台灣寄來的書用平郵寄P.O. Box，另一解釋的信寄何處我已不記得了。請你說清楚，以後家中如不收信，那我只好不管性質如何，全部信件都寄P.O. Box，以免浪費時間精力。

1992、二月十三日

自醫院拍 scanning 後返家寫。

P.S. 我身體狀況俟心定後再寫。

另附《明報》2/16星日ad阮玲玉，Eileen四冊小說，瓊瑤四冊小說。

張愛玲致鄺文美、宋淇，一九九二年二月二十五日

Mae & Stephen，

為了托KD大陸版權的事，我到文具店買授權書表格，就順便買了張遺囑表格，能notarize（找公證人見證）就省得找律師了。以前一直因為沒證件不能立遺囑，有錢剩下就要充公。現代醫療太貴，如果久病，醫護費更是個無底洞。還有錢剩下的話，我想

（一）用在我的作品上，例如請高手譯，沒出版的出版，如關於林彪的一篇英文的，雖然早已明日黃花。（《小團圓》小說要銷毀。）這些我沒細想，過天再說了[90]。

（二）給你們倆買點東西留念。

即使有較多的錢剩下，也不想立基金會作紀念。林式同答應做executor（遺囑執行者）。他本來

是土木工程師，因為此地不景氣，要回大陸謀發展。他太太是日本人，不去，還住在這裏，他預備兩頭跑。Notary Public〔公證人〕說還要我親自拿到州政府去登記。打聽到登記文件處，去了又說只管合約等，遺囑要到一個法院登記。去了又說只能收下代保管，不需要登記。害我白跑了一天。寄來請你們代保存，我只留副本。KD本來叫我在授權書上添寫中文譯文，我告訴他notary public不讓加中文，如果法律上有問題，就請擱置，我不想為這些事去麻煩柯靈。他回信說律師說要我拿到中共大使館去簽證，如果我不去，那就擱置。我這就寫信去請他擱下這事。白忙一場，還給他寫了許多信。上次去開信箱，郵局把一張掛號信通知單夾在一大捆報紙裏。太重，解開檢視了更不好拿，所以回來才發現。單子上不寫來源地名。明天去寄這封掛號信順便領取，如果是你們寄版稅支票來，我就在信封背面添兩個字，免得在郵局封信常黏不牢，廉價信封膠水少。我這一向很好。你們倆可都好多了？

Eileen 二月廿五

莊信正寄剪報來。我覺得有照片的一本新書需要添點有份量的東西，就是怕人說「出寫真集」，水晶倒已經說了。

又及

89. Attempted—Not Known是信件被退回時所用的套語。

90. 過天沒再細說，此事亦不了了之。理由可能是大家身體不好及太忙，也可以根本沒有理由。他們通信數十年，有好幾次都是說「下次再講」而實際沒有下文的。例子有一九六七年十一月一日張愛玲致信宋淇：「而Ferd廿四日突然去世，詳情下次再講。」一九六八年六月廿六日張愛玲致信宋淇：「我一直想講給Mae聽在香港一個老同學代做旗袍的misadventures〔意外〕（她是做這生意的，我是為minidress〔連身短裙〕逼迫的），過天有精神再講。」兩次都沒有下文，也許可以說這是他們溝通的慣例。

LAST WILL AND TESTAMENT

I, EILEEN CHANG REYHER, a resident of 10911 ROCHESTER AV., AP. 206, LOS ANGELES, California, 90024

declare this to be my last Will and revoke all other Wills previously made by me:

FIRST: IN THE EVENT OF MY DEATH I BEQUEATH ALL MY POSSESSIONS TO STEPHEN C. & MAE SOONG (MR. & MRS. STEPHEN C. SOONG).

SECOND: I WISH TO BE CREMATED INSTANTLY — NO FUNERAL PARLOR — THE ASHES SCATTERED IN ANY DESOLATE SPOT, OVER A FAIRLY WIDE AREA IF ON LAND.

OFFICIAL SEAL
Andrea B. Martin
NOTARY PUBLIC CALIFORNIA
LOS ANGELES COUNTY
My Comm. Expires Oct 14, 1995

THIRD: I appoint MR. STONE LIN

as Executor of this Will.

This Will was signed by me on the 14th day of FEBRUARY, 1992, at 8929 WILSHIRE BLVD STE 210 BEVERLY HILLS, California. 90211

Eileen Chang Reyher

THE FOREGOING INSTRUMENT was, on the date thereof, signed by the test THE WITNESSES, in our presence, we being present at the same time, and she then declared to us that the said instrument was her last Will; and we, at the request of said EILEEN CHANG REYHER, and in her presence, and in the presence of each other, have signed the same as witnesses. We further declare that at the time of signing this will the said EILEEN CHANG REYHER appeared to be of sound and disposing mind and memory and not acting under duress, menace, fraud or the undue influence of any person whomsoever.

Andrée B. Martin, Signature of Witness, residing at 8929 WILSHIRE BLVD. BEVERLY HILLS CA 90211

Jeffrey S. Moore, Signature of Witness, residing at 8929 WILSHIRE BLVD. BEVERLY HILLS CA 90211

[signature], Signature of Witness, residing at 8929 WILSHIRE BLVD. BEVERLY HILLS CA 90211

WILLS—WOLCOTTS FORM 1670 (price class 3)
REVISED 12-43

This standard form covers most usual problems in the field indicated. Before you sign, read it, fill in all blanks, and make changes proper to your transaction. Consult a lawyer if you doubt the form's fitness for your purpose.

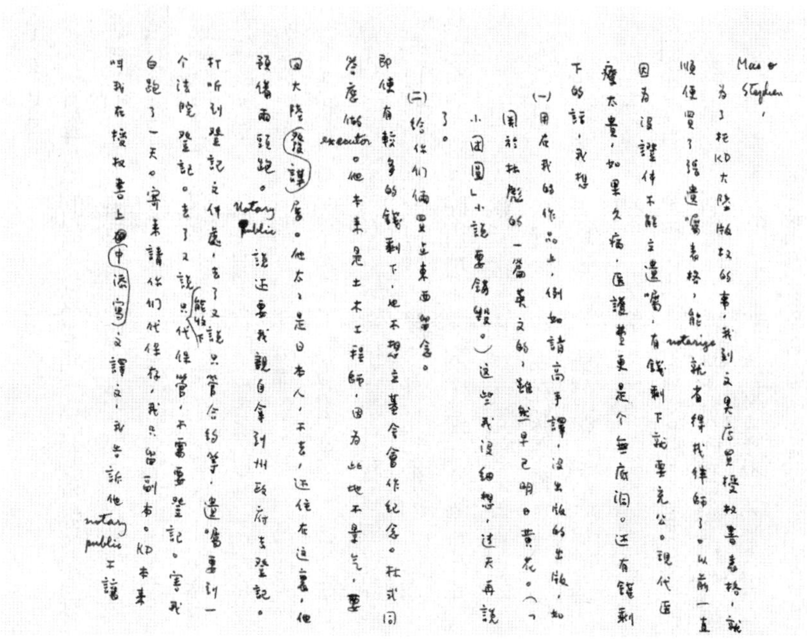

Mae & Stephen,

為了把KD大陸版權的事，我到文具店買授權書表格，就順便買了張遺囑表格，能notarize就省得找律師了。以前一直因為沒證件不能立遺囑，有錢剩下就要充公。現代醫療太貴，如果久病，醫護費更是個無底洞。還有錢剩下的話，我想

(一)用在我的作品上，例如請高手譯，沒出版的出版，如關於林彪的一篇英文的，雖然早已明日黃花。(「小團圓」小說要銷毀。)這些我沒細想，過天再說了。

(二)給你們倆買點東西留念。

即使有較多的錢剩下，也不想立基金會作紀念。杜式同意做executor。他本來是土木工程師，因為此地不景氣，要回大陸謀發展。他太太是日本人，不去，還住在這裏，他預備兩頭跑。Notary Public說還要我親自拿到州政府去登記。打聽到登記之件處，去了又說只管合約等，遺囑要到一個法院登記。去了又說只代保管（能收下），不需要登記。害我白跑了一天。寄來請你們代保存，我只留副本。KD本來叫我在授權書上中添寫文譯文，我告訴他notary public不認

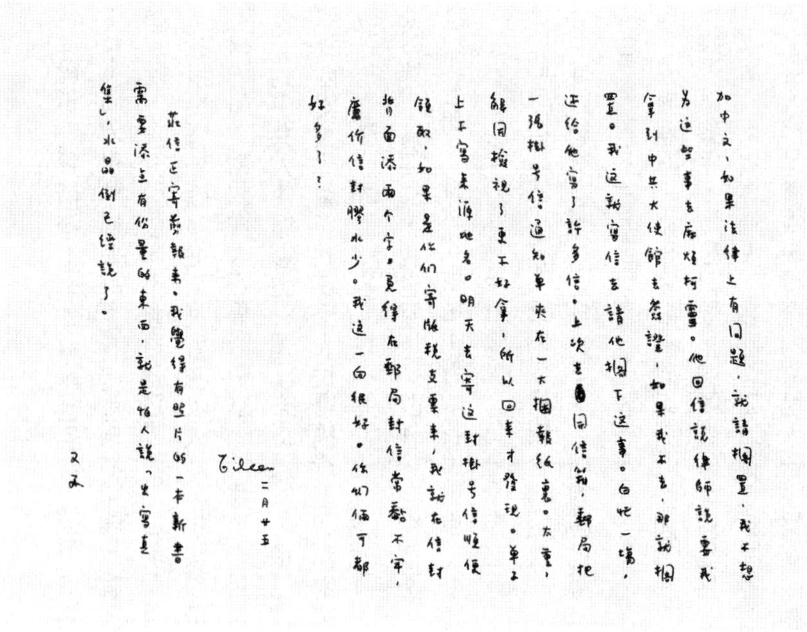

加中文，如果法律上有問題，就請擱置，我不想為這些事去麻煩柯靈。他回信說律師說要我拿到中共大使館去簽證，如果我不去，那就擱置。我這就寫信去請他擱下這事。白忙一場，還給他寫了許多信。上次去[illegible]同信箱，郵局把一張掛號信通知單夾在一大捆報紙裏。太重，搬回檢視了更不好拿，所以回來才發現。單子上不寫來源地名。明天去寄這封掛號信順便領取，如果是你們寄版稅支票來，我就在信封背面添兩個字。免得在郵局封信常黏不牢，廣告信封膠水少。我這一向很好。你們倆可都好多了？

Eileen

二月廿五

莊信正寄英報來。我覺得有照片的一本新書需要添上有份量的東西，就是怕人說「出寫真集」，水晶倒已經說了。

又及

張愛玲致鄺文美、宋淇，一九九二年三月十二日

Mae & Stephen，

一月廿三的信會被退回！越想替你們省點事越是費事！我信箱上名字雖是Phong，按月收到Reyher名下電力電話等賬單，與前兩三任房客的信。打電話去跟郵局理論，答說是偶然錯誤，說要關照郵差以後不管收信人是任何名字都投入我這信箱。聽上去靠得住，不會再有這事了。我前兩封信顯然又犯了說話不清楚的老毛病，造成誤會重重。我沒要賣外匯，從來沒考慮去大陸，也沒預備寄錢給K.D.。（他看了我的信也誤以為我要寄美金給我弟弟，勸我從大陸稿費中拿。）我上一封信說要寫信去請他擱置代理版權事，〔因為他說授權書要到中共大使館簽證〕還沒來得及寫，倒已經又收到他的信，歷述費了無數事之後，已經辦妥，收到西安製片廠一共二千人民幣稿費。我預備請他先扣除長途電話等等費用，再替我買個好點的禮物送一位幫忙做了許多事的「張迷」小姐，剩下的與以後如果再有錢可拿，都存在他名下備用。（他堅持不需要錢，我也堅持經改就一定物價漲，難免會有意外的用項。）內中撥一小筆款子由他交給我弟弟。當然我也用不着跟我弟弟說什麼將來如果有一天稿費能匯出國，還要收回自用的話。〔……〕這次收到皇冠版稅一萬一千多美元，存入Citicorp，較安全。（現在腦子實在壞，再三跟你們說過萬元以上的支票政府要查，這次一萬一，四張支票，竟忘了分存兩處。）現在這裏的錢至少可以夠用到明年二月底。下一期的版稅還是請代買外匯。明年二月再收到版稅就請寄給我。我是真覺得Stephen如果不是有別的talents分了心，絕對會成為大富豪，豈止外匯wizard。Mae從前說Stephen善於理財，完全客觀。前兩天大概因為在寫過去的事勾起回憶，又在腦子裏向Mae解釋些事，（隔了這些年，還是只要是腦子裏的大段獨白，永遠是對Mae說的。以前也從來沒第二個人可告訴。我姑姑說我事無大小都不必要地secretive〔遮遮掩掩〕。）倒就收到Mae的信。你們這張照片真自然，兩人都是歷險後重聚的喜悅中帶點驚喜的神情，非常感動人，又都還是從前那樣，連Mae那件襯衫都瀟灑宜人。知道Stephen咯血的原因就又放心了。不過實在麻煩，時刻要防打噴嚏真磨人。收到信就不要回信了，有事頂多寫個便條。Virus

是細菌？流行傳染病？Computer virus如果不直譯就失去這名詞的意味。怎樣譯？這也不忙，以後等有便再告訴我。池上貞子我也看她沒譯著。過天寫信給ＫＤ就說日譯暫緩。有過日譯本的是USIA的《秧歌》。戴天是誰的筆名？再也想不起跟誰「通過許多信，」除了鄭緒雷，還有瘂弦編《幼獅》的時候為了轉載的稿費折貨品事寫過幾封信。$115支票等月底去銀行再存入。附寄來的照片是為了補領入籍證拍的。匆匆祝

安好

Eileen 三月十一

張愛玲致鄺文美、宋淇，一九九二年三月十三日

Mae & Stephen，

昨天的信剛寄出，要寫信給ＫＤ，先打聽一下二千人民幣是多少美元。才$74！不禁失笑。還要派那麼許多用場！先趕寄這張航簡來，萬一又要你們費事寫信告訴我，免得我鬧笑話。仿彿Stephen信上提起過戴天。上次剪報上有他的一篇。跟我「通過許多信」？除了鄭緒雷，只有瘂弦編《幼獅》的時候，為了轉載的稿費以貨品代，（不能匯錢出國）函札往返好幾次。我也要多隔些時再寫信來了，要去寫東西，拖得太久了。匆匆祝

安好

Eileen 三月十三

宋淇，一九九二年四月三日

Eileen：

連接二月廿五、（有附件）三月十二、（有照片）長信，三月十三日航簡。一直無法提起精神來作覆，身體總是說不出來的不舒服，可能一小半是清明時節的陰雨天氣，另外則是服的利尿劑不能發揮作用，以致手、腳指尖端腫痛。昨天總算去看了醫生，他認為情形不算太嚴重，有此傾向不足為異，因人老了，退化了，心肺功能打了折扣。不必去花錢作檢查，查出來結果如是positive〔呈陽性反應〕，又不能返老還童？經過醫生的開導和自己看一遍醫書，現在先從生活習慣、飲食上採取補救之方。心倒反而定了。

來信中所提皇冠版稅事，你已收到上一期版稅，令我放心不少。這是我要求他們這樣做的，免得我們跑銀行和郵局。信中說下次版稅寄給我時要我代買外匯，必須立刻說清楚。第一，版稅不會再寄給我，以後繼續直接寄給你。第二，港幣同美金掛鈎（pegged to US$），而這一陣美金是外匯中的天之驕子，日圓和德國馬克都對美金最近跌去10%以上，而且日本房地產和股票跌見新低價，德國入不敷出，背上了東德的包袱，而且還要做歐洲的火車頭，去挽救舊蘇聯，下半年一定會有赤字。連ECU都靠不住，因為ECU主要靠德國馬克和英鎊（佔45%），英鎊最近大告不妙，工黨如上台，不堪設想。美金的問題是利息太低，最近稍回升，好在國內inflation rate也低，國民收入少，但生活尚可應付，不比港幣利息隨美金而低，inflation rate卻是兩位元數字，市民都叫苦連天。美金最近對外幣稍回跌，因為漲得太多，而且一連串失業、就業數字表示目前尚未脫離不景狀態。但以整體而論，今年下半年或可與日圓、德國馬克易地而處，世界資訊流傳廣而靈通，看好美金的人都在偷跑，（jump the gun），乘先入貨，把美金搶高了。

我對美金始終有一點保留，因為多年來和蘇聯在軍備上競爭，花錢太多，結果蘇聯垮掉，美國國債也成為天文數字。我們中國人說某人是敗家子，意思是他將祖、父二代的遺產揮霍掉了，可是美國進一步將子、孫二代的錢也加以預支，以致每年發行的公債僅足以付國債的利息。現在蘇聯已非敵手，反需要美國救濟，可是美國為維持世界霸主地位，軍備只能逐漸減少，當然地大物博，也許到了2100或2200年可以過較豐裕的日子，現在卻還得左支右拙〔絀〕，內外應付為難。所謂復蘇，只是mild recovery at best。

目前我苦心想出來的一個過渡時期的辦法，就是暫時買入澳洲元（ＡＵＤ），前幾年因利息高也熱門過一陣，因為和美金多少有點聯繫，而地大、物博、人口少、不是工業大國，但是這一陣inflation rate低、deficit減少，並不依賴某一大國，因為各國都要向她買原料（礦產、農作物、羊毛etc.）。最近Keating以財長身份上台做總理，有他的一套，專家們都認為澳洲可以在穩定中向好，所以澳幣比英鎊、加元、美金都可靠。我已將手中外幣定期存款到期後，陸續兌換成澳幣，年息是6.875%到7.00%左右。澳幣對美金的價格是一元ＡＵＤ等於USD0.76—0.77，（年初在0.80以上，其後最低跌至0.73，Keating上台取代Hawke（霍克）後，即在0.76—0.77左右站穩），最近因經濟情形轉好，可能減息，對美金可能會稍跌，可是美國最近又減了３／４%息，跌到４%以下，澳洲如果能保有６又１／２%息或以上，要比美金好多了。

另有一個好消息。我曾將你的港版全集事向你提過，負責人為麥成輝君，年青有為，難得的幹才，最近寄來一張港幣$94,447的支票，並版稅單。原來他的付稅方法和總公司不同，他只付10%，不像台北總公司付15%，因為他說印的是袖珍版，放在報攤上賣，如放在書局不知何年何月才能賣清（香港人住的地方越來越小，全家只有一間斗室，根本沒有買書和藏書的習慣，袖珍版則同雜誌一樣，看完後借給別人或就處理掉了），而報販要的回佣比書局大，出版社因之收入減少。其次，他不像台北那樣賣出多少本才算多少版稅，而是以印刷數計算，從印刷商那裡運到皇冠的存貨庫就全部付清。他同台北中間聯繫有問題，他不知總公司寄支票來，也不知版稅單上有錯誤，《赤地之戀》算了兩次。我和他通了電話，他竟不知情，說反正要去台北述職，問清楚再說。到今天還沒有消息。此數等於美金12,500左右，如兌成澳幣等於16,400左右。Not bad at all。這筆錢收到後就不匯給你了。反正你兩筆版稅一時用不完，多數買入ＡＵＤ以補充。會再寫信給你。此信實在夠長，暫時擱筆。即祝好。

Stephen
April 3/92

財務報告（1992年首次）April 5/92

（一）你名下的ＥＣＵ三月十一日到期，本上加利共為61,131.66，當日即轉換成澳幣ＡＵＤ：98,513.67，十萬不到一點。定期存款兩月，5/11到期，年息6.875%。那天澳幣對美金是0.7557，比現在的0.7662要便宜一分。還是早日兌換的好，免得到時去搶購。如果港版版稅可以收到，又可增加AUD16,400左右，那就可以有115,000左右了。（98,513.67約等於USD75,480.00。）

（二）恒生銀行的一筆ＥＣＵ，就讓他去好了，為數不大，同時也不應該將所有的蛋放在一隻籃子裡，而且是三個月自動轉期，極為方便，免得我們奔走。最近的數字是：6/9到期，年息是9.625%，到期日本息為18,902.47+息480.11.（18,920.47 約等於USD23,498。[91]）

以上二者不計息約合USD99,000左右，如計息當在100,000左右。（上次寫信1/22，ＥＣＵ的價錢為1比USD1.289，比現在的1.242為高。）

（三）日圓ＪＰＹ¥——以前一直未詳細報導，因手中日圓筆數太多，查起來不容易，尤其是附在大數目單據中的小數目。現在查出來的資料是：你名下有：¥8,209,218.00，其中有5,650,620是由德國馬克轉換的，日期是April 2/91，其後連續本利滾存，計自April 2/91起到April 3/92止，利息自7.625起，7.25、6.375、5.8125、5.00到最後結存為¥8,758,966.00，現暫存活期戶口，一時想不出好出處的話，只好再購入ＡＵＤ，我自己一向手中ＪＰＹ最多，現在全部轉為ＡＵＤ。這是暫時的安全避難所，兩大強勢貨幣：ＪＰＹ已呈敗象，ＤＥＭ外強中乾，下半年必有問題。英語世界的貨幣理應抬頭，但英鎊面臨危機，美金利息低而復蘇的訊號並不清楚明確，加拿大元inflation rate比美金高、deficit比美國還要多，只剩下ＡＵＤ強差人意，其餘有些冷門如西班牙的Peseta〔比塞塔〕，荷蘭的Guilder〔荷蘭盾〕雖有人提起，但經營者絕無僅有，犯不着去敲冷門。你的ＪＰＹ照今天的133.40¥比一美金，約等於USD65,660.00，同AUD、ECU加起來，約合USD165,000左右（不計息），照比例漲得沒有前一次報告多，那是因為美金漲了14%關係，以後以AUD為主，當可補充這一點。

你曾經問過自己沒想到有這麼多錢，我已經回答過。現在回想起來，你的四篇短篇小說的電影版權為你賺了為數可觀的外快：計：（一）《傾城之戀》（邵氏拍成電影，票房失敗，從此不再自攝電影。）（二）《怨女》（台灣中央電影公司，去參加柏林電影展，鎩羽而歸，香港戲院不肯上演。）（三）《第一爐香》（買進的公司因經營不善，已停業，大概是不拍了，電影版權如過一個時期不拍，自動回到作者手中。）（四）《白玫瑰與紅玫瑰》〔《紅玫瑰與白玫瑰》〕——台灣的高仕公司買去，一直沒有下文，最近見報上說，有意開拍，打算請林青霞做主角，當然兼演白、紅玫瑰。我記得以前說過你鴻福齊天，文藝片一向沒有人拍，那時不知怎麼一來，大家都動你的腦筋，於是橫財就手。最近青年人的口味越變越怪，一聽到文藝就全嚇跑。這是基本資金，再加上版稅，當時買入外幣時價錢低，多年來利息滾存不動，所以會有今天。不知誰說過，（有人說是拿破崙）「複利complex interest是世界最厲害的發明。」在通常情形下，一筆錢如以複利滾存，每八年一倍。但真正能有好耐性，守得住的人不多。

最重要的一件事就是麥成輝君隆重提出：《回顧展》之名太不受歡迎，他去和報攤交涉，原先肯放在攤上，但年輕人望望然而去之，翻弄者都沒有，都認為是回憶錄之類的書，搖頭說「太古老了。」所以連攤上都不肯擺了。以前一向由短篇小說集，帶動其他作品的銷路，此次不然，其他作品都帶不起《回顧展》，他說無論如何請原作者改名，否則情願用《短篇小說集之一》、《之二》。台北處云也有同樣困難。我的意思是索性改名為

《傾城之戀》——張愛玲短篇小說集之一

《第一爐香》——張愛玲短篇小說集之二（算過頁數，〈金鎖記〉恰巧是之一。）

索性將〈沉香屑〉都取消，《第一爐香》叫得響，特別，我非常喜歡。盼鄭重考慮。

Stephen
April 5/92

91. 與前數不符，筆誤，不知道哪一個是對的。

鄺文美，一九九二年四月六日

愛玲：

接連收到來信，還附有你的遺囑和近影，看了又看，心裏百感交集，無數的話不知從何說起。尤其令我感動的是：我們睽別多年，至今你還把我視為傾訴的對象，在腦子裏頻頻解釋許多事情……真不可思議！語云：「海外存知己，天涯若比鄰」[92]，這是又一明證。

我長期為（別人和自己的）病痛所苦，逐漸失去表達心意的能力，很少寫信，可是始終珍視你這份深厚的友情。現在趕着到郵局去，草此遙祝平安快樂！

美

一九九二年四月六日

愛玲：

接連收到來信，還附有你的遺囑和近影，看了又看，心裏百感交集，無數的話不知從何說起。尤其令我感動的是：我們睽別多年，至今你還把我視為傾訴的對象，在腦子裏頻頻解釋許多事情……真不可思議！語云：「海外存知己，天涯若比鄰」，這是又一明證。

我長期為（別人和自己的）病痛所苦，逐漸失去表達心意的能力，很少寫信，可是始終珍視你這份深厚的友情。現在趕着到郵局去，草此遙祝平安快樂！

美

一九九二年四月六日

張愛玲致鄺文美、宋淇，一九九二年四月十日

Mae & Stephen，

今天出去跑了一天，回來發現你們有信來，（郵差在我信箱上添寫Reyher一字，以後不會再退回了，對中國鄰居保密就隨它去了）深夜才看信。明天星期六，要一早去寄出這張航簡，趕週末最後一班郵。過天我到郵局取信，就順便寄封掛號信給皇冠，請他們把下一期的版稅寄給Stephen，再下一期的直接寄給我。我也認為美元漲是暫時的。我一看見《回顧展》廣告，就也覺得這名字不好。也許可以改為

紙短情長 張〇〇短篇小說集之一

書不盡言 張〇〇短篇小說集之二

如果Stephen覺得不切合，就還是用

傾城之戀 張〇〇短篇小說集之一

第一爐香 張〇〇短篇小說集之二

不管用哪個，書內的〈沉香屑〉篇名都可以取消。在報上看見computer「virus」譯作「病毒」。倒又想問你們「momentum」是否「累積（累進？）推動力」。也不忙，不是等着用。我還是學生時代有過一本英漢字典，大小像一塊磚頭而較厚，字極小。匆匆祝

安好

Eileen 四月十日

92. 原語是「海內存知己」，出王勃〈送杜少府之任蜀川〉。

宋淇，一九九二年四月三十日

Eileen：

四月十日航簡收到。很高興你也覺得《回顧展》的書名不好。事實上，香港皇冠經理麥君出了香港版之後，（袖珍版，否則報攤不肯賣）滿心以為《回顧展》一如以前會帶動全集的推銷，設法勸說報攤在報紙旁展列，誰知過一陣竟沒有見到，問起來才知道年輕人走過，一看書名《回顧展》就搖頭，說是「古老」，望望然而去之。所以他反映給我，因為他年輕肯幹，不怕奔走，標準版太大就改印袖珍版，而且肯登廣告。還有一樣，他書一印好發行，立刻將全部版稅付清。他只付10%而不是皇冠的15%，因為他說報攤的回扣大，收入遠比不上書店，這是他事先言明而經我同意的。最近和他見了一次，兩件事都解決了：

（一）《回顧展》決定再版時，改名《傾城之戀》和《第一爐香》，他尤其高興的是我們選了《第一爐香》，書名響亮，〈沉香屑〉取消更出他意外。我事後會寫一封信給他，另有副本給陳皪華，說明你主動改名。

（二）港版的版稅已由台北皇冠寄來，計港幣$94,447.00（約合美金$12,170.00），可是我一直沒有存入銀行，先要問清楚為何全部付清，不像台北那樣半年一結，銷多少，付多少，他（麥君）的回答是作法不同，版稅比台北少，他的原則：書一出印刷所，一入公司庫房，資產就歸公司所有，理應付清版稅。其次，台北寄來的版稅單《赤地之戀》出現兩次，難道沒有銷已售清首版，他說這是皇冠台北發行部誤抄，下次更正。我對他的作風很滿意，很合得來，難得見到香港青年有這種人才。（版稅單影印一份附上。）

Virus一詞我查過左派三聯書店的《新英漢詞典》，如果是「微」（生物），應譯作「病毒」，如果是「醫」，應譯作「濾過性病毒」，醫生都這樣說，因為不是bacteria，細菌，抗生素對它不起作用，例如傷風、感冒、flu都是virus，醫生絕不用antibiotics〔抗生素〕，只讓你多喝水、休息。現在你見到的computer virus，譯作「病毒」，甚妥。Momentum照這本詞典，應為「物」（物理）的名詞，譯作「動量」即可，「累積推動力」恐怕已過時。這本詞典是大陸國家機構的定本，具有權威性，你那本學生時代的古董早已過了時，留着它反而誤事，你的錢上行的ＥＣＵ已折成了澳元：ＡＵＤ，下次財務報告時再說。

Stephen
1992 April/30

張愛玲致鄺文美、宋淇，一九九二年六月二十七日

Mae & Stephen，

ＬＡ暴動我倒沒受影響，但是接連許多不相干的事故層出不窮，牙齒又要root canal（牙根管治療），等定下來再寫信。不過想起Stephen提起護花主人，我以前沒細說。1932我看的石印《繡像金玉緣》版本相當早，中號字，八（？）回薄薄一冊，兩套十六（？）冊。三人作回後批，第一人篇幅最長——兩三大段，不具名，大概兼作小註、眉批、編輯，有兩次文內自稱太平閒人，文筆尖利，指鳳姐私通蓉芸，勾引寶玉（攔截令代寫緞子單子），罵薛姨媽鴇母，寶玉婚後日久才行房，其實「已是第二次，讀者勿被瞞過」（指絳芸軒）；晴雯去後襲人對寶玉的一席話是潑悍要挾。第二個評家護花主人也常有較短的兩三段，支持釵襲，尤其襲人，不幸軟弱，沒獨到的見解，予人的印象是個好好先生，偏袒外表正派柔婉的女孩。也許他較早，沒趕上看見太平閒人批，所以沒辯駁，但是他批襲人嫁薛玉函「去得堂堂正正」，與續書此處的嘲諷相悖。他只一再句首稱「襲人出嫁，」暗示她作妾未過明路，因此不是改嫁。但仍極具爭議性而他不爭。第三個批者大某山民只短短一兩段，且常缺；偏愛惜春，特注意東府；大致同意太平閒人的看法，只因信佛，不願多說。

——惦記你們倆可都好。

Eileen 六月廿七

張愛玲致鄺文美、宋淇，一九九二年八月五日

Mae & Stephen，

皇冠陳皪華來信說《皇冠》辦了三十八年多，四十周年紀念希望我寫篇東西。這篇短文無關緊要，我本來預備直接寄去，給你們省點事。不知道你們倆這一向可又好些了。好在四十周年還早，就請等幾時有便再給轉寄去。我上一封航簡說近來一連串的事故，就囉唆點全說了，揀扼要的說怕又說不清楚，像上次講戴天就彷彿沒說我不認識他，不知是什麼人。——剛搬來，此地的維修工人就三次問我什麼時候出去，出去多久。每次見面就問這一句話。我不免疑心，每次出去都把現錢全帶着。（所以沒買金幣防crash——太重。）今年初，聽另一工人說他回瓜地馬拉去了，正自慶幸。五月初有人敲門，問是誰，沒人應。再問，半晌才答說「是Dario。Apt.一切都好嗎？」又回來了！大概本來不預備回答，又怕我在窺視孔中看見他溜走。此後天花板漏水，是樓上一家。兩三天後他又不召自來，問是否漏水，大概以為我不在家。此後一連發生許多不相干的事：皇冠一大包書誤寄到Wilcox信箱，海關檢查戳了許多洞，堆在水門汀地上兩三個月。我怕帶螞蟻回來差點全扔掉。結果還是要殺蟲消毒。Riot期間沒去買藥，亂平後趕去，膚科醫生突然切斷藥方，因為我一年多沒去複診。（並沒叫我至少一年去一次。）藥方烏龍，仍舊叫我去拿，老遠的白跑。（那一帶藥價便宜些，所以一直沒換藥房。）又要乘醫生唯一的空檔去看醫生。同時又正在看牙齒需要root canal。連日奔走沒睡夠腦子不清楚，就又在公車上被扒竊。本來也有點疑心，所以手臂壓着皮包，只被拉開一半拉鍊，偷去一隻裝零錢與鑰匙串的小皮夾子。找房東另配鑰匙，房東省錢，用私家「非鎖匠」，信箱鑰匙不能用，勞動女經理一次，送來又拿走。我還等着移民局通知我約見，一兩個星期不能開信箱，擔心錯過約見日期，打電話去催。助理告訴我她離城一星期，但是當天維修工人要來，可以試修鑰匙。Dario馬上來了，我只好把鑰匙給他。同日女經理却又送了新鑰匙來——她還沒走。移民局約見前夕我找有關證件帶去，發現政府那封查出我確曾入籍的信不見了。我本來不放心擱在家裏，出去不隨身帶着，但是上次找notary public，是個受過教育很內行的中南美

人，竟認為這封信完全無用，似乎他們只認得正式證書。我出去不能帶手提袋，要騰出手來拿很重的東西，只能繫個腰包，（許多人防路劫都這樣）也怕信折皺了沒塞進去。二月最後一次看見它，四五月Dario回來，我六月八日才發現丟失。別的全沒動，包括burglar alarm〔防盜警報器〕。幸而移民局沒要這封信，只再要結婚證書與Ferd死亡證書。（早都丟失，已經補領過一次。）等拿到了再親自送去，入籍證隨即郵寄給我。我這才想起來，信箱鑰匙那天交給Dario，他可以複製一個，隨時抽查，就等正式證書寄來。要移民局寄掛號，或是改寄到郵局信箱，或是留着讓我去拿，需要解釋是公寓維修工人涉嫌偷去那封信。以前是旅館女傭偷了入籍證，兩次都沒報警。就像是自己丟了東西賴別人，再不然就是自己賣了再去補領。還是不說的好。信箱要換鎖要先問過房東。他們一定不信。回國一次回來仍舊任用。顯然是得力的廉價工匠。正躊躇間，七月四日假期長週末，公寓裏的人都出去度假去了，忽然門外極輕微地「叮！」一聲，是維修工人隨身帶的通訊器上的「代門鈴」，不過不像他們平時自我通報時的響亮。我怔住了沒出聲，隔了一會，聽見門上有鑰匙輕輕插入聲，嚇得嚷了聲「是誰？」寂靜。等我找了眼鏡到窺視孔去看，早沒人了。次日我打電話去告訴房東，果然大怒說「用了多年的人……絕對信任……報警好了！……我不要聽。」又指出我丟了鑰匙，許是扒手跟了來，所以有鑰匙。（我被扒後去了好幾爿店，絕對沒人跟蹤。外賊也不會不拿信旁的一疊一元鈔與一隻全新沒用過的water-pik。臨走又還替我set burglar alarm？）最後總算有點相信了，當然也不會怎樣。我不能用他們的鎖匠，都通氣的。隨便叫一家也欠安全。他們介紹了一家。昨天正叫了人來換信箱鎖，Dario剛巧來了，見了顯然猜到我疑心他。本來也已經不止一次露出心虛的神氣。反正他不能隨便開信箱我就又放心些了。收到日譯本，迄未啟封。一個瑞士漢學家來信夾在舊報裏（我總儘先看新收到的）耽誤了回信，附寄了來，另留了個副本。已經寄書寄卡片去了。《中國時報》上屢次發現小霉蟲，大概是船艙上的，空郵的《聯合報》就沒有。只好寫信去請他們停止贈閱，講得很詳細，不會見怪。Stephen用澳幣加幣作過渡，這想法真好。布希不連任美元又要大跌了。我上次航簡上說罵薛姨媽鴇母，其實是「虔婆」二字。（批第四回寶玉初訪，讓上炕與寶釵坐談）。乘明天到郵局去，磅一下看這信可過重，就此打住。

Eileen 八月五日

鄺文美，一九九二年八月二十日

愛玲：

前些日子LA（洛杉磯）的地震、暴動……和許多你所謂「不相干的事故」（如牙齒需要root canal之類）都引起我們深切的關懷。六月廿七日來信收到多時，遲遲未覆是因為Stephen又病了。這次的呼吸系統疾病（氧氣不足、二氧化碳太多）相當駭人，必須盡速送進醫院治療，在Intensive Care Unit（深切治療部）住了好一陣才脫離險境，現已出院回家靜養。七月廿九日至八月十一日元琳和以朗曾返港小住，帶來了安慰，但也增加了壓力。期間接閱你八月五日的長信及附件（你為皇冠撰寫的《笑紋》【當代轉寄給陳皪華】和Trauffer三月五日的信等），我由於連日奔波煩慮，身心俱瘁，到今天還提不起勁來答覆。此時有片刻空閒，匆塗數語相告。誼屬知心好友，相信你一定會諒解。

希望這一陣你的健康情況也續有進步。

美草於

一九九二年八月二十日

敬啟者

外子宋淇目前患充血性心臟衰竭，遵醫囑靜養，不再聞問外事。張愛玲女士有信及祝賀皇冠四十周年特稿亦不敢驚動。茲代轉來稿，以後懇請兩位直接通訊聯繫，以免延誤，切盼體諒是幸。

此致

陳皪華女士

張愛玲女士

一九九二年八月二十日
宋鄺文美上

此信是副本，根本想不起來寄過一份給你沒有，再補上。腦中一片空白，始終沒有完全復原。好在你存在我處的ECU另有文件，可以查到，現在一ECU等於1.44美金。利息有10又1／2％一年，你放心可也。

淇
9/5/92

張愛玲致鄺文美，一九九二年九月二十九日

Mae，

我這些時因為麻煩層出不窮，（加州身份證也丟了，幸而補領沒問題）久未開信箱，直到今天才拿到你寄到郵局的兩封信。本來這些時沒收到Stephen的信，已經恐慌起來，猜着是又病了進醫院，就怕你又要百忙中偷空寫信告訴我，我又一點都幫不上忙，白着急，毫無益處。我至今仍舊事無大小，一發生就在腦子裏不嫌囉唆一一對你訴說，睽別幾十年還這樣，很難使人相信，那是因為我跟人接觸少，（just enough to know how different you are〔只足以明白你多麼與眾不同〕）。在我，你已經是我生平唯一的一個confidante〔知己〕了。以前看見你們的情形就像是昨天的事，所以我倒是真能明瞭Stephen一病了你多辛苦，何況你自己也病着還沒復原。在這當口要你寫兩封信來，再加上Stephen病中附筆，又還要你轉稿子，給陳皪華寫信，我實在良心上過不去，很難受。她也有信來，問我這一期的一萬八千美元版稅要不要直接寄給我，我預備寫信去請她寄來，怎樣處置以後再去想。來信還是寄到我寓所好，但是目前請不要再寫信。也是真不需要，我總覺得我就在你旁邊。——趕緊出去寄信。

信箱現被勒令換了大的，號碼已改。

愛玲 九月廿九

又及

〔宋淇筆跡：〕Dec.23 Mae寫

鄺文美，一九九三年三月十日

愛玲：

你秋間來信已收閱多時，我一直放在手邊，前前後後不知看了多少遍。想不到睽別幾十年後，你依然把我視作生平唯一知己，我怎不深受感動？只因你再三叮囑不必覆信，而我的確被Stephen的病攪得失魂落魄，連一封短函都寫不成，才緘默至今……太不近人情了，但是我知道你會諒解的。目前他仍在醫院裏，因為這次的肺炎來勢洶洶，需要特別艱辛的奮鬥。他病了幾十年（屈指算來，已逾半個世紀，信不信由你！），我從來沒有像今天那麼疲累煩愁，一切你可以想像得出。

半年前你說自己「麻煩層出不窮」，現在是否有了好轉？念甚。

最近收到John Wright囑轉給你的信，料想他一定急於得到你的回音，特此附上，以免誤事。趁此機會略告近況。因風寄意，不盡所懷，餘言下次再談。切盼保重！

美

1993年3月10日

鄺文美，一九九三年四月十四日

愛玲：

去秋收到你的信，那時你剛聽到Stephen患病的消息，再三囑咐不必覆信，我就遵命緘默了好久。今春他再度為呼吸衰竭症（respiratory failure）所苦，且陷入半昏迷狀態，須召救護車送院急救，在深切治療部住了一陣。現已出院回家繼續靜養，終日依賴氧氣設備過日子。三月十日我曾寫短信約略告訴你，並附John Wright囑轉的一封郵簡，寄到你的寓所。不知什麼緣故，至今未獲回音。如果你收得到這封信，切盼速寄數語報平安，好讓我們放心。

上星期皇冠出版社的駐港負責人麥成輝寄來短函（現附給你看），由於Stephen此次病勢不輕，至今猶未康復，我就致電據實相告。看來此事只好由你親自處理吧？

這些年來你一直把我視為生平知己，我深受感動！其實我腦子裏也有許多話要對你說，只苦於無從表達。Stephen連年多病，我從來沒有像目前這麼勞累憂惶，實在沒法靜心寫信。附上書籤一枚聊表思念之忱，並遙祝平安。

美

一九九三年四月十四日

張愛玲致鄺文美，一九九三年四月二十五日

Mae，

此地自冬徂春天氣反常得厲害，我三次感冒每次快一個月，沒去開樓下信箱，所以你兩次來信都一直沒回音，害你惦念。最近剛好，腸胃老毛病又加劇。久未敷藥，又腳腫得嚇死人。因為no news is good news〔沒消息就是好消息〕，收到你的信簡直不敢拆。終於看了，已經幾乎如釋重負。

正要寫信給你還沒寫，倒又收到你第二封信，更恐懼了。John Wright的信還沒得空啟封，這些時收到信都是只拆看賬單。當然也不能再躭擱了，這就寄張卡片去先致意，過天再寫信去。也要寫信給皇冠關於大陸版。上次洛杉磯暴動是在黑人區，波及韓人街與好萊塢。這次複審四名警察，二人判刑給黑人洩憤，暫時平靜無事。我還是小事故層出不窮，一步一絆。例如一直這些年來函購埃及草藥的三藩市一爿店遷往加州內陸，改用有標籤的雙重塑膠袋，太燜，不像原來的棕色紙袋透氣，就出蟲——本地有的一種臭蟲大的小蟑螂。（草藥原產地只五〇年間有過一次有小霉蟲，還是二次大戰阻隔滯銷的結果。）大概是換袋裝時混入。這公寓嚴防帶進蟑螂。我趕緊再去訂購，請他們還照從前用紙袋。如果換裝塑膠袋已久，就要曝曬翻攪，又值霖雨。——我此刻才想起來，那是小霉蟲，蟑螂曬了未必有效。——等收到沒蟲的，才能夠扔掉現有的。我在腦子裏絮絮告訴你的就是這一類的事，你不會怪我不寫信講這些。另外有樁事要麻煩你，跟以前托Stephen的完全不同，只想把下次的版稅暫時寄放在你們的銀行戶頭裏半年多。夏天收到皇冠的支票就背書付給你，掛號寄來。你先擱着，等需要到銀行去的時候再順便存入，千萬不要特為來信說收到了。冬天或明年開春起，分兩次全部寄給我。如果存入銀行要換港幣，再換美金，漲跌都沒關係。今後一兩個月內請寫個小紙條告訴我是否可行，用我附寄來的信封寄給我。——一看見你寫的信封我都心酸，想着你身心俱疲，亂糟糟的時候還要去找出我的住址抄寫。好像這樣顧惜你，倒又出爾反爾，再給你加點負擔，真是the last straw〔壓垮駱駝的最後一根稻草〕，尤其你自己也還沒痊癒，這次照應Stephen怕支持不了。我這時候還要求這樣那樣，實在說不出口。——不是沒想過別的辦法。——惟有希望你這一向還好，Stephen也好些了。

愛玲 四月廿五

那張書簽真可愛。

又及

鄺文美，一九九二年六月十七日

愛玲：

來信已接閱多天。收到時家裏特別忙亂，Stephen出院後一直在靜養，至今仍須依賴氧氣設備度日。（幸而我們早已添置了Oxygen concentrator〔製氧機〕和oximeter〔血氧測量器〕，否則不知怎麼辦?!）他尚未康復，「阿妹」（四十餘年前我們從上海帶來的寧波傭人，你也許還記得）也病了，四月底動過割痔手術，需要休養一段時期。目前情況堪稱滿意。如此，我別無選擇，唯有硬着頭皮應付一下。好在天無絕人之路，現在我總算學會了一些治家的小技能——包括獨自上街買餸，而且不以為苦。你聞悉當會一笑。

你的感冒、腸胃毛病……甚至蟲患等等「小事故」，想來都已成為過去。無論如何，切盼善自珍攝為要。在這麼些年之後，你還肯在腦子裏絮絮告訴我多種生活瑣事，可見得我們的友情的確經得起時間考驗，值得珍惜。

至於版稅暫時寄放在我們的銀行戶口，當然沒有問題，一點不麻煩。只要你說明幾時寄還，我自會照辦。

我總覺得自己的腦子日漸生銹似的，連寫封簡單的信都不容易，還有許多話只能留待以後再談。

美草於
一九九三年六月十七日

P.S. Stephen附筆問安。他的筆頭比我更懶，奈何！不過我可以告訴你，他雖然飽受疾病折磨，仍能心平氣和地接受事實，而且對我非常體貼。請放心。

張愛玲致鄺文美，一九九三年七月一日

Mae，

上次匆匆趕寫了一封已經躭擱太久的信給你，寄出後漸漸覺得我實在太自私得不近人情，你在水深火熱中還要你替我做事，自己心裏過不去，許多天來喉嚨裏都像咽了塊火炭。我對Stephen的病完全鴕鳥政策，那是因為我對自己一直是個over-protective parent〔過分溺愛的家長〕，總想給自己減輕痛苦和壓力。收到你六月十七的信，雖然還沒出險，我已經高興到極點了。他一蘇醒過來，你知道他多麼體貼你扶病辛勞的苦楚，也就是最大的安慰。阿妹給我的印象很深，尤其是'62年她學會幫你換紗布，免得Stephen天天上醫院換dressing〔傷口的敷料〕。我一直覺得她是個相當可愛的小女人，想着她會不會結了婚走了，又少一個幫手。沒敢問，怕引起你傷感，因為她大概是太愛你們倆，你們需要她所以不走，你也許覺得對不起她。你現在自己買菜！香港的菜市我如在目前。我上次講草藥出蟲事，是我一直視為「命根子」的藥，二次大戰期間擔憂斷檔。美國也只此一家有售，顯然嫌麻煩，我去信置之不理。幸而現在洛杉磯國際化了，居然有一家墨西哥店有，遠道去買了來，才不恐慌了。去年冬天起接連感冒臥病，最近才發現是因為吃慣高蛋白質diet，改吃低膽固醇diet不能適應，得了貧血症，治好了也還是有這傾向，抵抗力太低。醫生叫多吃一種營養飲料，立即見效，最後一次感冒就沒惡化嘔吐，也沒拖得那麼長。收到皇冠版稅，一張五千多美元的支票存入本地銀行，另一張九千的寄給你，年底我會來信請你過了年就等幾時有便，一次全寄給我。夜深寫信，已經天亮了，今天乘便上郵局寄掛號信。

愛玲 七月一日

鄺文美，一九九三年七月二十八日

愛玲：

你七月一日寄出的掛號信（內附支票）早收到了。那天我剛巧要到上海商業銀行去辦點雜事，遂順便把這九千美元存入了戶口。銀行是相熟的，由於多年交往，職員就像自己人一樣。她們說：既然打算寄放半年以上，何不採取定期存款方式呢？到時（明年一月七日）還可以獲得利息US136.39，何樂而不為？我想想不錯，就照做了。年底前後再問你如何寄法——是否分為US5000及US4136.39？應無問題。

我沒有早些覆信告訴你，是因為這一陣親友蒞港者眾，很忙、很亂、很累……自己的腦子不聽使喚，寄封簡單的信都變成難事，奈何！

然而我身邊那些繁瑣事務與你完全無關，懇求你不要引咎自責——上次讀到你「……許多天來喉嚨裏都像咽了塊火炭」之句，我難過極了。那是「冤枉」呀！像你我這樣的知心好友天下少有，我還需要解釋嗎？

你健康情況如何？常在念中。Stephen好些了，盼釋念。我上星期接受過半年一次的例行覆檢，順利過了關，堪以告慰。還有許多話，今天來不及寫，以後再談。先附上一些剪報博你一粲。

美

1993.7.28

鄺文美，一九九三年九月二十日

愛玲：

前些日子接閱七月一日來信，深受感動。在隔別三四十年之後，你我仍是知心好友，多麼難得！信中附有九千美元支票一張，你囑我暫時代存於本港銀行，我即盡速照辦，並覆信告訴你：待明年一月七日到期之時，一定會連本帶息寄還給你。其後不久，在報上讀到大陸作家蘇童推薦你的《傾城之戀》為十大好書之一，我也把特稿剪下寄給你看。……可是不知怎的，至今尚未獲得任何反應，我不免懸懸於心。不知你近況如何？身體好嗎？見字切盼給個回音，簡點〔短〕一點也無妨，好讓Stephen和我稍釋遠念。他仍虛弱，幾乎一天廿四小時依賴氧氣設備度日。我心情欠佳，恕不多寫。此祝

平安快樂。

美

一九九三年九月二十日

P.S.附上零星剪報[93]，博你一粲。

李碧華曾任記者、編劇，又在各報撰寫專欄及小說，近年相當走紅。不知你聽見過此人否？

張愛玲致鄺文美，一九九三年十月十七日

Mae，

收到你上一封信，雖然知道Stephen還沒出險，已經大喜過望。本來也想請你代開個銀行戶頭，因為比較費事，實在說不出口。過了陽曆年就請等有便的時候寄錢給我，不忙。分開兩張支票也好。要留下一點存款，保留這戶頭。當紅的蘇童居然這樣抬舉我，我當然高興。我上次信上也許說過，「遵醫囑」吃一種營養飲料Ensure，感冒已經從一個多月減到一個多星期，但還是三天兩天的發。一好了，所有延擱的事只能揀最緊急的做。此外還是事故頻仍。剪指甲（現在一天要剪一兩次，不然就灰指甲——因為病中不敷藥，惡化）極細小的一塊飛入眼睛刮傷cornea〔角膜〕，不得不去醫院急救。寓處又有螞蟻，這次不是我引進的，我想是因為房東見焚化爐火場紙張亂飛，怕失火，規定垃圾要用最堅韌的垃圾袋（只有大號的）綑牢才能投入。但是爐口狹小，大口袋要摺疊才能包成扁平窄長的郵包，才塞得進。太難了，因此焚化爐形同虛設，都只用車間的大垃圾箱，箱外也堆積如山，髒亂生蟲。我薰了兩次毒氣，開窗串風放氣，時間長了些又着涼病倒。螞蟻絕跡一個月又出現了。皇冠問大陸出書事，我只好從頭告知原委，以及出的書錯字奇多，傷心慘目，請代問他們的律師，有沒可能毀約，仍舊恢復以前聽任盜印改編的局面，至少說起來是未經本人同意的。皇冠回信建議由他們在滬人員與ＫＤ商談接辦，並由他們代理我一切作品。我也就寄了授權書去，全托了他們，只保留英文自譯的option。雖然不完全信任他們對別國譯筆的鑒別力，總比我well-informed。我寫了長信給ＫＤ詳細解釋，他來了兩封回信，我這些時一直收到信只拆看賬單，他的信跟志清莊信正各有兩封信都迄未開拆。想着你不是等回信，就沒寫，同時也是怕寫了你又要騰出時間來回信。我自己是要我再額外多花點時間就像割肉一樣心疼，何況你在目前的情形下，真是有片刻空閒，就只坐在Stephen床前相伴也好。沒想到不久又收到你第二封信。你看了我那封信感動，我

93. 李碧華，〈張愛玲〉。

當然感到滿足，又覺心酸，想着你也是因為一種茫茫無助的心情。沒人知道你們關係之深。兩人剛巧都是真獨一無二的，each in your own way，& complement each other〔性格各異而又互相補足〕，所以像連體嬰一樣。我旁觀都心悸。但是你這封信簡直是個letter bomb〔信件炸彈〕，擱了三天，忙完了許多雜務後酣睡飽餐，乘精神最足的時候壯着膽子硬着頭皮啟封。先瞥見一角影印剪報的背面，馬上放了心。ＫＤ寄來的剪報我也複印了份寄來，順便複印去年的一張「拍立得」派司照，彩色印不出。匆匆寄出，祝你們倆都好。

愛玲 十月十七

鄺文美，一九九三年十一月十五日

愛玲：

前些日子寫過兩封信給你，遲遲未見回音，我不免擔憂：你身體好嗎？會不會感冒復發？還是另有事故？因此上月下旬接閱來信（附有派司照和ＫＤ所寄剪報的複印本），知道你已康復，連螞蟻為患之類的惱人事情都大致解決，也就放心了。

這次我不立即覆信，免得太頻密的「信件炸彈」把你嚇壞。事實上，我沒有太多空閒，而且腦筋漸趨遲鈍，要多寫也不容易。Stephen的情況沒有多大改變，至今仍舊日夜離不開氧氣設施，對我們的忍耐力是極嚴峻的考驗。日子就這樣悄悄地溜走了。他看了你的信，反應同我一樣：

「這世界上再也沒有別人像愛玲那麼了解我們！」

你知道了會心酸，也會得到一絲滿足感吧？

這次附上有關陳沖（Joan Chen）的剪報，因為她將主演《紅玫瑰與白玫瑰》。對我們說來這是新聞，不知你聽說沒有？我只看過她在《The Last Emperor》〔《末代皇帝》〕裏的演出，印象還不錯。這次只希望她配得上原著的要求才好。

剛收到十一月份的《皇冠》雜誌，掀開來見到你的新作《對照記》——看老照相簿，圖文並茂，令人心折。以這樣的姿態出現，太巧妙了！對我說來，尤其意味深長，引起不少亦甜亦酸的回憶。你我都是愛看舊照片的人，剎那間，我恍惚回到五十年代的北角去了。

餘言盡在不言中。

美

一九九三年十一月十五日

Eileen：

這一首〈數字歌〉在北京民間已流傳了三四年，實在精彩，表面上很客觀，骨子裡可以看出集體創作背後的血和淚：

打起牌來，一夜兩夜不睡；　注：鄧小平打橋牌

跳起舞來　三步四步都會　注：新式舞Cha Cha、Rumba在內

喝起酒來　五瓶六瓶不醉（宋注）：喝不完可拿走　注：港地亦流行原瓶Brandy放枱上。

做起官來　七十八十不退　注：鄧已近九十（1904年出生），陳雲比他還大

玩起女來　九個十個不累

特錄下為你欣賞。

Stephen

Nov. 15,'93

鄺文美，一九九四年一月六日

愛玲：

十一月間我寫過一封信給你，至今未獲回音。雖然心中惦念，卻並不發愁。可見得我們相知之深，對嗎？

但是今天我一定要寫這封短信，並希望你早日收閱，盡速答覆。事緣半年前你託我存在此間銀行的一筆美金（$9,000，另加半年利息$136.39，合共$9,136.39）明天就要到期。當初你囑咐：過了陽曆年等有便的時候寄回，分開兩張支票也好。昨天我問過銀行方面的熟人，這個辦法當然沒有問題。不過她說：抬頭支票上面所填寫的姓名必須與你在美國的銀行戶口的姓名相符，否則就可能有麻煩……云云。這把我難倒了。只怪自己太糊塗了，不敢確定你用的是Eileen Reyher抑或Eileen Chang Reyher，只怕寫得不對反而誤事。想想反正你不急於動用這筆錢，不如寫信問問清楚再辦吧。

如果你忙着別的事，只需簡覆——寫出你戶口所用的姓名寄來即可。餘言隨時可以續談。

近日Stephen和我健康情況較前穩定，而且心安理得，堪以告慰，勿念。希望你也一切順遂。

美

一九九四年一月六日

張愛玲致鄺文美，一九九四年一月十四日

Mae，

收到信知道你們倆這一向都好，高興到極點。我除了忙着看各科醫生，補救前些時不斷感冒的長期neglect〔疏於照管〕，——牙齒大壞，又工程浩大，要看個一兩年——又為了《對照記》改文跟皇冠fax信打電報攪得頭昏腦漲。怕Stephen看了《聯副》上我那篇文章不高興，會影響情緒，剛好點。想打電報給你們，哪說得清楚。我怕打電話，尤其長途電話。正在寫另一篇散文澄清事實，Stephen看了會釋然。我的銀行戶頭是Eileen C. Reyher。他們連給Mrs. Eileen Chang的支票都肯收。今天星期六，要趕早去寄信。請千萬等下次要去銀行時再匯錢給我，不忙。

Eileen 一月十四

鄺文美，一九九四年一月二十三日

愛玲：

本月十七日忽聞南加州發生六點六級嚴重地震，Stephen和我自然立刻想到你，萬分牽掛！安危大概沒有問題吧，但是聽說部分地區水電供應一再中斷，日常生活必受影響……如何是好？我們苦於無從查詢，因為連你家的電話號碼都不知道，只能焦急地繼續等待你的消息。

一月六日我曾寄短函問你：去年七月間你託我代存於此間銀行的$9,000.00（期滿之日加上六個月利息US$136.39則合成US$9,136.39）將於一月七日到期。你囑我把該款分為兩張支票寄還給你，這一點我樂於照辦。問題是：銀行方面要問清楚你在LA那銀行戶口用的是什麼名字：Eileen Reyher抑或Eileen Chang Reyher？他們必須在支票上面填寫正確的姓名才能夠順利入數；否則恐有麻煩……云云。當時我匆匆寫信告訴你後一直在等回音，想不到人算不如天算，隔不了多久竟會發生這場大地震！

見字切盼寄封平安信，好讓我們稍紓遠念。並祈善自保重，至要至要。餘言下次再談。

美草於
一九九四年一月廿三日

鄺文美，一九九四年一月二十八日

愛玲：

近況如何？不勝繫念！自從聽到十七日洛杉磯大地震，我們一直在苦候你的消息；但是天災之後，郵務混亂、信件積壓是意料中事，急也沒用。一月廿三日我寄信給你後不久，曾收到你的一封短信，不過拆閱見到寫信日期是一月十四日——地震前三天，恍如隔世，後來如何？仍不知道。只好繼續靜候。

至少你銀行戶頭的問題是解決了。以後我記得抬頭名字寫Eileen C. Reyher，應該不會有什麼麻煩。而在接獲你最新消息、確知你仍在這地址之前，我還是不敢把兩張支票（匯票）寄來，因為萬一遺失了，根本無從追查，豈不冤枉？好在你說明不急着用錢，稍遲無妨。

你素知我的性格，平時心情可算穩定，這次如此緊張，或許是受了外界傳媒的影響吧。例如：現在附一段剪報給你看看。你想，我讀了〈名城劫後：洛杉磯大地震滿目瘡痍〉這種報導，怎不牽腸掛肚，恨不得快些得到你的音訊，確知你安全無恙?!

盼速寄數語，慰我思念。

美

1994年1月28日

P.S. Stephen仍不適，只能附筆問好。

鄺文美，一九九四年二月一日

愛玲：

週末前寫了封信，求你速寄佳音以解懸念。這片誠意果然得到了回響。今晨接獲電報，確知你沒有蒙受天災之累。我們都舒了口氣，滿懷感謝！

剛才我曾往銀行設法安排把你的美金存款分成兩張支票（因為要扣些手續費，其中一張數目就不是「齊頭數」）以便分別寄還。但由於今天是星期一、且近歲晚，特別擁擠，相熟的職員來不及完成手續，所以約定今（旁書：明？）天去取。然後我會順便付郵，先寄（旁書：$5,000.00）一張，隔一兩天再寄另一張。（旁書：$4,144.63）

希望你避過大難之後，身心俱佳。我們粗安，勿念。

美草於
一九九四年二月一日

鄺文美，一九九四年二月三日

愛玲：

前天寄了封短信，告訴你我們接到你的平安電報，是多麼的欣慰和感謝，順便附上那張USD5,000.00支票。大概會比這封信先到你手中。現在我把餘數USD4,144.63支票也寄來，就可以圓滿地結束了這筆存款。

以後你收到其他稿費，如果想暫存香港、稍遲才匯回美國的話，請照樣寄來可也，我樂於照辦。——地震畢竟不是時常發生的事，對嗎？

還有許多話要說，可惜今天實在忙亂，只能留待下次續談。

美
一九九四年二月三日

鄺文美，一九九四年二月二十二日

愛玲：

星期日（二月二十日）午間接獲來電，知道我二月一日附於信中的美金五千元支票寄失了，需要盡速通知銀行方面。翌晨我即掛電話與相熟的職員聯絡。當時我不能立刻趕去辦理「掛失」手續，因為早有牙醫之約，要接受個小手術，不能改期。那天打了些麻醉劑，一直暈陀陀，反正做不了用腦的事。今晨醒來已霍然而愈，遂往銀行辦妥一切。由於證件紀錄都齊全，並沒有什麼困難。他們有一定的做法，與ＬＡ方面接洽後，扣除若干手續費之類，當不成問題。現在我匆塗數行告訴你，好讓你放心。

自從地震以來，除了兩封電報之外，迄未收到片言隻字，不知你究竟如何？念甚！

Stephen的健康情況依然欠佳，我日坐愁城，提不起勁來寫信，你一定會諒解。

美
一九九四年二月廿二日

P.S.信未寄出，今晨接到銀行方面電話，說與ＬＡ辦事處聯絡後已獲確切回音。上次那張美金五千元支票當然「止付」。如果見字前我二月一日的信竟然奇蹟般出現，請把那張（已作廢）支票寄回以清手續。好嗎？

美又及
二月廿三日

張愛玲致鄺文美，一九九四年二月二十二日

Mae，

我真運氣地震沒受影響，只斷電約十小時。過天再詳談。我反正還是我自己那一套：太相信加大的醫學，後來才發現不是醫生給介紹的就要碰運氣。看牙醫派給我的是個韓國人教授，牙仁專家。裝固定的「橋」他本來說要給別人做，結果又還是自己做了。原來的舊「橋」三十年才壞，新橋三年就壞了。又一次他叫我到另一牙醫診所去做root canal，那醫生不肯，說蛀得無可救藥了。他又要叫我到另一醫生處，我堅拒，費盡唇舌才給拔了牙。現在我換了牙醫，是內科醫生自己的牙醫，大概錯不了。本來需要再換「橋」，忽然舊橋提早掉下來，帶落兩隻牙齒。橋沒依附，只好做活動的。拔去牙根後有點潰爛，臨時的橋戴上脫下奇痛，無法調整改削。一切停頓。沒牙吃東西不便，影響消化，屢次差點病倒。上次說要寫的一篇東西也還沒寫。平鑫濤來信說有人（姓名來不及去查信）要根據《沉香屑第二爐香》拍非商業化影片，出二萬美元。我當然同意。我曾經複印《紅玫瑰與白玫瑰》拍片的新聞剪報寄給陳皪華，告訴她我猜測是襲用那篇小說名。她來信迄未提及，想必皇冠不預備怎樣。我昨天打電報來說二月一日的信迄未收到，那張五千美元的支票寄丟了。此地郵政壞，但是地震後也只聽TV上說災區郵局排隊領福利或退休金月費，別處似乎郵遞照常。收到二月三日信後隔了幾天還沒收到上一封信，我就擔心是寄丟了。但還是要多等幾天，寧可risk（冒險）被人冒領了去。萬一讓你白跑一趟銀行去掛失。（請扣掉掛失費，算個大約的數目）你除了忙Stephen需要養氣等等，還有無數的事要做。好容易有片刻空閒，即使兩人都累得不想說話，也就是一種享受了。倒又要出去替我辦差。我一想着就像吝嗇的人被迫花錢一樣心痛。《對照記》稿費五千美元，會計在5000數目後加了個驚嘆號。上一期的版稅開兩張支票，共八千多，附在這裏寄來，請等下次再要到銀行去的時候順便存入我的戶頭。這封信要明天乘便去掛號寄出，匆匆祝你們都好。上次看到Stephen的親筆信真高興極了。

Eileen 二月廿二

張愛玲致鄺文美，一九九四年二月二十三日

Mae，

昨天信剛寄出就又收到香港版稅一千多美元，明天再補寄來，請存入我的戶頭。那五千元支票掛失後請再開一張，等幾時有空再寄給我，不忙，毫無時間性質。——只來得及寫張便條。你們倆都好？

愛玲 二月廿三

鄺文美，一九九四年二月二十五日

愛玲：

我二月廿二、廿三日匆塗的短信，想來可以很快寄到你家中。這封信昨天就該寫的，因為我曾依約往銀行辦完諸項手續，理應早些告訴你。

現在把有關文件（包括那張已由USD5,000.00縮減為USD4,954.55的支票）影印本附上。順便說一聲，那支票仍在我這裏，只等你的消息。為什麼要等？因為銀行方面囑咐稍候，最好你那邊有了確實回音才付郵，以免「歷史重演」；再寄失的話，又得從頭做起……云云。

近日非但我家病痛陰影重重，連遠近親友都病訊頻仍，弄得我情緒低落，沒法靜心筆談。時已夜深，不管還有多少話想傾訴，也只能留待下次再說吧。

希望你那裏一切好轉。等着你的消息。

美

一九九四年二月廿五日

鄺文美，一九九四年二月二十八日

愛玲：

　　這次我們的信又在太平洋上空交錯而過。那天我剛把二月廿五日的信（內附有關掛失支票的影印本）寄出，只隔了幾小時就接獲你廿二日寫的兩大頁。這封掛號信附支票兩張，銀碼分別為USD5,000與3,452。Stephen和我反覆細閱，不免百感交集。地震的影響不算太壞，倒是牙患累得你好慘。這一點我非常同情，因為最近也在光顧牙醫。

　　等到週末過後，今晨我趕到銀行去處理這兩張支票。你囑咐存入你的戶頭——然而事實上，由於你本人不在香港，根本不可能在此地開戶口，所以一向沒有戶口，將來也不會有戶口。以前每次都是我代你收款，暫時存入我的戶口，到時另外買支票寄給你。去年七月你寄來的款項，講明六個月後才分成兩筆寄回，因此存了六個月的定期，今年一月七日到期，當然仍這樣做。想不到正趕上大地震！盼你盡速覆信，說明這兩張共為數八千餘美元的支票如何處理，好讓我照辦。

　　我剛從銀行回家，入門就見到你另一封掛號信，短短幾句，附有另一張支票，銀碼是USD1,947。既有先例可援，暫時存入我的戶口，當無問題。然後如何？最好一併覆示。

　　現在既有了你的確實消息，明天我就可以抽空去郵局，用雙掛號方式把這張USD4,954.55支票寄給你，了卻一樁心事。

美

一九九四年二月二十八日

張愛玲致鄺文美，一九九四年三月五日

Mae，

二月廿二、廿三、廿五與稍前有地震剪報的信都收到。支票止付這樣費事，我看了頭痛萬分。彷彿你閒得沒事幹，給你找事做！我前幾天寫信來，匆忙中只顧到交代我忙些什麼，（我的信永遠這樣）地震若無其事，使人納悶是怎麼回事。地震在西北郊區——北嶺與西谷——市區只有我住的西城（Westside）有兩處房屋破損——一個學校長期停課，一家醫院evacuate〔疏散〕病人。我公寓房子裏有幾家牆裂。我就只廚房日光燈罩——一長條塑膠板——掉在地下沒破。林式同住得不遠，就被拋擲，說：「我像一隻麻雀一樣在房間裏跳來跳去，」在黑暗中頭上撞傷了一塊；玻璃窗破了。政府機關一直照常開門，只次日勒令所有的店鋪停業一天，減輕塞車。此前不久還有一次較小的地震，中心在我附近濱海小城Santa Monica，離岸不遠的海洋中。因為離得近，反而震得更厲害。前一天我忽然無故想起有一種罐頭可以買來預防地震，沒水沒火也能吃——如罐頭湯就不行。在這之前兩三個星期又有一次預感應驗。補助營養的小罐頭Ensure吃了快一百罐了，這天開罐頭忽然想起它暢銷，醫生又都叫吃，可會有人下毒嚇詐，像Tylenol等？開了嚇了一大跳，有個小黑東西浮在乳白液體上。撈出來似是個黑螞蟻，想必是掉進槽內的。也就這一次有任何雜物。第二次地震也許因為離得遠些，就沒預感。6th sense就是這樣沒準。南加州幾條地震縫隙，新發現的一道Santa Monica Fault就在附近。這次大地震影響其他幾條縫子，增加了爆發的可能性，獨有Santa Monica Fault倖免。但是究竟說不定。當然我也想到搬出加州。條件是（一）有好醫生，（二）新房子較多，沒蟲。（上次搬家前有一天躺着看報，忽然聽見輕微的「嗒」一聲，以為是一綹頭髮掉在眼睛上。沒來得及閉眼睛，報紙上落下的蟑螂在眼球上爬過去。如果是眼皮上，就不算什麼，不過是皮膚，整天坐臥站立都爬上身來，在睜着的眼睛上爬，實在憎怖。）中西部與西北的Minnesota似乎合適，又都太冷。應當打聽打聽，能有工夫就到西南去看看。你說這一向連親友都有病痛，又更忙，我太知道這種everything happens at once〔所有事都一起發生〕的情形。本來想着你除了擔憂Stephen，自己也

還沒好全。看信上你忙着看牙齒，反而如釋重負，感到輕鬆了些。我牙齒問題還沒解決，皮膚病倒又侵入耳朵，正是我一直在拚命防止的事。二月一日那封信如果姍姍來遲，我一定馬上寫個便條告知，把那張支票寄還。新開的$5000支票我說過不是等着用，隨便什麼時候等有空去郵局的時候再掛號寄給我，免得萬一再出岔子，此地的郵局沒準。Stephen可好些了？

愛玲　三月五日夜

張愛玲致鄺文美，一九九四年三月十一日

Mae，

我前幾天的信正要寄出，發現信箱內有你的掛號信的通知單。其實那天我在家，不過晝夜顛倒，白天睡覺睡得太沉，沒聽見郵差上門。現在改了送上樓來。我要求再投遞後，以為還是用對講機打電話叫我下去，所以只等電話鈴響。久等又睡着了沒聽見門鈴，又錯過了一次。四天後才拿到。上次先後寄來三張版稅支票，我說「請存入我的戶頭」是因為你說代開了個戶頭，我誤以為是用我的名字；也模糊地想着這是不可能的事，但是喜出望外就沒細想。現在就請照我的原意存入你們自己的account，寄放一年半載，大概至少一年。匆匆寫這張便條，希望Stephen好，你看牙齒也已告一段落。

愛玲　三月十一

張愛玲致鄺文美，一九九四年三月十八日

Mae，

我上次來信說收到你的掛號信，忘了提起信內附有US$4954.55的支票。最近這幾個星期就只顧忙着學戴活動的bridge〔牙橋〕，整天練習得頭昏腦漲。好容易會拿下來了，就再也戴不上。隔幾天又再到牙醫診所去一次，還是學不會。似乎使人無法相信。這剛巧是我最笨的一點。智力測驗有spatial〔空間感〕部門，我一定考最低分——低能。所以永遠跟鑰匙掙扎，以及百葉簾，seat belt，方向等等。祝你們倆都好。阿妹可好些，用不着你自己去買菜了？

愛玲 三月十八

鄺文美，一九九四年三月二十一日

愛玲：

三月五日（描述你一月十七日經歷大地震的切身感受）的長信和三月十一日的郵簡已先後收到。我曾反覆細閱，卻沒有早些作答，是因為近日周圍的病痛陰影越來越濃，我心情很壞，總沒法凝神執筆——儘管心裏有千言萬語，恨不得向生平知己傾訴。

今天匆匆塗此短函，是因為剛聽到電視新聞報導，得悉ＬＡ又發生地震，雖然僅屬5.3級的「餘波」，但也夠駭人的。總之，是一種揮之不去的精神威脅，對嗎？Stephen和我惦念着你，特此寄語壓驚，遙祝平安。附上兩份剪報，料想你也會感到興趣。

關於你先後寄來的三張版稅支票（USD5,000，3,452，1947），上星期我已同銀行方面聯絡過，當時美國那邊尚未收數，暫時不能動用，故囑我稍候，本週再問可也。照理不會有什麼問題。我打算把三筆款加在一起替你代存六個月的定期，辦妥後自會另函相告。到秋間期滿之前再問你如何處

理，好嗎？

現在趕着出外辦雜事，順便付郵。

一九九四年三月二十一日　美

鄺文美，一九九四年四月十二日

愛玲：

上次（三月廿一日）寫信後不久，曾接閱你三月十八日的短函，一直想快些答覆。可是Stephen和我不爭氣，又輪流抱恙，到今天才好些。他的病歷太複雜，無從說起，這幾十年來不知經歷過多少挫折危難，幸而命中註定常遇良醫貴人，一次又一次的助他安度險關。現在最壞的時期已經過去，我才定得下心來塗寫幾句告訴你。

我自己的病不礙事，只是極度勞累煩愁所引致的嚴重感冒——不過寒熱頗高，嗓音嘶啞，我很怕傳染給Stephen和「阿妹」，份外覺得難以應付而已。

我已把你的三張支票（USD5,000.00，3,452.00，1947.00）加在一起（合共USD10,399.00）代存六個月定期。九月廿六日到期之前，自會寫信問你如何處理：是否分兩張支票寄來L.A.？請放心。別的話下次再談。希望你已完全康復，心境也好轉。

一九九四年四月十二日　美

P.S. 附上剪報供你消閒。我們很想知道你讀了有關張學良出售藏畫那段消息，有什麼感想……盼覆。

張愛玲致鄺文美，一九九四年四月二十二日、二十三日、五月五日

Mae，

前幾天剛收到你二月一日附有原來的一張US$5000的支票，信封上洛杉磯郵戳只看得出18二字，似是日期。害你費了無數事掛失等等。我這兩年來這一類的事多了。如本地最大的聯〔連〕鎖fax店，我去過好幾次都極可靠。這天換了個相當漂亮的黑人青年拍發，頭髮紮馬尾。這種鋼絲球頭髮無法紮馬尾，所以沒見過黑人紮，至多在頭頂紮成個小髻。他竟做到了，大概想做花花公子。我就有點擔心他工作心不在焉。他隨即說打不通。我告訴他不可能，請他再試一次。還是打不通，說台北方面說兩個號碼都discontinued〔停用〕。我驚疑皇冠不知出了什麼事，又疑心他是個生手，搞錯了。想請另一職員（都是白種人）再試一次，但是涉嫌種族歧視，此間目前最敏感的。終於沒說什麼。隔了些時再fax，另人經手，就毫無問題。已經害我打電報寄快信，費了許多週折。又一次看醫生複診，說沒我這病人。查了半天才查出電腦上把名字拼錯了，Reyher誤H為M。補領身份證也誤H為M，一重重的機關都沒發現與原來的有出入。申請書與照片兩次被遺失，去照相館補印兩張派司照，免得重拍。底片遍尋無着，老板懊喪地說足找了兩小時，底片隔多少年都從來沒丟失過。你在病痛的陰雲籠罩下，這些究竟不關痛癢的小事故也許倒能博得你一笑。關於剪報：蔡楚生喜歡《太太萬歲》也跟從前周作人看《十八春》連載一樣，使我一陣頭暈，有時空混亂感。我成天練習，好容易會戴假牙了，（助理女牙醫說從來沒見過這樣的）看來不戴着睡覺就不能嘴唇上敷藥，不然嘴閉不嚴，滲入咽下藥中毒。睡了幾小時驚醒漱洗，不會gargle〔漱口〕，喉嚨痛了兩天。好了又不知怎麼變成感冒，要到郵局去掛號寄還這張支票也還沒去。我全都是這一類的事，你會懂得我平時為什麼不寫信一一告訴你。希望你們倆都好。Stephen時在念中。

愛玲四月廿二

收到四月十二日信，知道幸遇良醫，the worst is over，我真快樂到極點。你除了看牙齒原來也病了，雖不嚴重，好了也真是快事，不然要照應Stephen都難。阿妹可也復原了？張學良賣藏畫，我仔

細看了《聯合報》上刊出的一幅宋朝的桃花。此外沒什麼感想，是因為十幾歲時候聽我父親和後母在烟鋪上戒備地輕聲談話，只提了一聲要找某一個懂字畫的親戚來鑒定。我本來也不知道家裏有什麼字畫，當時也就本能地避嫌疑，不聞不問。多年後我母親的英國女友來信說她故後代賣古董還債，只有一對玉瓶比較值錢。我想起從四歲起就老是在旁邊看她理行李，就從來沒看見這樣東西。所以連故宮的玉器照片都不大感興趣，也是人性通常的一種自衛心理，越是防你起盜心的東西越是不屑一顧。銀行存款九月廿六到期後請改存不定期存款，可以隨時提款的，免得你又多一件掛心的事，至少過了九月廿六就可以置之度外。萬一我九月底要提款，一定會儘早來信，講明要一張或兩張支票。我感冒一好就去寄這封信。

愛玲　四月廿三

TV新聞上說有個醫學統計，禱告病愈的比不禱告的多許多。參預統計的醫生顧到聲名事業，不發表姓名，免受攻擊。腦筋的功能還有大片unmapped〔尚未確認的〕部份，所以會有精神影響物質的奇蹟。我覺得祈禱可能有效。不信宗教無法祈禱，不然一定天天禱告Stephen快點好。

五月五日

鄺文美，一九九四年五月十八日[94]

愛玲：

你四月廿二日開始寫、五月五日續完的掛號信（內附退回支票），前幾天已經收閱，我看了一遍又一遍，百感交集。本想好好作覆，可是這一向特別忙亂，只能說：心有餘而力不足！前天匆匆寄了些有關《紅玫瑰與白玫瑰》的剪報逗你一笑，現在匆寄明信片——just to say hello?!一俟稍閑就

94. 此封為明信片。

會再寫。Stephen和我同祝你
平安快樂。

1994年5月18日　美

P.S.「阿妹」早已復原，勿念。

鄺文美，一九九四年五月二十七日

愛玲：

自從收到你四月底開始寫、五月十日病癒後才寄出的掛號信（內附那張早已報失的美金五千元支票，手續已清，毫無問題），看了好幾遍，天天想和你筆談，可是不知怎的，總有意想不到的煩擾，以致一再拖宕，心願難償。這種阻滯所帶來的況味，說也說不清。好在你是明白人，毋需多解釋什麼，自會體諒我的處境。

偶然閱報，讀到一些你會感到興趣的新聞——例如有關《紅玫瑰與白玫瑰》在上海拍攝的報導之類——我曾不止一次用印刷品方式把剪報寄上，至少讓你知道我時常念着你。前天Stephen還催我把《明報副刊》（其中有〈張愛玲影集〉一文）整頁寄來，讓你領略一下香港目前的文化動態。不知你收閱後會有什麼感想？我覺得一九九七的陰影越來越濃，我們滯留於此的「邊緣人」心態都不大正常似的，開始對自己的判斷力失去信心……這是很不好的現象，但活在這時代，大家可憐而無奈，除了啞忍之外，還有什麼辦法？

本月份的《號外》雜誌以你的照片（就是一九五四年我陪你往蘭心照相館拍攝的那一張）為封面，裏面刊載着一些介紹《對照記》的資料，想來皇冠出版社一定已經直接郵寄給你。有一天我上街幹雜差，在天星碼頭的報攤上購得一冊，如獲至寶，帶回家與Stephen共賞。時光如流，四十年就這樣溜走了。此次重睹舊物，又勾起不少回憶，心情久久不能平伏。

來信末段提及祈禱——深得吾心。自一九五八年Stephen患病以來，他和我都成了天主教徒。他雖然難得有機會參加彌撒，但心中有了信仰，急起來自會禱告求福。我則每週必望彌撒，即使沒事，獨自在聖堂裏默禱，也獲益良多。這是我們的解救。今天來不及細說，日後有機會再告訴你吧。

美

一九九四年五月二十七日

張愛玲致鄺文美，一九九四年八月三十一日

Mae，

收到你的信後一直沒工夫寫信，儘管天天惦記着。皮膚病需要多搽潤膚油使皮膚厚些，開冷氣不讓油與藥太快被汗沖洗掉，就又要着涼感冒。眼圈搽的藥於眼睛有害，這次眼睛出血（上次在香港也有過）與這有關。又有兩次一邊眼尾至太陽穴a shot of pain，先以為是偏頭痛，其實是眼睛。要去看眼科醫生還沒去。樓下公寓屋漏，是我的浴缸水管暗中漏水。女經理男副理輪流一天來了五次，乘機視察。浴缸磁特別壞，我擦洗得光滑沒氣味，仍舊一圈黑，缸底大塊黑漬更黑得噁心，非得要用去垢粉（內有漂白劑），我的手禁不起。臉盆擦洗得白磁剝落，廉價水龍頭座底不fit，沁出的一汪水內黑霉斑斑（斑斑）點點，揩掉兩小時後又出來一批。他們看了嫌髒，又舊話重提要我僱女傭打掃。我堅拒。女傭來前去後都要我收拾，哪來的時間？光是浴缸就要用肥皂洗掉去垢粉，熱水浸泡一天才能用。伊朗女經理說可以叫女傭洗——誰會真用肥皂去洗潔白的浴缸？我本來想遷出加州避地震，就說了明年八月租約到期就搬。幾天後，有人來找房子，以色列人副理（猶裔美國人移民以色列又回來的）就叫她來看我的apt.，存心騷擾。與整個的中東冷戰！！我上封信上說的禱

告有效的醫學統計，只NBC一家報道，另一個小電視台複述。似乎the media不予置信，不然還要轟動。統計中看似最離奇的一點是病人不知道有人代禱告也好得快些。我想也許是一種telepathy（心靈感應），即使不知道也獲得精神上的支持。宗教中我比較喜歡天主教，因為有傳統的氣氛。連修女神父廢制服，拉丁文改英文（沒King James Bible的譯文之美）我都反對。新教為了適應現代科學，變得太bloodless（無情），不能滿足信徒感情上的需要，所以許多人寧可選擇那些騙錢的教派。佛教在中國與當地的信仰結合，（如媽祖就像是為好官立祠一樣，也等於從前的部落崇拜祖先中的好領袖）。純正的佛教我覺得是哲學不是宗教。人在患難中需要宗教，並不能從佛教中得到多少安慰。釋迦牟尼看破一切出家的時候是個幸福的王子，多少有點像現代有些要什麼有什麼的青少年，有時候反而厭世自殺。《對照記》單行本又有些新錯字，單行本的校對代改的。美工部又把我照片上的頸項改細，與太瘦的手臂配稱。（80頁）真是「廚子太多煮壞了湯。」上次方麗婉編輯來信辯白，說平鑫濤發脾氣罵了校對（雜誌的）。我跟Stephen說過我有一陣子沒收到《聯合報》，他的《紅樓夢》論文恐怕有一兩篇沒看到。他的《紅樓夢》文集出版就好了！當然你們現在顧不到這些。九七大限當前，還有更大的忙亂。我每次看到香港的消息都覺得恍惚，像有double vision（複視），疊印在九七前後的景象上。〈第二爐香〉拍非商業性影片顯然告吹了。好在我習慣「戲班子的事千變萬化」，何況是獨立製片。這裏附寄來四張版稅支票，請代存活期存款。九月廿六（？）到期的定期存款請全部提出，再從活期存款中提出US$5000，開兩張萬元以下的支票一次寄給我。另一張小支票請留着付雜費。不忙，千萬等稍微空一點的時候再去郵局。我要趕在此地的勞動節長週末前去寄這封信，不多寫了。希望你們倆都好。

愛玲　八月卅一

鄺文美，一九九四年九月三日

愛玲：

近況如何？不勝繫念！五月底寫信給你後，迄無回音……日子過得飛快，轉眼已進入九月份，我見到日曆，不免有點心慌。希望你收到這封短信後，無論如何給個回音，好讓我們放心。

Stephen和我仍算「粗安」，在目前情形下，眼看周圍的人非病即愁，而我們還能苦中作樂，享受這種閒適生活，該滿足了。

三月間你託我代存的美金10,399.00元將於本月廿六日到期，打算如何處理？亦盼示。

上星期我曾患感冒，自己服藥治癒了（幸而沒有傳染給Stephen），不過現在仍覺虛弱。今天先把一疊剪報寄上，相信你一定喜歡看看。

等着你的消息——

美
1994年9月3日

鄺文美，一九九四年九月六日

愛玲：

這次我們的信又在太平洋上交錯而過！前些日子我因為好久得不到你的消息，十分掛念。上星期六塗了封短信，並附上剪報一束，匆匆寄出……誰知過了週末，郵差恢復派信，就收到你八月卅一日的掛號信。細讀再三，感慨萬端，卻不知從何說起！你眼睛、皮膚……方面的不適，是夠惱人的，我感同身受，但畢竟遠隔重洋，愛莫能助……

現在匆塗短函告訴你：寄來支票（四大一小）都妥收。一俟九月廿六日那筆美金10,399.00存款到期，就會遵囑照辦，另開兩張萬元以下的支票，用掛號方式郵寄給你。餘數暫存活期，自無問題。

趕着在截郵時間前付郵，就此擱筆。餘言下次再談。

美

一九九四年九月六日

鄺文美，一九九四年九月十八日

愛玲：

本月初旬，我因為好久沒有你的音訊，縈念不置，寄過一封短信致意問好——誰知竟和你八月卅一日的掛號長函（內附大小支票共五張）交錯而過！細閱你的信後，我又感動又慚愧，連忙匆塗數語寄出讓你放心。還有許多話一直想補充的，卻由於身邊瑣務繁雜，而且屢聞親友的病訊（近年患癌者何其多！），心情很壞，自己覺得腦子生銹似的，不聽使喚，寫信變成了難事……否則怎會一再拖延，到今天才動筆呢？

我曾遵囑往相熟的上海商業銀行（Shanghai Commercial Bank）把你那幾張支票存入我的美金活期戶口。這次事情並沒有想像的那麼順利，因為外匯部換了新主管，不像以前那麼好商量。他說由於幾張支票加起來數目太大，難以解釋……云云。那些舊職員拚命幫我說好話，結果這次算是過了關——暫時入了我的戶口中，但要等三星期左右ＬＡ那邊的SCB分行通知妥收才算完成手續，然後可以動用。到時我自會開兩張萬元以下的支票一次寄給你。至於九月廿六日到期的那筆定期存款轉為活期，當然可以。我會照辦不誤。

問題是：以後遇上類似情形（想來版稅自會源源而來），該怎麼辦？鑑於我們和你的關係，銀行方面建議：你應該辦一項手續：在香港開個美金活期戶口，用Eileen C. Reyher的名字，委託我代理。銀行的規例，要本人親自來辦，這一點你早知道。現在商妥一切有關表格由這裏提供，我代你填寫後，銀行會直接寄往ＬＡ分行，收到後自會通知你去簽署，再代你寄回來。我不諱言你體弱，出門不易，可是只有這辦法才可解決問題，姑且一試。ＬＡ那邊的地址是：

Shanghai Commercial Bank
1000 Wilshire Boulevard
Suite 300, Los Angeles

只去一次簽名，不知辦得到嗎？銀行的熱心朋友認為如此則一勞永逸，省得每次同樣輾轉，大家委實難以應付。

倘使行得通的話，以後你不必再在支票背面寫上「Pay To The Order of Mae Soong」字樣，只需endorse後寄來入自己的戶口，豈不簡單得多？盼你考慮後，儘早給個回音。

Stephen的情況和前些日子差不多。我們都學會接受現實，能夠苦中作樂，請放心。

匆此遙祝

一切順利！

美

一九九四年九月十八日

張愛玲致鄺文美，一九九四年十月三日

Mae，

我上次信上說因為敷藥不得不開冷氣，着涼，撐了兩個月，一寄出信就病了，屢次反覆，快一個月沒下樓開信箱，所以昨天剛看到你九月十八日的信。這次感冒嘔吐吐了約小半杯血，嚇了一大跳，聞見有點酒氣，我不喝酒，就想起來是消耳臘的rubbing alcohol〔外用酒精〕。上次洗耳，

UCLA耳鼻喉科要$100，內科只要$40，就在內科洗，但是不澈底，叫我常用一種ear-drops。濕耳臘更compacted，ear-drops全倒灌入喉鼻。只好仍舊照以前醫囑一天一滴rubbing alcohol，但是也不大吸收，滴多了流入喉嚨，有點喉嚨痛幾個月了。吐血應當去檢查，也還沒去。UC耳鼻喉科現在改了要先看醫生，耳聾才給洗耳。要另找別的地方。你信上說現在患癌的人何其多。有些似乎有來由的。我姑姑本來只有老年degenerative disease〔退化性疾病〕，她不吸烟，肺癌大概是二手菸，KD烟癮大。王禎和是食道癌，他四舅早他幾年逝世，我記不清楚是食道癌還是鼻咽癌。我在他們家住了三天，每天一桌菜都是醃肉鹹肉（含有致癌的amino acid——名稱可能記錯），沒一樣蔬菜。我想勸他們多吃新鮮肉類蔬菜，沒好說。換了個會說話的人，說了不會讓人家生氣的，還許他甥舅都還在世。他四舅是他家常客，嗜酒，娶過山地姑娘又離了婚，不會比他們吃得好。我上次提起telepathy，用這字仿彿不妥，因為那是兩個人心靈溝通，禱告是與上帝溝通。病人不知道有人代禱告也都好得快些，我想是這樣：現在警局通行用催眠術使目擊證人記起沒來得及看清楚的細節，如疑犯形貌，開什麼牌子汽車，車牌號碼。醒來也還是不記得。也跟測謊器一樣有用，雖然不一定100%可靠。眼睛看到的，倉促間the conscious mind didn't register〔意識沒有記錄〕，但是視覺的印象依舊保存在腦子另一角落裏。同樣地，病人在腦海某一隱秘的一隅中知道有人替他着急，在禱告，所以雖然the conscious mind並不知道，還是獲得支持。上海商業銀行分行我已經打過電話去問營業時間，等收到表格就去。'97前你們離開香港，我也要結束香港的銀行戶頭，改在新加坡開個戶頭，無法再請你代理，非得自己在當地。既然明年夏天要搬家，不如就搬到新加坡，早點把錢移去，也免得到臨時的混亂中又給你們添一樁麻煩事。不犯着搬到美西南，剛安頓下來倒又要出國，也沒這份精力。我對新加坡一直有好感，因為他們的法治精神。當然真去了也未必喜歡，不過我對大城市向不挑剔。熱帶蟲更多，希望能住新房子，好些。也許你可以代問你們醫生可知道那邊有沒好醫生。認識一個就可以請他介紹膚科與牙醫。這次害你在銀行費盡唇舌，九月廿六定期存款到期，又要跑一趟。新存款滿三星期可以提款的時候，又要去郵局寄一萬五千多美元給我，跑三趟。目前照料Stephen還是非常費事，我實在真過意不去。如果還沒去寄錢，千萬等有便再去，不忙。

愛玲 十月三日

鄺文美、宋淇，一九九四年十月十一日、十二日

愛玲：

等待多時的信終於來了。正如我們所擔心的，你又病過，而且屢次反覆，真叫人掛慮！好在現時正日漸康復，至少可以寫三頁長信了。我們才稍微放心。

Stephen又病，說來話長，今天沒法細訴。但他塗寫了一頁，讓你略知近況。

你那筆定期存款已於9/26到期，暫存活期。剛才我趁出外購物之便，到銀行去辦手續，先換兩張US$9,500.00的支票，現在附上。因為怕你體弱需款，手頭寬舒可以心定一點。

現在趕着去郵局寄掛號，別的話來不及寫，下次再續。

美
Oct.12.1994

P.S. 明天是重陽節——公眾假期，所以今天一定要辦成才覺心安。

Eileen：

接到十月三日來信，閱後不勝詫異，因誤會大而深，不得不親筆澄清。

我們從來沒有打算因'97來臨而離開香港，現在還是沒有，將來也不會後悔。我們已七老八十，病體支離，絕無心無力作他移之想。我勉強可走到廁所和客廳，但都得用氧氣管插入鼻尖——廿四小時全天候。一切天主自有安排，中國人說聽天由命，可以概括我們的想法。

在此期間，我們努力把日子過得舒適一些，吃得好，睡得好一些，廿四小時平安渡過，就算又「賺」了一天，如此而已。

關於癌，我一直在設法瞭解，作了一些閱讀——人類的大敵，大概十八世紀是天花，十九世紀是肺癆，二十世紀就是癌了，到現在還找不到一個統一的解釋。妥善的、完整的治療恐怕要等到下一世紀了——好在它不是傳染性的。草草數行以示故人無恙。祝安好。

Stephen
October 11/94

鄺文美，一九九四年十月二十二日

愛玲：

上星期（10/12）我匆匆寄掛號信給你，只來得及塗一紙短柬，附兩張美金九千五百元的支票……幸而Stephen幫忙寫了一頁，他已經好幾個月沒有執筆寫信給任何人，這次破例塗了幾行，也可算大事一樁！我本來預備稍閑就補充未盡之言，誰知接下去兩人又相繼抱恙。他舊患作祟，在家裏動了小手術，目前由醫療人員每天上門照料，情況總算漸漸穩定下來了。我則弄出了新花樣，醫生診斷為「痛風」（也是一種關節炎），相當磨人的，今天沒法細說。

這封信主要是告訴你：在此間上海商業銀行替你開戶口的事倒沒有耽擱下來。我已依循慣例，用你的名字申請開一個美金活期儲蓄戶口，地址寫我們這裏的，註明可由我代拆代行。一切有關文件會寄往ＬＡ分行，由那邊通知你去簽署，只去一次即可。請記住：去時帶着護照，以便證明身份，省得多跑一趟。然後他們會把一切文件寄回香港，再通知我去完成手續。這是一勞永逸的辦法。有了這麼一個戶口，以後存入支出都方便，即使你遷居也沒關係，因為我們不會搬家，可以照常替你辦理。

截郵時間將屆，就此擱筆。我會儘快再寫。匆祝

平安滿足！

Eileen：

接到十月三日來信，閱後不勝詫異，因誤會太深，不得不親筆證清。

我們從來沒有因你打算來臨而離開香港，現在還是沒有，將來也不會後悔。我們已七老八十，病痛交纏，絕無心無力作此移民之想。我勉強可走到廚房和客廳，但都得用氧氣管插入鼻孔——廿四小時全天候。一切天主自有安排，中國人說聽天由命，可以概括我們的想法。

在此期間，我們努力把日子過得舒適一些，吃得好，睡得好一些，廿四小時平安度過，就算又「賺」了一天，如此而已。

關於癌，我一直在設法瞭解，作了一些閱讀——人類的大敵，大概十八世紀是天花，十九世紀是肺癆，二十世紀就是癌了，到現在還找不到一個統一的解釋。我看，完整的治療恐怕要等到下一世紀了——好在它不是傳染性的。草草數行，以示故人無恙。

祝安好

Stephen
Mae
11/94

張愛玲致鄺文美、宋淇，一九九四年十一月七日

Mae & Stephen，

收到兩張US$9500的支票，已經存入銀行。Stephen沒好全就隨時可以會又病，也正是我一直惴惴期待着的意中事。Mae也病着，還要趕時間去提款匯錢給我，Stephen又還扶病寫信，我實在真於心不安。我自己只要接連簽字四五次就累得筆跡走樣，看Stephen筆跡一點都不變，更覺得珍異心酸。我本來一直擔心你們離開香港旅行困難，模糊地想到portable〔手提〕養氣，輪椅上飛機等等，這次搬家的logistics〔籌措與運送〕我一想就頭暈，怕Mae會累病了，Stephen也會病情加重。不搬我倒鬆了口氣。所以造成這大而深的誤會的是我有些顧慮老沒提起，認為是多餘的話，因為你們不會沒想到。例如好醫生即使決定不走，以後看形勢也許還是要走。不走，也可能會應召去專治政要。當然香港也許九七後幾年沒什麼變化，為了作榜樣給台灣看。但是Clinton〔柯林頓〕明言不干涉攻台，不像前任還多少留點迴旋的餘地。亮起綠燈，'96攻台也許不僅只是恫嚇。我甚至想，人在香港是不要緊，人在他手裏就可以設法要別處的錢。這些你們一定早都慮到，不過是權衡priorities〔優先順序〕作不得已的抉擇。我說了也還是覺得是多餘的。我感冒好了以後皮膚病藥方過期，不去看醫生就買不到，去了一次就又復發。現在除了看牙齒，一切全都宕後。上海商業銀行來信叫我上星期三去填表，我打電話去說明，約了兩三星期後再約定時間。平鑫濤來信附剪報，《中國時報》給了我一個「特別成就獎」，有三十萬台幣。他可以代領獎，我需要寫篇得獎感言。我最不會寫這一類的文章，再短些也非常吃力。不多寫了，希望這兩天你們倆都好些。

愛玲 十一月七日

1994年10月22日 美

鄺文美，一九九四年十一月十六日

愛玲：

翹盼多時的訊息終於來了。正如我們所不想聽到的，你的緘默仍是為了一個「病」字。好在較壞的階段已成為過去，一切逐漸恢復正常。Stephen的健康狀況仍舊時好時壞，這怪病根本無從說起，連每晨上門照料他的那些社康護士都認為「罕見」。好在天主垂憐，屢次遇到貴人，臨危得救，過了一關又一關。他原來對宗教存有抗拒之心，慢慢也想通了，急起來照樣會虔誠祈禱。在我看來，這是最大的福氣。我自己的健康還過得去，一切小毛小病不提也罷。可以向你告慰的是：我們已學會接受事實，安於現狀，能夠心平氣和地過日子，切盼摯友釋念。

欣聞你榮獲《中國時報》的「特別成就獎」，我們很高興！

美
1994年11月16日

P.S. 上次你寄來的大小支票暫存在我的活期戶口中，除扣掉兩張US$9,500支票之後，尚餘US$11,000.00左右，打算怎麼辦？要不要替你寄來LA？還是以後存入那個HK新戶口？盼示。

張愛玲致鄺文美，一九九四年十二月八日

Mae，

收到十一月十六日信。我對香港時局知道得太少，有些如港督力爭的belated民主我都不忍看，看不下去。最近看到香港現在成為世界第一商埠，紐約倫敦才第二三名，以及中共在港投資之多。這麼個下金蛋的鵝，諒鄧身後誰也捨不得殺鵝取卵，就又放心不少，相信九七後可以維持現狀，不論台灣怎樣。最近美國政局驟變，中共多少有點顧忌，總要觀望一個時期，不會攻台。上海商業銀行分行我終於去過了。像課堂似的一個大房間許多青年伏案寫字或操作計算機。沒顧客，空谷足音視為貴賓。此地現在許多地方還是不景氣，儘管今年聖誕購物潮打破多年的紀錄。本來我預備去開了戶頭就寫信來，又拖了好幾天沒寫成，因為不知道要怎樣，也許根本行不通。如果香港能存日圓存款，就想再開一個日圓戶頭。收到美金支票先存入美金戶頭，錢多些就全買日圓存入日圓戶頭，只留下最低限度的存款。日圓存款不動，聽其漲落。等再收到版稅的時候再存入美元戶頭，也許寄筆錢給我。一年總至多寄一次錢給我，買一次日圓。就這樣也已經增加你的workload，在你扶病侍疾的長期疲勞轟炸下真說不出口。如果可行，一兩個月內我收到版稅與時報獎金，加上這次附寄來的四千多美元與原有的，全部買日圓，新開的美元戶頭只留下最低數目的存款。我這裏的錢應當可以用到明年七月搬家後，包括搬家費。日圓也存活期存款。九七後我這點錢還是有點不放心存在香港，因為他們對我統戰。最初托KD去接洽大陸出書，他去一問，說非得要我自己到大使館（領事館誤？）去申請。我回信說如果他們堅持，請他立即終止進行。才不提這話了。——真幸而你屢次寄《紅玫瑰與白玫瑰》剪報來。以前的報都沒提劇情，我以為也許只襲用小說名稱，雖然嚴格地說也不合法，皇冠是不肯因此寫律師信的。這次才看到確是根據小說改編，就寄剪報給平鑫濤，請他們的律師去信追討電影版權費。《對照記》出版前寄了個合同來，等於賣斷，沒港版，連電影版權都歸皇冠。想必他們看這本書可能銷路好，想撈一票補償以前《赤地之戀》與這次接辦大陸版諸書的虧損。我雖然躊躇，覺得也還公平。這本書沒什麼情節可改編影視，除了引《孽海花》部份。作為我的傳記，一看《小團圓》也頓然改觀。等寫完了《小》要聲明不另簽合同，還照以前的合約。我寫信謝《中國時報》，說抱歉不能親自領獎，至少應當去照個近影寄來。拍了照順便寄張給你們。近來還好，年前也許來不及向各科醫生都報到。Mae的關節炎有沒影響到手指的運用等等？能撐着就好，不過撐着的味道真不好受。Stephen可好些了？忘了說我照片裏的報紙還是七月的。因為近來沒日期明顯的頭條新聞，只好用舊報。

愛玲 十二月八日

鄺文美，一九九四年十二月十四日

剛收到你十二月八日的掛號信（附有彩色近影【如晤故人】和美金4,491.00支票），欣悉你健康情況好轉（至少可以上街辦事，且能寫長信），我們稍覺安心。這兩天我忙得發昏，沒法靜下心來作筆談，先把這疊有關《紅玫瑰、白玫瑰》的剪報寄上再說。

九四·十二·十四

宋淇，一九九四年十二月二十三日

Eileen：

好久沒有執筆作書。

接你十二月八日來信，甚慰。我身體能夠保持穩定，過得一天便是多賺了一天，能有這種想法便是健康之道。其餘各事，文美會另外告知。

我想進一步了解你信中提出的大部份存款改為日圓的想法和動機。香港外匯市場很少有人做YEN的買賣，報上有行情，而外幣戶口中不見有人存YEN。理由很多：所謂行情完全根據美國政府對日本政府的要求，計自240YEN對一US$，一直漲到今天100YEN左右，最高曾到97又1／2。美國口氣第一步先到97，然後到95，但日本工商業實在吃不消了，照此價格日本工業品不可能出口，也沒有人到日本去旅遊，何況美國Detroit三大廠已足可和日本汽車競爭，至少可暫時立足；連帶鋼鐵，引擎，車胎，零件等有關行業也可保無憂。三大廠只要老百姓用的工具代步車仍用他們的，零件，修理，市情調查等佔無比的優勢，樂得讓日本在品質上佔先，去和德國的BENZ和北歐的Volvo打得頭破血流好了。日本的經濟神話雖然沒有破滅，但至少已動搖。日本首相為了討好美國，口頭上曾說過將兌換價格推到97，然後到95，可是破了100之後，民情沸騰，差一點下台，所以到了今天100左右的價格，照我個人看來，上到95比下到105的可能性要小很多，且觀望一個短暫的時期好了。

至於另外其他現象，如銀行的外幣買賣絕少見到日圓成交，香港人是出名的精打細算的專家，為什麼不見他們有日圓戶口？每天報上的外匯對沖，不見日圓身列其間，顯見日YEN出入極不方便，至於手續費高，利息低到幾乎沒有（看你信中對此並不介意）尤其餘事。看在多年的交情，我破例寫這信，也許我辭不達意，你如認為勢在必行，則須從頭做起，在此間上海商業銀行另開一個日圓戶口：像上次開美元戶口那樣，在香港辦妥初步手續，然後寄給L.A.分行，讓他們再通知你去簽署。盼你考慮一下，盡速來信告訴我們怎麼辦，好嗎？

我們現在的想法是兩人病後餘生，今後的日子全是撿來的，能活到1997看看固然值得，否則無所謂，鏡花水月，只要有信心，天那頭有人在等我們[95]。你的事一定會替你辦好，放心好了。

〈紅玫瑰與白玫瑰〉電影版權前幾年確已賣掉，由皇冠香港分公司經手，合同上有你我兩人的簽字，不必再追問，俟我查到後再通知你[96]。到了我這年歲，加以久病，記憶衰退，無可奈何。

祝安好。

Stephen 上

1994 年 Dec. 23 日

鄺文美，一九九四年十二月二十三日

愛玲：

這是我替你新開美元戶口的影印本，上有姓名、帳號、日期和銀碼（即你十二月八日來信附着的US$4,491.00支票）。以後你存入或支出美元可以方便得多。

美

1994.12.23

順便一提：這個新戶口只存入US$4,991.00，因為剛收到你那張支票，正好派用場。此外，你還有US$11,000.00暫存於我的美金戶口中。另有以前Stephen經手折合歐洲貨幣單位（ECU）那筆，連本帶利，今已滾成為ECU95,909.74。

注：1 ECU大約折合US$1.20

鄺文美，一九九四年十二月二十四日

愛玲：

接閱八日來信已逾一周，細讀多遍，總想好好作覆；可是近日俗務太繁，再加上Stephen和我又輪流不適，擾得我心煩透了，根本沒法執筆。結果還是他體諒我的處境，自告奮勇的破例塗了這麼兩大頁細述自己的想法。你看了當會略知我們目前的心態。

另一方面，我們自然很想知道你對「將來」有什麼計劃。在洛杉磯住到七月，然後遷往何處？你提起過新加坡，是否真有此打算？我們對那邊情況不熟悉，只聽說各方面（包括金融外幣等等）管制甚嚴，不免有點擔心。

轉瞬已屆聖誕前夕，四天公眾假期即將開始。我想不能再拖延了，先把這部分寄出再說，免

95. 在一九八九年一月廿三日的信中，宋淇已寫道：「我們一點都不在乎一九九七，未必活到那時，但我個人擔心香港就在火山之旁，古語云『覆巢之下，焉有完卵？』可為我心中想法的寫照。」後來，宋淇在一九九六年十二月病逝。

96. 張愛玲誤以為電影《紅玫瑰與白玫瑰》是未經授權的。一九九五年一月八日張愛玲致平鑫濤信：「上次寄快信給您，提起《紅玫瑰與白玫瑰》電影版權事。昨天收到宋淇教授扶病來信，才知道這篇小說前幾年已經賣掉電影版權。我記性壞，當然近年更甚，竟會忘了有這件事。文美屢次寄《紅》片的剪報來，我也以為是提醒我有人盜用這故事。我們說話都含蓄慣了，以致於有時候溝通不良。」宋淇為了澄清《紅》片的誤會，才再扶病去信，這也是他寫給張愛玲的最後一封信。

得你枯候縈念。

美草於
1994.12.24

鄺文美，一九九五年二月十日

愛玲：

上次寫信給你，還是去年耶誕節前的事。其後一直沒有你的消息，起先以為只是「忙」吧……但是迄今音訊全無，我們不免擔心起來。你健康如何？生活如何？心情如何？對將來有什麼計劃？都在念中。尤其剛才接獲皇冠出版社方女士從台北打來的長途電話，她急於和你聯絡，因為皇冠代領的《中國時報》「特別成就獎」須早日完成匯款手續，寄交給你。她問我你的護照號碼，我實在回答不出，只能請她直接寫信聯絡。現在匆塗短函一提，盼你無論如何答覆幾句說說近況，好讓Stephen和我放心。

附上一些半新半舊的剪報供你解悶。匆此祝賀

豬年吉祥！

萬事勝意！

美草於
1995年2月10日

張愛玲致鄺文美、宋淇，一九九五年三月四日

Mae & Stephen，

我記性壞得會忘記〈紅玫瑰與白玫瑰〉賣過電影版權，害Stephen力疾寫信來告訴我，我真內疚。日前又收到Mae的信。想不到方麗婉會打長途電話去攪糊你們，也使我過意不去，連忙fax了個短簡去請她把錢交給他們會計部周錦瑟，照版稅常例寄給我。我一直擔心皮膚病侵入耳朵，終於耳內輕微流血發炎，一面治一面加緊進侵，兼及全身孔竅，麻煩萬分。此外身體檢查都很好，但是成天忙得連先寫個航簡來都躭擱到現在。今天星期六，趕週末唯一的一班郵匆匆寄出，希望你們倆都好。

Eileen 三月四日

鄺文美，一九九五年三月十六日

愛玲：

一直在等待你的消息。「牽腸掛肚」之類的字眼都難以形容我們的心態——尤其近日聽說加州豪雨成災，甚至演變成為洪患……更添思念之情。前幾天終於盼到了你三月四日的航簡；可惜你仍不適。耳朵發炎，極不好受。我們愛莫能助，唯有默默代禱，祈盼早日康復。

暫時我沒法靜心寫信，因為Roland（「朗朗」）忽然返港公幹（去年感恩節前後也來過一次）住在家裏，雖然前後只不過五天，我們這寧靜的小窩就秩序亂了。現在匆匆塗幾句，附寄剪報，等後天他動身返回紐約後，我會儘早再寫。Stephen附筆問好，盼善自珍攝。

美
一九九五年三月十六日

張愛玲致鄺文美、宋淇，一九九五年四月二十七日、五月四日

Mae & Stephen，

收到Mae三月十六日信後一直忙累得無法寫信，非常惦記你們這一兩個月來可好。Roland的名字真好。我特別喜歡中世紀。膚科醫生叫我去看耳鼻喉科，但還是需要傾全力自救，過天再細說了。我上一封長信寄出後再想了一下，就已經決定還是不去新加坡。再一聽Stephen說那裏金融管制嚴，當然更不去了。搬到美西南哪裏還是個問題，目前全都擱置。中時獎金因為要我的護照號碼，還沒寄來。我faxed解釋過，明天去郵局看如果寄來了，就連同上一期版稅掛號寄來，免得再跑一趟，所以先寫這封短信預備附寄來。Mae不舒服如果好些了，等幾時上街的時候就請去替我開個日圓戶頭，全數存入。上海商業銀行此地分行寄了開日圓戶頭的forms來，現在剛簽了字寄還給他們。我過天寫信再講為什麼要買日圓等等。真盼望你們這一向好。

Eileen 四月廿七

日圓只能存倫敦分行，定期存款。我想就存個一個月的，錯過期限也只差幾星期。附寄來表格一張與signature card，要Mae去銀行簽字。另支票寫了以上之後，上海商銀梁經理又打電話來叫我把簽名卡與那張表格還是寄給他，他寄給港行潘先生，等Mae去簽字。已經又快一星期了，我才去得成郵局。收到中時US$9473，竟會不小心拆信封撕破支票，這兩天什麼事都這樣。只好請Mae給黏上。這次寄來的五張支票請用來買日圓。

又及五月四日

張愛玲致鄺文美，一九九五年五月五日

Mae，

昨天去郵局，收到《中時》獎金，匆匆裝入預先寫好的信內，掛號寄出，忘了支票背書。只好請等下次有便的時候再去掛號寄還，不忙，千祈不要特為去郵局，增加我的內疚。我想買日圓是長期的打算，毫無時間性質，信內附寄來的其他四張版稅支票也請先擱在那裏不要存入銀行，以後一併處理。總想讓你少跑兩趟，使我不太於心不安，倒又反而要你多跑一趟，真是從何說起。昨天在郵局拆信，沒剪刀，只好把信封stapled〔釘好的〕的一端撕掉一窄條，不料竟把支票撕掉一小角。請不要黏補，讓我自己來。——這些時一直老惦記着你和Stephen這一兩個月來可好。

愛玲 五月五日

鄺文美，一九九五年五月十二日

愛玲：

收到你4/27—5/4斷斷續續寫的信，知道你近日忙累得沒法執筆，我們自然不勝掛慮。信中附着支票五張，版稅四張，@US$4,050.沒有問題，但《中時》US$9473.73那張由於撕破了，尚未簽署，須補辦手續。我已趕赴上海商業銀行問過，他們囑我快些寄還給你補簽兩處（請參看附着的小紙），然後盡速寄回來才可以動用。

現在我趁週末假期前把這封短信、支票和一些剪報用掛號方式寄出，以免有誤。別的話來不及寫，下次再續。

美

1995年5月12日

鄺文美，一九九五年五月十七日

愛玲：

這次我們的信又交錯而過！週末前我匆匆趕往郵局寄掛號信，把《中時》獎金支票退回讓你加簽……隔不了兩天就收到你五月五日寫的另一封短信。

好在我沒有做錯：那四張版稅支票，@US$4,050.00，已順利存入你此間新開的戶口（A/C No：329-18-03268-5），（Passbook Serial No：US 19761），隨時可以動用。至於洛杉磯分行的表格和signature card則尚未轉來香港。妥收後，他們會盡速通知我去簽字，然後遵囑用來買日圓，存在倫敦分行。——照你的意思暫存一個月定期應無問題。

Stephen和我讀到你信上：「一直忙累得無法寫信……」之句，不免心疼。你說：「膚科醫生叫我去看耳鼻喉科，但還是需要傾全力自救」，究竟是怎麼回事？我們等着下次的消息，且看有什麼進展。好在你已放棄移居新加坡的打算，暫時不急於搬遷。總之，一切以你的健康為決定因素，再作計較好了。

別的話下次再談。切盼

善自珍攝。

美

1995年5月17日

張愛玲致鄺文美，一九九五年五月二十一日

Mae，

我目前一天十三小時照日光燈——家用的日光燈照十分鐘要半個多鐘頭，（它需要五分鐘暖身，廿分鐘涼却）又只照一小塊地方，座位調整得不太對就照不到——接連多天睡眠不足，以致於忘了背書支票。越是怕讓你多跑，越是害人。你這麼快就給寄回來，我真guilty〔內疚〕到極點。現在此地郵局索性星期六關門，要等星期一再去寄還。遷西南部事，仔細一調查，又跟林式同商量後，還是決定不離開洛杉磯，（！）七月底只搬個家。真高興你們仿佛平安無事。Stephen好？過天再詳談。

Eileen 五月廿一

另附寄來$300付各種雜費。

又及

鄺文美，一九九五年五月二十六日

愛玲：

昨天收到你五月廿一日用「特別快郵」（Express Mail）方式寄來的短信，附有那張背書補簽妥當的US$9,473.73支票。我連忙趕往上海商業銀行接洽，設法早日把它和上次那四張版稅支票，@US$4,050.00，加在一起折合為日圓，遵囑存入倫敦分行，定期一個月。

誰知事情並非想像那麼簡單。你四月廿七日來信說：LA「分行寄了開日圓戶頭的forms來，現在剛簽了寄還給他們」……五月四日則補充云：「上海商銀梁經理又打電話來叫我把簽名卡與那張表格還是寄給他，他寄給港行潘先生，等Mae去簽字。」然而這些文件至今尚未寄到，此間根本無從進行辦理。職員們同我相熟，很肯幫忙，但總得依照手續辦事，這是大家都明白的。他們答應只要文件寄到，就立即通知我去辦手續。暫時只能繼續耐心等待。

我怕你焦急，特草此短函相告。來信另附US$300.支票（抬頭寫我的名字），你囑咐用來支付各種雜費。其實那有什麼雜費？我覺得受之有愧。你我相識四十餘年，情同姊妹，我樂於替你做些小差使，你又何必放在心上？原想退還，又怕由此令你不安，這次姑且靦顏接納，言明下不為例，好嗎？

美

1995 年 5 月 26 日

P.S. Stephen 附筆問安。

鄺文美，一九九五年六月二十日

愛玲：

自從寄出五月廿六日的信，Stephen和我一直在等待你的回音，可是到今天還未接到片言隻字。牽掛之情實非筆墨所能形容！我們擔心你或者健康欠佳（前一封信說起「一天十三小時照日光燈」，是怎麼回事？……或者情緒低落……或者忙着找房子預備搬家？……還是另有原因？）

幸而最近此間上海商業銀行總算有了消息，特邀我去簽署一些表格（是LA那邊寄來的，上面已有你的簽名），好讓你早日完成手續以便在倫敦分行開個日圓定期存款戶口。你那五張支票（四張版稅@US$4,050.00，和一張獎金US$9,473.73）合共US$25,675.73，照六月十四日匯率計算，折合成JPY2,161,896.00（二百一十六萬餘日圓。）

我滿以為這筆存款終於順利辦妥，遂了你的心願，只等翌日取得存單，就可以寫信告訴你，讓你放心。誰知事態的進展並不如想像的那麼容易！原來倫敦分行的規例只受理大額（即

JPY20,000,000——二千萬日元以上）的定期存款，湊不到這數目就行不通。所以ＬＡ那邊只有這種方式，他們沒有問，你也沒有講明只有此小額，遠不夠二千萬之數的日圓，故有此失。

此間相熟的職員促我快些寫信向你解釋，問你該怎麼辦。但是大家知道書信往返需時，難以解決眼前的問題；所以我接納了他們的建議，採取權宜之計——即把這筆日圓暫存於香港，來不及另辦手續，「存款人」只好暫用我的名字，為期一個月，七月十四日到期即可取出。屆時可以轉回你的戶名——不過照例須補辦手續。即使可以安排不必你親往簽署，但也得寄上文件讓你簽妥後寄還給我去辦理：你若遷居，又或不及時去取信或擱下遲答，也是常有的事。萬一七月十四日前得不到你的指示，迫不得已，只好勉為其難，再續存一個月。

我們體弱心煩，還有許多話一時說不完，下次再談。

美

一九九五年六月二十日

張愛玲致鄺文美、宋淇，一九九五年七月三日

DEPLETED BY DERMATOLOGICAL CRISIS. ALMOST OVER NOW. WRITING SOONEST-PERHAPS MIDMONTH. NOT MOVING. LANLORD CAPITULATED. PLEASE SEND PAPERS TO RESIDENTIAL ADDRESS BUT NO HURRY. ONLY WHEN CONVENIENT. AIRMAIL SLOWED BY TERRORIST THREAT ANYWAY. PLEASE LET YENS STAY UNDER YOUR NAME AT LEAST ANOTHER MONTH.

EILEEN

〔因皮膚病危機耗盡心力。結束在望。最快或月中來信。不搬家。房東轉圜。資料請寄住址但不急。便中再辦。反正航空郵件受恐怖份子威脅已減速。請將日圓在你們名下再留至少卅天。

愛玲〕

張愛玲致鄺文美、宋淇，一九九五年七月二十五日[97]

Mae & Stephen，

收到Mae六月廿日信後打了個電報來，末了忘了再添一句：全怪此地上海商銀分行梁經理。越是想給Mae省點事越是費事，實在痛心。梁告訴我開日圓戶頭只能在倫敦分行，沒說至少要存二千萬。而且先也沒說一定要定期存款。申請書也沒提這話。我要活期的，簽了字寄去他又得打電話來說明，又再寄來寄去一次。——此外又再躭擱，那是因為我沒空上街寄信，放在樓下牆上outgoing mail盒內，讓郵差來時帶走。還從來沒丟失過信。這次想必是維修工人——時時換新潛入的中南美洲人——見寄給銀行的大信封內凸起厚厚一小疊簽字卡，當是鈔票，拿走了。——我前兩天終於打電話去告訴梁開不成日圓戶頭。他說：「我不知道至少要二千萬。」然後叫我稍待，兩三分鐘就問了來告訴我：「香港也可以開日圓戶頭，不必要兩千萬。」氣死人！前信說過皮膚病又更惡化，藥日久失靈，只有日光燈有點效力。是我實在無奈才想起來，建議試試看。醫生不大贊成，只說了聲「要天天照才有用。」天天去tanning salon〔日光浴店〕很累，要走路，但是只有這一家高級乾淨，另一家公車直達，就有fleas〔跳蚤〕，帶了一隻回去，嚇得連夜出去扔掉衣服，不敢用車房裏的垃圾箱，出去街角的大字紙簍忽然不見了，連走幾條街，大鋼絲簍全都不翼而飛，不知道是否收了去清洗。只好違法扔在一條橫街上，回去還惴惴好幾天，不確定有沒留下flea卵。Tanning salon天冷也開冷氣，大風吹着，又着涼病倒。決定買個家用的日光燈。現在禁售，除非附裝計時器，裝了又太貴沒人買，$600有價無市。舊的怕有fleas卵，但是連舊的都沒有。好容易找到遠郊一個小公司有售，半價，又被搞錯地址幾星期才送到。我上次信上說一天需要照射十三小時，其實足足廿三小時，因為至多半小時就要停下來擦掉眼睛裏鑽進去的小蟲，擦不掉要在水龍頭下沖洗，臉上藥沖掉了又要重敷。有一天沒做完全套工作就睡着了，醒來一隻眼睛紅腫得幾乎睜不開。沖洗掉裏面的東西就逐漸消腫。又一天去取信，揹回郵袋過重，肩上磨破了一點皮，就像鯊魚見了血似地飛越蔓延過來，團團圍住，一個多月不收。一天天眼看着長出新肉來又蛀洞流血。本來隔幾天就剪髮，頭髮稍長就日光燈照不進去。怕短頭髮碴子落到創口內，問醫生也叫不要剪。頭髮長了更成了窠巢，直下頷、鼻，一個毛孔裏一個膿包，外加長條血痕。照射了才好些。當然烤乾皮膚也只有更壞，不過是救急。這醫生「諱疾」，只替我治sunburn〔曬傷〕，怪我曬多了，正如侵入耳內就叫我看耳科，幸而耳朵裏還沒灌膿，但是以後源源不絕侵入，耳科也沒辦法。他是加大膚科主任，現在出來自己做，生意不好。替我清除耳臘後說：「I'm glad there's something I can do to help you.」〔很高興有一些事我能幫忙。〕顯然是承認無能為力。等到發得焦頭爛額，也只說：「癢是快好了，皮膚有點癢；」以為是蟲「其實是膚屑（skin flakes），我不是拿到顯微鏡下看也不相信。」他本來也同意我的青筋不是青筋，有些疤痣皺紋時來時去，也同樣是eczema〔濕疹〕的保護色。當然膚屑也有真有假。真膚屑會像沙蠅一樣叮人，crash-dive into eyes with a stab of pain〔直插眼內造成一陣刺痛〕？眼睛輕性流血已經一

97. 這是張愛玲寫給鄺文美、宋淇的最後一封信。

定有沒留下fleas卵。Tanning salon天冷也開冷氣，大風吹着，又着涼病倒。決定置个家用的日光灯，現在警告，除非附裝計時器，買了又太貴沒人要。$600有價無市。舊的也有fleas卵，但是連舊的都沒有。好容易找到遠郊一个小公司有售（半價破舊），又搞錯地址几星期才送到。我上次信上說一天需要照射十三小时，其实是廿三小时，因为至多半小时就要停下来揉揉眼睛裏鑽進去的小蟲，擦不掉要在水龍頭下沖洗，臉上藥沖掉了又要重敷。有一天沒做完全套工作就睡着了，醒來一隻眼睛紅腫得几乎睜不開。沖洗掉裏面的東西就逐漸消腫。又一天去郵信，揹回郵袋過重，肩上磨破了一点皮，就像蛋黃見了血似地擴越蔓延過來，团々圍住，一个多月不收口。一天々眼看着長出新肉來又蛀洞流血。本來隔几天就剪髮，頭髮稍長就日光灯照不進去。怕短頭髮碴子落到創口內，同医生也叫不要剪。頭髮長了更成了窠巢，直下額、鼻，一个毛孔裏一个膿包，外加多條血痕。照射了才好些。當然燒乾皮膚也只有更壞，不過是救急。這医生「諱疾」，只替我治sunburn，怪我晒多了，不知侵入耳內就叫我看耳科，幸而耳朵裏还沒灌膿。但是以後源々不絕侵入，耳科也沒辦法。他是加大膚科主任，現在也出來自己做，生意不好。替我清除耳膿後說：「glad there's something I can do to help you.」顯然是承認無能為力。等到發得焦頭爛額，也只說：「癢是快好了，皮膚有点癢」，以為是蟲「其实是膚屑（skin flakes）」，我

不是拿到顯微鏡下看也不相信。」他本來也同意我的青筋不是青筋，有些疤痕皺紋时來时去，也是同樣eczema的保護色。（當然膚屑也有真有假。）真膚屑會像沙蠅一樣叮人，crash-dive into eyes with a stab of pain，眼睛慢性流血已經一年多了。我終於忍無可忍換了个医生，林式同的，驗出肩膀上ulcerated，治了几星期就收了口，臉上也至少看不大出來了。上兩个月勞累過甚，原氣大傷，常透不過氣來，傴僂着走路。希望我姑々直不起腰來的degenerative disease不是遺傳性的。还沒空去看內科，更急需去看牙医生与兩个眼科医生（公立），要配新眼鏡，过街連紅綠灯都看不清楚。目前只好做局部体操硬扳過來，總比人家大病後做復健工作，像學芭蕾舞一樣扶着欄干「學步」容易。我總提醒自己Mae從前left-handed，也自己糾正過來。还沒聽說過有人做得到的。我看見此地人用左手寫字的總馬上想起Mae來。原定七月底搬家，也沒力氣搬，幸而房東自動打電話來挽留，少傭也不用偏了。前信說仔細一調查就不想遷出加州了，其实不过是買了Phoenix + Las Vegas的報紙看招租廣告，絕对沒我要的apt。Phoenix仍舊全是老房子，去了加州那麼許多人也不蓋新的，自我欣賞它古色古香的气氛。Las Vegas擴建住宅区，着眼在「家庭」与退休老人，全是大apts.与住宅，可以養貓的——有fleas。

我的皮膚病就是在三藩市住了兩年老房子——終修得很近好——下一年在香港就告訴Mae從臉盆上染上「跳毛頭皮屑」症，都就是開始。北加州、洛杉磯，西南二州的老房子一定有西且奇多。生活在噴射的毒霧裏也危險，還不像地震可以存僥倖之想。打電話跟林式同商量，他是土木工程師，說像我們住的房子都是木造的，（房子不出）地震只裂不倒塌，不像鋼骨水泥大廈。又說Phoenix、Las Vegas都是冬冷夏熱，洛杉磯的氣候是獨一無二的。我要搬來是純理性的決定，一旦也不想搬，就也放棄了這念頭。

以前信上說過《對照記》當然合同，像是壟斷，連港版都沒有，那是錯怪了皇冠。那次刪了港版之說單上獨缺《秧歌》、《對照記》二書。我以為《對》沒出港版，《秧》則是因為快到九七，香港不出反共小說了。但是兩個月後又補寄這兩本書來的版稅。《對》銷路並不好。看來皇冠要另簽合同不過是為了影視版權，隨時TV上要用照片不必問我。有個香港導演王家衛要拍《半生緣》片，寄了他的作品的錄影帶來。我不會操作放映器，很買一個，無從評鑒，告訴皇冠「我不急於《半生緣》拍片，全看對方過去從影的績效」，也想請他們代作個決定。不知道你們可聽見過這名字？買日圓我不過是看報上，Clinton算是不懂外交，民意測驗上他倒是外交一項獨拿高分。除了Bosnia太棘手，一有小國頑抗，他立即以兵壓境，只要不真打，不死一個美國人，就都滿意。動員一次所費不貲。經援墨西哥廿億美元，已付十億，現在告知完作主的國會要和下十億，但是北美共同市場本是以前兩個和黨總統都的主張，雖然現在更暴露出墨西哥是個爛攤子，也不能推翻Nafta。這樣花法，從事工業再興旺也經不起。援俄為了本身利害，也不敢吝惜。德國統一是承了蘇聯一個大人情，但是顯然小器，只肯撥援助居多，最近卻也出兵Bosnia。只有日本全無國外負擔（WWII賠款到底有限），雖然不景氣，政局亂，有個專欄作家說日本政商界都是中級人員互相諮詢作決定，首長只是榮譽職性質，所以換了誰都沒多大關係。新型high-definition TV原是日本領先，政府干涉過甚反而落後美國。Computers則是日本自己認輸——過不了要文這一關。美日貿易妥協了，但是沒硬性規定數目，也許還是敷衍過關，避免決裂。而美方只圖報捷，為Clinton聯任造勢。根據我的相術（從一本有唐代書圖像鏡背像的書上看來的）Sen. Phil Gramm是下一任總統。改革失敗，民主黨操縱輿論幫肘。Dole還是WWII後的國際派理直，至少在Bosnia上比Clinton更傾向出兵，（在這一點上不順民意）也就可能敗於較孤立派的Gramm之手。'96後如果不輕易用兵，省點錢，美元也許長期跌而不倒。這是日圓好些。我跟我姑姑住，習慣「親兄弟，明算賬。」難得想起來寄點錢來給Mae作郵雜費車馬費，希望你的七舍三力，太累了又會病發。這一向可還好？Stephen可好些？

Eileen
七月廿五

年多了。我終於忍無可忍換了個醫生，林式同的，驗出肩膀上ulcerated〔潰瘍發作〕，治了幾星期就收了口，臉上也至少看不大出來了。上兩個月勞累過甚原氣大傷，常透不過氣來，傴僂着走路。希望我姑姑直不起腰來的degenerative disease〔退化病〕不是遺傳性的。還沒空去看內科，更急需去看牙醫生與兩個眼科醫生（分工），要配新眼鏡，過街連紅綠燈都看不清楚。目前只好做局部體操硬扳過來，總比人家大病後做復健工作，像學芭蕾舞一樣扶着欄杆「學步」容易。我總提醒自己Mae從前left-handed〔左撇子〕，也自己糾正過來。還沒聽說過有人做得到的。我看見此地人用左手寫字的總馬上想起Mae來。原定七月底搬家，也沒力氣搬，幸而房東自動打電話來挽留，女傭也不用僱了。前信說仔細一調查就不想遷出加州了，其實不過是買了Phoenix & Las Vegas〔鳳凰城和拉斯維加斯〕的報紙看召租廣告，絕對沒我要的apt.〔公寓〕。Phoenix仍舊全是老房子，去了加州那麼許多人也不蓋新的，自我欣賞它古色古香的氣氛。Las Vegas擴建住宅區，着眼在「家庭」與退休老人，全是大apts.與住宅，可以養貓狗——有fleas。我的皮膚病就是在三藩市住了兩年老房子——維修得也還好——下一年去香港就告訴Mae從臉盆上染上「睫毛頭皮屑」症，那就是開始。北加州冷，沒蟲，西南二州的老房子一定有而且奇多。生活在噴射的毒霧裏也危險，還不像地震可以存僥倖之想。打電話跟林式同商量，他是土木工程師，說像我們住的房子都是木造的，（看不出）地震只開裂不倒塌，不像鋼骨水泥大廈。又說Phoenix、Las Vegas都是冬冷夏熱，洛杉磯的氣候是獨一無二的。我要搬本來是純理性的決定，一點也不想搬，就也放棄了這念頭。以前信上說過《對照記》另簽合同，像是賣斷，連港版都沒有，那是錯怪了皇冠。那次剛巧港版版稅單上獨缺《秧歌》、《對照記》二書。我以為《對》沒出港版，《秧》則是因為快到九七，香港不出反共小說了。但是兩個月後又補寄這兩本書的版稅來。《對》銷路並不好。看來皇冠要另簽合同不過是為了影視版權，隨時ＴＶ上要用照片不必問我。有個香港導演王家衛要拍《半生緣》片，寄了他的作品的錄影帶來。我不會操作放映器，沒買一個，無從評鑒，告訴皇冠《半生緣》「我不急於拍片，全看對方從影的績效，」想請他們代作個決定。不知道你們可聽見過這名字？[98] 買日圓我不過是看報上，Clinton算是不擅外交，民意測驗上他倒是外交一項獨拿高分。除了Bosnia〔波士尼亞〕太棘手，一有小國頑抗，他立即大兵壓境，只要不真打，不死一個美國人，就都滿意。動員一次所費不貲。經援墨西哥廿億美元，已付十億，現在共和黨作主的國會要扣下十億，但是北美共同市場本是以前兩個共和黨總統都主張的。雖然現在更暴露出墨西哥是個爛攤子，也不致推翻Nafta〔北美自由貿自協定〕。這樣花法，汽車工業再興旺也經不起。援俄為了本身利害也不致吝惜。德國統一是承了前蘇聯一個大人情，但是顯然小器，援俄只科技援助居多，最近却也出兵Bosnia。只有日本全無國外負擔。（WW II賠款到底有限）雖然不景氣，政局亂，有個專欄作家說日本政商界都是中級人員互相諮詢作決定，首長只是榮譽職性質，所以換了誰都沒多大關係。新型high-definition TV〔高解析度電視〕原是日本領先，政府干涉過甚反而落後美國。Computers則是日本自己認輸——過不了英文這一關。美日貿易妥協了，但是沒硬性規定數目，也許還是敷衍過關，避免決裂。而美方只圖報捷，為Clinton聯〔連〕任造勢。根據我的相術（從一本有歷代美國總統肖像的書上看來的）Sen.Phil Gramm〔菲爾．格蘭參議員〕是下一個一任總統，改革失敗，民主黨操縱輿論掣肘。Dole〔多爾〕還是WW II後的國際派觀點，至少在Bosnia上比Clinton更傾向出兵，大悖民意，在這一點上也就可能敗於較孤立派的Gramm之手。'96後如果不輕易用兵，省點錢，美元也許長期跌而不倒。似還是日圓好些。我跟我姑姑住，習慣「親兄弟，明算賬。」難得想起來寄點錢來給Mae作郵雜費車馬費，希望叫的士省點力，太累了又會病發。這一向可還好？Stephen可好些？

Eileen 七月廿五

98. 二〇〇九年三月，王家衛在北大接受媒體訪問，說一九九四年拍成的《東邪西毒》是受了張愛玲《半生緣》啟發。他說：「武俠電影到最後都是在講誰的武功最高，我認為這不是最重要的。他們也會有感情生活，於是我就想用《半生緣》的角度去拍武俠電影。金庸跟張愛玲在一起會怎麼樣？」

鄺文美，一九九五年七月二十六日

愛玲：

上月寫信給你後，久無回音，懸念不已。七月三日忽接電報，驚悉你患嚴重膚疾，更覺憂惶。至於為什麼沒有早些寫信慰問？只因為自顧不暇。就在那同一天清晨，我起床時又跌一大跤，這次震裂了左邊腿骨，只好驚動鄰居鄔醫生（Stephen近年的救命恩人），由他伴往醫院照X光。折騰多時，終於求得香港最佳骨科專家診治，現在情況漸趨穩定。雖然來日方長，棘手問題仍多，但總算擺脫了走投無路的苦況。現在且收拾心情和你談談。

你說本月中旬或可寫信，但至今沒有消息，我們又在擔心。是不是病情反覆？心境欠佳？還是什麼？……至少暫時毋需遷居，可算好消息。否則想起來就煩。

你存在上海商業銀行的日圓定期存款到了七月十四日已自動續存一個月，利率很低，（六月份為1.00000%，七月份跌倒〔到〕0.62500%），JPY2,161,896.00積成2,163,698.00而已。日子過得飛快，轉眼八月十四日就在眼前，屆時該如何處理？我等着你的消息。如果沒有明確的指示，只好自動每月續存；一俟你有什麼指示，當即照辦。

細想我們都垂垂老矣，大家該為將來的事打算一下。你說對嗎？這是我這一跤跌出來的感想。

此信趕着付郵，希望寄到之時你已康復。

美

一九九五年七月廿六日

鄺文美，一九九五年八月九日

愛玲：

再一次，你我的函件又交錯而過！我最近寫的尚未獲得回音，倒先來了你七月廿五日的五頁長信。Stephen和我反覆細閱，深深體會到你近日身心所經歷的磨難困擾。我沒有早些覆函致慰，是因為自己的情況也不大好……一直到今晨神父來讓我們領了聖體並降福居所之後，才稍微好轉。我為癌魔所擾，將滿九載，很少像目前那麼煩愁。為什麼？實在無從說起。想想你皮膚病、牙患、目疾，再加上跳蝨的威脅……日夜不停的滋擾，別人能做什麼呢？思之惶愧！

我的腿骨尚未完全癒合，目前仍需扶着框架（有時進步得可以用用三叉拐杖）緩緩行走，諸多不便，但總算略有進步了。一切要看本月十五日返回醫院接受「放射性核素造影」（Radionuclide Imaging）結果如何再作定奪。

我雖困居家中，好在還可以用電話同外界聯絡。你存在此間上海商業銀行那筆日圓將於八月十四日到期，這次來不及辦妥手續，只能暫用我的名字續存一個月。下月期滿前可以轉用你的名字（授權給我代辦）轉存活期。你既然看中日圓，且不計較利率高低方面的問題，我們自無異議。銀行會把有關表格寄到你的住所，盼你早日簽妥，盡速寄回香港，則九月中旬可以完成你的心願。

趕着付郵，別的話下次再談。匆祝

安康。

美

一九九五年八月九日

國家圖書館出版品預行編目資料

書不盡言：張愛玲往來書信集．II / 張愛玲，宋淇，宋鄺文美著．-- 初版．-- 臺北市：皇冠，2020.09
面；　公分．--（皇冠叢書；第4878種）（張看．看張；4）
ISBN 978-957-33-3577-1（平裝）

856.286　　109012397

皇冠叢書第4878種
張看 · 看張 4

書不盡言

張愛玲往來書信集 II

作　　者—張愛玲、宋淇、宋鄺文美
主　　編—宋以朗
發 行 人—平雲
出版發行—皇冠文化出版有限公司
台北市敦化北路120巷50號
電話◎02-2716-8888
郵撥帳號◎15261516號
皇冠出版社（香港）有限公司
香港銅鑼灣道180號百樂商業中心
19字樓1903室
電話◎2529-1778　傳真◎2527-0904
總 編 輯—許婷婷
美術設計—王瓊瑤
著作完成日期—2020年4月
初版一刷日期—2020年9月
初版四刷日期—2023年5月
法律顧問—王惠光律師

讀者服務傳真專線◎02-27150507
電腦編號◎531004
ISBN◎978-957-33-3577-1
Printed in Taiwan
本書定價◎新台幣450元 / 港幣150元